Law 第2章

住まいの土地と法律 まるごと早わかり

Image 第3章

こんな家がほしい！ 住まいのイメージづくり

Plan 第4章

イメージの具現化。 設計図と見積り書のチェックポイント

Construction 第5章

現場着工！ いよいよ「かたち」になっていく

Index

Trend 第6章

これだけは知っておきたい！ 住まいのトレンド

Exterior 第7章

建物と一体に計画。 庭は住まいの魅力を決定づける

How to make

心地よい住まいの
つくり方

本気で家を建てるキモチになったなら
この扉を開いてください。
家を建てるために必要な知識、
そのすべてのエッセンスが綴じられています。
分厚い頁が遠い山並みのように
見えるかもしれません。
でも、山頂を目ざす登山家のように
最初の1歩を踏み出しましょう。
この本が、心地よい住まいへと導く
命綱になるはずです。

家づくりはこんなふうに進むんです

1・家が欲しい

家野さん一家は、ネコの夫婦と子ネコ2人の4人家族。現在は、都心にほど近い賃貸マンションで暮らしています。
通勤など交通の便はよいものの、子供の成長とともに手狭になってきた今日このごろ。「そろそろマイホームを建てたい！」と家づくりを決意したのです。

2・お金について考える

まずは、家づくりにかかる「お金」について考えます。
夫「坪40万円ぐらいなら建てられる気がするけどなぁ」
妻「ちょっと大丈夫？　坪40万っていうのは、本体工事費だけよ。それ以外にかかるお金のこと考えてる？　例えば、駐車場や庭の工事とか。引っ越し費用や借家の費用もかかるわ」
夫「そうか、まずはお金だな。いくらぐらい用意できるかな」
妻「今ある貯金と、会社の住宅財形を合わせて、500万円ぐらいあるとすると、どれくらい借りられるのかしら？」
夫「ローンも上手に選ばないとなぁ」
妻「これから先、子供の学費やら何やらお金がかかるし・・・。将来の返済のこともしっかり考えなくちゃ」

Money

3・土地と法律を理解する

家を建てるには、なんと言っても「土地」が必要。家野さんも土地探しを始めたようです。

妻「土地があれば、どこでも好きな家が建つと思っていたんだけど、そんな簡単なことじゃないみたいよ」

夫「へー、そうなの？」

そうなのです。実は、法律上、家が建てられない土地もあるのです。

情報誌で見つけた土地を訪れて、周辺環境を調べます。

夫「ここだよ、ここ」

妻「駅から歩いて10分ちょっとね。ま、通勤は可能よね。学校もあるし、買い物も大丈夫ね」

夫「地名がちょっと気になるけれど、地盤は大丈夫かな？」

希望の土地が見つかったので、登記所を訪れ登記簿を確認します。

妻「購入の前に権利関係を調べなくては。えーと、抵当権は設定されていないようだし・・・」

問題がなければ、いよいよ土地の売買契約です。売買契約書を熟読し、十分納得した上で契約を締結してください。そして、土地の所有権移転登記を行います。

Law

関連INDEX
第2章　住まいの土地と法律
まるごと早わかり
050P：ちょっと待って、その土地の値段は高くない？
054P：家を建てられる土地ですか？
059P：周辺の環境は大丈夫ですか？
062P：敷地の状況は大丈夫ですか？
064P：初めての土地売買契約
067P：土地建物の登記はどうするの？
070P：家の新築は規制がいっぱい
076P：隣近所の法律問題
077P：品確法で工事契約が有利に
079P：税制優遇を受ける長期優良住宅

関連INDEX

4・新しい住まいをイメージする

それでは次に、新しい住まいのイメージをふくらませていきましょう。

家族の生活スタイルや新しい住まいへの夢や希望をもとにして、新しい住まいのプランを考えます。どんな家にしたいか、家族の意見を聞いてみると・・・

妻「とにかく収納が欲しいわ」
夫「うーん、風呂ももう少し広いといいなぁ。子供と一緒でもゆったり入れるように」
妻「吹き抜けが欲しいわー、小さい頃からの憧れだったの」

住宅展示場にも足を運んでみます。

妻「モデルハウスって、ゴージャスねぇ。憧れちゃうわ」
夫「おいおい、うちはこんなの建てられないぞ。俺のイメージする家はちょっと違うんだよなぁ」

希望のイメージがはっきりしたところで、家づくりの依頼先に相談します。

夫「希望事項も整理したし、何社か相談してみようか？」
妻「そうね、今まで話を聞いたところで、私達に合いそうな会社を選んで、具体的に相談してみましょうよ」

5・イメージを具体化する

新しい住まいのイメージがはっきりしたら、さらに具体的に考えていきましょう。プランを決めて、見積り内容をチェック。納得した上で、工事請負契約を結びます。

妻「やっぱり、私たちの寝室にウォークインクロゼットをつけて欲しいわ」
夫「え？　そうすると、隣の子供部屋はどうなるんだい？」
設計者「そうですね、ちょうど、ここをこうして、ああして・・・」

打ち合わせを重ね、本設計が完了。家族全員で、図面と見積り書を確認します。
夫「これで決定かな？」
妻「そうね、希望もだいたい盛り込まれているし、言いたいことも全部言ったし」

夫「しかし、ちょっと予算オーバーだが」
設計図と見積り書を入念にチェックした上で、メーカーや工務店と工事請負契約を結びます。細かい点まで十分納得してから印鑑を押しましょう。

なお、住宅ローンには、銀行などが取り扱う民間融資と、財形住宅融資などの公的融資がありますが、ともに設計、見積りがかたまってから申込みを行います。

Plan

関連INDEX
第4章　イメージの具体化。
設計図と見積り書のチェックポイント
118P：誰でもわかる設計図書
128P：見積り書の読み方

6・現場着工、夢がかたちに

いよいよ着工です。家づくりも大詰めをむかえ、「夢」が少しずつ「かたち」になっていくのです。

妻「今度、隣に家を建てることになりました家野です。工事中は何かとご迷惑をおかけしますが、よろしくお願いいたします」

建築工事では、騒音やほこりなどが生じてしまうもの。事前の挨拶をはじめ、近隣への配慮を忘れずに。

地鎮祭（じちんさい）では工事の無事完成を祈ります。

夫「玉串奉奠（たまぐしほうてん）、ちゃんとできるかな」

妻「それより、神主に渡す謝礼はいくら包めばいいのかしら？」

続いて地縄張り（じなわば）を行います。

地縄張りは、建物の位置や大きさを確認する大切な作業です。

夫「こうやってみると、結構広く感じるものだなぁ」

妻「あら、随分お隣と近いのね。大丈夫かしら？」

Construction

そして、基礎工事が始まります。

基礎の上に建てていく建物本体の工事は、構造・工法により内容が異なります。木造住宅の場合、建て方と呼ばれ、大工が家の骨組をつくります。

建て方が終わると上棟式です。儀式の後には宴会が行われます。

なお、住宅金融支援機構の融資を利用する場合には、屋根工事が完了すると現場審査が行われます。現場審査には建て主の立ち会いが必要です。この審査に合格すると、中間資金の受け取りが可能になります。

現場は引き続き、外壁の下地工事、屋内の床・壁・天井の下地工事に進みます。そして、階段やドア枠などをつくる内部造作工事へと進みます。この工程が終わると、大工の工事はほぼ終了です。

続いて、仕上げ工事に入ります。左官職人やタイル職人、クロス職人など、専門の職人がそれぞれ仕上げを行います。

関連INDEX
第5章　現場着工！
いよいよ「かたち」になっていく
134P：工事現場の流れ
136P：工法・構造と現場
146P：木造軸組住宅の工事の流れ
154P：建て主も参加する行事
160P：検査と引き渡し

7・待望の引き渡し

工事が終わると、竣工検査です。引き渡しの前、建て主と工事監督が立ち会い最終的な検査を行います。汚れや傷、建具の建て付け、設備の動作状態などを確認します。

夫「おー、やっとここまできたなぁ」

妻「パパ、そんなのんきなこと言っていないで手伝って。ん？　ここのクロス、浮いているかも・・・」

さぁ、いよいよ引っ越しです。

妻「えーと、カギと引き渡し証明書、それから、これが設備の説明書一式ね」

夫「ふむふむ、満足！」

実は、引っ越しが済んだら終わり、というわけではないのです。

竣工後1カ月以内に、建物の表示登記と所有権保存登記を行います。必要な手続きは、土地家屋調査士や司法書士に依頼してください。

登記が済むと、公庫融資の資金が交付されます。

夫・妻「本当にいい家になったね。子供達のため、ローンの返済もがんばりましょうね」

8・知っておきたい住まいのトレンド

Trend

最後に、これからの家づくりには欠かせない情報をご紹介します。皆さんの生活にも関係することばかりです。詳しくは、本書168～210頁をお読みください。

関連INDEX
第6章　これだけは知っておきたい！
住まいのトレンド
168P：省エネルギー住宅
182P：安心して暮らせる住まい
192P：バリアフリー住宅
203P：多世帯住宅

Money

誰もが気になる、家づくりのマネー

家づくりの第1章はマネー、「お金」です。
しっかりしたリアリストに変身して
お金の使い方、借り方を学びましょう。
家を建てるのにいくら必要になるか、
その資金をいくら用意できるか、
さらに支払いのスケジュールについても
まとめています。
無駄なく、無理なく
お金とつき合ってください。

1

家づくりのマネーガイド

初めての家づくりに取り組む澄香さんと一緒に、家づくりのお金のことを勉強していきましょう。まずは、基本からスタートです。

澄香さん（ママネコ）　家野氏（パパネコ）　娘　息子

澄香さん一家のご紹介

家野澄香（いえの・すみか）さんはネコのママ。パパネコの家野氏との間に、女の子と男の子の2人の子ネコがいます。現在の住まいは、都内の2LDKの賃貸マンション。下の子が産まれてすぐ入居して、もうしばらくになりますが、さすがに手狭になってきた今日このごろです。

夫婦そろって、のんびりしたネコのためか、これまで、マイホームを持とうといった気持ちはほとんどありませんでした。しかし子供たちも大きくなってきて、今の賃貸マンションでは、そろそろ限界になってきているのも事実。休日には時々、家族そろって分譲マンションのモデルルーム通いをしています。

そんな家野家に転機が訪れたのは、今年春のこと、家野氏の父ネコが亡くなり、その遺産として、調布市内に50坪ほどの土地を相続することになりました。駅からちょっと遠いのは欠点だけど、子育ての住環境としては申し分のない立地。この時点で、家野家のマイホーム探しは、分譲マンションから家づくりへと、大きく変わることになったのです。

分譲マンション選びと違って、土地の上に自分で家を発注してつくる家づくりは夢も多いけれど、わからないこともたくさんあります。特に、家づくりにどれくらいの費用がかかって、そのお金をどう用意するのかという、家づくりのマネーについては、家野氏も澄香さんも、まったくの素人。

そこで澄香さんは友人ネコに紹介してもらい、家づくりのコンサルタントのＴ氏にいろいろ相談することになりました。

家づくりのマネーの基本を教えて！

お金のことが心配だけど、どこからどう考えていけばいいの？

澄香　今日は、家づくりのお金について、ご相談にきました。

T氏　今度、家を建てるご予定だとか。

澄香　調布市に土地はあるので、来年中には、何とかマイホームを建てたいと思っています。でも、初めてのことですので、どうすればいいのか、全然わからないんです。特に、お金のことが大事だと思うのですが、どれだけお金がかかって、それをどう用意すればいいのか、教えていただければと思いまして。

T氏　なるほど。マイホームを建てるということは、マンションを買うのに比べれば、お金の面でもいろいろと複雑ですからね。でも、ご心配なく。基本を理解すれば、そんなに難しくないはずです。

澄香　本当ですか。

T氏　ええ。まず、基本的なところからご説明しましょうか。家づくりのマネーは、2つの方向から検討する必要があります。

1つは、家を建てるのに、いくら必要かという、家づくりのコストの面です。建物を建てる工事費以外に、別途工事費や設計料、税金、登記費用、住宅ローンの手続き費用、引越し費用など、いろいろな諸費用がかかります。こうした、費用を適切に見込んでおかないと、あとで、お金が足りないといったことになりかねません。

2つ目は、家を建てるために必要なお金を、どこでどう用意してくるかという家づくりの資金調達の面です。自分で用意できるお金、つまり自己資金と、金融機関などから借りる住宅ローンの2つの組合せが基本ですが、それぞれ知っておいたほうがいい細かい知識がたくさんあります。

この、家づくりのコストと家づくりの資金調達の2つがわかれば、家づくりのマネーの基本は押えられますが、もう1つ、いつ、どこに、どれだけ支払えばいいのかという、家づくりの支払いスケジュールを理解しておく必要があります。家づくりのマネーには、時間という要素も重要なのです。

このほかにも、住宅ローン減税の話や、建物名義の話など知っておくと得する知識もいくつかあります。

澄香　そんなに、たくさんあるの！　私、とても覚えきれないわ。

T氏　心配することないですよ。順にみていけば大丈夫です。それでは、1つひとつ、みていくことにしましょうか。

家を建てるのにいくら必要か、必要なお金をどう調達するか

家を建てるのに、いくら必要なの？

T氏　まず、家を建てるのに必要な費用からみてみましょう。これは、大きくは、建築工事費と諸費用に分けることができます。

澄香　建築工事費は言葉として何となくわかるけど、具体的には？

T氏　建築工事費というのは、工務店やハウスメーカーなどの工事会社や設計事務所に支払う費用のことで、直接、建物を建てるためにかかる費用（これを本体工事費といいます）と、別途工事費といわれる費用、それに設計料の３つの費用に分けられます。この場合、通常、消費税も含めて考えます。

カタログや広告の坪単価で家は建たない！

澄香　本体工事費というのは？

T氏　よく、カタログや広告などに表示されている価格のことですね。1坪当たり60万円といったりするのは、この本体工事費を指している場合が多いようです。

澄香　そうすると、カタログや広告などに表示されている価格だけでは、家は建たないということなの？

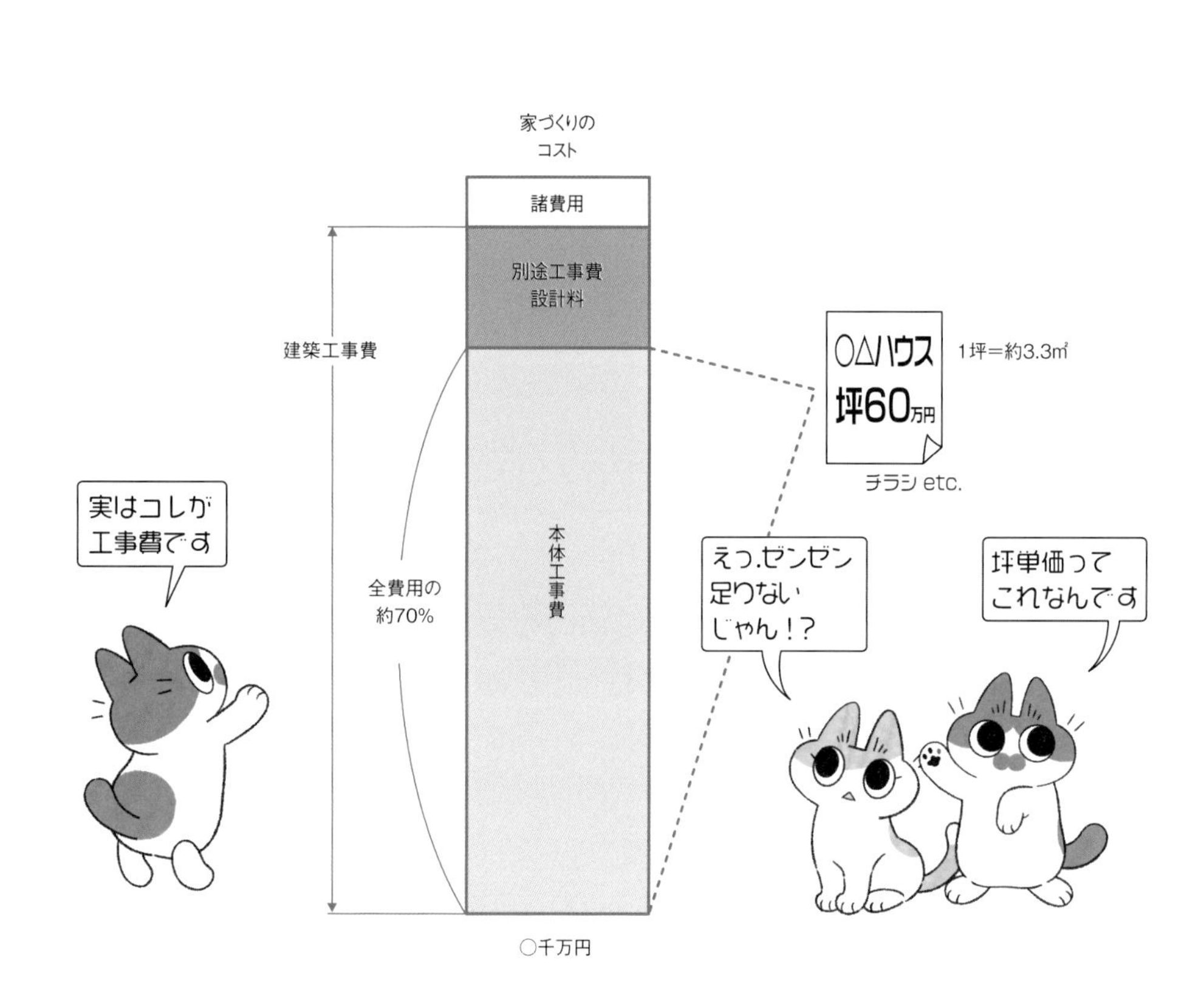

コストの仕組みを知れば恐くない

T氏　そのとおりです。本体工事費だけでは、家は建ちません。別途工事費という建物本体工事費に含まれない工事費が必要になります。

照明まで別途工事になる？

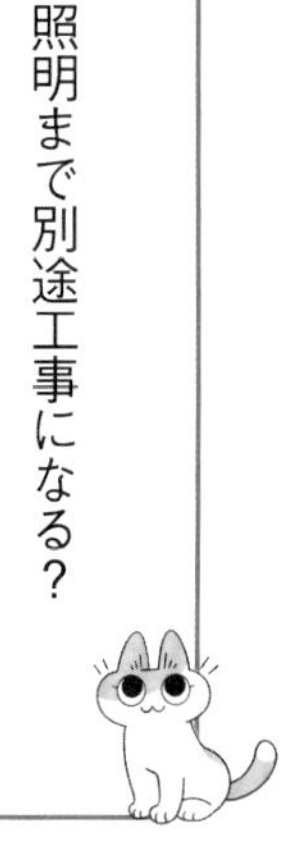

澄香　別途工事費というのは？

T氏　会社によって、少しずつその内容が違っていますが、一般的には、既存建物の解体費や地盤改良工事費、建物の外まわりの塀や門扉、屋外駐車場、植栽などの外構工事費、照明器具工事費やカーテン工事費、空調工事費、屋外電気工事費や給排水などの引込工事費などが別途工事費（**表1**）になる場合が多いようです。

澄香　ずいぶん、たくさんあるのね。照明器具などは、カタログなどに表示された価格に入っていると思っていたわ。

T氏　洗面所や浴室などの水まわりの照明器具は本体工事費に含まれているのが通常ですが、リビングルームや寝室などの照明器具は、住む人の好みで選ばれるので、本体工事費には普通入っていませんね。

澄香　そうすると、カタログなどに表示された価格以外に、家を建てるには、ずいぶんお金がかかることになるのね。

T氏　その通りです。本体工事費は、家を建てるために必要な総費用の約70％程度に過ぎないといわれています。

設計料タダはウソ？

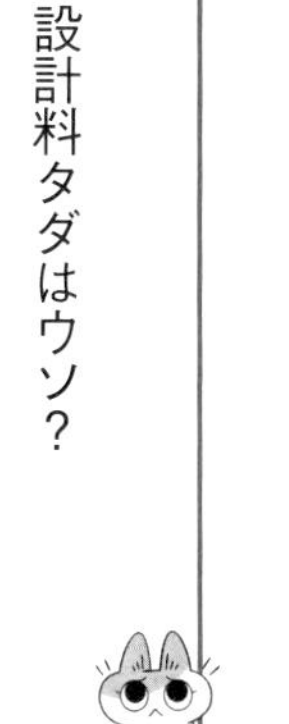

澄香　なんだか、気が重くなるわね。ところで、設計料というのは、設計事務所に払うお金のことでしょ。

T氏　ええ、住宅を注文される方のニーズに応じて、住宅の基本的な計画から、基本設計、実施設計を行い、さらに、工事が設計図通り行われているかどうかを監理する設計監理業務までの対価として、設計事務所に支払う費用のことですね。

澄香　じゃあ、ハウスメーカーや工務店に住宅を頼むときには、設計料はいらないことになるわけ？

T氏　一見そうみえますが、設計は家づくりに欠かせない業務なので、設計事務所に頼まない場合でも、費用としての設計料は発生しています。ハウスメーカーや工務店によっては、『設計料は取りません』という場合もありますが、工事費に設計業務の実費が加算されているのが実態です。

澄香　それって、ズルじゃない？

T氏　設計事務所に頼むかどうかは別にして、家づくりに設計というプロセスはきわめて大切です。自分らしい家、満足できる家を建てたいのなら、設計料は、掛けるべき大切なコストなのです。もっとも、設計監理とは名ばかりで、安い設計料で基本的な図面の作成だけしか行わない場合もあるので、設計事務所に頼むときは、業務内容や実績を十分確認する必要があります。

表1　別途工事費の概要

項目	内容
既存建物の解体費	何も建っていない土地を購入した場合には必要ありませんが、建替えの場合などでは必要となります。一般の木造住宅解体の場合、㎡あたり1～1.5万円前後を見ておく必要があります。最近は建築廃材の廃棄コストも高くなっています
地盤改良工事費	建物の基礎を支える地盤には一定以上の強度が必要です。軟弱な地盤のまま、建物を建てると、不同沈下で建物が傾いたり、地震時に被害を受けやすくなるので、地盤の強度を高めるための地盤改良工事を行う必要があります。通常の木造住宅を建てる場合には必要ないケースがほとんどですが、埋立地などの軟弱地盤では必要ですので、そうしたケースでは専門家に相談されることをお勧めします
外構工事費	隣地境のフェンスや塀、敷地の門扉、屋外駐車場、アプローチや庭の造園費、植栽の費用など、建物の外まわりの費用全般を指します。通常、建物完成間際に施工されるため、予算的に余裕のないことが多いようです。費用は内容により千差万別ですが、初めから完成した姿を求めるのではなく、住みながらガーデニングとして手づくりでつくっていくことも1つの方法です
照明器具工事費	洗面所や浴室などの水まわりの照明器具は本体工事に含まれることも多いのですが、リビングルーム、ダイニングルームや寝室などの照明器具は、通常、本体工事費に含まれず、別途工事扱いとなります。照明により、部屋のイメージは大きく変わりますから、照明器具選びは家づくりの大事なポイントになります。建物完成間際の工事となるため予算に余裕のないケースが多いのですが、当初から、ある程度の予算を見込んでおきたい項目です
カーテン工事費	各部屋のカーテンやロールブラインドなどの工事費で、カーテンレールやカーテンボックスなどの費用も含まれます。これも、照明器具同様、部屋のイメージを決める大切な要素であり、当初から、ある程度の予算を見込んでおきたい項目です
空調工事／特殊設備工事費	クーラーなどの冷暖房機器の配管・取り付け工事や、床暖房、24時間換気システム、家庭内LANシステムなどの特殊な設備工事の費用で、一般的には本体工事に含まれません。最近の健康志向、IT対応などにより、新たな設備機器に対するニーズが高まっていますが、コスト的には、相当大きな負担になる場合があります
屋外電気工事費／屋外給排水衛生工事費	建物外部（敷地内）の配線・配管工事、門やアプローチ、庭、屋外駐車場などの電気工事や給排水衛生工事で、外構工事費に含める場合もありますが、通常、本体工事費には含まれません。手づくりでガーデニングを行う場合にも、この部分は、初めから専門工事会社に頼んでおく必要があるでしょう
引き込み工事費	上下水道や電話、CATV、通信回線などの引き込み工事費です。自治体により、上下水道等の引き込みについての負担金が決まっていることが多くあります。また、CATVやインターネット利用などのために、専用の回線を引き込むための引き込み工事費も見込んでおく必要があります

表2　家づくりに係わる税金の概要

項目	■ 概要	■ 計算方法等

印紙税

■ 住宅を新築する場合には建築業者と請負契約書を、住宅資金として銀行などの融資を受ける場合には金銭消費貸借契約書を作成します。このような契約書を作成する場合に課税されるのが、印紙税です。印紙税の額は、請負金額や売買金額などによって定められており、収入印紙を契約書に貼って消印することによって納付します。なお、不動産の譲渡に関する契約書や建築工事の請負に関する契約書については、税率が軽減されています

■ 契約書の記載金額に応じて次のように課税されます

記載金額	売買契約	請負契約	ローン契約
100万円超200万円以下	1,000円	200円	2,000円
200万円超300万円以下		500円	
300万円超500万円以下		1,000円	
500万円超1,000万円以下	5,000円	5,000円	10,000円
1,000万円超5,000万円以下	10,000円	10,000円	20,000円
5,000万円超1億円以下	30,000円	30,000円	60,000円

（～2027年3月31日）

登録免許税

■ 不動産の売買契約などが成立すると、所有権移転登記や建物を新築した場合の保存登記を行います。また、銀行などのローンを利用するとき、抵当権の設定登記が必要になります。このような登記の際に課税されるのが、登録免許税です。登録免許税の額は、不動産の価額などに、登記の目的により一定の税率を掛けて計算します。なお、一定の要件に該当する住宅の所有権移転登記、保存登記、さらに住宅資金の貸付等に係る抵当権設定登記については、特例があり、税額が軽減されます

■ 土地取得時の土地所有権移転登記：評価額×1.5%（2026年3月31日まで）
■ 住宅新築時の建物表示登記：無税
所有権保存登記：評価額×0.4%
（下記のすべての条件を満たす特例適用住宅の場合：評価額×0.15%［※］）
※　認定住宅の場合は0.1%（2027年3月31日まで）

A．床面積50㎡以上（登記面積）
B．2027年3月31日までに新築または取得した自分で住むための住宅
C．住宅専用または住宅部分の床面積が9割以上の併用住宅
D．新築または取得してから1年以内に登記すること

■ ローンを借りたとき
抵当権設定登記：債権額（借入額）×0.4%
（上記特例適用住宅購入のための住宅ローンの場合：債権額×0.1%）

不動産取得税

■ 不動産の購入や住宅の新築など、不動産を取得したときに課税されるのが、不動産取得税です。不動産取得税の額は、不動産の価格（通常、固定資産税の評価額）に、取得した不動産の種類により一定の税率を掛けて計算します。なお、一定の要件に該当する住宅や土地を取得した場合には、特例があり、税額が軽減されます

■ 土地取得時（住宅用地）
評価額×3%（2027年3月31日まで）
下記条件のいずれかを満たす土地の場合は
上記金額より次の①②のうち多い額を控除

A．取得してから3年以内（やむを得ない事情がある場合は4年以内）にその土地に住宅を新築したとき
B．住宅を新築してから1年以内に、その土地を取得したとき
C．未入居の土地付き住宅を取得したとき

①：45,000円
②：1㎡あたり土地評価額×1／2×建物床面積の2倍（200㎡が限度）×3%
■ 住宅新築時（床面積と共用部分の按分面積を加えた面積が50㎡以上240㎡以下の場合）
（建物評価額－控除額1,200万円［※］）×3%
※　認定長期優良住宅の場合は1,300万円（2026年3月31日まで）

固定資産税

■ 毎年1月1日現在で、各市町村の固定資産課税台帳に記載されている土地・建物にかかる税金で、住宅用地や一定の新築住宅については軽減措置があります。なお、1月1日現在で建物が建っていない土地（建物建築中の土地も含みます）については、住宅用地ではなく、一般の土地として課税されます

■ 一般の土地：評価額×1.4%（標準税率）
■ 小規模住宅用地（1戸あたり200㎡以下の部分）：
（評価額×1／6）×1.4%（標準税率）
■ 一般住宅用地（1戸あたり200㎡を超える部分）：
（評価額×1／3）×1.4%（標準税率）
■ 建物：評価額×1.4%（標準税率）
■ 住宅新築時3年間（認定長期優良住宅では5年間）
（床面積の50%以上が居住用かつ、床面積と共用部分の按分面積を加えた面積が50㎡以上280㎡以下の新築住宅の120㎡以下の部分）：
（評価額×1.4%）×1／2

都市計画税

■ 都市計画法上の市街化区域内にある土地・建物について、固定資産税と同様にかかる税金で、住宅用地については一定の軽減措置があります。なお、1月1日現在で建物が建っていない土地（建物建築中の土地も含みます）については、住宅用地ではなく、一般の土地として課税されます

■ 一般の土地：評価額×0.3%（最高税率）
■ 小規模住宅用地（1戸あたり200㎡以下の部分）：
（評価額×1／3）×0.3%（最高税率）
■ 一般住宅用地（1戸あたり200㎡を超える部分）：
（評価額×2／3）×0.3%（最高税率）
■ 建物：評価額×0.3%（最高税率）

諸費用を見込んでローンを組もう

澄香　う〜ん…、複雑ね。ところで、建築工事費以外にかかる諸費用というのは?

T氏　これは、結構いろいろあって、印紙税や登録免許税、不動産取得税などの税金や登記費用、住宅ローンの手続き費用、引越費用、建替えに伴う仮住まい費用などが主なものです(**表2・3**)。家づくりのためには、建築工事費以外に、こうした諸費用までを見込んで、資金調達を考える必要があるのです。

建築工事費や諸費用ってどれくらいかかるの?

澄香　建築工事費や諸費用の目安は、どうやって調べればいいの。

T氏　建物というのは個別性があって、構造や広さ、間取り、グレードなどによって大きく価格は変わります。また、同じ仕様の建物でも、建てる場所とか、建てる時期などによって、価格は変わるものなのです。ですから、建築工事費は、本来、1つひとつ見積りを取ってきちんとした数字を出す必要がありますし、諸費用についても、資金計画の内容や建替えかどうかなどの条件の違いによって、数字は変わるので、その都度、調べてみる必要があります。

澄香　同じ建物なら、同じ値段では?

T氏　ハウスメーカーのカタログなどをみると、同じ建物なら同じ価格にみえるかもしれませんが、建てる場所や時期、支払い条件などによって、価格は変わります。たとえば、傾斜地では平地よりも基礎工事費が高くなるのは当然ですよね。また、全国的にみても、地域差がかなりあります。

澄香　でも、まだ、ハウスメーカーにするか、工務店に頼むかも決めていないので、何か、目安になるものがあると助かるわ。

表3　家づくりの諸経費(税金以外)の概要

項目		概要
工事関係	建築確認申請料	建築設計図書の確認申請の手数料で、通常、設計料とは別途に施主負担となります(例:東京都・延べ面積30〜100㎡の場合、確認申請9千400円、完了検査1万2千円)
	近隣挨拶関係費	近隣への挨拶の手みやげ代など。規模の大きな住宅の場合には、近隣対策費(工事費の1〜2%)が必要な場合もあります
	地鎮祭費用	地鎮祭に要する費用のうち、施主負担分
	上棟式・竣工式費用	上棟式や竣工式を行う場合には、通常、費用は施主負担となります。なお、これ以外に、現場の職人への茶菓子代なども発生する場合があります
引越費用		新居への引越代
登記関係	建物表示登記	土地家屋調査士の報酬
	土地所有権移転登記/建物所有権保存登記	土地購入時の土地所有権移転登記または建物完成時の建物所有権保存登記に要する登録免許税と、司法書士の報酬
	抵当権設定登記	ローン契約時の抵当権設定登記に要する登録免許税と、司法書士の報酬
ローン関係	手数料	フラット35の場合は融資手数料、銀行の場合は事務手数料といいます
	保証料	連帯保証人がいない場合に必要。銀行の場合は保証会社に支払いますが、フラット35の場合は不要です
	団体信用生命保険特約料	ローン契約者の死亡等に備えて加入するのが一般的。なお、銀行融資の場合は一般に特約生命保険への加入が義務づけられていますが、ローン返済額に含まれている場合も多いようです。フラット35の場合、任意加入ですが金利に含まれています
	火災保険料	ローンの担保となる住宅が火災による被害を受ける場合に備えて加入する損害保険の保険料。フラット35の場合には加入義務があり、銀行融資の場合にも、通常、加入を義務づけられます。保険期間は最長5年で、長期契約のほうが総支払い額は少なくなります。なお、地震保険は任意加入です
建替え関係(建替え時に発生)	仮住まい費用	取り壊し、建設期間中の仮住まいの費用。家賃の他に、敷金・礼金などが必要となります。なお、別途、荷物保管料や粗大ゴミの処分費用などが発生する場合もあります
	滅失登記費用	既存家屋の滅失登記に要する費用。土地家屋調査士の報酬が大半
	引越費用	解体する旧家屋から仮住まいへの引越費用

T氏　建築工事費のうち、本体工事費については、居住専用建物の都道府県別の工事単価や住宅金融支援機構の「フラット35」の対象となった個人住宅のデータが参考になると思います。たとえば、2023年のデータでは、東京都内の木造住宅の平均工事費単価は約26・6万円／㎡（坪当たり約87・9万円）となっています。ここに一覧表（**表4**）があるので参考にしてください。

澄香　別途工事費についての目安は？

T氏　本体工事費以上に千差万別です。工法やプランによって違ってきますから、当初の資金計画では、本体工事費の15～20％程度を別途工事費の1つの目安にするのがいいと思います。

表4　都道府県別工事費単価（居住専用）と注文住宅の戸当たり建設単価　（単位：万円／㎡）

都道府県 構造	木造	鉄骨造	RC造	全体	注文住宅の建設単価（構造問わず）
全国	23.6	33.1	38.5	24.8	32.3
北海道	24.9	33.0	44.0	25.4	32.7
青森県	21.6	31.0	26.3	22.0	27.3
岩手県	23.7	30.4	0.0	24.1	30.9
宮城県	23.0	29.4	26.8	23.5	29.3
秋田県	21.6	33.2	25.5	22.2	27.8
山形県	23.7	33.5	30.6	24.2	31.4
福島県	23.6	32.7	0.0	24.2	29.9
茨城県	22.5	29.1	36.9	23.2	30.2
栃木県	23.2	28.7	50.1	23.9	30.3
群馬県	23.5	31.5	34.8	24.4	31.1
埼玉県	22.5	32.7	42.6	23.8	32.7
千葉県	23.7	34.3	33.6	24.9	32.8
東京都	26.6	39.5	65.7	29.4	38.1
神奈川県	24.4	37.7	54.5	26.4	35.2
新潟県	24.4	31.2	24.1	24.9	31.2
富山県	24.6	33.4	30.1	24.8	32.0
石川県	24.2	32.2	29.2	24.5	30.1
福井県	23.0	33.8	0.0	23.5	27.7
山梨県	24.9	30.8	18.3	25.6	29.3
長野県	27.0	30.3	61.2	27.6	34.4
岐阜県	24.3	33.2	33.2	25.5	31.4
静岡県	24.0	30.6	28.6	25.0	31.8
愛知県	23.9	32.7	42.0	25.7	32.7
三重県	25.0	32.7	32.9	26.2	32.0
滋賀県	21.8	32.0	65.3	23.2	34.7
京都府	20.9	34.2	47.9	24.3	33.0
大阪府	21.3	33.4	33.8	23.1	34.5
兵庫県	22.8	32.8	54.7	24.2	33.6
奈良県	22.6	31.6	32.1	23.8	31.6
和歌山県	21.4	32.8	42.8	22.8	31.2
鳥取県	24.4	29.8	0.0	24.6	31.2
島根県	25.5	31.7	62.8	25.9	27.8
岡山県	24.9	31.9	34.6	25.7	32.4
広島県	23.8	31.3	37.9	24.7	32.6
山口県	24.5	33.4	28.7	25.4	32.8
徳島県	22.7	28.8	59.9	23.2	26.5
香川県	23.7	30.7	57.7	24.4	28.2
愛媛県	22.2	33.8	22.3	22.6	31.5
高知県	24.5	30.1	42.6	25.1	32.0
福岡県	22.8	31.8	46.6	24.1	32.0
佐賀県	22.2	31.3	0.0	22.7	28.6
長崎県	21.9	31.1	46.2	22.4	30.6
熊本県	23.2	29.8	27.2	23.6	31.4
大分県	22.9	33.0	29.4	23.9	33.0
宮崎県	21.6	31.7	60.7	22.3	29.4
鹿児島県	22.4	30.2	35.4	22.7	29.2
沖縄県	24.8	33.2	29.0	27.7	32.6

（参考）都道府県別工事費単価（居住専用）：国土交通省「建築着工統計」（2023年度）より作成。
新築の居住専用住宅のうち、持家で一戸建（貸家・給与住宅・分譲住宅、長屋建・共同住宅は除く）。
「0.0」は、建設実績なし。「全体」は、構造の種別にSRC造、コンクリートブロック造、その他を含む
注文住宅の戸当たり建設単価：住宅金融支援機構「フラット35利用者調査」（2023年度）より作成

設計料の目安は10％？

澄香　けっこう大きな金額になるのね。ところで、設計事務所に頼む場合の設計料の目安は？

T氏　建築工事費3千万円程度のごく一般的な木造戸建住宅で、建築工事費［本体工事費＋別途工事費］の10％程度が1つの目安で、建物の規模、特殊性、複雑性などを加味して変化します。金額的には300万円が目安で、料率も建築工事費の総額が小さい場合には約10～15％、大きい場合には約7～10％と、変わるようです。

澄香　素人ではわかりにくいわね。

T氏　ええ、ちょっと複雑ですね。しかし、実際には、料率を1つの目安にしながら、設計契約前に、設計事務所が設計料の見積もりを提示するので、それをベースに話し合いで設計料を決めるのが一般的です。設計事務所に頼むと、設計料の分、家づくりの費用が増えるような気がしますが、設計事務所がきちんとした予算管理をしてくれれば、本体工事費や別途工事費の無駄がなくなり、結果的に質の高い住宅をリーズナブルなコストで手に入れることも可能です。工務店やハウスメーカーでもそうですが、その会社、事務所、営業所の力量次第で良くも悪くもなります。

諸費用　建築工事費×約5%以上
設計料　建築工事費×約10%
別途工事費　本体工事費×約15~20%
本体工事費
建築工事費

おおざっぱな目安ですけどネ

コストの内訳と構成比率

諸費用の目安は5％？

澄香　なるほど、それはそれとして、諸費用は、どれくらいを目安にすればいいの。

T氏　資金調達の方法や仮住まいの有無などにより、金額が大きく変わりますが、ひじょうにおおざっぱにいえば、［本体工事費＋別途工事費］の最低限5％程度は見込んでおくことが必要でしょう。

澄香　話はだいたいわかったけど、自分で1つひとつ出してみるのは大変ね。何か楽なやり方はないかしら。

T氏　そういわれると思いましたよ。実は、ここに、家づくりのコストの算出シート（**表5**）を用意しています。

澄香　私でも、できるかしら。

T氏　どなたでも簡単に算出できるので、是非一度、試してみてください。なお、実際の家づくりのコストの計算例を**表6**に示しましたので、これも参考にしてください。

表5　家づくりのコスト――らくらく算出シート（計算例）［記入用シートは47・48頁にあります］

■ 物件概要
建設地：神奈川県内（土地は取得済み）
建物：床面積105㎡、在来木造

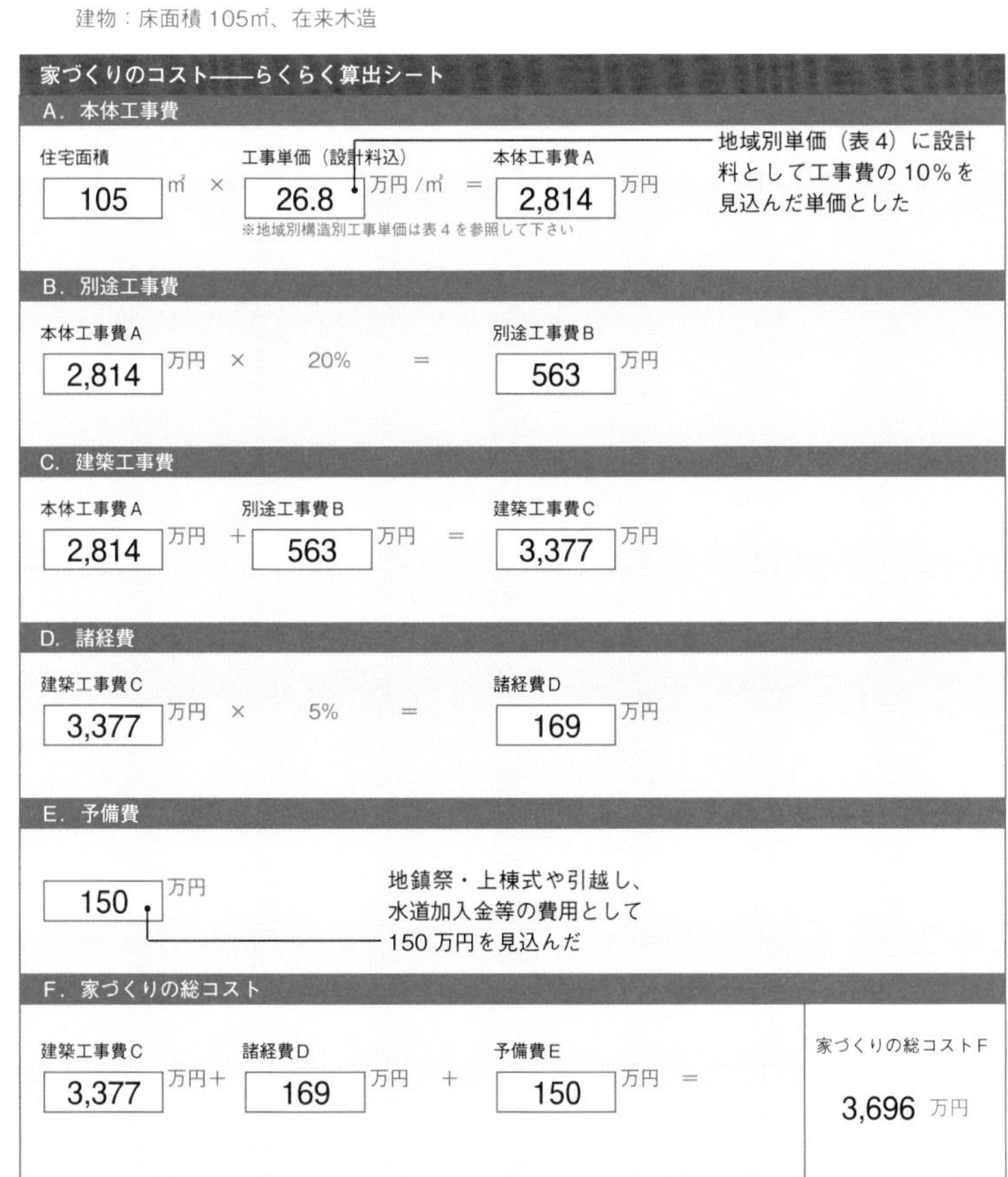

家づくりのコスト――らくらく算出シート

A．本体工事費

住宅面積		工事単価（設計料込）		本体工事費A
105 ㎡	×	26.8 万円/㎡	＝	2,814 万円

※地域別構造別工事単価は表4を参照して下さい
地域別単価（表4）に設計料として工事費の10％を見込んだ単価とした

B．別途工事費

本体工事費A				別途工事費B
2,814 万円	×	20%	＝	563 万円

C．建築工事費

本体工事費A		別途工事費B		建築工事費C
2,814 万円	＋	563 万円	＝	3,377 万円

D．諸経費

建築工事費C				諸経費D
3,377 万円	×	5%	＝	169 万円

E．予備費

150 万円
地鎮祭・上棟式や引越し、水道加入金等の費用として150万円を見込んだ

F．家づくりの総コスト

建築工事費C		諸経費D		予備費E		家づくりの総コストF
3,377 万円	＋	169 万円	＋	150 万円	＝	3,696 万円

表6　家づくりコストの概算シート［詳細版］（計算例）
［記入用のシートは 48 頁横の折り込みにあります］

■ 前提条件
土地　120㎡（取得済）
建物　木造、在来工法
　　　床面積：105㎡
借入　フラット 35：1,200 万円
　　　（35 年返済）

家づくりコストの概算シート［詳細版］

(1)　土地関連費

①土地代　A　0 万円
土地面積 ［　］㎡ × 購入単価 ［　］万円／㎡ ＝ 土地代A ［　］万円

②仲介手数料　B　0 万円
土地代A ［　］万円 × 3% ＋ 6万円 ＝ 仲介手数料B ［　］万円

③土地調査費　10 万円
（一式5万～10万円程度）

小計 土地購入関連費(1)　10 万円
①＋②＋③

(2)　建築工事費

①本体工事費　A　2,814 万円
床面積 ［105］㎡ × 工事単価（設計料込）［26.8］万円／㎡ ＝ 本体工事費A ［2,814］万円

②別途工事費　B+C+D　521 万円
古家床面積 ［　］㎡ × 撤去工事単価 ［　］万円／㎡ ＝ 既存家屋撤去工事費B ［　］万円
※1～1.5万円前後
土地面積 ［120］㎡ × 外構工事単価 ［2］万円／㎡ ＝ 外構工事費C ［240］万円
※標準で1～3万円程度
本体工事費A ［2,814］万円 × 10% ＝ 設備工事・家具購入費D ［281］万円

小計 建築工事費(2)　3,335 万円
①＋②

(3)　税金・登記費用

①印紙税　A　1 万円
土地売買契約分 ［　］万円 ＋ 工事請負契約分 ［1］万円 ＝ 印紙税A ［1］万円
※契約金額による　※契約金額による

②登録免許税　B　2 万円
土地移転登記分 ［　］万円 ＋ 建物保存登記分 ［2］万円 ＋ 建物滅失登記分 ［　］万円 ＝ 登録免許税B ［2］万円
※評価額による　※評価額による　※撤去家屋がある場合1件あたり0.1万円

③不動産取得税　C　15 万円
土地取得分 ［　］万円 ＋ 建物取得分 ［15］万円 ＝ 不動産取得税C ［15］万円
※評価額による　※評価額による

④登記手数料　D　12 万円
表示登記分 ［10］万円 ＋ 保存登記分 ［2］万円 ＝ 登記手数料D ［12］万円
※土地購入がある場合は15万円、ない場合は10万円程度　※土地移転登記、建物保存登記とも2万円前後

小計 税金・登記費用(3)　30 万円
①＋②＋③＋④

■ 工事請負契約の印紙税額

記載金額	印紙税
200万円以下	200円
200万円超300万円以下	500円
300万円超500万円以下	1,000円
500万円超1千万円以下	5,000円
1千万円超5千万円以下	1万円

■ 登録免許税
［土地］評価額×1.5%
［建物］評価額*×0.15%
*本体工事費の60%程度が目安
■ 不動産取得税
［土地］評価額×1/2×3%－控除額*
*4.5万円または床面積に応じた額
［建物］（評価額－1,200万円）×3%
■ 登記手数料
左記の金額例は報酬額で、このほか登記申請料などの実費がかかります

(4)　融資関連費用

①印紙税　A　2 万円
銀行融資分 ［2］万円 ＋ その他融資分 ［　］万円 ＝ 印紙税A ［2］万円
※融資額による　※融資額による

②登録免許税　B　1.2 万円
銀行融資額 （［1,200］万円 ＋ その他融資額 ［　］万円）× 0.1% ＝ 登録免許税B ［1.2］万円

③登記手数料　C　5 万円
銀行融資分 ［5］万円 ＋ その他融資分 ［　］万円 ＝ 登記手数料C ［5］万円

④融資手数料　D　3 万円
銀行融資分 ［3］万円 ＋ その他融資分 ［　］万円 ＝ 融資手数料D ［3］万円
※約3万円程度

⑤保証料　E　0 万円
銀行融資分 ［　］万円 ＋ その他融資分 ［　］万円 ＝ 保証料E ［　］万円
※保証会社の場合、30年返済で100万円あたり2万円程度

⑥保険料　F　14.4 万円
火災保険料 ［12］万円 ＋ 地震保険料 ［2.4］万円 ＝ 保険料F ［14.4］万円
※5年契約の場合、100万円あたり1万円程度　※100万円あたり4千円程度（保険期間1年間）

小計 融資関連費用(4)　25.6 万円
①＋②＋③＋④＋⑤＋⑥

■ ローン契約の印紙税額

記載金額	印紙税
100万円超500万円以下	2千円
500万円超1千万円以下	1万円
1千万円超5千万円以下	2万円
5千万円超1億円以下	6万円
1億円超5億円以下	10万円

■ 登記手数料
報酬額のほか登記申請料などの実費がかかります
■ 融資手数料
財形融資は手数料がかかりません

(5)　その他

①引越し費　30 万円
※10～30万円程度。仮住まいが必要な場合は2回分必要です。
現在お持ちの家電品や家具等を処分する場合はその処理費用もみておく必要があります。

②雑費　10 万円
※地鎮祭や上棟式、近所挨拶などの費用、10～20万円程度はみておきましょう

③予備費　120 万円
※建築中の固定資産税や仮住い費用、水道加入金、つなぎ融資が必要な場合の関連費用等、予想外の出費に備え、最低100万円程度はみておきたいものです

小計 その他費用(5)　160 万円
①＋②＋③

家づくりの総コスト　3,561 万円　(1)＋(2)＋(3)＋(4)＋(5)

Money Guide

住宅資金はいくら用意できるの？

T氏　今度は、必要な住宅資金をいくら用意できるかについて、お話しましょう。
澄香　よろしく、お願いします。
T氏　まず、住宅資金の基本となる3つのポイントをご紹介しておきましょう。

自己資金10％では足りない？

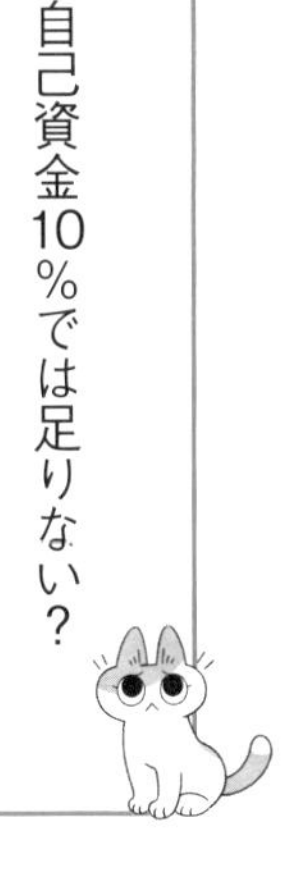

T氏　1つ目のポイントは、住宅資金をどういう方法で用意するかです。
澄香　そういわれても、住宅ローンぐらいしか思い浮かばないわ。
T氏　確かに、住宅ローンは、住宅資金に不可欠なものですが、同じくらい大切なのが自己資金です。つまり、住宅資金は、自己資金と住宅ローンの組合せで考えることが基本になります。
澄香　自己資金ね。多少の蓄えはあるけれど、大した金額にはならないわね。よく、分譲マンションの広告などに、頭金10％から購入できますとか、あるでしょう。自己資金は10％程度あればいいんでしょう？
T氏　確かに、分譲マンションなどで提携ローンがついている場合には、頭金10％でも購入可能です。しかし、戸建住宅を新築する場合には、支払時期の関係もありますし、自己資金が10％というわけにはいきません。総費用に占める自己資金の比率は高いほどいいのですが、一般的に少なくとも総費用の20～30％程度を自己資金で用意するのが家計上望ましいといわれています。

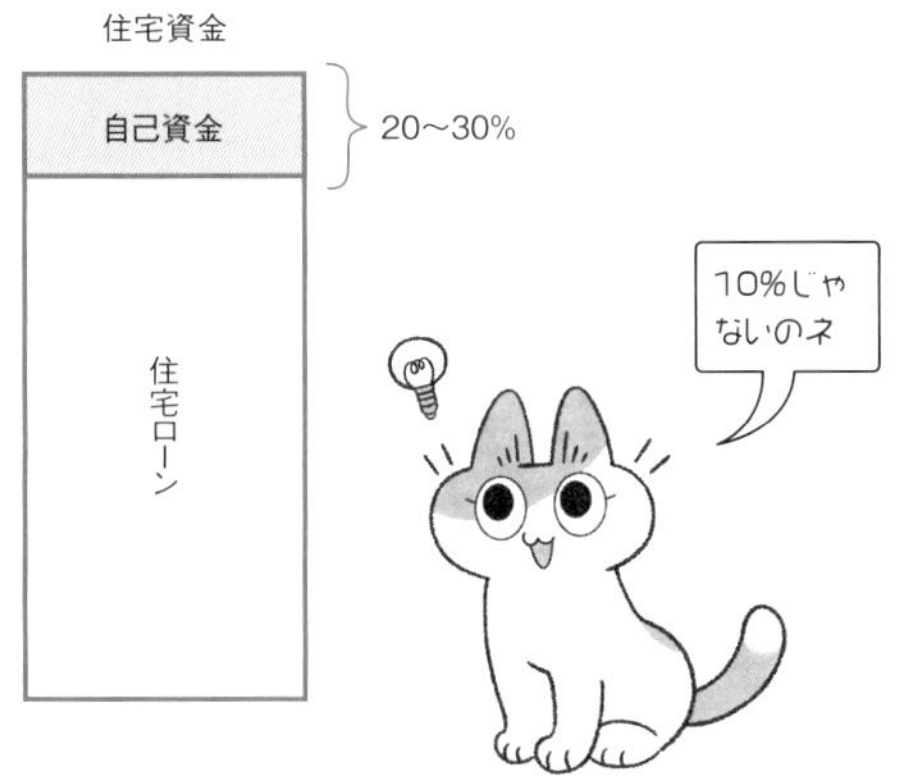

戸建住宅の自己資金は20～ 30％が目安

住宅資金の3原則を理解する

Money Guide

金利1%の差が150万〜300万円の返済額の差に!?

T氏　次に、2つ目のポイントは、住宅ローンを借りる場合、有利な資金から利用するということです。

澄香　それはそうね。でも、有利な資金って、具体的にはどういうこと？

T氏　まずは、**金利**です。住宅ローンの返済は長期間なので、わずかな金利差でも返済総額は大きく変わります。たとえば、1千万円を期間25年の**元利均等返済**（がんり）で借りた場合、金利が1%違うと、毎月の返済額で約5千円、25年間の返済総額では約150万円、2千万円借りたら約300万円もの違いが生じます。

澄香　たった1%の違いで…、恐いわね。

T氏　次に注意する点は、金利が**固定金利**か、**変動金利**かということです。目先の金利としては低くても、変動金利だと、将来の金利上昇により思わぬ支払い増加を招く危険性があるので、一般的には、長期間金利が固定されている融資が有利といわれています。もちろん、住宅ローンの借入先は、金融機関との取引関係、便利さ、担保の関係などいろいろな要素で考える必要がありますが、金利水準と金利の種類（固定金利か変動金利か）は、住宅ローンの選択にあたっての最も重要な要素です。

なお、住宅ローンには金利に保証料を含めるタイプと含めないタイプ（この場合、保証料は借入時一括払い）がありますので、金利についてはこれを含めて考える必要があります。

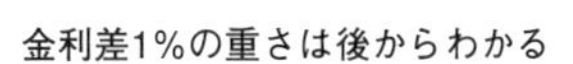

金利差1%の重さは後からわかる

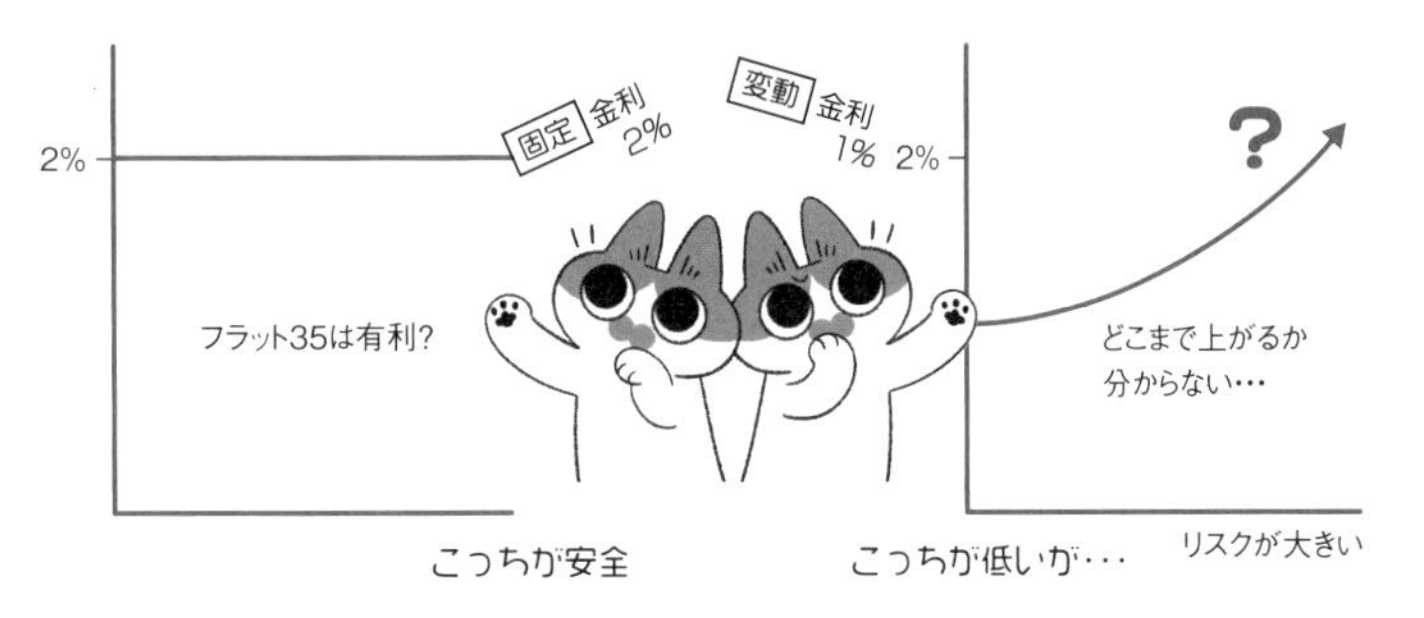

変動金利はリスクも大きい

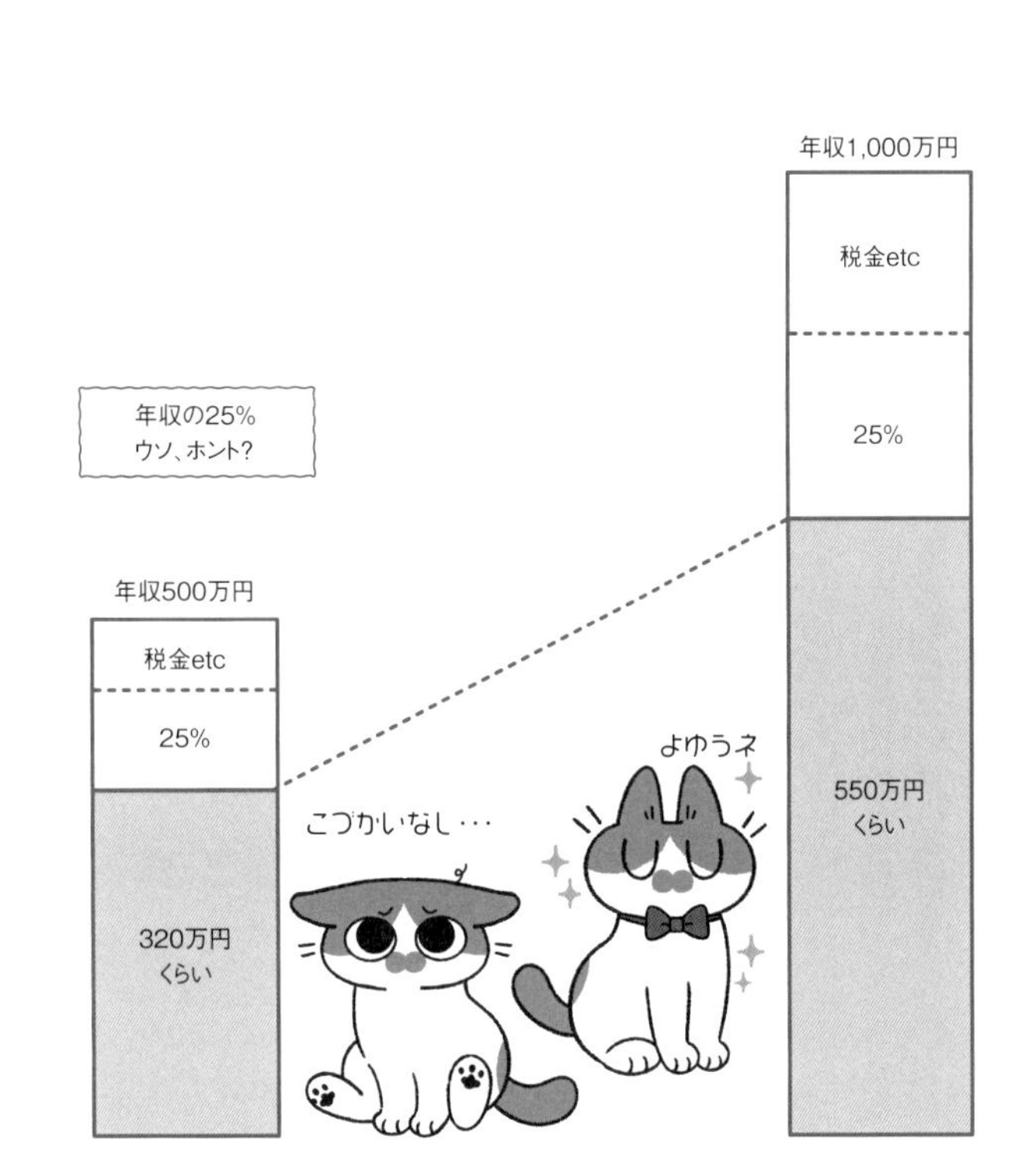

返済額の目安をあてにしてはいけない

返済額の目安（年収の25％以下）は、年収によって上下する

T氏　最後に3つ目のポイントは、いくら借りられるかということでローン金額を決めるのではなく、家計上、余裕を持って返せる金額はいくらかという観点から、ローン金額を考えるということです。

澄香　具体的にはどういうことなの？

T氏　最近は、住宅ローン制度が充実してきており、様々な金融機関からの借入れが可能になっています。しかし、借りたお金は返さなければいけないのですから、いくら借りられるかということではなく、いくら返せるかという視点で、ローン金額を考える必要があるでしょう。

　一般的には、返済額は年収の25％以下に抑えることが望ましいといわれていますが、年収によって家計の余裕度が違いますから、年間返済額の年収に対する比率の上限は、年収の高い人ほど高く、年収の低い人ほど低くなります。

澄香　確かにそうね。住宅ローンの返済に追われて生活の余裕がなくなってしまっては、何のためのマイホームだか、わからないわね。

融資に有利な積立

澄香　住宅資金の基本についてはわかってきたけど、肝心の自己資金が足りなそうだわ。何かいい知恵はないかしら。

T氏　家野さんの場合、住宅取得のための積立預金をなさっていますか。

澄香　そういえば、主人が前々から会社で住宅財形とかいう積立をしていたような気がするわ。

T氏　家づくりのための自己資金をつくるには、なんといっても、毎月、資金を少しずつ積み立てていくのがポイントになります。金融機関の財形住宅貯蓄などが代表的なものですが、これらは、自己資金づくりに役立つだけでなく、財形融資を受けることができるので、大変有利です（表7）。

澄香　でも、住宅財形の積立といっても、うちの場合、たいした金額ではないから、自己資金を20％以上用意するのはちょっと厳しいわね。

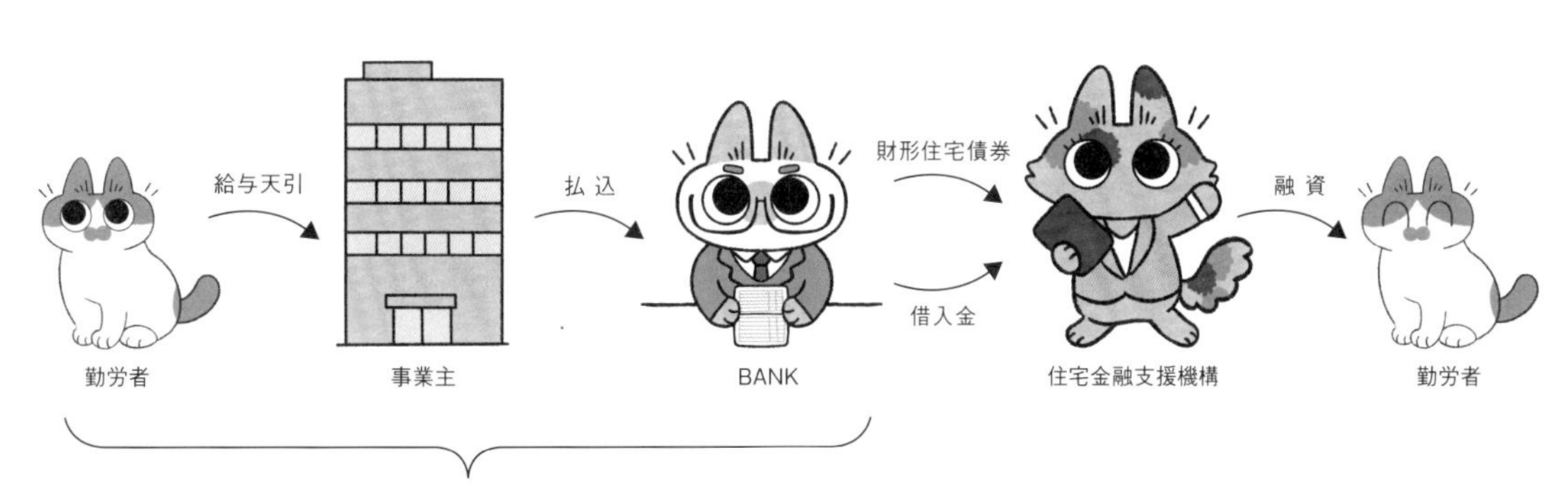

住宅金融支援機構の財形住宅融資

表7　財形住宅貯蓄の概要

	■ 財形住宅貯蓄
概要	■ 住宅の取得や増改築のための資金を積み立てるもので、積立残高に応じて財形融資が受けられる
申込条件	■ 原則、国内に住所を有する55歳未満の給与所得者であること
メリット	■ 財形年金貯蓄とあわせて元本550万円までの利子が非課税となる ■ 「財形住宅融資」が低金利で利用できる

贈与税の特例を利用する

T氏　自己資金というと、今すぐに自分で用意できる現金や預貯金というイメージがありますが、もう少し、幅広く考えることができますよ。

澄香　といいますと?

T氏　ご夫婦2人の手持ちの現金、預貯金はもちろんのこと、ご両親などに資金援助していただくことができれば、そういった資金も自己資金の中に入れることができます。

澄香　まあ、そうなの。自己資金というから、自分たちで用意できるお金だけだと思ってた。でも、親からお金を出してもらうと、税金が大変だと聞いたことがあるわ。

T氏　やり方を間違えなければ、そんな心配はいりません。

澄香　どういうふうにすればいいの?

T氏　住宅取得に親からの資金援助を受ける場合、大きくは3つの方法があります。まず1つ目は、住宅取得等資金に係る贈与税の非課税措置を使って、親から住宅資金の贈与を受ける方法です。通常の場合、贈与税はとても高い税率なのですが、2026年12月までの場合、省エネ等基準・耐震等級等に適合した良質な住宅なら1000万円まで、それ以外の住宅でも500万円までは税金がかかりません。また、相続時精算課税を選択すれば、さらに2500万円まで税金がかからないうえ、年110万円までの贈与も非課税となります。

澄香　うちの場合、私の両親から、ひょっとしたら資金援助を受けられるかもしれないわ。

T氏　ただし、相続時精算課税を選択すると、それ以後従来の贈与制度は利用できません。また、相続の際には、贈与額を相続財産に加えて相続税の計算を行うことになるため、利用にあたっては多方面からの検討が必要です。

澄香　なるほど。早速、両親と相談してみます。

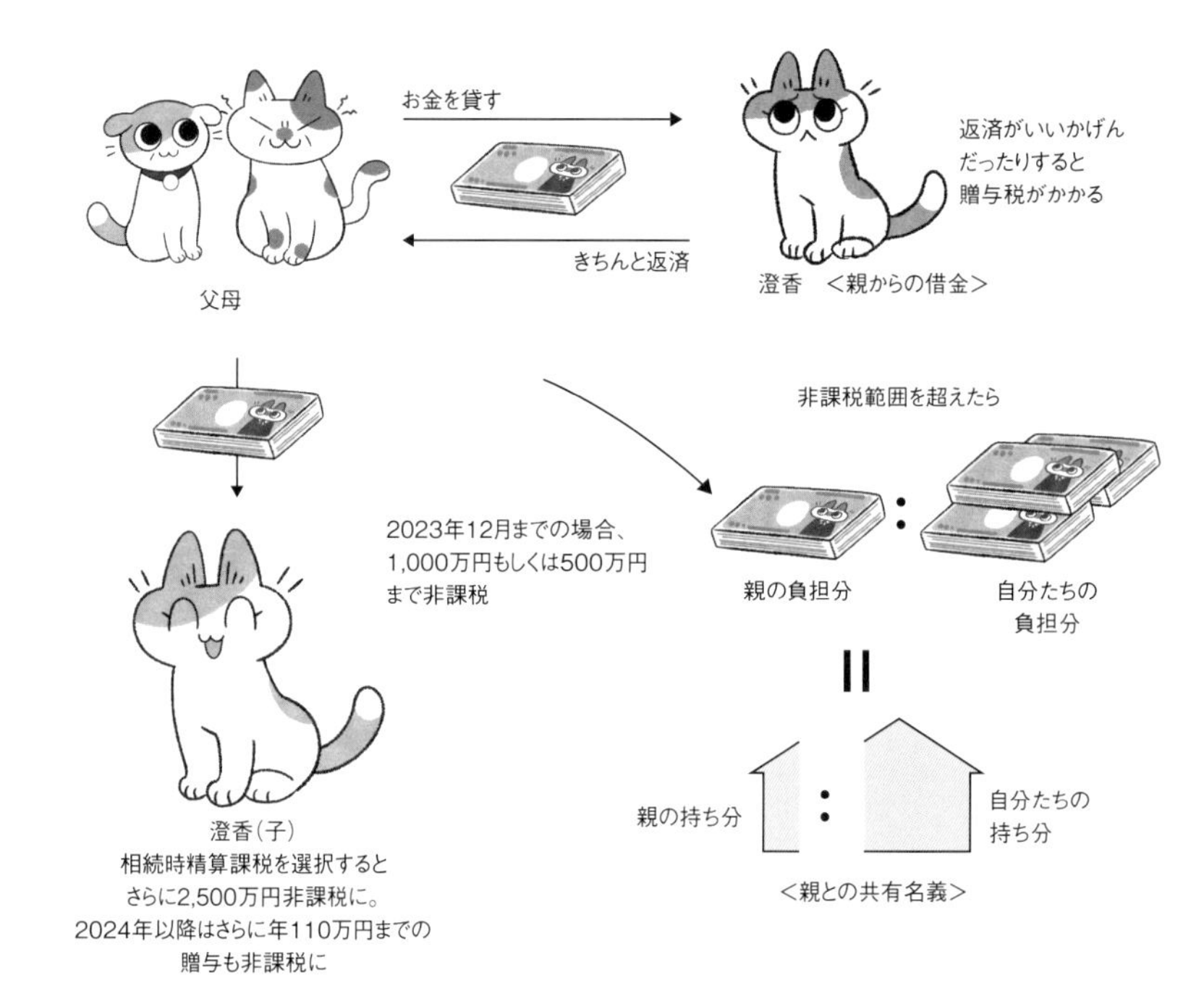

共有名義と親からの借金

T氏　2つ目は、親との**共有名義**にする方法です。負担した資金の比率に応じて住宅を共有名義にすれば、税金の問題はありません。これは、贈与税の特例の非課税範囲を超える資金援助を受ける場合の1つの方法です。3つ目は、親からお金を借りるという方法です。親からの借金でも、他の借入金の返済などを含めて収入的に十分返済可能な状況にあり、返済の事実があれば、借入金として認められます。しかし、この親からの借金による方法は、毎月の返済がいい加減になったり、返済源資が不明確であったりすると、贈与とみなされる危険性がありますので、あまりお奨めではありません。

澄香　うちも私たち夫婦の手持ち資金だけでは足りそうもないから、どうしようかと思っていたけど、今の話をうかがって希望がわいてきたわ。

住宅ローンの返済方法

澄香　住宅ローンの中身について、もう少し詳しく教えていただけますか。

T氏　住宅ローンは、返済方法、金利の種類、借入先の選び方により、使い勝手が大きく異なりますので、それぞれの特徴を理解し、上手に選択することが大切です。まず、住宅ローンの返済方法ですが、最も一般的な返済方法は、**元利均等返済**です。つまり、毎月返済する元金と金利の合計額が一定になるような返済方法です。

澄香　毎月の返済額が一定だと、家計のやりくりを考えるときに便利だわ。

T氏　そうですね。ですから、住宅ローンの大半が、この元利均等返済になっています。しかし、この方法には欠点もあります。

澄香　といいますと？

T氏　毎月の返済額は一定なんですが、当初は元金よりも金利分のほうが多く、元金がなかなか減りません。返済総額も、結果的に大きくなることになります。

澄香　もっと、いい方法はないのかしら？

T氏　ええ、**元金均等返済**という方法があります。これは、元金を毎月均等額返済する方法で、元金は着実に減り、金利を含めた返済額は徐々に減少していきます。

澄香　だんだん、楽になる方法ね。

T氏　そのとおりですね。ただし、当初の返済額は元利均等返済額よりも多くなります。しかし、結果的には、返済総額も少なくなるので、当初の家計にゆとりがある場合には、元金均等返済も検討してみてはいかがでしょうか。

澄香　毎月、定額でないというのは、ちょっと難しいけど、返済総額が少ないなら、検討してみる価値はありそうね。

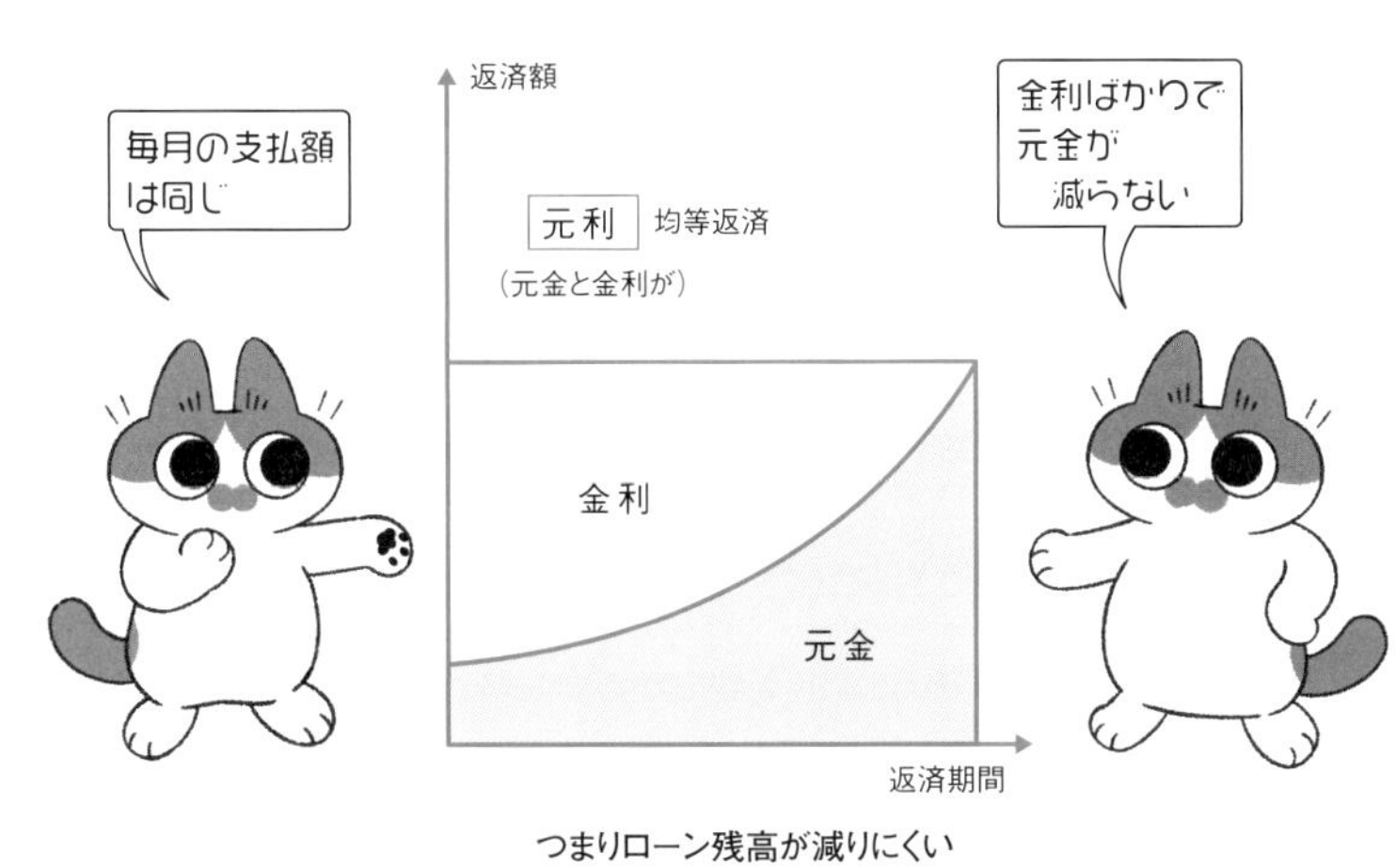

つまりローン残高が減りにくい

当初

つまりローン残高が着実に減る

元利と元金どっちが有利？

住宅ローンの金利の種類

T氏　次に、金利の種類ですが、前にもお話ししましたように、大きく分けると**固定金利**と**変動金利**の2種類があります。

　固定金利は、ある一定期間は金利水準が固定されるものをいいます。よく、固定金利というと、借入期間中ずっと金利が一定だと思われる方がいますが、固定金利の期間と借入期間は必ずしも一致しません。金融機関の一般的な住宅ローンでは2年から最長35年の固定が可能です。

　一方、変動金利というのは、短期プライムレートや長期プライムレートと呼ばれる銀行間の取引の基準となる金利水準に連動して、随時変動していく金利です。一般に、ある時点を取ってみると、固定金利のほうが変動金利より高めに設定されています。

澄香　ということは、変動金利のほうが得なのかしら。

T氏　変動金利のほうが低い場合、短期的には確かに変動金利のほうが有利なのですが、変動金利は、金利政策の変更や国際金融情勢の変化などにより、短期間に大きく変わる可能性があります。ですから、昨今の金利上昇局面では返済リスクのある変動金利の選択には注意が必要です。

住宅ローンの借入先の選び方

澄香　金利の種類と借入先の関係はどうかしら。

T氏　長期固定金利の住宅ローンとしては「**フラット35**」が主流となっています。また、省エネルギー、耐震などの要件を満たす住宅については、「フラット35S」金利AプランやZEH等があり、ポイント数に応じてフラット35の金利から一定期間金利が引き下げられます。さらに、銀行ローンなどでも、一定期間だけ固定金利が適用され、その期間終了後に固定金利と変動金利を再選択できる固定金利選択型のローンや複数の金利タイプを組み合わせることができるローンなどもあります。

澄香　ふーん。ずいぶんいろいろな種類のローンがあるのね。

T氏　さらに、公的融資として、財形住宅融資や自治体融資などがあり、それぞれ特徴があります。一覧表で、検討してみてください（**表8、図1・2**）。

表8　各種融資の比較

		■ 融資の名称	■ 返済方法（金利、期間等）	■ 物件条件	■ 融資額	■ 申込資格
公的融資	住宅金融支援機構	■ 財形住宅融資	■ ［金利］ 変動金利（5年固定） ■ ［返済期間］ 10年以上35年以下 （リ・ユース住宅は25年） ＊ 完済上限80歳	■ ［住宅床面積］ 70〜280㎡ ■ ［その他］ 支援機構の建設基準にあてはまる住宅であることなど	■ 最高4,000万円（財形貯蓄残高の10倍まで） ＊ 所要額の90％まで	■ 財形貯蓄を1年以上続け、残高50万円以上であること ■ 年収に占めるすべての借入の年間合計返済額の割合が年収400万円未満の場合30％以下、400万円以上の場合35％以下
公的融資	自治体融資［※］	■ 東京都個人住宅利子補給助成	■ ［金利］ 当初10年間：銀行金利 ▲1.0％ ■ ［返済期間］ 35年以内	■ ［住宅床面積］ 80〜175㎡ ［敷地面積］ 100㎡以上 （緩和措置あり）	■ 次のいずれか少ない額が上限 （1） 4,590万円 （2） 毎年の返済額が申込時年収の30％以内になる額 （3） 住宅の建替えに要する費用×90％	■ 防災都市づくり推進計画で指定する整備地域および重点整備地域、東京都木造住宅密集地域整備事業地区内での建替え
民間融資		■ フラット35	■ ［金利］ 全期間固定金利 ■ ［返済期間］ 15年以上35年以内 （60歳以上の場合は10年以上） ＊ 完済上限80歳	■ ［住宅床面積］ 戸建70㎡以上 共同住宅30㎡以上 ■ ［その他］ 支援機構が定めた技術基準に適合する住宅	■ 100万円以上8,000万円以下	■ 年齢70歳未満 ■ 年収に占めるすべての借入の年間合計返済額の割合が年収400万円未満の場合30％以下、400万円以上の場合35％以下
民間融資		■ フラット35金利引下げメニュー（ZEH住宅、長期優良住宅など、住宅性能や管理・修繕などに優れた住宅の場合や子どもの人数等、ポイント数に応じて金利引き下げ）	■ ［金利］ ポイント数に応じて 当初5年間 ▲0.25％ 〜	■ 省エネルギー性、耐震性、バリアフリー性、耐久性、可変性について一定の技術基準を満たす住宅		■ 物件条件、申込資格等はフラット35の条件を満たしていること ■ フラット35S、子育てプラス、フラット35維持保全型は、土砂災害特別警戒区域内等での利用不可
民間融資		■ 住宅ローンなど	■ ［金利］ 最長35年固定型 変動型、上限付変動型、固定金利型など ■ ［返済期間］ 最長35年	■ 特になし	■ 上限5,000万円〜1億円 ＊ 上限は評価額の80％以内が一般的	■ 年間返済額が年収の45％以内（年収による）など ■ 前年年収：100万円以上など ■ 年齢：満18歳以上で完済時81歳未満など

※　自治体融資の例示・全国版は43〜46頁を参照

図1　あなたが建てる住宅はどの融資が受けられる？

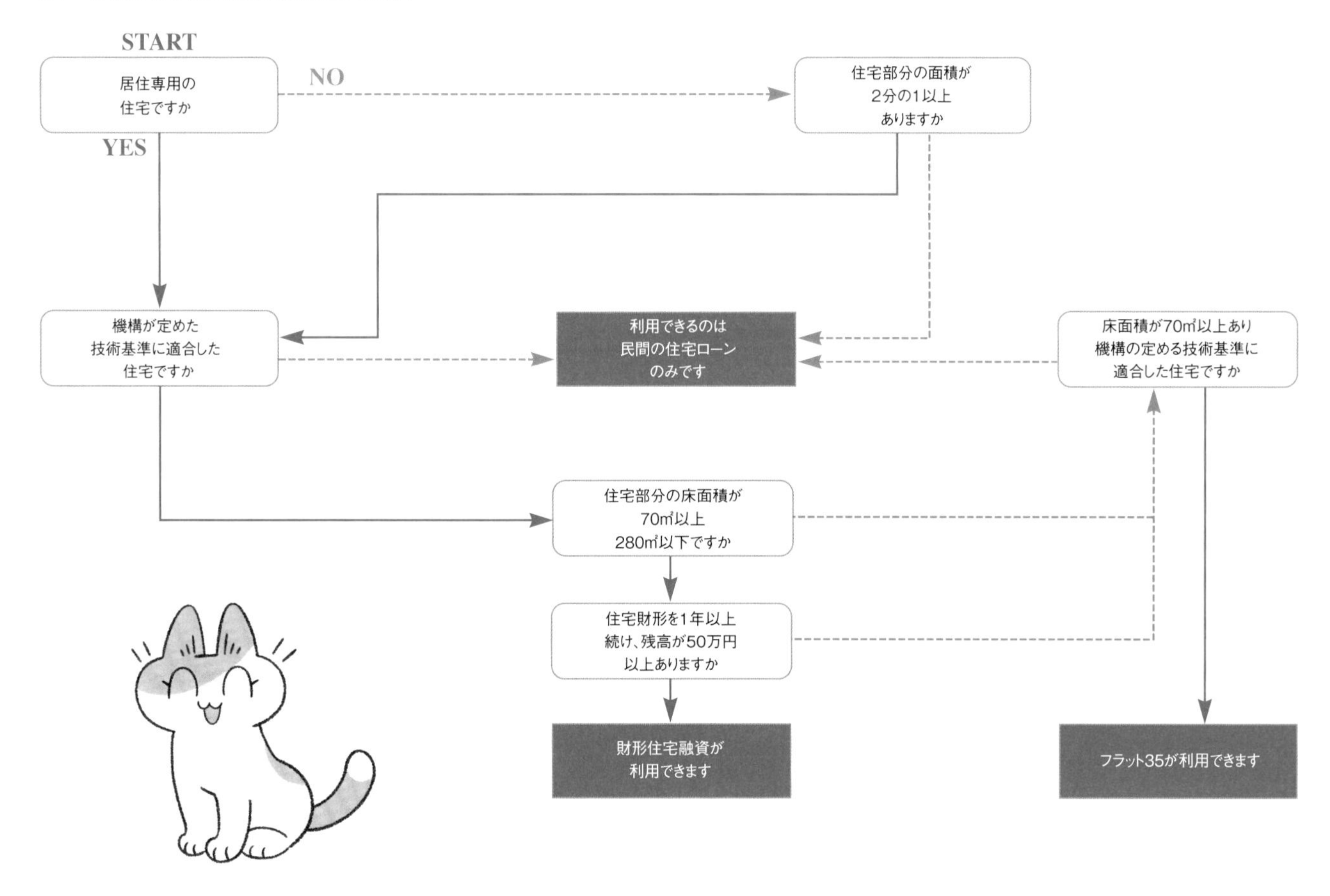

図2　あなたはどの融資を借りられる？

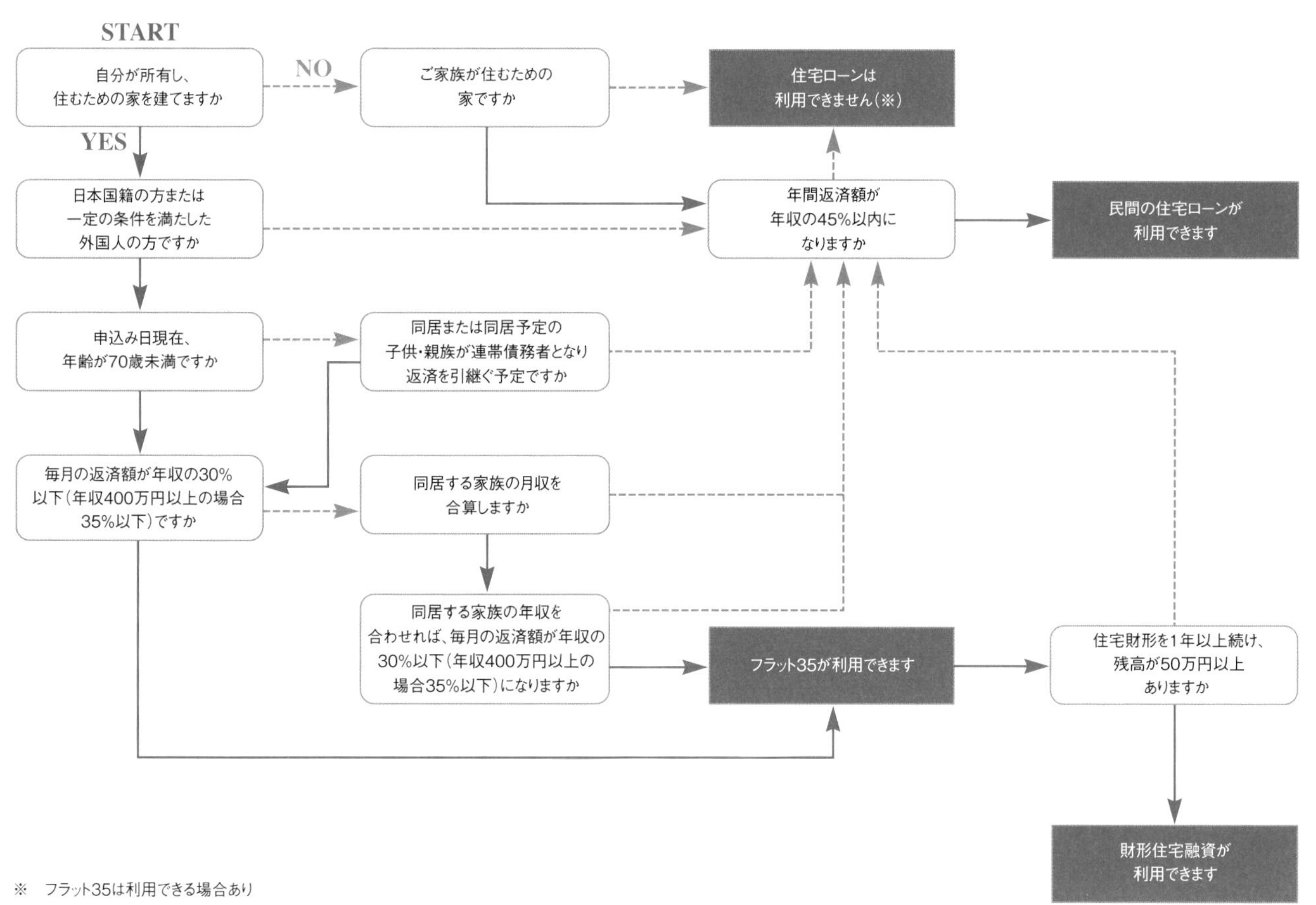

※　フラット35は利用できる場合あり

フラット35の借入限度額

澄香　住宅ローンの上手な借り方はわかったけど、実際には、いくらまで借りられるのかしら。

T氏　前にもお話しましたが、住宅ローンの限度額は、いくら借りられるかではなく、家計の余裕からみて、いくら返せるかで考えることが原則です。とはいえ、ローンの種類により、借りられる限度額も決まってきますので、こうした知識を持っておくことも必要だと思います。

澄香　まず、フラット35の融資について知りたいのですが。

T氏　フラット35とは、民間金融機関と住宅金融支援機構との連携による最長35年間の固定金利ローンです。保証料も繰上返済手数料も不要など、大変魅力的な住宅ローンといえます。ただし、フラット35の場合、融資を受けるためには、住宅について住宅金融支援機構の定める条件に適合している必要があります。たとえば、住宅面積は70㎡以上、原則として一般の道に2m以上接すること等の条件があります。また、申込日現在で原則70歳未満、自分で所有して居住する住宅を建てる方で、年収４００万円以上の場合でも年収に占めるすべての借入の年間合計返済額の35%以下である必要があります。

澄香　うちの場合、主人の年収が約７００万円、私の年収が約３００万円ですが、２人の収入を足すことはできますか。

T氏　ええ、収入は合算できます。その場合、２人合わせて1千万円の年収と考えることができます。

澄香　そうすると、返済額が年間３５０万円になるまで、フラット35を借りられるということですね。

T氏　そうですね。最終的には金融機関ごとに個人審査を行いますので一概には言えませんが、目安として借入限度額の算出シートを用意しておきましたので、参考までに使ってみてください（**表9・10**）。

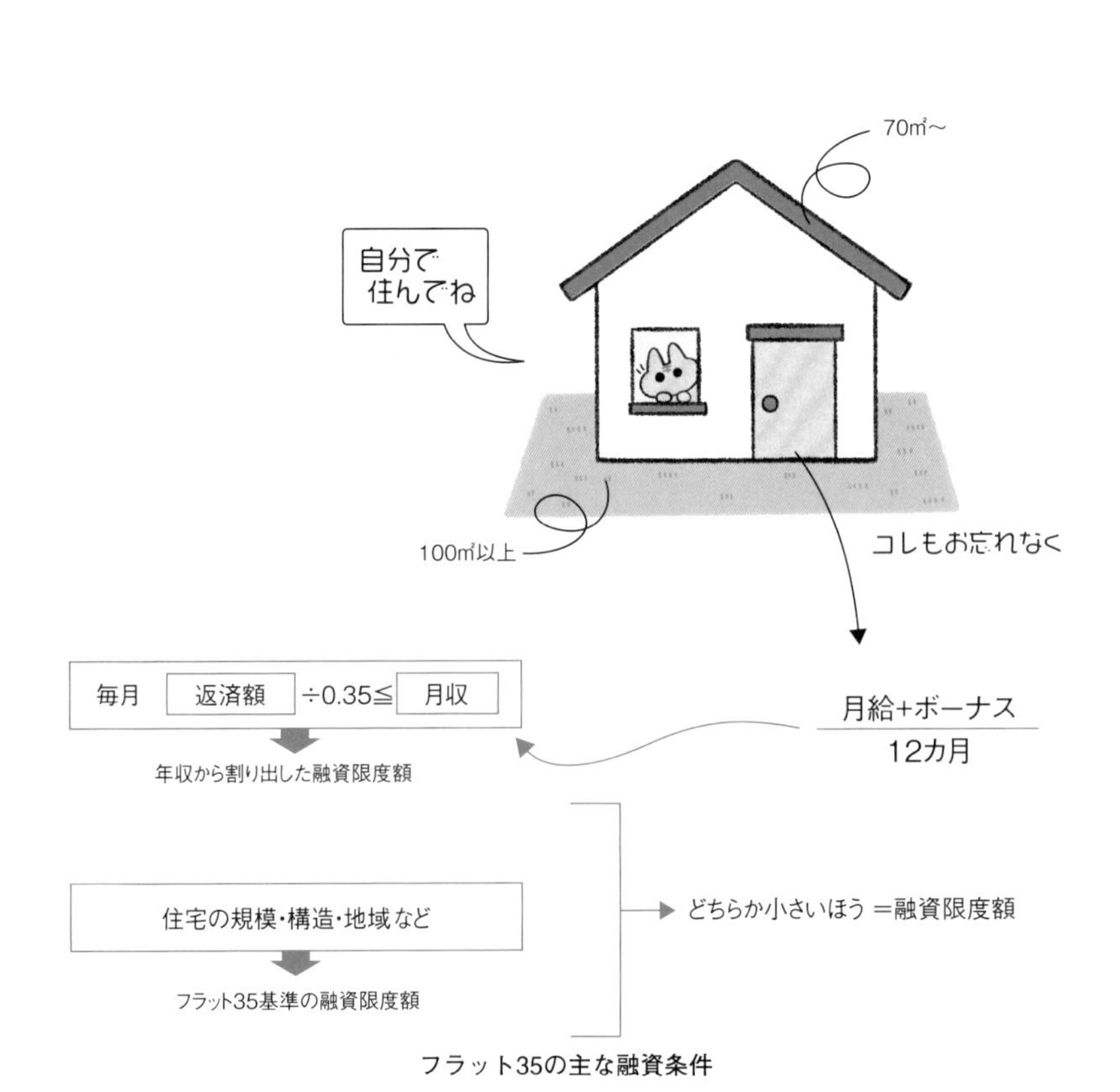

フラット35の主な融資条件

表9 公的融資・フラット35の借入限度額算出シート（計算例）［記入用シートは48頁裏の折り込みにあります］

■ 試算者のプロフィールと物件概要
- ・年収:700万円
- ・所要額:3,000万円（土地は取得済み）
- ・建物:105㎡、木造

公的融資・フラット35の借入限度額算出シート

1. 所要額からのフラット35限度額

所要額 [3,000] 万円 × 融資割合 100% ＝ [3,000] 万円
※建設費＋土地購入費

2. 財形住宅融資

所要額 [ ] 万円 × 90%＝ [ ] 万円 ――― A

申込時点の財形貯蓄残高合計 [ ] 万円 × 10 ＝ [ ] 万円 ――― B

財形住宅融資限度額

A、Bおよび4,000万円のうち最も小さい額 財形融資限度額 C [ ] 万円

3. 年間返済額のチェック 1〜2で求めた借入限度額をもとに、あなたが必要な借入額をそれぞれ設定し、必要月収（千円未満は切り捨て）の確認を行ってください

フラット35借入額の必要月収

フラット35融資額 [3,000] 万円 ÷ 100万円 × 100万円あたりの返済額（32頁・表10参照） [3,061] 円 ÷ [0.35] ＝ フラット35借入の必要月収 [262,372] 円 ――― ①

年収400万円未満の場合0.3
年収400万円以上の場合0.35

（金利：[1.5] %、返済期間：[35] 年）

財形借入額の必要月収

財形借入額 c以下の額で設定c′ [ ] 万円 ÷ 100万円 × 100万円あたりの返済額（32頁・表10参照） [ ] 円 ÷ [0.35] ＝ 財形借入の必要月収 [ ] 円 ――― ②

年収400万円未満の場合0.3
年収400万円以上の場合0.35

（金利：[ ] %（全期間同一型・段階金利型）、返済期間：[ ] 年）

必要月収の合計

① ＋ ② ＝ [262,372] 円 ――― ③

上記で設定した借入額において、以下の式を満たすことが必要となります。
満たさなかった場合は借入額もしくは借入条件を変更し、再度検討を行ってください。

年収 [7,000,000] 円 ÷ 12 ＝ [583,333] 円 ≧ 必要月収③ [262,372] 円 OK！

※ フラット35の金利はhttps://www.flat35.com で確認して下さい

その他の民間融資の借入限度額

澄香　その他の民間ローンは、どうかしら。

T氏　金融機関によって詳細は異なりますが、全般的には、フラット35よりも条件は緩やかで、ローンの種類も豊富です。たとえば、建築基準法などの法的制限を満たしている住宅ならば、物件による制限はありませんし、金利も、変動金利型、固定金利型、固定金利選択型など、さまざまな種類があります。かつては、まず、長期間の固定金利である公的融資を使って、足りない場合に民間融資を使うというセオリーがありましたが、金利のタイプを途中で変更できる固定金利選択型ローン、35年の長期固定金利ローン等が低金利となったこともあり、場合によってはフラット35よりも有利なこともあります。また、フラット35は10万円以上からしか繰上返済できませんが、住宅ローンのなかには、1円から、いつでも無料で繰上返済できる等、魅力的なローンもあります。

澄香　フラット35以外の住宅ローンの限度額はどういうふうに決められるのかしら?

T氏　フラット35以外の民間融資の場合も、年収に応じて年間のローン返済額の占める割合の限度を決めています。たとえば、年収300万円未満では25%以下、300万円以上400万円未満では30%、400万円以上では35%といったように、各金融機関によって決められています。

澄香　年収の条件はフラット35とあまり変わらないのね。

T氏　そうですね。ですから物件の内容やお1人お1人の年収、年齢、家族構成等の状況によってフラット35とすべきか、その他の住宅ローンにすべきか違ってきますので、それぞれのローンの詳細な条件をよく見て検討することが大切です。その他の民間融資についても、借入限度額の算出シート（34頁**表11**）を用意しておきましたので、参考にしてください。

表10　100万円あたりの毎月返済額　（単位：円）

返済方法	金利（%）	10年	15年	20年	25年	30年	35年
元利均等返済	0.5	8,545	5,767	4,379	3,546	2,991	2,595
元利均等返済	0.6	8,587	5,810	4,422	3,590	3,035	2,640
元利均等返済	0.7	8,630	5,853	4,466	3,634	3,080	2,685
元利均等返済	0.8	8,673	5,897	4,510	3,678	3,125	2,730
元利均等返済	0.9	8,717	5,941	4,554	3,723	3,170	2,776
元利均等返済	1.0	8,760	5,984	4,598	3,768	3,216	2,822
元利均等返済	1.1	8,803	6,029	4,643	3,814	3,262	2,869
元利均等返済	1.2	8,847	6,073	4,688	3,859	3,309	2,917
元利均等返済	1.3	8,891	6,117	4,734	3,906	3,356	2,964
元利均等返済	1.4	8,935	6,162	4,779	3,952	3,403	3,013
元利均等返済	1.5	8,979	6,207	4,825	3,999	3,451	3,061
元利均等返済	1.6	9,023	6,252	4,871	4,046	3,499	3,111
元利均等返済	1.7	9,067	6,297	4,917	4,094	3,547	3,160
元利均等返済	1.8	9,112	6,343	4,964	4,141	3,596	3,210
元利均等返済	1.9	9,156	6,389	5,011	4,190	3,646	3,261
元利均等返済	2.0	9,201	6,435	5,058	4,238	3,696	3,312
元利均等返済	2.1	9,246	6,481	5,106	4,287	3,746	3,364
元利均等返済	2.2	9,291	6,527	5,154	4,336	3,797	3,416
元利均等返済	2.3	9,336	6,574	5,202	4,386	3,848	3,468
元利均等返済	2.4	9,381	6,620	5,250	4,435	3,899	3,521
元利均等返済	2.5	9,426	6,667	5,299	4,486	3,951	3,574
元利均等返済	2.6	9,472	6,715	5,347	4,536	4,003	3,628
元利均等返済	2.7	9,518	6,762	5,397	4,587	4,055	3,683
元利均等返済	2.8	9,564	6,810	5,446	4,638	4,108	3,737
元利均等返済	2.9	9,609	6,857	5,496	4,690	4,162	3,792
元利均等返済	3.0	9,656	6,905	5,545	4,742	4,216	3,848
元金均等返済	0.5	8,749	5,971	4,582	3,749	3,193	2,796
元金均等返済	0.6	8,833	6,055	4,666	3,833	3,277	2,880
元金均等返済	0.7	8,916	6,138	4,749	3,916	3,360	2,963
元金均等返済	0.8	8,999	6,221	4,832	3,999	3,443	3,046
元金均等返済	0.9	9,083	6,305	4,916	4,083	3,527	3,130
元金均等返済	1.0	9,166	6,388	4,999	4,166	3,610	3,213
元金均等返済	1.1	9,249	6,471	5,082	4,249	3,693	3,296
元金均等返済	1.2	9,333	6,555	5,166	4,333	3,777	3,380
元金均等返済	1.3	9,416	6,638	5,249	4,416	3,860	3,463
元金均等返済	1.4	9,499	6,721	5,332	4,499	3,943	3,546
元金均等返済	1.5	9,583	6,805	5,416	4,583	4,027	3,630
元金均等返済	1.6	9,666	6,888	5,499	4,666	4,110	3,713
元金均等返済	1.7	9,749	6,971	5,582	4,749	4,193	3,796
元金均等返済	1.8	9,833	7,055	5,666	4,833	4,277	3,880
元金均等返済	1.9	9,916	7,138	5,749	4,916	4,360	3,963
元金均等返済	2.0	9,999	7,221	5,832	4,999	4,443	4,046
元金均等返済	2.1	10,083	7,305	5,916	5,083	4,527	4,130
元金均等返済	2.2	10,166	7,388	5,999	5,166	4,610	4,213
元金均等返済	2.3	10,249	7,471	6,082	5,249	4,693	4,296
元金均等返済	2.4	10,333	7,555	6,166	5,333	4,777	4,380
元金均等返済	2.5	10,416	7,638	6,249	5,416	4,860	4,463
元金均等返済	2.6	10,499	7,721	6,332	5,499	4,943	4,546
元金均等返済	2.7	10,583	7,805	6,416	5,583	5,027	4,630
元金均等返済	2.8	10,666	7,888	6,499	5,666	5,110	4,713
元金均等返済	2.9	10,749	7,971	6,582	5,749	5,193	4,796
元金均等返済	3.0	10,833	8,055	6,666	5,833	5,277	4,880

※　元金均等返済の毎月の返済額は第1回目の金額を示す
注　金額は概算なので、詳細は各金融機関に問い合わせのこと

その他の民間ローンのメリットを見極めて

T氏　ローンの上手な返し方について、ご説明しましょう。

澄香　上手な返し方なんてあるの?

T氏　ええ、それがあるんですよ。代表的なものとしては、繰り上げ返済、条件変更、借り換えの3つがあります。

澄香　ピンとこないけど、どんなものなんですか。

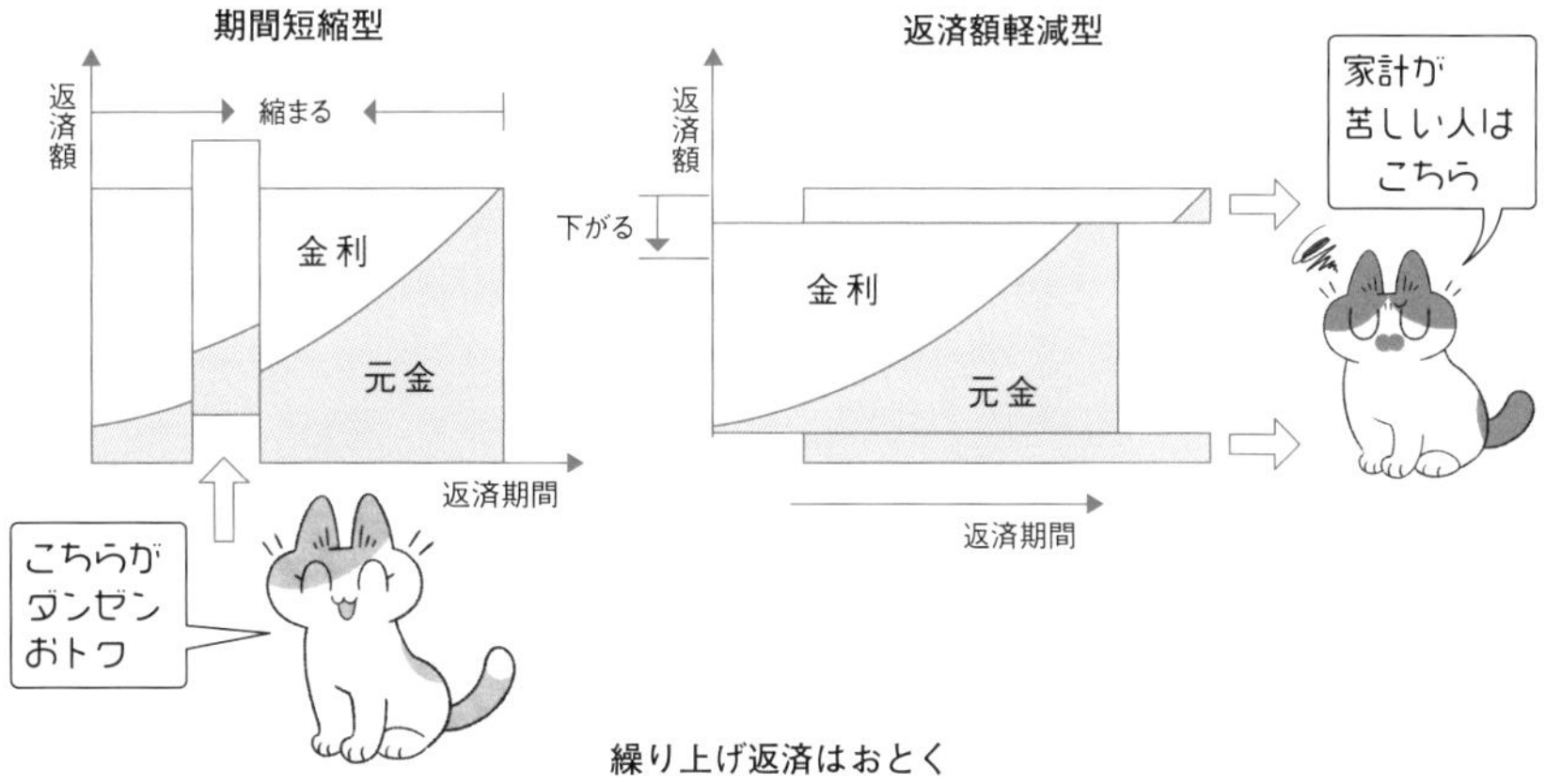

繰り上げ返済はおとく

繰り上げ返済は期間短縮型が効果大

T氏　まず、繰り上げ返済ですが、これは、毎月の返済額とは別に、まとまった金額を返済することをいいます。繰り上げ返済した金額は、基本的にはローンの元金に充てられるので、その後の金利も減って、ローン負担が大きく減少します。毎月の返済額はそのままにして、元金と利息が減った分、期間が短縮される期間短縮型と、繰り上げ返済後も返済期間は変えずに毎月の返済額を減らす返済額軽減型があります。どちらも、ローン負担を軽減できますが、同じ金額を繰り上げ返済するなら、期間短縮型のほうが軽減効果は大きくなります。

澄香　まとまったお金が貯まったら、繰り上げ返済すると有利になるのね。

T氏　そういうことですね。繰り上げ返済は、なるべく早いうちにすると、支払う利息が大きく減って、負担軽減効果は大きくなります。いくつものローンがある場合、

①金利が高いローン
②返済期間が長いローン
③残高の多いローン

の順に繰り上げ返済をしたほうが有利です。

澄香　ローンの負担を減らすために、ぜひ、覚えておきたい方法ね。

表11　民間融資の借入限度額算出シート（計算例）［記入用シートは48頁横の折り込み裏にあります］

■ 試算者のプロフィールと物件概要
年収：700万円
物件価格：3,000万円（土地は取得済み）

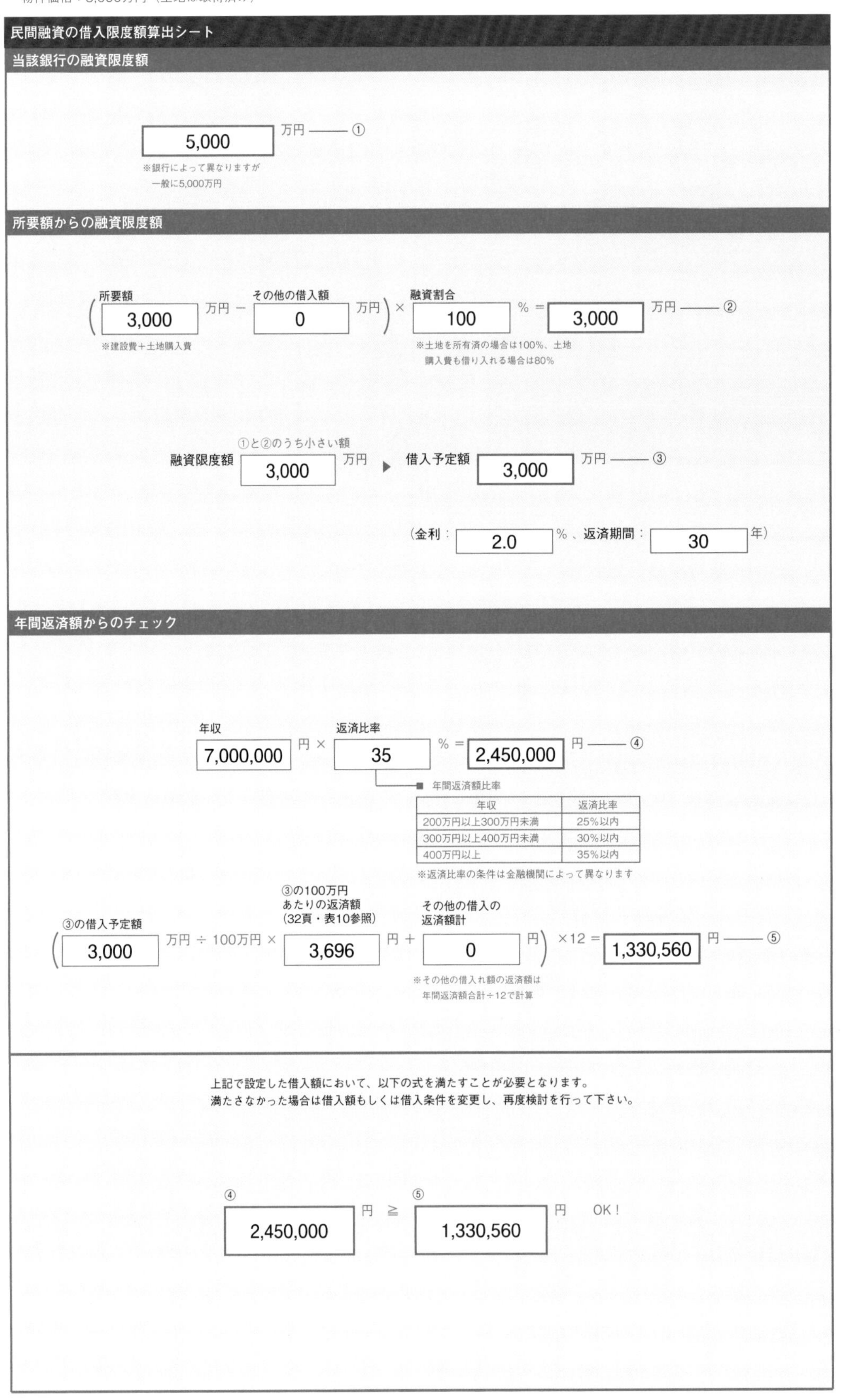

年収	返済比率
200万円以上300万円未満	25%以内
300万円以上400万円未満	30%以内
400万円以上	35%以内

※返済比率の条件は金融機関によって異なります

※　民間融資の金利は2.0％でも、返済額のチェックは4％で行う銀行が多くなっている

返済条件の見直しも大切

T氏　次に、条件変更ですが、これは住宅ローンの返済条件である、返済期間、ボーナスと毎月の返済比率、返済タイプなどを変更する方法です。

澄香　具体的にはどういうことかしら？

T氏　たとえば、生活にゆとりのある人だったら、返済期間を短縮して毎月の支払額を増やせば、返済総額を大きく減らすことができます。また、毎月の返済額を一定にする元利均等返済から、元金の返済額を一定にする元金均等返済に変えることによっても、返済総額は減らせます。

澄香　では、月々の返済が大変な人は、どうすればいいの？

T氏　共働きをやめたり、転職などで収入が減少したりして、少しでも月々の返済額を減らしたい場合には、返済期間の延長をすることが効果的です。また、元金均等で返済している場合には、元利均等返済に変えることで、当面の毎月返済額は減少します。このほか、ボーナス返済が多すぎる場合には、ボーナス返済の割合を低くして、毎月の支払いを多くすれば、ボーナスがあまりでない状況にも対応できます。

澄香　いろいろと方法はあるのね。でも、条件変更は簡単に認められるものなの？

T氏　ええ、以前は条件変更が認められないケースも多かったのですが、最近は誰でも手数料を払えば、認められるようになっています。借入先の金融機関に申し出て、変更した場合の返済額などを計算してもらい、十分に納得してから申請してください。

澄香　ふーん。そんなに簡単にできるなんて、少しも知らなかったわ。

月々の返済額を減らしたい → 返済期間の延長
→ 元金均等返済を元利均等返済に変更

ボーナス返済額を減らしたい → ボーナス返済額の割合を低く、毎月返済額の割合を増やす

変えられるヨ

手数料を払えば返済条件は変更できる

借り換えのメリットを検討しよう

T氏　次に借り換えですが、これは現在のローンを完済して、他のローンに組み替えることです。たとえば、高金利のローンから低金利のローンへ組み替えたり、旧タイプの不利なローンから新タイプの有利なローンへ組み替える場合が典型です。具体的には、フラット35は固定金利なので、高金利のときに借りた方は、低金利の民間ローンに組み替えたほうが有利なケースもあります。ただし、どんな場合でも借り換えが有利というわけではありません。

澄香　といいますと？

T氏　異なる金融機関のローンに借り換える場合には、新規にローンを組む場合と同様の手続き費用や担保設定費用がかかり、最低でも20万～30万円は必要になります。したがって、ローン残高が少ない場合や、返済期間がそれほど残っていない場合、金利差が小さい場合には、借り換えのメリットはあまりないということになります。1つの目安としては、ローン残高が1000万円以上、返済期間が10年以上残っている場合、借り換え後の金利が1％以上下がる場合には、借り換えを検討してみる価値はあるでしょう。

澄香　住宅ローンって、借りるまでだけでなく、借りたあとも、無理や無駄がないか、見直しをしてみることが大切なのね。

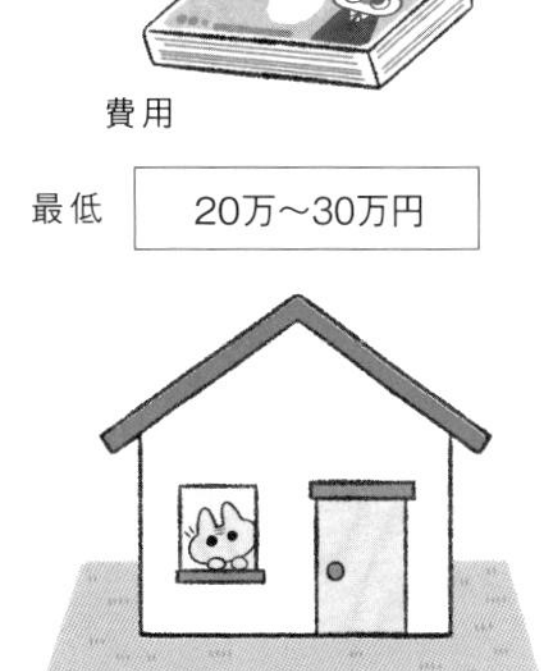

借り換え費用は最低20万～30万円

Money Guide

いつ、どれだけ払えばいいの？支払いスケジュールを教えて！

事前準備段階 ― 家づくり予算の検討

澄香　家づくりの資金は、いつまでに用意したらいいのかしら？

T氏　家づくりには、業者選びから、契約、着工、完成、引渡し、入居と、一連の流れがあります。この一連の流れの中で、いつ、どんな支払いが発生して、どんな資金で支払っていくかを把握しておくことが必要です。

澄香　分譲マンションより難しそう。

T氏　分譲マンションの場合には、支払いは申込時と最終支払いぐらいで、支払い手続きも、販売会社の担当者がフォローしてくれますから楽なんですが、自分で建てる場合には、そうはいきません。少々大変でも、支払いスケジュールを頭に入れて、それに間に合うように、資金のやりくりを行う必要があります。

澄香　具体的には、どこから始めるの？

T氏　ここに、典型的な家づくりの流れを整理した資料があります（表12）。これをみながら、ご説明しましょう。まず、家を建てようと考える段階ですね。この段階では、土地は確保されているとして、総額どれくらいの家を建てるか、そのための自己資金と住宅ローンは用意できるかという、家づくりの予算を検討します。

澄香　今のわが家の状況ね。

自己資金
ローン
総費用　＝　住宅資金

費用と資金をバランスさせる

業者選びの段階 ― 資金計画の立案からローンの申込みまで

T氏　家づくりの予算の目安がある程度ついたら、業者選びの段階です。

澄香　ハウスメーカーや工務店ね。

T氏　住宅展示場を見学したり、設計事務所を探したり、ハウスメーカーや工務店の選択を行います。プランニングの相談や見積依頼も、この段階で行い、見積りの結果、予算の修正を行うこともあります。

澄香　この段階でも、お金はかかるの？

T氏　ラフなプランニングや見積りには、通常お金はかからないことが多いようですが、簡単な地盤調査などをすると、実費がかかる場合もあります。また、設計事務所の場合には、契約時の支払いを行います。次に、予算がほぼ確定した段階で、資金計画を立て、ローンの申込みを行います。

澄香　実際は、どうすればいいの？

T氏　先ほど、お見せした資料でも、ある程度の資金計画は立てられますが、実際には、金融機関の窓口に直接行って、月々の返済額などを具体的に出してもらいながら、いろいろ相談するのがいいでしょう。住宅金融支援機構の窓口でも相談に乗ってくれますし、最近では各銀行などでも、住宅ローン専門の相談窓口やインターネットでの情報提供などを充実させています。

澄香　気軽に情報提供してくれたり、相談できるところがあるなら安心ね。

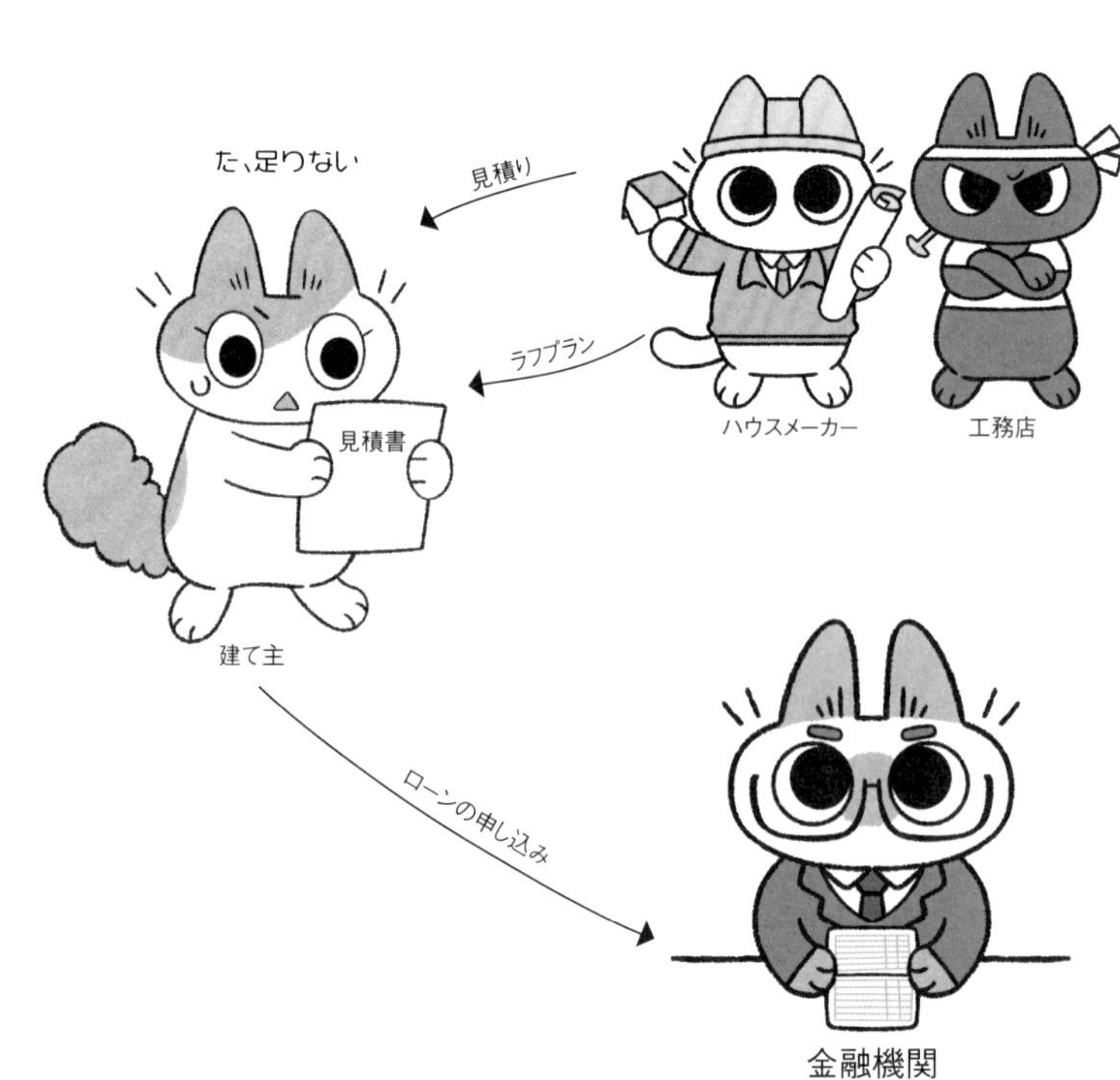

見積りとローンの申し込み

表12　家ができるまでの流れ

家ができるまでの流れ	主な内容	費用
家を建てたい ▼	理想の家のイメージづくり 予算の検討	
業者選び 業者への申込み ▼	モデルハウスの見学 工務店・設計事務所の検討 見積依頼	契約金・申込金 地盤調査費
資金計画 ▼	借入額・借入先の検討	
設計 ▼	設計契約　※別途設計者に依頼する場合 設計者とプランニングの相談	設計契約金
ローンの申込み ▼	ローン申込書記入 必要書類提出	ローン申込関係書類代 （ローン申込代行手数料）
業者と契約 ▼	工事業者と請負契約	印紙税 建築確認申請費用　etc.
着工 ▼	着手金の支払い	工事着手金（工事・設計） 地鎮祭の費用 ［建替えの場合］ 解体工事費 引越し代・仮住まい費用　etc.
上棟 ▼	現場審査 中間資金の受け取り 中間金の支払い	上棟式の費用 中間金の支払い
完成 ▼	竣工（施主）検査	建築確認完了検査費用
引越し ▼	費用決済 登記 引越し 工事残金支払い	工事費・設計料残金 登記関連費用 引越し代 ［つなぎ融資が必要な場合］ つなぎ融資利息　ローン事務手数料　etc.
ローン契約 ▼	ローン契約	印紙税　登記関連費用 ローン事務手数料 火災保険料　地震保険料　etc.
入居	新築パーティー・近所挨拶 最終資金の受け取り	不動産取得税　家具等購入費 近所挨拶費用　etc.

プラン決定から着工段階
― 工事着手金は自己資金で

T氏　プランが決まり、建築確認申請が通ったら、いよいよ、工事会社と工事請負契約を結びます。このとき、工事着手金の支払いを行います。着手金の工事費総額（本体工事費と別途工事費の合計で消費税を含む金額）に占める比率はケースバイケースですが、最低でも2割程度は見込んでおくことが必要でしょう。

澄香　このお金は、自己資金でみなければならないのかしら。

T氏　住宅ローンは、原則として、建物が建って保存登記がされて初めて実行されるものですから、建物完成までの費用は自己資金でまかなうのが原則です。

澄香　それは、けっこう大変ね。

T氏　このあたりが、家づくりの資金調達のポイントになります。また、請負契約の前に、仮契約が行われる場合もあり、その際、設計料や建築確認申請費用を支払う場合もあります。

澄香　工事会社と契約したら、着工ね。

T氏　はい。ただし、なんにも建っていない土地なら問題ないのですが、建て替えの場合には、建物の解体や、滅失登記、引越しや仮住まいが必要ですから、こうした費用も自己資金で用意しておく必要があります。

澄香　何かと、かかるものなのね。

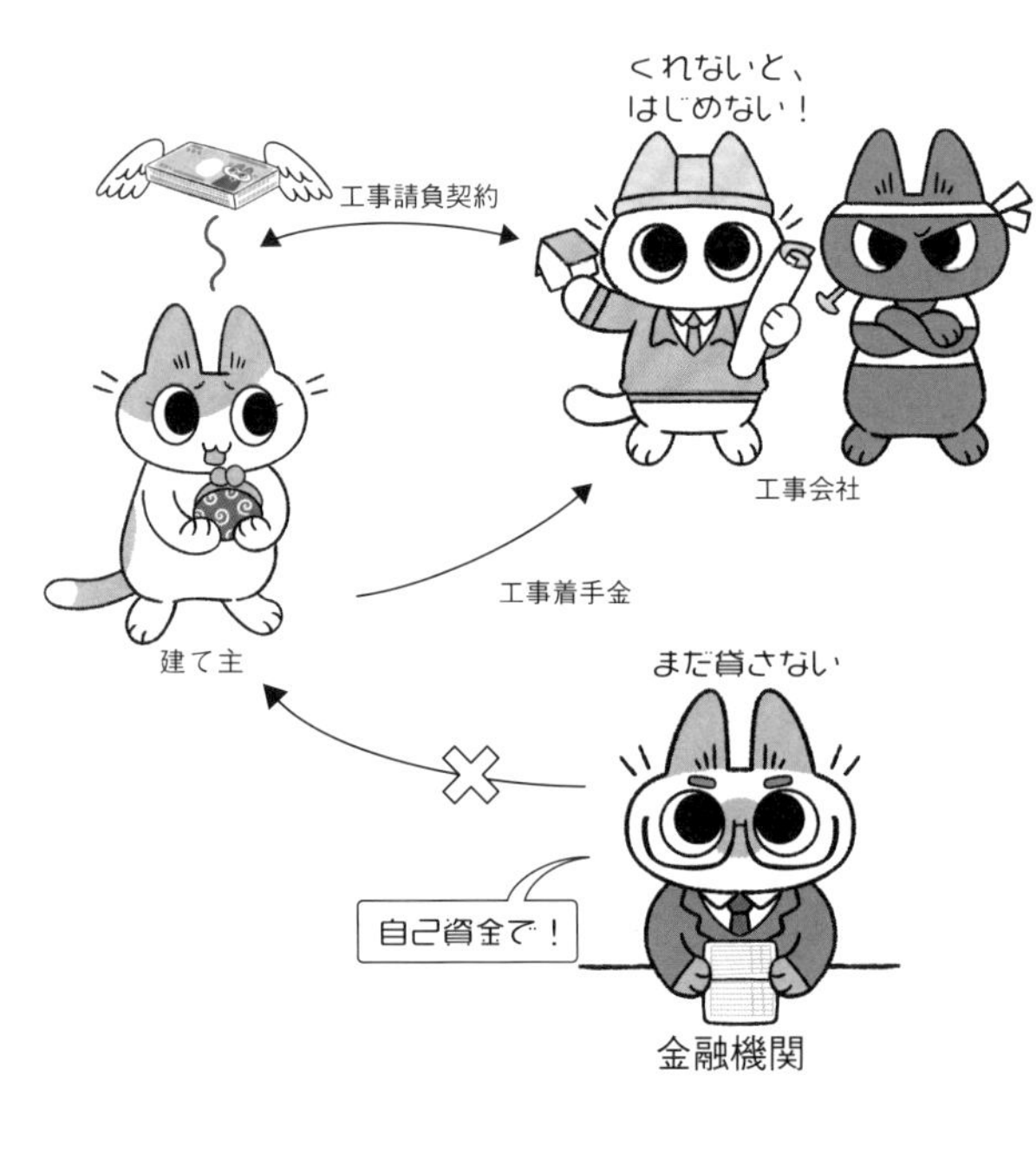

工事着手金は最低2割、工事着手金は自己資金で

上棟から完成までの段階
― 中間金の支払い

T氏　着工後は、上棟、完成と進みますが、契約によっては、上棟時に工事費の中間金の支払いが発生する場合もあります。

澄香　上棟時というのは？

T氏　上棟というのは、建物の骨組ができて、屋根ができあがった状態です。この段階で工事費の中間金を支払うのが、古くからの建築業界の慣習です。この中間金の支払いも、請負契約書に明記されるものですから、初めの取り決めが大切です。

澄香　これも、自己資金でまかなうの？

T氏　原則はそうですが、財形住宅融資やフラット35を取り扱う金融機関のなかには、中間資金のための融資を行っているところもあります。自己資金だけでは足りなく、早めに融資を受けたい方は、ぜひ検討してみてください。

澄香　それを聞いて、ちょっと安心。

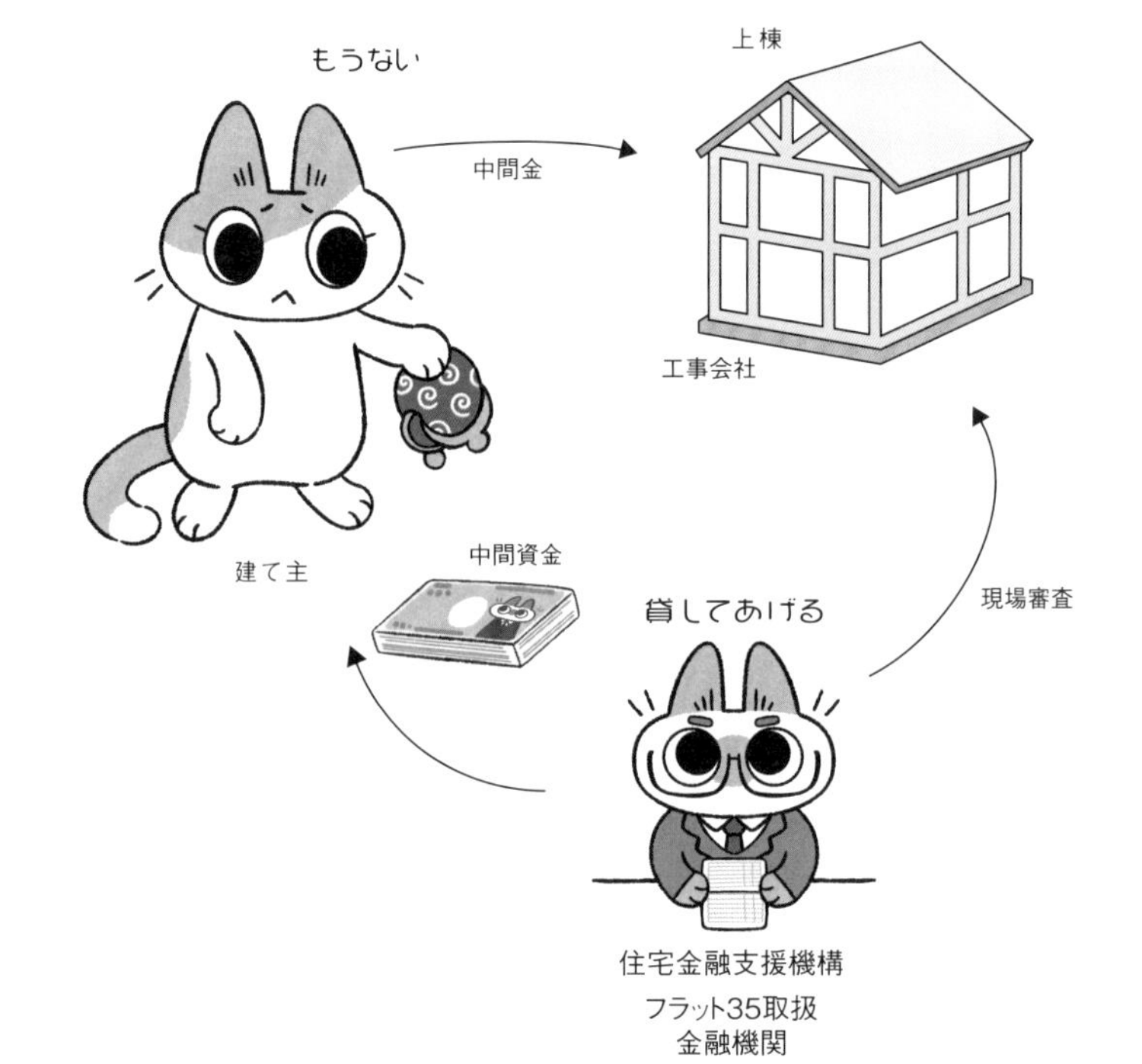

上棟時に中間金の支払い?!

引渡し・入居段階
― 登記費用・ローン手数料・残金支払い

T氏　さて、いよいよ建物が完成し、引渡し、入居となるわけですが、この段階で、様々な費用が発生します。まず、建物完成後ただちに、建物の表示登記、保存登記を行います。この際、登録免許税と司法書士等への登記手続き費用が発生します。フラット35を利用する場合には、必要書類を提出してローン契約を結び、融資の実行を受け、工事会社などに残金の支払いを行います。ローン契約時には印紙税が、ローン実行時には事務手数料や印紙税、火災保険料などの諸費用がかかります。

澄香　頭が痛くなりそう。

T氏　残金の支払いは、引渡しと同時に行うことを求める工事会社が多く、この場合には引渡し前に資金を用意しておく必要がある場合もあります。つまり、引渡し時に残金決済を行う契約で融資を利用する方は、資金を受け取るまでの間、別の融資を受ける必要がある場合もあり、これをつなぎ融資といいます。ハウスメーカーなどでは、つなぎ融資の紹介をしてくれるところもありますが、紹介がない場合には、直接金融機関に相談してみる必要があります。当然のことながら、つなぎ融資を行う際には、金利や手数料が発生します。

残金の支払いはつなぎ融資?!

澄香　借入先によっては、面倒なことがあるのね。

T氏　そうですね。

澄香　残金決済を待ってもらう方法はあるの？

T氏　ええ、代理受領といって、工事会社が金融機関から直接、融資を受け取る契約にしておけば、つなぎ融資なしに、住宅の引渡しを受けることも可能です。ただし、可能かどうかは、工事会社次第になります。

澄香　工事会社を選ぶときに、最初に確認しておけばいいのね。ところで、民間ローンの場合はどうなるの？

T氏　民間ローンの場合には、柔軟な対応をしてくれる場合が多いのですが、いずれにせよ、ローン申込みの時点で、家づくりのスケジュールと、いつごろまでにどれくらいの資金が必要になるかをできるだけ詳しく伝えておき、相談に乗ってもらうことが大切でしょう。

入居後―不動産取得税の支払い

T氏　さて、入居後ですが、不動産取得税がかかってきます。ただし、軽減措置もあるので、それほど大きな金額にならないケースも多いようです。

澄香　固定資産税とかはどうなるの？

T氏　建物にかかわる固定資産税や都市計画税は、建物が完成した翌年から毎年かかります。ですから、通常は、家づくりのコストには入れないでも大丈夫でしょう。

澄香　家づくりにはほんとにいろんな費用がかかるし、支払時期も考えないといけないのね。

固定資産税等は翌年支払い

知って得する家づくりのマネー知識

住宅ローンでお金が戻ってくるって本当？

T氏　澄香さんは、住宅ローン減税の話を聞いたことがありますか。

澄香　ええ、住宅ローンを使うと税金が戻ってくるという仕組みでしょ。

T氏　一言でいえばそういうことですが、もう少し詳しくご説明しましょうか。

澄香　ええ、お願いします。

T氏　住宅ローン減税というのは、マイホームを取得するための住宅ローンの残高に応じて、所得税額を控除する制度で、13年間で最大455万円もの税金が戻ってくることになります。

澄香　えっ、455万円も戻るの？

T氏　ええ、子育て世帯が長期優良住宅や低炭素住宅などの認定住宅に入居して、かつ住宅ローン残高が、ずっと5千万円以上あれば、そういう計算になります。実際には、借りた人の年収や住宅ローンの金額、借入期間、返済方法などによって違うので、何ともいえませんが、たとえば、年収800万円の子育て世帯の方が、長期優良住宅等の認定住宅を建設して、3千万円、30年間、金利2％元利均等返済のローンを

所得　－　買換えの赤字　→　所得税・住民税　の計算

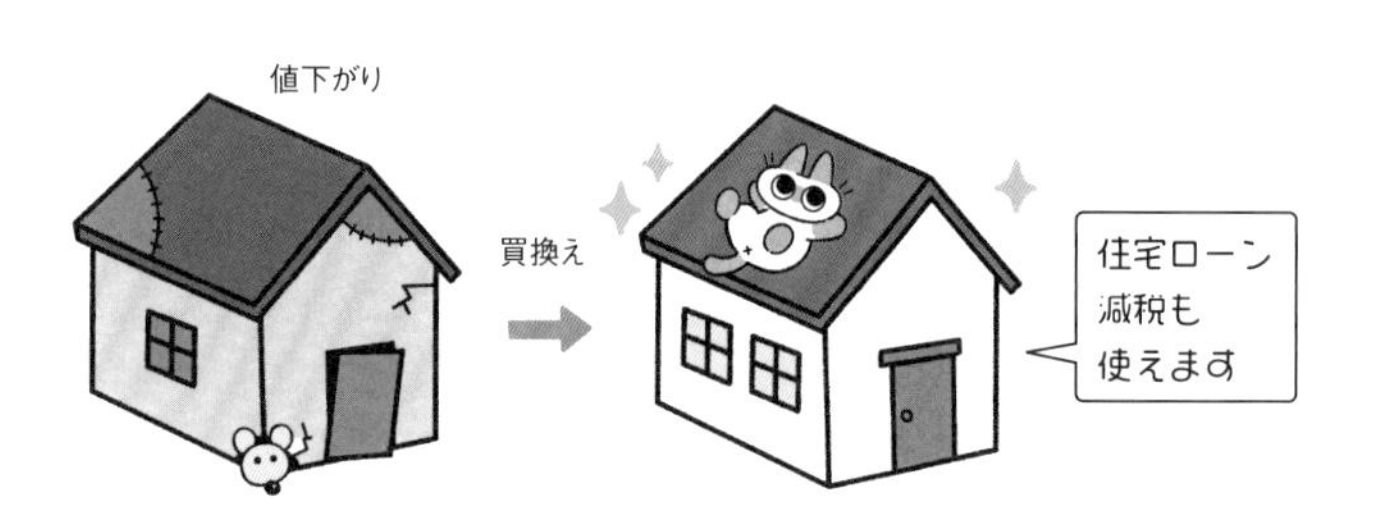

ex.

買った値段		売った値段		譲渡損失
3,000万円	−	1,000万円	＝	2,000万円

給与所得

当年	500万円	−	2,000万円	＝−1,500万円	→	税金0
1年	500万円	−	1,500万円	＝−1,000万円	→	税金0
2年	500万円	−	1,000万円	＝　−500万円	→	税金0
3年	500万円	−	500万円	＝　0円	→	税金0

買換えで損をしても、これで大丈夫？

借りた場合には、２０２４年12月末までの入居であれば、２２０万円程度の所得税の戻りがあります（**詳細は表13参照**）。

澄香　具体的には、どんな計算なの？

T氏　この入居の場合、毎年末の住宅ローン残高（子育て世帯で長期優良住宅の場合5千万円が限度）に対して０・７％を掛けた金額が、13年間、毎年の所得税額から控除されます。たとえば、1年目末の住宅ローンの残高が３千万円あれば、その０・７％の21万円が、その年の所得税から差し引かれる計算になります。

澄香　もともと所得税の金額が21万円以下の人はどうなるの？

T氏　その場合は、その年の所得税額がゼロになり、さらに所得税で控除しきれなかった残額については、住民税から最高９万７千５００円まで控除できます。

　この制度を使うためには、ローンの種類や期間、住宅や借りる人などについていろいろな要件があり、資料（**表13**）を用意しておきましたので、当てはまるかどうか確認してください。

澄香　ええ、そうします。

表 13　住宅借入金等特別控除制度（住宅ローン減税）の適用
（2025年12月31日までに新築住宅に入居した場合）

- （1）住宅の新築や購入をしてから6カ月以内に居住の用に供し、その年の12月31日までに引き続いて住んでいること。なお、居住の用に供する住宅を2つ以上所有する場合には、主として居住の用に供する１つの住宅に限られます
- （2）この控除を受ける年の合計所得金額が、2千万円以下であること
- （3）新築や購入した住宅の床面積が、50㎡以上（2024年までに建築確認の場合、所得1000万円以下の者は40㎡以上）であり、床面積の2分の1以上の部分が専ら自己の居住用に使われるものであること
- （4）住宅の新築や購入のための10年以上にわたり分割して返済する方法になっている一定の借入金または債務（住宅の取得とともにするその住宅の敷地の用に供される土地等の取得のための借入金等を含みます）があること。一定の借入金または債務とは、たとえば、民間の金融機関、住宅金融支援機構、勤務先などからの借入金や独立行政法人都市再生機構（旧都市基盤整備公団）、地方住宅供給公社、建設業者などに対する債務です

（注）1．親戚などからの個人的な借入金や、勤務先からの無利子または0.2％に満たない利率による借入金などは、この特別控除の対象とはなりません

（注）2．サラリーマンが最初にこの控除を受ける年分については、確定申告をすることが必要です。なお、確定申告をした年分の翌年以後の年分については、年末調整で受けることができます

（注）3．居住の用に供した年とその前2年・後3年の計6年の間に居住用財産を譲渡した場合の長期譲渡所得の課税の特例などの適用を受けている場合は、住宅借入金等特別控除を受けることができません

住宅ローン減税の真実

住宅の買換えでもお金が戻ってくる？

T氏　住宅ローン減税と並んで、知っておいたほうがお得な制度に、譲渡損失の繰越控除制度というものがあります。

澄香　ずいぶん、難しそうな名前ね。

T氏　中古で住宅を売ると、買ったときよりは値下がりをしていることが多いですね。このように、マイホームの売却で譲渡損失がでた場合、その譲渡損失の金額を売却した年の所得から差し引き、引ききれなかった金額については翌年以降最長３年間繰り越して所得から差し引いて所得税と住民税を計算する制度です。住宅ローン減税とも併用できるので、買換えで損がでた人にとっては、大変ありがたい制度です。

澄香　やっぱり、難しそう。

T氏　仕組みは複雑ですが、当てはまる方は、一度、税理士さんや税務署などに相談してみるといいかもしれませんね。

建物名義は節税対策のポイント！

T氏　家は誰の名義にする予定ですか。

澄香　えっ、建物の名義ですか。まだ、全然考えていないのですが。

T氏　家づくりの費用については、澄香さんも、ある程度負担される予定でしょう。

澄香　ええ。自己資金部分は私のほうが多いかもしれません。住宅ローンについては、主人が中心になると思います。

T氏　それなら、ぜひ共有名義にすべきですね。もともと、建物の名義は負担した費用の割合で、登記を行うのが原則です。

澄香　といいますと？

T氏　もし、負担した費用の割合と異なる建物登記を行った場合には、贈与税を課税されるおそれがあるからです。

澄香　そうなんですか。

T氏　諸経費を含めた総費用を誰がどう負担したかを明確にして、その割合に応じて共有名義で登記をすれば問題ありません。その場合、自己資金だけでなく、住宅ローンの借入れも含めます。

澄香　贈与税の特例を使って贈与されたお金は、どう考えるのかしら。

T氏　これも、贈与された人が負担したものとして、比率を計算することになります。たとえば、お子さんが、ご両親から住宅資金の贈与を受けた場合には、お子さんもその分の資金を負担したとして、建物の共有

建物登記は共有名義がおトク？

持ち分を持つことになります。

澄香　なるほど、そういうことね。

T氏　このように、共有持ち分で住宅を持っていると、税務的には有利なことがいろいろとあります。

澄香　といいますと？

T氏　たとえば、夫婦２人とも収入があって、住宅ローンを２人で借りて共有で住宅を取得した場合には、夫婦２人について、それぞれ住宅ローン減税を受けることができます。また、将来売却して利益がでたときには、同居している共有名義者１人あたり３千万円の特別控除を受けられます。相続のことを考えても、配偶者や子供の持ち分を確保しておいたほうが有利でしょう。

澄香　まあ、うちは相続税なんて縁がないけれど、住宅ローン減税は２人で使うかもしれないわ。

T氏　それから、もし、贈与税の基礎控除額（１人あたり１１０万円）以上の金額を親から資金援助してもらう場合には、資金援助した親も、負担額に応じて共有持ち分を持つのがいいでしょう。こうすれば、贈与税はかかりませんし、相続の際に、その共有持ち分を相続すれば、初めに親から住宅資金をもらったのとかわりはないからです。

澄香　うちの場合、いくらぐらい資金援助してもらえるかわからないけど、考え方は参考になるわね。

主要都市の助成・自治体融資の例（住宅建設対象のもの）

自治体名	市区名	制度の種類	融資／補給対象額	返済または利子補給期間	概要・主な申し込み条件など	担当課名	電話番号
北海道	札幌	助成	最大220万円	―	札幌市内に新築する一戸建ての住宅で、令和6年4月以降に工事が完了しているもの。断熱等基準がシルバー以上の札幌版次世代住宅であることなど	住宅課	011-211-2807
	岩見沢	助成	最大30万円	―	「岩見沢市北方型住宅建設費補助金」。北方型住宅ZEROの基準に適合し、地域の工務店で建てる住宅を新築または購入することなど	建築課	0126-35-4697
	帯広	助成	45万円	―	「北方型住宅ZERO補助金」。自己居住用として北方型住宅ZEROによる新築住宅であるもの。居住用部分の面積が50㎡以上280㎡以下であることなど	建築開発課	0155-65-4179
	滝川	助成	最大200万円	―	自己が所有し居住すること。2006年4月2日以降に出生した子を有する世帯または申請時点において夫婦であり、いずれかが1984年4月2日以降に生まれた世帯など	（一社）中空知地域職業訓練センター	0125-24-1880
	登別	助成	最大122万5千円	―	「登別市ＺＥＨ普及促進補助金」。ZEHかつ北方型住宅ZEROに該当する新築戸建住宅・建売住宅を購入することなど	市民生活部環境対策グループ	0143-85-2958
	美唄	助成	最大100万円	―	子育て世帯、若者夫婦世帯の住宅で、対象住宅の居住面積が60㎡以上。市内業者建築・子育て支援などによる加算あり	DX・まちづくり推進課	0126-62-3137
	夕張	助成	最大250万円	―	「夕張市新築住宅取得費補助金」。補助金の交付を受けてから5年以上継続して市内に住むことなど	建設課	0123-52-3119
岩手	（県）	助成	最大50万円	―	「いわて木づかい住宅普及促進事業」。県産木材の使用量、JAS材の使用、子育て世帯、省エネ・バリアフリー化により加算	林業振興課	019-629-5773
山形	山形	助成	最大90万円	―	市産材を8㎥以上使用、市内に事業所を有する工務店等が戸建住宅の施工業者であるものなど。子育て世帯、市産材使用、薪ストーブ設置による加算制度あり	建築住宅課	023-630-2154
宮城	（県）	助成	最大50万円	―	「県産材利用サステナブル住宅普及促進事業」。主要構造部材に宮城県産材を60%以上かつ県産JAS製品または優良みやぎ材を40%以上使用することなど	林業振興課	022-211-2912
栃木	宇都宮	助成	50万円	―	「宇都宮市マイホーム取得支援事業補助金」。対象区域内に住宅を取得すること。市外からの転居、子どもの人数による加算あり	住宅政策課	028-632-2735
富山	（県）	助成	最大40万円	―	「とやまの木で家づくり支援事業」。県産材を1㎥以上使用する住宅で、県内に事業所を有する業者によって施工される住宅など。使用した県産材1㎥あたり5,000円～2万円を補助	森林政策課	076-444-3388
	富山	助成	最大50万円	―	「まちなか住宅取得支援事業」。住戸専用面積75㎡以上、緑化面積5%以上など	居住対策課	076-443-2112
		助成	最大30万円	―	「公共交通沿線住宅取得支援事業」。対象地区内で住戸専用面積100㎡以上、緑地面積10%以上など	居住対策課	076-443-2112
	魚津	助成	50万円	―	「子育て新婚世帯住宅取得支援補助金」。「魚津市居住誘導区域住宅取得支援補助金」と併用可能	都市計画課	0765-23-1031
石川	（県）	助成	最大50万円	―	「いしかわの森で作る住宅推進事業」。5㎥以上の県産木材を使用した住宅等の新築・増改築・購入に対し、県産木材の使用量及び使用率に応じて7～50万円を補助	森林管理課	076-225-1643
	金沢	助成	最大200万円	―	「わがまち金沢住宅取得奨励金」。対象区域で延床面積が75㎡以上280㎡以下の住宅。軒の出のある瓦屋根、伝統的な意匠の開口部、4畳半以上の和室を設けることなど	住宅政策課	076-220-2333
		助成	最大25万円	―	「木のある暮らしづくり奨励事業」。金沢産スギ柱（10.5cm正角以上で長さ3m以上）を50本以上使用で柱1本につき2,800円補助	森林再生課	076-220-2217
福井	（県）	助成	最大50万円	―	「県産材を活用したふくいの住まい支援事業」。県産材を1㎥以上かつ強度および含水率を表示した県産材の柱を30本以上使用するもの。越前瓦・和紙使用による上乗せあり	福井県木材組合連合会	0776-50-3625
		利子補給	400万円	5年	北陸労働金庫から住宅資金の融資を受けて住宅を新築・購入・増改築する年間所得400万円以下の勤労者	労働政策課	0776-20-0389
	越前	助成	最大160万円	―	居住誘導区域に立地する延床面積40㎡以上の住宅。40歳未満の者、18歳未満の子と同居する者など	建築住宅課	0778-22-3074

- 記載内容は2024年度に実施されたもの。各自治体の制度については申込時期が決まっている場合がある。また、申込条件および融資条件は申込者によって異なる場合がある。詳細は各自治体にお問い合わせ下さい
- 制度の種類が「斡旋＋補給」とされているものの返済または利子補給期間は、「30年／5年」の場合、斡旋する融資の返済期間が最長30年、利子補給期間が5年を示す

主要都市の助成・自治体融資の例（住宅建設対象のもの）

自治体名	■ 市区名	■ 制度の種類	■ 融資／補給対象額	■ 返済または利子補給期間	■ 概要・主な申し込み条件など	■ 担当課名	■ 電話番号
長野	■（県）	■ 助成	■ 最大200万円	■ ―	■「信州健康ゼロエネ住宅」に対する助成金。床面積75～280㎡の木造住宅で、省エネ・耐震性能などの基準を満たし、県産材を使用することなど	■ 長野県住宅供給公社	■ 026-227-4322
	■ 小諸	■ 助成	■ 最大30万円	■ ―	■「小諸市移住促進補助金」。県外より転入し、新築または購入した住宅に5年を超えて居住することなど。18歳以下の扶養する子との同居や、45歳未満の夫婦向けに加算あり	■ 商工観光課	■ 0267-22-1700
	■ 松本	■ 助成	■ 最大30万円	■ ―	■ カラマツ材の使用量に応じた補助制度。信州木材認証製品センターの認証製品を20万円分以上使用していることなど	■ 森林環境課	■ 0263-78-3003
岐阜	■（県）	■ 助成	■ 最大30万円	■ ―	■「ぎふの木で家づくり支援事業」。「ぎふ性能表示材」または「ぎふ証明材かつJAS製品」を構造材に80%以上使用することほか。県外住宅対象の制度もある	■ 県産材流通課	■ 058-272-8487
	■ 大垣	■ 利子補給	■ 最大30万円	■ 3年	■ 新築戸建て住宅で居住用面積が50㎡以上など。住宅を取得した日から申請期限までに、中学生以下の子どもがいる者、または配偶者がいていずれか一方が40歳未満の者が対象	■ 住宅課	■ 058-272-1111
	■ 高山	■ 助成	■ 最大30万円	■ ―	■「匠の家づくり支援事業」。構造材の市産材使用量に応じ2万円／㎥、内装材の市産材使用面積に応じ2,000円／㎡の合計額。市外の建築主・建築場所の補助もあり	■ 森林政策課	■ 0577-35-3143
埼玉	■ 上尾	■ 融資斡旋	■ 1800万円	■ 30年	■ 市内在住・同一事業所１年以上勤務。18歳以上60歳以下	■ 商工課	■ 048-777-4441
	■ 桶川	■ 融資斡旋	■ 2500万円	■ 30年	■ 市内在住・同一事業所１年以上勤務。18歳以上60歳未満	■ 産業観光課	■ 048-788-4928
	■ 春日部	■ 助成	■ 最大30万円（商品券）	■ ―	■ 5年以上引き続き住民登録をしていること、義務教育修了前の子どもを1人以上扶養し、かつ同居していることなど。地域電子マネーで交付	■ 住宅政策課	■ 048-736-8159
	■ 久喜	■ 融資斡旋	■ 1500万円	■ 25年	■ 市内在住・同一事業所2年以上勤務。20歳以上60歳以下	■ 商工観光課	■ 0480-85-1111
	■ 熊谷	■ 融資斡旋	■ 1500万円	■ 35年	■ 市内在住・同一事業所1年以上勤務。20歳以上60歳以下	■ 企業活動支援課	■ 048-524-1470
		■ 利子補給	■ 年間支払利子の25%以内	■ 5年間	■ 市内在住・同一事業所1年以上勤務。20歳以上60歳以下。市外から転入の場合利子補給上限は年間支払利子の50%以内	■ 企業活動支援課	■ 048-524-1470
		■ 助成	■ 最大25万円（電子マネー）	■ ―	■ 親世帯と子世帯が同居・近居をするために住宅を新築または購入した場合、要した費用の1%分の地域電子マネーで補助	■ 長寿いきがい課	■ 048-524-1398
	■ 幸手	■ 融資斡旋	■ 1000万円	■ 25年	■ 市内在住・同一事業所2年以上勤務。25歳以上50歳以下	■ 商工観光課	■ 0480-43-1111
	■ 草加	■ 融資斡旋	■ 2000万円	■ 30年	■ 市内在住・同一事業所2年以上勤務。20歳以上65歳以下	■ 都市計画課	■ 048-922-1790
	■ 蓮田	■ 融資斡旋	■ 800万円	■ 30年	■ 市内在住・同一事業所2年以上勤務。20歳以上55歳以下	■ 商工課	■ 048-768-3111
	■ 深谷	■ 融資斡旋	■ 500万円	■ 10年	■ 市内在住・同一事業所1年以上勤務。20歳以上55歳以下	■ 商工振興課	■ 048-577-3409
	■ ふじみ野	■ 融資斡旋	■ 1200万円	■ 30年	■ 市内在住・同一事業所１年以上勤務。20歳以上60歳以下	■ 産業振興課	■ 049-262-9023
	■ 三郷	■ 融資斡旋	■ 1000万円	■ 30年	■ 市内在住・同一事業所２年以上勤務。自己資金が建築の２割以上ある者	■ 商工観光課	■ 048-930-7721
	■ 八潮	■ 融資斡旋	■ 1000万円	■ 30年	■ 市内在住１年以上。同一事業所２年以上勤務。20歳以上55歳未満	■ 商工観光課	■ 048-996-2111
	■ その他、上尾市、桶川市、久喜市、熊谷市、鴻巣市、草加市、蓮田市、深谷市、ふじみ野市、三郷市、八潮市などで太陽光発電システムなどの導入助成制度あり						

■ 記載内容は2024年度に実施されたもの。各自治体の制度については申込時期が決まっている場合がある。また、申込条件および融資条件は申込者によって異なる場合がある。詳細は各自治体にお問い合わせ下さい
■ 制度の種類が「斡旋＋補給」とされているものの返済または利子補給期間は、「30年／５年」の場合、斡旋する融資の返済期間が最長30年、利子補給期間が５年を示す

主要都市の助成・自治体融資の例（住宅建設対象のもの）

自治体名	■ 市区名	■ 制度の種類	■ 融資／補給対象額	■ 返済または利子補給期間	■ 概要・主な申し込み条件など	■ 担当課名	■ 電話番号
東京	■（都）	■ 助成	■ 最大120万円	■ －	■「東京ゼロエミ住宅」を新築した建築主に対し、その費用の一部を助成。このほか、太陽光発電設備や蓄電池設置への助成もあり	■ 環境都市づくり課	■ 03-5388-3662
	■ 荒川区	■ 融資斡旋	■ 2000万円	■ 契約期間の前半分かつ最長10年	■「住宅建替え資金融資あっ旋事業」。除却しようとする老朽住宅の所有者またはその親族であること、耐震性を満たす耐火建築物への建替えなど	■ 住まい街づくり課	■ 03-3802-3111
	■ 北区	■ 助成	■ 最大60万円	■ －	■「三世代住宅建設助成」。三世代が同居すること、床面積が最低居住面積以上であること、耐火建築物または準耐火建築物であること、バリアフリーに配慮した住宅であることなど	■ 住宅課	■ 03-3908-9201
		■ 助成	■ 最大20万円	■ －	■「親元近居助成」。親元の近くに居住する住宅を取得する子育て世帯に対し、登記簿登録にかかる費用の一部を助成。床面積55㎡以上など	■ 住宅課	■ 03-3908-9201
	■ 台東区	■ 助成	■ 120万円	■ －	■「住まいの共同化と安心建替え支援制度」。三世代が同居する50㎡以上の住宅で、バリアフリーに配慮して建築すること、空地を確保すること、耐火性能を確保することなど	■ 住宅課	■ 03-5246-9028
	■ 墨田区	■ 利子補給	■ 50万円	■ 5年	■「すみだ住宅取得利子補助制度」。区内の住宅を取得した中学生以下の子どもがいる子育て世帯または夫婦いずれもが40歳未満の若年夫婦世帯が対象	■ 住宅課	■ 03-5608-6215
	■ 千代田区	■ 助成	■ 最大月額8万円	■ －	■「次世代育成住宅助成」。区内に親がいる新婚世帯及び子育て世帯が転居をする場合や区内に引き続き1年以上居住する子育て世帯が区内での転居をする場合など	■ 住宅課	■ 03-5211-3607
	■ その他、昭島市、小金井市、小平市、調布市、八王子市、府中市、三鷹市、武蔵野市などで太陽光発電システムなどの導入助成制度あり						
千葉	■ 山武	■ 助成	■ 最大75万円	■ －	■ 三世代同居・近居を目的に市外から転入した者で、住宅の延べ面積50㎡以上	■ 企画政策課	■ 0475-80-1132
		■ 助成	■ 最大50万円	■ －	■「市内産木材利用促進事業補助金」。市内で伐採・製材された木材を一定量以上使用し、市内の工務店による施工で新築・増築・購入など	■ 農政課	■ 0475-80-1213
	■ 匝瑳	■ 助成	■ 40万円	■ －	■「転入者マイホーム取得奨励金」。市外から転入し、新築または中古住宅を取得した場合に交付される。条件は市に10年以上居住する意思があることなど	■ 企画課	■ 0479-73-0081
	■ 市原	■ 助成	■ 最大110万円	■ －	■「いちはら三世代ファミリー定住応援事業」。新たに住宅を取得（新築または購入）する、中学生以下の子供がいる所得合計550万円未満の世帯など	■ 住宅政策課	■ 0436-23-9841
	■ 鴨川	■ 助成	■ 最大60万円	■ －	■「鴨川市住宅取得奨励金」。新築住宅を取得した転入者など	■ 都市建設課	■ 04-7093-7835
	■ 南房総	■ 助成	■ 最大100万円	■ －	■「住宅取得奨励金交付制度」。床面積が70㎡以上、一定の省エネ性能を有する住宅で、子育て世帯の世帯員または若年者（満39歳以下の者）など	■ 建設課	■ 0470-33-1101
	■ その他、千葉市、我孫子市、市川市、柏市、習志野市、野田市、船橋市、松戸市などで太陽光発電システムなどの導入助成制度あり						
神奈川	■ 逗子	■ 利子補給	■ 500万円	■ 3年	■「勤労者住宅資金利子補給制度」。中央労働金庫からの住宅ローン利用者。事業所に勤務し、既に市内に居住または1年以内に市内に居住することが明らかな場合など	■ 経済観光課	■ 046-872-8120
	■ 座間	■ 利子補給	■ 500万円	■ 3年	■「勤労者住宅資金利子補助制度」。中央労働金庫からの住宅ローン利用者。市内に自己の居住する住宅を新築、購入または増改築する場合など	■ 産業振興課	■ 046-252-7604
	■ 秦野	■ 助成	■ 最大60万円	■ －	■「はだの丹沢ライフ応援事業」。契約者と、配偶者がいる場合はそのいずれもが40歳以下であること、市内の戸建て住宅または分譲マンションであることなど	■ 交通住宅課	■ 0463-82-9642
静岡	■ 浜松	■ 利子補給	■ 最大300万円	■ 10年	■「住宅ローン利子補給制度」。静岡県労働金庫からの住宅ローン利用者。市内に自ら居住する新築住宅、中古住宅、建売住宅、マンションを購入など	■ 産業振興課	■ 053-457-2115
		■ 助成	■ 最大50万円	■ －	■「天竜材の家百年住居る助成事業費補助金」。居住面積が66㎡以上、地域材を主要構造材の80%以上使用することなど	■ 林業振興課	■ 053-457-2159
愛知	■（県）＊申請は各市	■ 助成	■ 機器による	■ －	■ 愛知県住宅用地球温暖化対策設備導入促進費補助金（市町村との協調補助）。太陽光発電設備や蓄電池など、機器導入経費の一部を補助	■ 地球温暖化対策課	■ 052-954-6213

■ 記載内容は2024年度に実施されたもの。各自治体の制度については申込時期が決まっている場合がある。また、申込条件および融資条件は申込者によって異なる場合がある。詳細は各自治体にお問い合わせ下さい
■ 制度の種類が「斡旋＋補給」とされているものの返済または利子補給期間は、「30年／5年」の場合、斡旋する融資の返済期間が最長30年、利子補給期間が5年を示す

主要都市の助成・自治体融資の例（住宅建設対象のもの）

自治体名	■ 市区名	■ 制度の種類	■ 融資／補給対象額	■ 返済または利子補給期間	■ 概要・主な申し込み条件など	■ 担当課名	■ 電話番号
三重	■ 尾鷲	■ 助成	■ 30万円	■ ―	■ 「尾鷲産材活用促進事業」。50㎡以上の住宅を在来構法により建築、構造材に尾鷲産材を100％使用など	■ 水産農林課	■ 0597-23-8224
京都	■（府）	■ 助成	■ 最大30万円	■ ―	■ 「京都府ZEH補助金」。ZEH、Neary ZEH、ZEH Orientedの住宅を対象とし、府産材使用による補助金加算などもあり	■ 地域振興課	■ 0771-68-0019
大阪	■ 大阪	■ 利子補給	■ 最大50万円	■ 5年	■ 「大阪市新婚・子育て世帯向け分譲住宅購入融資利子補給制度」。申込時において、新婚世帯又は子育て世帯の世帯員であることなど	■ 都市整備局	■ 06-6356-0805
	■ 高槻	■ 助成	■ 20万円	■ ―	■ 「3世代ファミリー定住支援住宅取得補助金」。子世帯が、中学生以下の子（出産予定を含む）と同居している親子世帯であることなど	■ 住宅課	■ 072-674-7525
	■ 河内長野	■ 助成	■ 最大30万円	■ ―	■ 「近居同居促進マイホーム取得補助制度」。親などとの近居・同居を目的として住宅を取得した小学生未満（就学前）の子どもがいる世帯など	■ 都市計画課	■ 0721-53-1111
兵庫	■ 相生	■ 助成	■ 25万円	■ ―	■ 「住宅取得奨励金交付事業」。市内に住宅を新築または購入し、夫婦または18歳未満の子どもを養育していることなど	■ 定住促進室	■ 0791-23-7125
	■ 朝来	■ 助成	■ 最大50万円	■ ―	■ 「朝来市あさご暮らし住宅取得等応援事業」。住宅を取得した者もしくはその配偶者のいずれかが40歳未満の者または世帯内に義務教育終了前の子どもを有する者など	■ 市民協働課	■ 079-672-1492
	■ 加西	■ 助成	■ 最大50万円	■ ―	■ 「加西市若者定住促進住宅補助制度」。市外からの転入世帯、親世帯等と同一小学校区内または隣接する町に住宅を取得など	■ ふるさと振興課	■ 0790-42-8764
	■ 丹波篠山	■ 助成	■ 最大126万円	■ ―	■ 「丹波篠山市若者定住支援住宅補助金」。交付申請時（事業完了時）に40歳以下で配偶者がいる方、または中学生以下の扶養親族がいる者で市内工務店を利用して住宅を新築など	■ 創造都市課	■ 079-552-5796
鳥取	■（県）	■ 助成	■ 最大100万円	■ ―	■ 「とっとり住まいる支援事業」。県産材を10㎥以上使用で使用量1㎥当たり1万円助成。伝統技術活用の要件を満たせば＋20万円など	■ 住宅政策課	■ 0857-26-7397
島根	■ 出雲	■ 助成	■ 最大20万円	■ ―	■ 構造材に県産材を50％以上使用、木材の製材業者および施工業者が出雲市内の事業所であることなど	■ 森林政策課	■ 0855-21-6996
山口	■（県）	■ 助成	■ 最大45万円	■ ―	■ 「やまぐち木の家補助金」。構造材に占める優良県産木材の割合が60％以上など	■ 山口県木材協会	■ 083-922-0157
徳島	■（県）	■ 融資斡旋	■ 2000万円	■ 提携金融機関の定めによる	■ 「森を木づかう住宅資金貸付制度」。梁・桁材がすべて認証木材であること、もしくは認証木材の使用割合が5割以上など	■ 林業振興課	■ 088-621-2484
高知	■（県）	■ 助成	■ 最大80万円	■ ―	■ 「こうちの木の住まいづくり助成事業」。基本部位の80％以上に県内産乾燥木材が使用されていることなど	■ 木材産業振興課	■ 088-821-4593
愛媛	■（県）	■ 利子補給	■ 800＋500万円	■ 5年	■ 「地域材利用木造住宅利子補給制度」。住宅の主要部材に50％以上の地域材を利用し、指定金融機関から融資を受ける場合など	■ 建築住宅課	■ 089-912-2758
福岡	■ 北九州	■ 助成	■ 最大50万円	■ ―	■ 「定住・移住推進事業」。街なかの区域内に所在する断熱性・耐震性などの高い住宅への居住が対象。市外からの転入世帯や市内に定住する若年世帯など	■ 総務政策部住まい支援室	■ 093-582-2288

■ 記載内容は2024年度に実施されたもの。各自治体の制度については申込時期が決まっている場合がある。また、申込条件および融資条件は申込者によって異なる場合がある。詳細は各自治体にお問い合わせ下さい

■ 制度の種類が「斡旋＋補給」とされているものの返済または利子補給期間は、「30年／5年」の場合、斡旋する融資の返済期間が最長30年、利子補給期間が5年を示す

家づくりのコスト—らくらく算出シート

A．本体工事費

住宅面積 [ ] m² × 工事単価（設計料込） [ ] 万円/ m² ＝ 本体工事費A [ ] 万円

※地域別構造別工事単価は表4（20頁）を参照して下さい

B．別途工事費

本体工事費A [ ] 万円 × 20％ ＝ 別途工事費B [ ] 万円

C．建築工事費

本体工事費A [ ] 万円 ＋ 別途工事費B [ ] 万円 ＝ 建築工事費C [ ] 万円

D．諸経費

建築工事費C [ ] 万円 × 5％ ＝ 諸経費D [ ] 万円

E．予備費

[ ] 万円

F．家づくりの総コスト

建築工事費C [ ] 万円 ＋ 諸経費D [ ] 万円 ＋ 予備費E [ ] 万円 ＝ 家づくりの総コストF 万円

［参考］〇〇市でマイホームを建てたAさんの場合
新築物件／敷地面積　120m²、木造２階建　95m²
物件価格　3,000万円（税別）／借入金　2,000万円

項目		費用	内容
建築工事費	本体工事費	2,480万円	設計料、工事監理費含む
	別途工事費	520万円	別途設備工事費、外構工事費、家具購入費等
	小計	3,000万円	
諸経費	税金・登記費用	30万円	印紙税、登録免許税、不動産取得税等
	融資関連費用	30万円	保証料、融資手数料、保険料、印紙税等
	予備費	120万円	
	その他	40万円	地鎮祭費用、引越し費等
	小計	220万円	
	合計	3,220万円	

家づくりのコスト―らくらく算出シート

A．本体工事費

住宅面積 [　　] m² × 工事単価（設計料込）[　　] 万円/ m²＝ 本体工事費A [　　] 万円

※地域別構造別工事単価は表4（20頁）を参照して下さい

B．別途工事費

本体工事費A [　　] 万円 × 20％ ＝ 別途工事費B [　　] 万円

C．建築工事費

本体工事費A [　　] 万円 ＋ 別途工事費B [　　] 万円 ＝ 建築工事費C [　　] 万円

D．諸経費

建築工事費C [　　] 万円 × 5％ ＝ 諸経費D [　　] 万円

E．予備費

[　　] 万円

F．家づくりの総コスト

建築工事費C [　　] 万円 ＋ 諸経費D [　　] 万円 ＋ 予備費E [　　] 万円 ＝ 家づくりの総コストF 万円

［参考］○○市でマイホームを建てたAさんの場合
新築物件／敷地面積　120m²、木造２階建　95m²
物件価格　3,000万円（税別）／借入金　2,000万円

■ 項目		■ 費用	■ 内容
■ 建築工事費	■ 本体工事費	■2,480万円	■ 設計料、工事監理費含む
	■ 別途工事費	■　520万円	■ 別途設備工事費、外構工事費、家具購入費等
	■ 小計	■3,000万円	
■ 諸経費	■ 税金・登記費用	■　30万円	■ 印紙税、登録免許税、不動産取得税等
	■ 融資関連費用	■　30万円	■ 保証料、融資手数料、保険料、印紙税等
	■ 予備費	■　120万円	
	■ その他	■　40万円	■ 地鎮祭費用、引越し費等
	■ 小計	■　220万円	
	■ 合計	■3,220万円	

公的融資・フラット35の借入限度額算出シート

1．所要額からのフラット35限度額

所要額 [ ] 万円 × 融資割合100% ＝ [ ] 万円

※建設費＋土地購入費

2．財形住宅融資

所要額合計 [ ] 万円 × 融資割合90% ＝ [ ] 万円 ―― A

申込時点の財形貯蓄残高合計 [ ] 万円 × 10 ＝ [ ] 万円 ―― B

財形住宅融資限度額

A、Bおよび 4,000万円のうち最も小さい額　財形融資限度額 C [ ] 万円

3．年間返済額のチェック　1～2で求めた借入限度額をもとに、あなたが必要な借入額をそれぞれ設定し、必要月収（千円未満は切り捨て）の確認を行って下さい

フラット35借入額の必要月収

フラット35融資額 [ ] 万円 ÷ 100万円 × 100万円あたりの返済額（32頁・表10参照）[ ] 円 ÷ [ ] ＝ 借入の必要月収 [ ] 円 ―― ①

年収400万円未満の場合0.3
年収400万円以上の場合0.35

（金利：[ ] %、返済期間：[ ] 年）

財形借入額の必要月収

財形借入額 c 以下の額で設定 c' [ ] 万円 ÷ 100万円 × 100万円あたりの返済額（32頁・表10参照）[ ] 円 ÷ [ ] ＝ 財形借入の必要月収 [ ] 円 ―― ②

年収400万円未満の場合0.3
年収400万円以上の場合0.35

（金利：[ ] %(全期間同一型・段階金利型)、返済期間：[ ] 年）

必要月収の合計

① ＋ ② ＝ [ ] 円 ―― ③

上記で設定した借入額において、以下の式を満たすことが必要となります。
満たさなかった場合は借入額もしくは借入条件を変更し、再度検討を行って下さい。

年収 [ ] 円 ÷ 12 ＝ [ ] 円 ≧ 必要月収④ [ ] 円

※　フラット35の金利はhttps://flat35.com　で確認して下さい

民間融資の借入限度額算出シート

当該銀行の融資限度額

[ ] 万円 ―― ①

※銀行によって異なりますが
一般に5,000万円

所要額からの融資限度額

（所要額 [ ] 万円 － その他の借入額 [ ] 万円）× 融資割合 [ ] % ＝ [ ] 万円 ―― ②

※建設費＋土地購入費

※土地を所有済の場合は100%、
土地購入費も借り入れる場合は80%

①と②のうち小さい額

融資限度額 [ ] 万円 ▶ 借入予定額 [ ] 万円 ―― ③

（金利：[ ] %、返済期間：[ ] 年）

年間返済額からのチェック

年収 [ ] 円 × 返済比率 [ ] % ＝ [ ] 円 ―― ④

■ 年間返済額比率

年　収	返済比率
200万円以上300万円未満	25%以内
300万円以上400万円未満	30%以内
400万円以上	35%以内

※返済比率の条件は金融機関によって異なります

（③の借入予定額 [ ] 万円 ÷ 100万円 × ③の100万円あたりの返済額（32頁・表10参照）[ ] 円 ＋ その他の借入の返済額計 [ ] 円）× 12 ＝ [ ] 円 ―― ⑤

※その他の借入れ額の返済額は
年間返済額合計÷12で計算

上記で設定した借入額において、以下の式を満たすことが必要となります。
満たさなかった場合は借入額もしくは借入条件を変更し、再度検討を行って下さい。

④ [ ] 円 ≧ ⑤ [ ] 円

「注意」上記の試算方法は民間金融機関の一般的な融資限度額の算定方法であり、銀行よって詳細は異なります

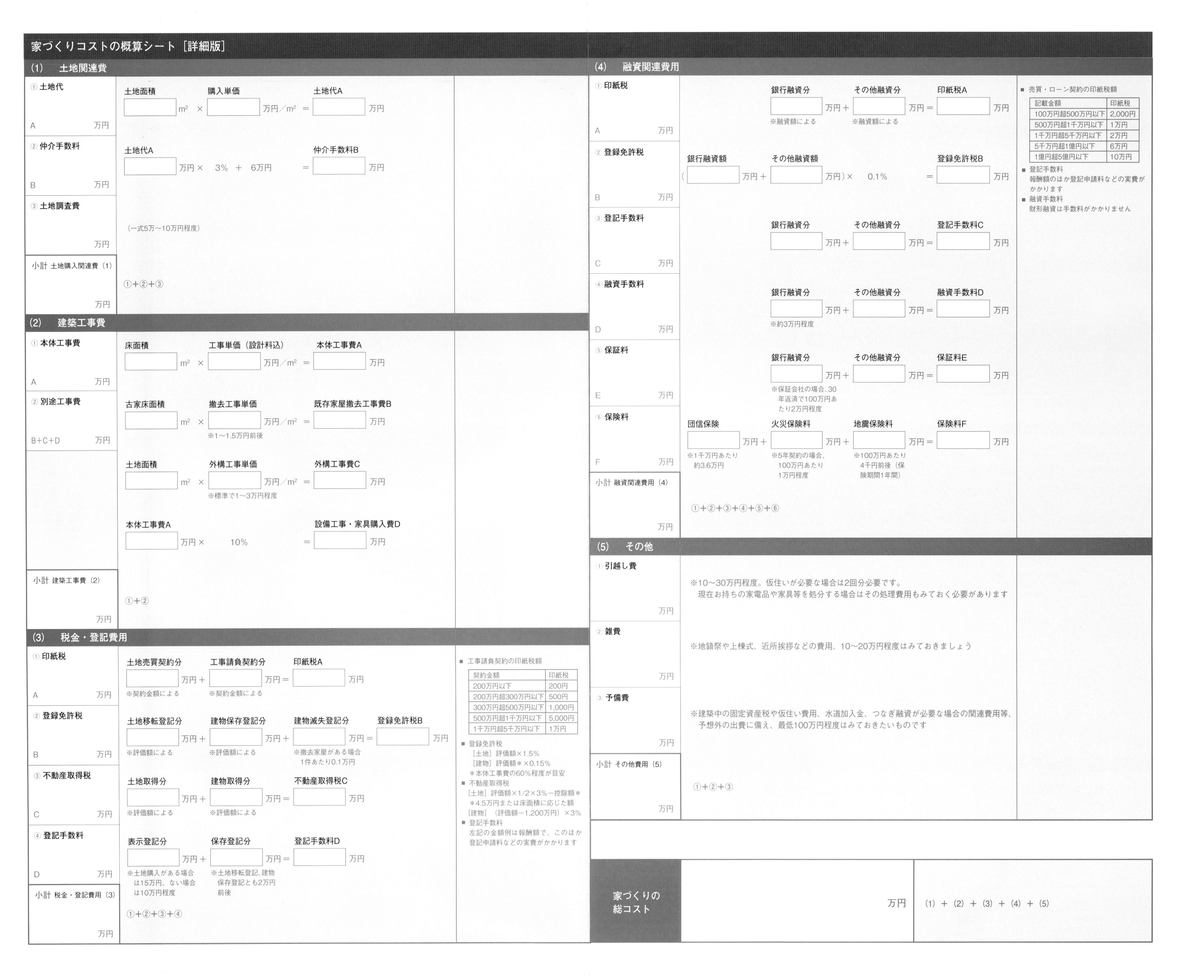

家づくりコストの概算シート［詳細版］

(1) 土地関連費

① 土地代　A　万円

土地面積（　）m² × 購入単価（　）万円／m² ＝ 土地代A（　）万円

② 仲介手数料　B　万円

土地代A（　）万円 × 3% ＋ 6万円 ＝ 仲介手数料B（　）万円

③ 土地調査費　万円

（一式5万～10万円程度）

小計 土地購入関連費 (1)　万円

①＋②＋③

(2) 建築工事費

① 本体工事費　A　万円

床面積（　）m² × 工事単価（設計料込）（　）万円／m² ＝ 本体工事費A（　）万円

② 別途工事費　B+C+D　万円

古家床面積（　）m² × 撤去工事単価（　）万円／m² ＝ 既存家屋撤去工事費B（　）万円
※1～1.5万円前後

土地面積（　）m² × 外構工事単価（　）万円／m² ＝ 外構工事費C（　）万円
※標準で1～3万円程度

本体工事費A（　）万円 × 10% ＝ 設備工事・家具購入費D（　）万円

小計 建築工事費 (2)　万円

①＋②

(3) 税金・登記費用

① 印紙税　A　万円

土地売買契約分（　）万円 ＋ 工事請負契約分（　）万円 ＝ 印紙税A（　）万円
※契約金額による　※契約金額による

② 登録免許税　B　万円

土地移転登記分（　）万円 ＋ 建物保存登記分（　）万円 ＋ 建物滅失登記分（　）万円 ＝ 登録免許税B（　）万円
※評価額による　※評価額による　※撤去家屋がある場合1件あたり0.1万円

③ 不動産取得税　C　万円

土地取得分（　）万円 ＋ 建物取得分（　）万円 ＝ 不動産取得税C（　）万円
※評価額による　※評価額による

④ 登記手数料　D　万円

表示登記分（　）万円 ＋ 保存登記分（　）万円 ＝ 登記手数料D（　）万円
※土地購入がある場合は15万円、ない場合は10万円程度　※土地移転登記、建物保存登記とも2万円前後

小計 税金・登記費用 (3)　万円

①＋②＋③＋④

■ 工事請負契約の印紙税額

契約金額	印紙税
200万円以下	200円
200万円超300万円以下	500円
300万円超500万円以下	1,000円
500万円超1千万円以下	5,000円
1千万円超5千万円以下	1万円

■ 登録免許税
［土地］評価額×1.5%
［建物］評価額＊×0.15%
＊本体工事費の60%程度が目安

■ 不動産取得税
［土地］評価額×1/2×3%－控除額＊
＊4.5万円または床面積に応じた額
［建物］（評価額－1,200万円）×3%

■ 登記手数料
左記の金額例は報酬額で、このほか登記申請料などの実費がかかります

(4) 融資関連費用

① 印紙税　A　万円

銀行融資分（　）万円 ＋ その他融資分（　）万円 ＝ 印紙税A（　）万円
※融資額による　※融資額による

② 登録免許税　B　万円

（銀行融資額（　）万円 ＋ その他融資額（　）万円）× 0.1% ＝ 登録免許税B（　）万円

③ 登記手数料　C　万円

銀行融資分（　）万円 ＋ その他融資分（　）万円 ＝ 登記手数料C（　）万円

④ 融資手数料　D　万円

銀行融資分（　）万円 ＋ その他融資分（　）万円 ＝ 融資手数料D（　）万円
※約3万円程度

⑤ 保証料　E　万円

銀行融資分（　）万円 ＋ その他融資分（　）万円 ＝ 保証料E（　）万円
※保証会社の場合、30年返済で100万円あたり2万円程度

⑥ 保険料　F　万円

団信保険（　）万円 ＋ 火災保険料（　）万円 ＋ 地震保険料（　）万円 ＝ 保険料F（　）万円
※1千万円あたり約3.6万円　※5年契約の場合、100万円あたり1万円程度　※100万円あたり4千円前後（保険期間1年間）

小計 融資関連費用 (4)　万円

①＋②＋③＋④＋⑤＋⑥

■ 売買・ローン契約の印紙税額

記載金額	印紙税
100万円超500万円以下	2,000円
500万円超1千万円以下	1万円
1千万円超5千万円以下	2万円
5千万円超1億円以下	6万円
1億円超5億円以下	10万円

■ 登記手数料
報酬額のほか登記申請料などの実費がかかります

■ 融資手数料
財形融資は手数料がかかりません

(5) その他

① 引越し費　万円

※10～30万円程度。仮住いが必要な場合は2回分必要です。
現在お持ちの家電品や家具等を処分する場合はその処理費用もみておく必要があります

② 雑費　万円

※地鎮祭や上棟式、近所挨拶などの費用、10～20万円程度はみておきましょう

③ 予備費　万円

※建築中の固定資産税や仮住い費用、水道加入金、つなぎ融資が必要な場合の関連費用等、予想外の出費に備え、最低100万円程度はみておきたいものです

小計 その他費用 (5)　万円

①＋②＋③

家づくりの総コスト　万円

(1) ＋ (2) ＋ (3) ＋ (4) ＋ (5)

Law

住まいの土地と法律
まるごと早わかり

イイモノをつくりたい、
自分の理想の家をつくりたいと思っても
建築の世界という坩堝には
そんな夢をうち砕くさまざまな規制、利害関係、
施工者・近隣などとのトラブルが渦巻いています。
何事もなく、平穏無事に家が建つことはありません。
荒波の中を航くあなたのチャートになるように
複雑に絡み合った法律の糸を
解きほぐしてみました。

Site Price

ちょっと待って、その土地の値段は高くない？

土地探し、土地選びで気をつけておきたいポイントを、プロの視点から紹介します。すでに土地をお持ちの方も、建て替えで本当に思った通りの家が建つのかどうか、今一度確かめてみましょう。

家づくりのための土地探し、土地選びを行う場合、一番気になるのは土地の値段です。でも、土地は千差万別で、定価がついているわけでもありません。土地をいくらで売りたいという人と、土地をいくらなら買いたいという人の思惑が一致すれば、そこで土地の価格が決まり、土地の売買が成立するわけです。

とはいえ、初めて土地を買おうとする人にとって、土地の値段を的確に知ることはけっこう難しいのが現実です。ここでは、土地の値段の目安を知るための基礎知識をご紹介しましょう。

地価の相場とは

土地探しのために、不動産屋さんなどを訪ねると、「この辺りの地価相場は、坪当たり○○万円くらいだね」といった話をよく聞きます。土地の値段、すなわち地価には、地域ごとの相場、つまり取引価格の目安となる水準が形成されているのです。

地価の相場は、地域ごとの様々な要因（地域要因といいます）によって形成されています。

たとえば、東京、大阪などの大都市圏ごと、さらには、鉄道沿線ごとの地域イメー

表 公示価格の例（2024年、世田谷区）

標準地番号	所在	地価（円/㎡）	地積（㎡）	形状（間口：奥行）	利用区分構造	前面道路	側面道路	給排水（ガス,水道,下水）	最寄駅、距離（m）	法規制	建ぺい率、容積率（%）	区域区分	利用現況	周辺地利用現況
世田谷-1	東京都 世田谷区 桜上水5-40-10	604,000	132	1:2	敷地 W2F	北4m 区道	なし	ガス 水道 下水	桜上水 420m	1低専 準防	50 100	市街化区域	住宅	中小規模の一般住宅が多い閑静な住宅地域
世田谷-2	東京都 世田谷区 等々力5-33-15	795,000	345	1:1.5	ー 空地	北6m 区道	なし	ガス 水道 下水	尾山台 300m	1低専 準防	50 100	市街化区域	空地	中規模一般住宅が多い区画整然とした住宅地域
世田谷-3	東京都 世田谷区 上馬1-7-7	686,000	86	1:1.5	敷地 W2F	西3.5m 私道	なし	ガス 水道 下水	駒沢大学 750m	1低専 準防	60 150	市街化区域	住宅	一般住宅とアパートが建ち並ぶ既成住宅地域
世田谷-4	東京都 世田谷区 南烏山2-12-6	637,000	91	1:1.5	敷地 W2F	東4m 私道	なし	ガス 水道 下水	千歳烏山 460m	1中高層専 準防	60 200	市街化区域	住宅	住宅、アパート等が建ち並ぶ住宅地域
世田谷-5	東京都 世田谷区 大原1-3-6	795,000	133	1:3	敷地 W2F	北西3.8m 区道	なし	ガス 水道 下水	下北沢 680m	1低専 準防	50 150	市街化区域	住宅	一般住宅、アパート等が建ち並ぶ住宅地域
世田谷-6	東京都 世田谷区 上野毛4-13-17	705,000	197	1:1.5	敷地 W2F	北東6.2m 区道	なし	ガス 水道 下水	上野毛 890m	1低専 準防	50 100	市街化区域	住宅	中規模一般住宅が多い閑静な住宅地域
世田谷-7	東京都 世田谷区 等々力6-13-12	1,020,000	1,273	不整形 （1.5:1）	敷地 RC10F	北25m 都道	南東	ガス 水道 下水	尾山台 730m	1住 防	60 300	市街化区域	共同住宅	マンションが建ち並ぶ幹線道路沿いの住宅地域
世田谷-8	東京都 世田谷区 東玉川1-20-2	647,000	162	1:2	敷地 W2F	南東5.5m 区道	なし	ガス 水道 下水	雪が谷大塚 600m	1低専 準防	50 100	市街化区域	住宅	中規模一般住宅が建ち並ぶ住宅地域
世田谷-9	東京都 世田谷区 奥沢3-16-15	807,000	184	1.2:1	敷地 W2FB1	北5.5m 区道	なし	ガス 水道 下水	奥沢 380m	1低専 準防	50 100	市街化区域	住宅	中規模住宅が建ち並ぶ閑静な住宅地域
世田谷-10	東京都 世田谷区 喜多見9-19-6	399,000	163	1:1.2	敷地 W2F	南西3.7m 区道	なし	ガス 水道 下水	喜多見 550m	1低専 準防	50 100	市街化区域	住宅	一般住宅等の中に空地もみられる住宅地域

（注）上表の略式表示は次の通りです。
〔利用区分構造〕敷地：建物などの敷地、W：木造、RC：鉄筋コンクリート造、2F：2階建て
〔法規制〕1低専：第1種低層住居専用地域、1中高層専：第1種中高層住居専用地域、1住：第1種住居地域、防：防火地域、準防：準防火地域

ジや住環境の水準により、沿線ごとの大まかな水準が形成され、次いで、最寄駅の都心部からの距離や地域の住環境、地域イメージなどにより、駅ごとの地価の相場がつくられます。

さらに、その土地の周辺地域（近隣地域といいます）の住環境の質や最寄駅からの距離、道路幅員、都市計画法などの法規制等により、近隣地域ごとの地価相場が形成されるわけです。

こうした地価の相場については、実際の取引の仲介を行っている地域の不動産屋さんに聞けば、ある程度の目安は教えてもらえるはずです。しかし、不動産屋さんの情報が特定の土地を買わせようとする意図を持っていたり、特別な取引に基づく不正確な情報であったりすることもあるので、初めての方が、周辺地域の地価の相場を正確に把握することは、それほど簡単なことではありません。

こうしたことから、次にご紹介する**地価公示**の制度が生まれてきたのです。

地価公示、公示価格とは

地価公示というのは、一般の方にわかりにくい土地の取引価格に対して、適正な指標を与えるために作られた制度で、全国約26000カ所の地点（**標準地**といいます）について、毎年1月1日現在の正常な地価を判定して、その結果が毎年3月下旬頃に国土交通省から発表されており、この発表される地価を**公示価格**と呼んでいます。

一般の住宅地では、近くの標準地の公示価格（**表**）を知ることによって、周辺地域の地価の相場を知ることができます。

公示価格は国土交通省のホームページ（https://www.mlit.go.jp/）などで調べることもできますし（**図1・2**）、その土地の所在する市町村に問い合わせれば、近くの標準地の公示価格を教えてもらえるはずです。

このように公示価格は、地域の地価相場を把握するのに便利な指標なのですが、地価は、地域の相場だけでなく、その土地の形状や地形、道路付けなどの個別的な要因により、大きく変化しますので、公示価格によって知ることのできる地価の相場も、1つの目安として考える必要があります。

また、都道府県でも同様の調査で7月1日現在の地価を9月下旬頃に発表しています。**都道府県基準地標準価格**といって、公示価格を補うもので、調べ方は公示価格と同じです。

図1　公示価格を調べることができる国土交通省のホームページ

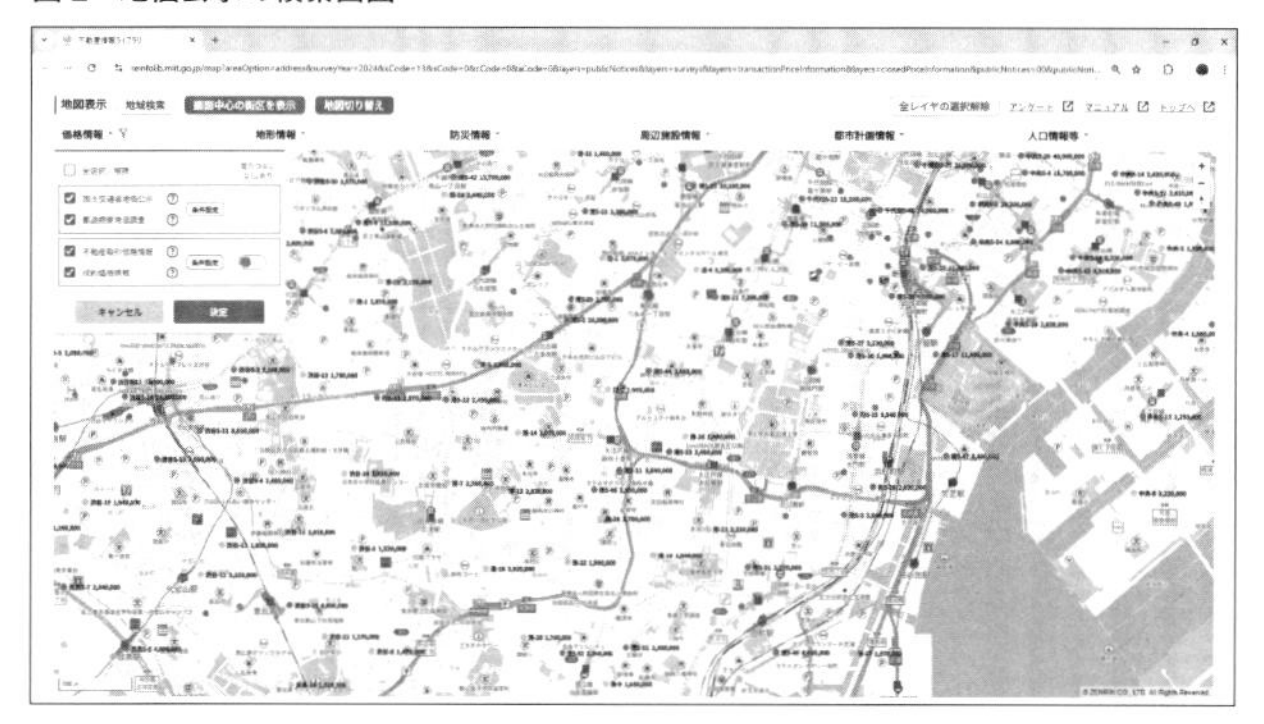
図2　地価公示の検索画面

相続税の路線価とは

買いたい土地の値段の目安を知るもう1つの方法は、相続税の路線価を利用する方法です。

相続税の路線価というのは、相続税や贈与税などの課税のため、都市部の道路（＝路線）ごとに国税局長が決定した土地の「単価」のことで、1㎡当たり千円単位で表示されます。その道路に接する土地は、相続税などの課税上、この単価を基準に評価されます。

この路線価は国税庁のホームページ（http://www.nta.go.jp/）で**路線価図**を見て調べることができます（**図3**）。

この相続税の路線価の便利なところは、公示価格と違って、買いたい土地が接する道路の単価がそのまま出ていることで、道路ごとの微妙な地価の差が単価に反映されていることです。

相続税の路線価は、公示価格のおおむね80％を目安につけられているため、その土地の単価のおおよその相場を知るためには、相続税の路線価を0・8で割り戻せば求めることができます。

たとえば、路線価図で「590」という数字の道路に面する土地の単価は、

590÷0.8＝738千円／㎡

と求めることができるわけです。

ただし、路線価の金額がそのまま、その土地の価格になるわけではないので注意が必要です。角地など道路の接道状況、地形（敷地の形）、間口や奥行、面積など、その土地の固有条件によって評価額が上下します。

安い土地はお買い得ではない？

さて、ここでご紹介したような方法で、土地の相場も把握できたとして、地価の相場よりも安い土地が見つかったとします。このような場合、この土地はお買い得なのでしょうか？

答えはNO！です。

どうしてかって？

土地選びの難しいところは、実は安い土地がお買い得とは限らないところにあるのです。前述のように個々の土地の価格は、その土地の形状、地形（高低差など）、道路付け、法規制の状況、隣接地の利用状況などにより細かく異なり、地域の地価相場はあくまで、1つの目安に過ぎません。

安い土地には、安いなりの欠点があることが多いのです。そうした欠点を見極めて、本当に割安な土地、お買い得な土地を見抜くことは、素人には難しいのが現実です。

第一、本当にお買い得の土地であれば、情報を早めに知る立場にいるプロの不動産

図3　路線価図の例

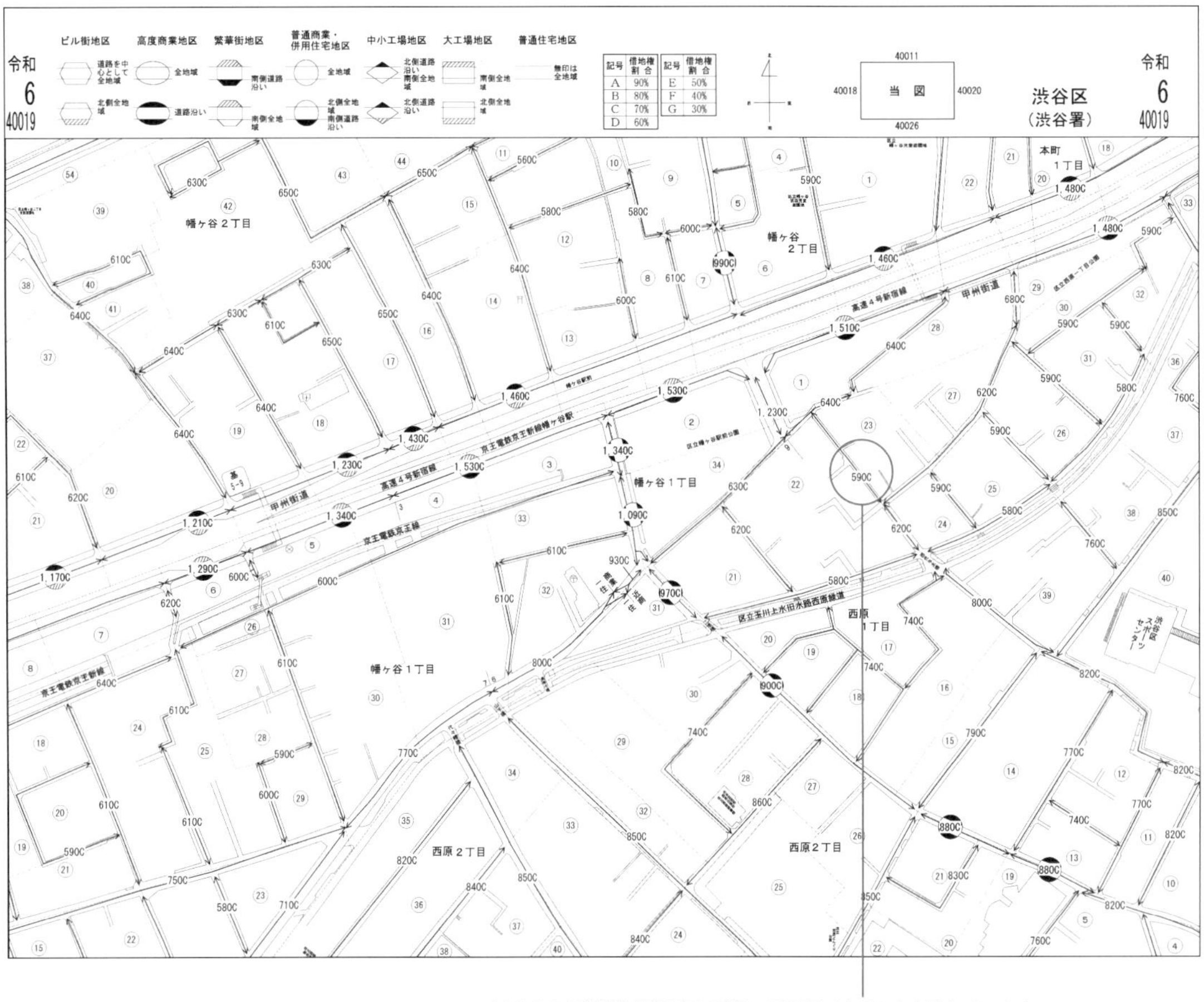

1㎡あたりの相続税路線価が590千円＝59万円であることを示しています。

屋などが買ってしまっている確率が高いのです。

それでは、初めての土地探しをしている方が買うべき土地はというと、むしろ、欠点の少ない土地、つまり、道路付けがよく、形状や地形の良い土地で、何よりも「買いたい！と思える土地」なのです。

もちろん、法規制などの専門的な要素は、仲介をお願いした不動産屋さんにしっかり調べてもらい、問題ないことを確認するわけですが、土地探し、土地選びの極意は、「欲しい！」「買いたい！」と思った第一印象を大切にすることです。

どんなに不動産屋さんが薦めても、気に入らないところがある土地はやめたほうが無難です。逆に、ちょっと相場より高めでも、気に入った土地を買うことが、あとあと後悔しない秘訣です。これは、ちょうど、結婚相手を選ぶときと似ているのです。

え？そんな直感は当てにならないって？大丈夫です。人間と違って、土地は気が変わりませんし、年も取りませんから。

では、相場に比べて安い土地を選ぶことが目的ではないのだとしたら、地価の相場を把握することの意味はどこにあるのでしょうか。

それは、1つには、予算内でその地域に必要な面積の土地を確保することが、可能なのか、どうかの目安を立てるためです。

120㎡の土地を買うのに3千万円の予算しかないのに、地価の相場が1㎡当たり50万円の地域で土地探しを行うことは現実的ではないのです。

また、もう1つには、気にいった土地を選ぶときに、地価の相場と比較して、自分で納得が行くかどうかを判断するためです。相場と比較して、この価格ならと思えるのであれば、予算が許す限り買うべき土地なのです。

土地探し、土地選びの手順

ここで一度、土地探し、土地選びの正しい手順について整理しておきましょう。

まず、予算的にどの程度まで土地の購入に掛けられるかという予算の把握です。

土地購入の予算は、購入に要する仲介手数料（土地価格の3％＋6万円＋消費税）も含め、家を建てるための予算との兼ね合いで検討する必要があります。もちろん、建設資金を含めた総額を、自己資金と返済可能な借入金の範囲内で考える必要があります。

次に、建設予定の住宅を建てるために、どの程度の広さの敷地が必要かを考える必要があります。

これは、地域ごとの法規制や接する道路の幅員、土地の形状などによって変化しますので、できれば、建築の専門家に相談しながら判断する必要があります。

次に、どの地域に家を建てたいのか、土地探しの地域を絞り込むことです。

誰にでも、この辺りに家がほしいなという好みの地域があるでしょうし、まったく見ず知らずの地域では土地を買う気もおきないでしょう。この土地探しの地域を絞り込む際に、地域の地価の相場を把握することが必要になるわけです。地価の相場から見て、必要な面積の土地が予算的に取得可能な地域であれば、具体的な土地探しをスタートすることができます。

最後に、大手の不動産会社や地元の不動産屋などを通して、具体的な土地探しを行います。このとき、予算や探したい土地の条件、地域的な条件などをできるだけ具体的に伝えることが大切です。

これらが不明確ですと、いい土地にめぐり合うチャンスはきわめて少なくなります。

また、土地探しの場合には、いい情報が早めに入ることが大切なので、不動産会社などとの仲介契約の条件は、仲介業者を特定しない一般媒介契約が適切でしょう。

1社に限定せずに、2、3社（たとえば、大手の不動産会社と地元の不動産屋といったようにタイプの違う会社を組み合わせたほうがベターです）を競わせてみることで、幅広い情報を得ることができます。

また、土地探しの基本は、できるだけ多くの土地を見ることです。多くの土地を見ることで、地域の地価の相場というものが肌でわかるようになりますし、いい土地というものを見分ける直感が鍛えられます。

こうして、たくさんの土地を見た結果、気にいった土地が見つかったときには、再度、予算内で取得可能かどうか、予定している建物が建つ広さがあるかどうか、様々な法規制などは大丈夫かどうかなど、必要な検討を行った上で、それらがすべてOKであれば、いざ、取得という手順になるわけです。

それでは、次項で、こうした土地選びのの際の具体的なチェックポイントについて見ていくことにしましょう。

Building Permission

家を建てられる土地ですか？

土地選びをする際に、一番初めにチェックすべきポイントは、家を建てられる土地かどうかを確かめることです。

ある程度の広ささえあれば、どんな土地の上にも、物理的には、家が建ちそうな気がしますが、建築基準法や都市計画法といった法律や市町村の条例などにより、家を建てられない土地が存在します。

具体的には、その土地が含まれる都市計画法上の地域の条件や、土地が接している道路の条件などにより、家を建てられる土地かどうかが決まります。さっそくみていくことにしましょう。

表　用途地域の種類と規制内容

分類	■ 用途地域	■ 用途規制の趣旨	■ 主な規制内容
住居系	■ 第１種低層住居専用地域	■ 低層住宅の専用地域	■ 1～3階までの個人住宅、共同住宅や寄宿舎が中心。店舗は兼用住宅のみで、生活に不可欠なサービス業に限られる。それ以外は、小・中・高校、図書館、保育所、有料老人ホーム、診療所など
	■ 第２種低層住居専用地域	■ 小規模な店舗の立地を認める低層住宅の専用地域	■ 主要な生活道路に面する地域等で、コンビニなどの小規模な日用品販売店、レストランなどが可能。その他、美容院、学習塾などが可能だが、店舗はすべて２階以下、かつ床面積150㎡以下
	■ 第１種中高層住居専用地域	■ 中高層住宅の専用地域	■ 良好な住居の環境を有する中高層住宅地の形成を図る地域。4階建て以上のマンションが建てられるが、実際には1～2階の個人住宅、アパートが中心の地域が多い。大学、病院も可で、店舗は２階以下、かつ500㎡以下のスーパー、専門品店、居酒屋、銀行の支店などが建築可
	■ 第２種中高層住居専用地域	■ 必要な利便施設の立地を認める中高層住宅の専用地域	■ 主要な道路に面する地域等で、2階以下、かつ1,500㎡以下の店舗が可能。ただし、ゴルフ練習場など、交通の集中発生や騒音など周辺環境の悪化をもたらす用途は禁止
	■ 第1種住居地域	■ 大規模な店舗、事務所の立地を制限する住宅地のための地域	■ オフィスビル、商業施設は可能だが、百貨店など都市の拠点的地区に立地する大規模事務所、商業施設は禁止。3,000㎡以下のホテル、ボーリング場、ゴルフ練習場なども建築可
	■ 第２種住居地域	■ 住宅地のための地域	■ 住居と店舗、事務所等の併存を図りつつ、住居の環境を保護する住宅地。パチンコ屋、カラオケボックスなどが建築可
	■ 準住居地域	■ 自動車関連施設等と住宅が調和して立地する地域	■ 幹線道路の沿道等で、自動車交通量が比較的少ない道路に面する地域の内、用途の広範な混在等を防止しつつ、住居とあわせて商業等の用に供する地域。小規模の劇場・映画館、一定の自動車修理工場、倉庫などが建築可
	■ 田園住居地域	■ 住宅と農地が共存する地域	■ 低層住宅のほか、小規模な店舗、飲食店、農業の利便の増進のために必要な店舗等の建築可
商業系	■ 近隣商業地域	■ 近隣の住宅地の住民のための店舗、事務所等の利便の増進を図る地域	■ 商店街、鉄道駅周辺や郊外の小規模な商業地など、近隣住民に対する日用品の販売が中心の店舗等の立地を図る地域。隣接する住宅地との環境の調和を図る必要がある商業地等
	■ 商業地域	■ 店舗、事務所等の利便の増進を図る地域	■ 都心・副都心の商業地、中小都市の中心商業地、地域の核としての店舗・事務所・娯楽施設等の集積を図る主要な鉄道駅周辺、ニュータウンのセンター地区、郊外で大規模店の立地を図る拠点的地区等。大規模な映画館、キャバレー、風俗店などの建築可
工業系	■ 準工業地域	■ 環境の悪化をもたらすおそれのない工業の利便の増進を図る地域	■ 住宅等の混在を排除することが困難または不適当と認められる工業地。キャバレー、ナイトクラブ、ディスコなども建築可
	■ 工業地域	■ 工業の利便の増進を図る地域	■ 上覧以外の工業地。住宅は建築可
	■ 工業専用地域	■ 工業の利便の増進を図るための専用地域	■ 住宅等の混在を排除・防止し、工業に特化した土地利用を図る地域。新たに工業地として計画的に整備を図る地域等。住宅は建築不可

注　都市計画法、建築基準法、国土交通省の関連通達などから抜粋。なお、近隣商業地域、商業地域、準工業地域は自動車交通量が多い幹線道路に面する地域で、道路交通騒音が著しい地域または著しくなると予想される地域となっている

住宅を建てられる地域ですか？

わが国には、計画的な都市づくりを進めるための基本法として**都市計画法**という法律があり、この法律にもとづいて地域ごとに定められた**都市計画**によって、各地域の具体的な土地利用の規制や建築その他の規制、都市計画道路など各種の都市整備事業などが実施されています。

この「都市計画」は、原則として**都市計画区域**と呼ばれるエリアについて定められることになっており、おおむね全国の約4分の1の地域が、この「都市計画区域」に含まれています。この都市計画区域に含まれないエリアは**都市計画区域外**といって、都市計画法による規制は行われていない地域です（ただし、準都市計画区域では、建築の制限や開発許可など、都市計画区域に準じた規制がかかります）。

一方、都市計画区域内は、**市街化区域**と**市街化調整区域**に分かれており、この区分を**線引き**といいます。「市街化区域」は市街化を促進する地域で、原則として家は建てられますが、「市街化調整区域」は市街化を抑制するために設けられた地域で、原則として宅地造成などの開発はできませんし、一般の住宅も建てられません。

ただし、農家住宅や、すでに開発許可を受けている場合や、既存宅地と呼ばれる、すでに建物が建っている敷地などでは例外的に家が建てられます。

ところでいま、都市計画区域内は、線引きにより「市街化区域」と「市街化調整区域」に分かれているといいましたが、実はこの「線引き」が行われていない地域があります。それを**未線引き・白地地域**とか**無指定区域**といいます。

この「未線引き・白地地域」や「都市計画区域外」では、農地法や森林法などの他の法律による規制がない限り、原則として家を建てることはできますが、未開発の場所もあり、水道や電気なども自分で引かなければならない場合があります。

また、都市計画区域の中の市街化区域では、土地の計画的な利用を図るために**用途地域**の指定がされており（**表**）、建物の用途や規模などの規制が行われています。表の13の「用途地域」のうち、**工業専用地域**だけは、工業の利便を増進するため、住宅を建てることはできません。

残りの12の用途地域では住宅（共同住宅を含む）を建てることができますが、用途地域ごとに建築可能な用途が異なるので、用途地域ごとに居住環境は、かなり差があります。法規制では、第1種低層住居専用地域から第1種中高層住居専用地域までと田園住居地域では「建築できる用途」を挙げ、住宅地の環境を最優先した建築制限を行っています。これらの用途地域では、住宅以外に一定の公共・医療・教育・福祉等関係のみ可能です。商業・業務関係の用途は、日用品・身の回り品を扱う小規模な店舗に限定されています。

特に第1種低層住居専用地域では、住宅以外の用途は厳しく制限され、良好な住環境が望めますが、反面、容積率や建ぺい率も厳しいので、敷地が狭すぎると建物を建てる余地があまりなくなってしまいます。

第2種中高層住居専用地域からは、「建築できない用途」を挙げ、建築制限が緩やかになっていきます。第1種住居地域でホテルやスポーツ施設が可能となり、第2種住居地域ではパチンコ屋、カラオケボックスなどの遊技施設、準住居地域では倉庫などを建てることができます。

ラブホテルなどの風俗店は商業地域のみ建築可能ですが、キャバレーなどは準工業地域でも建てられます。準工業地域は、中小規模の工場や住宅、店舗が混在している地域が多くみられますが、都心では工場跡地にマンションが建ち並び、マンション地帯になっているところもあります。

土地の購入に際しては、これら用途地域の特徴を理解するとともに、購入予定地に近接する地域の用途制限も考慮したほうがよいでしょう。

なお、「用途地域」とは別に、「地区計画」や「特別用途地区」といった地域地区が定められることがあります。また、建築基準法に基づく**建築協定**という制度もあります。これらは、地区の状況や住民の希望などを反映して、よりきめの細かいまちづくりを進めるためのいわば、地区ごとのルールといってもよいでしょう。こうしたルールによっても、建物の用途や規模、形態などが規制されることになります。

さて、いろいろと都市計画法上の規制を述べましたが、家づくりの観点から、もう一度おさらいをしておきましょう。**図1**は、ここで述べた都市計画法上の地域区分を整理したものですが、都市計画法上の規制で、原則として家を建てられない土地は、具体的には次の2つのケースです。

a．市街化調整区域の土地

b．市街化区域内の用途地域のうち、工業専用地域内の土地

なお、aでも、農家住宅や、開発許可を受けている場合には例外的に家が建てられます。

これ以外の土地、具体的には工業専用地域以外の「市街化区域」、「未線引き・白地地域」や「準都市計画区域」「都市計画区域外」に含まれる土地では、他の法令による規制がない限り、原則として家を建てることはできます。

なお、こうした都市計画法上の指定については、調べたい土地の市町村に問い合わせれば、細かい規制の内容などを含めて教えてくれるはずです。また、実際の土地売買の際には、「重要事項の説明」として、仲介を行う宅地建物取引士から、建築基準法や農地法などの関係法令による制限とあわせて、契約前に、書面による説明を受けることができます（65頁参照）。

図1　都市計画法による地域区分のイメージ

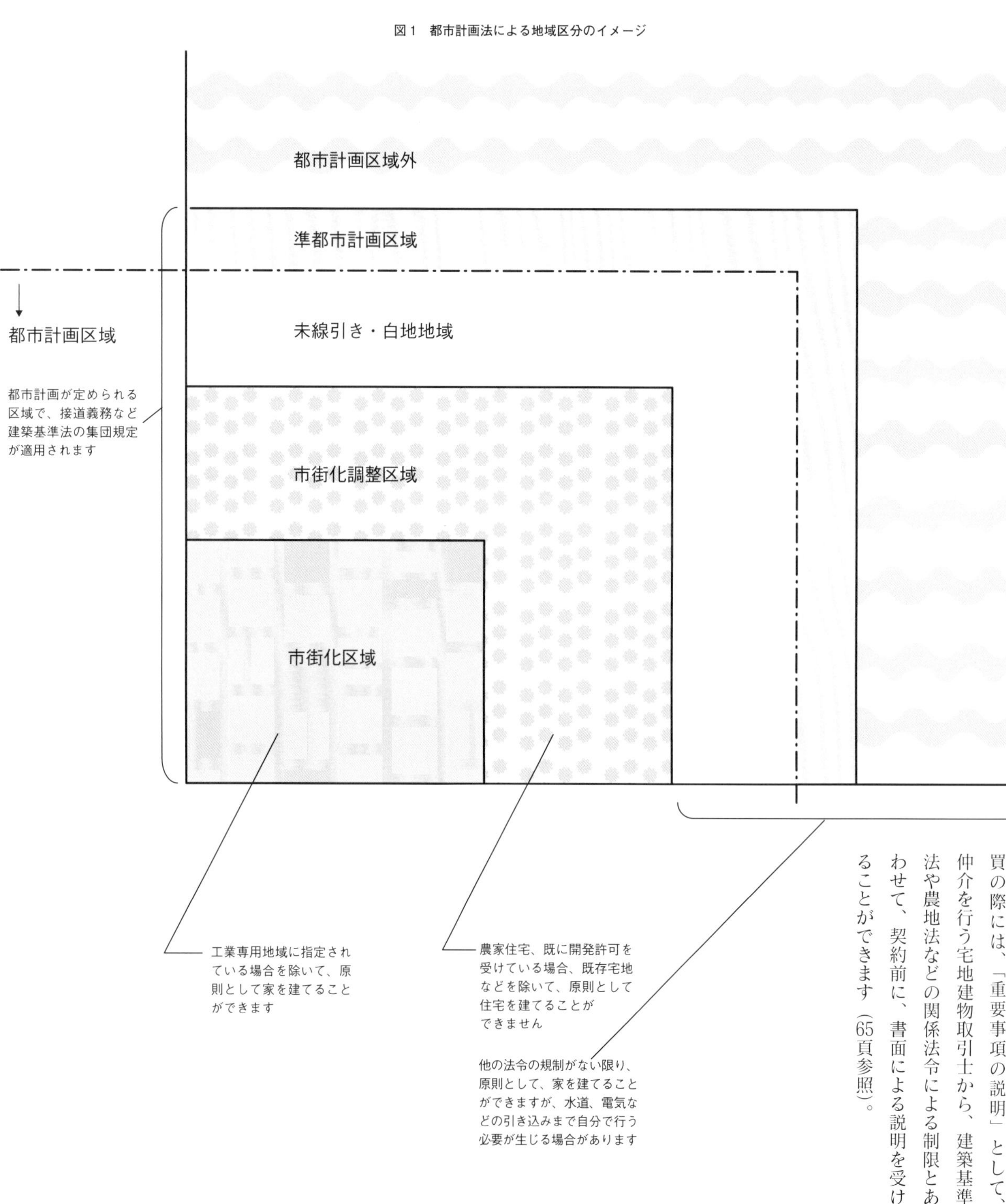

敷地が道路に接していますか

次に、家を建てられるかどうかを決める、もう1つの大きな条件である**接道条件**について取り上げましょう。

建物の敷地や構造、設備や用途などに関する基本的なルールを定めた法律として、**建築基準法**という法律があります。

この法律では、都市計画区域内の土地については、少なくとも2m以上、幅員4m以上の道路に接していなければ、建築物の敷地として認められないことになっており、これを**接道義務**といいます。道路に接していることは、都市部の建物の敷地として不可欠な条件ですから、このような規定が設けられているのです。

しかし、実際の道路の多くは、幅員（道路の幅）が4m未満のものも多く、このままでは建物が建たない敷地が数多く生まれてしまいます。

このため、建築基準法では、接道義務が施行された昭和25年11月23日現在、すでに建物が建ち並んでいた幅員4m未満の道でも、特定行政庁（市町村長または都道府県知事）が指定したものについては、建築基準法上の道路として扱うことにしています。

これを一般に**2項道路**（または「**みなし道路**」）と呼んでおり、都市部の4m未満の道の多くが、この2項道路に指定されており、この2項道路に2m以上接する敷地でも、建物が建てられることになっています。

2項道路に面する敷地に建物を建てる場合には、原則として道路中心線から2m後退した線を道路と敷地の境界線として取り扱うことになっています（**図2のA**）。

つまり、自分の敷地であっても、道路中心線から2m以内の部分は敷地面積に入れずに、建ぺい率や容積率の計算（71頁参照）を行うことになります。これを、俗に**敷地のセットバック**といい、土地を購入する際には、建築基準法上の道路に2m以上接しているかどうかという接道条件を確認するとともに、セットバックする面積（実際には敷地として使えない面積です）を確認しておく必要があります。

なお、道路の反対側が川やがけ、線路敷地などになっている場合には、反対側への道路拡幅は不可能ですので、道路反対側から4mの線が、道路と敷地の境界線になります（**図2のB**）。ただし、土地の状況等からやむを得ないときで、建築審査会の同意を得た場合には、**図2のA**では中心線からの2mが1・35mまで、**B**では反対側からの4mが2・7mまで緩和される場合があります。

それでは、こうした建築基準法上の道路に面していない土地についてはどうなるかというと、新たに幅員4m以上の道路を築造して、特定行政庁から位置の指定を受ければ、建築基準法上の道路として認められることになります。これを、**位置指定道路**（または「**5号道路**」）と呼んでいます。新規の宅地造成などでつくられた敷地では、位置指定道路に面する場合が多いでしょう。

こうした接道条件は、土地選びの際にまっさきに確認しておかなければならない事項です。土地を購入する場合には、重要事項説明の際に、きちんと確認しておく必要があります。また、すでに土地をお持ちの場合には、市町村の建築指導課や道路課などの窓口で確認する必要があります。

たとえ、すでに建物が建っている土地でも、接道条件が満たせないために、建て替えができないケースは多いのです。

図2　2項道路による敷地のセットバック

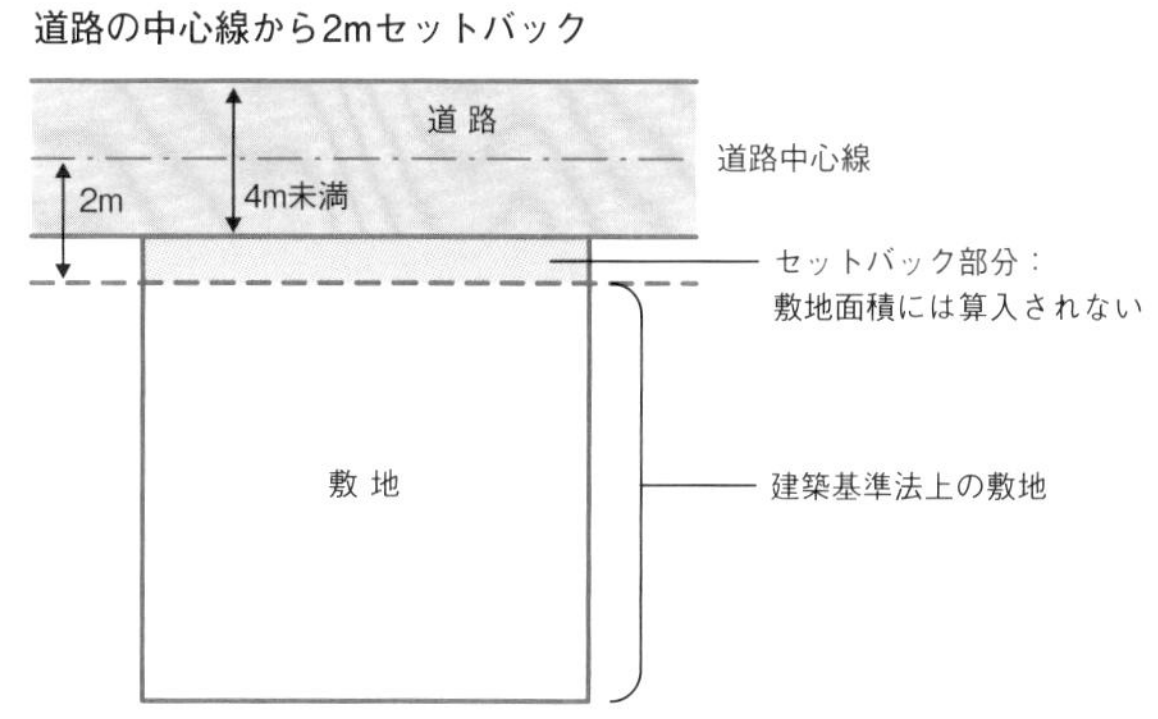

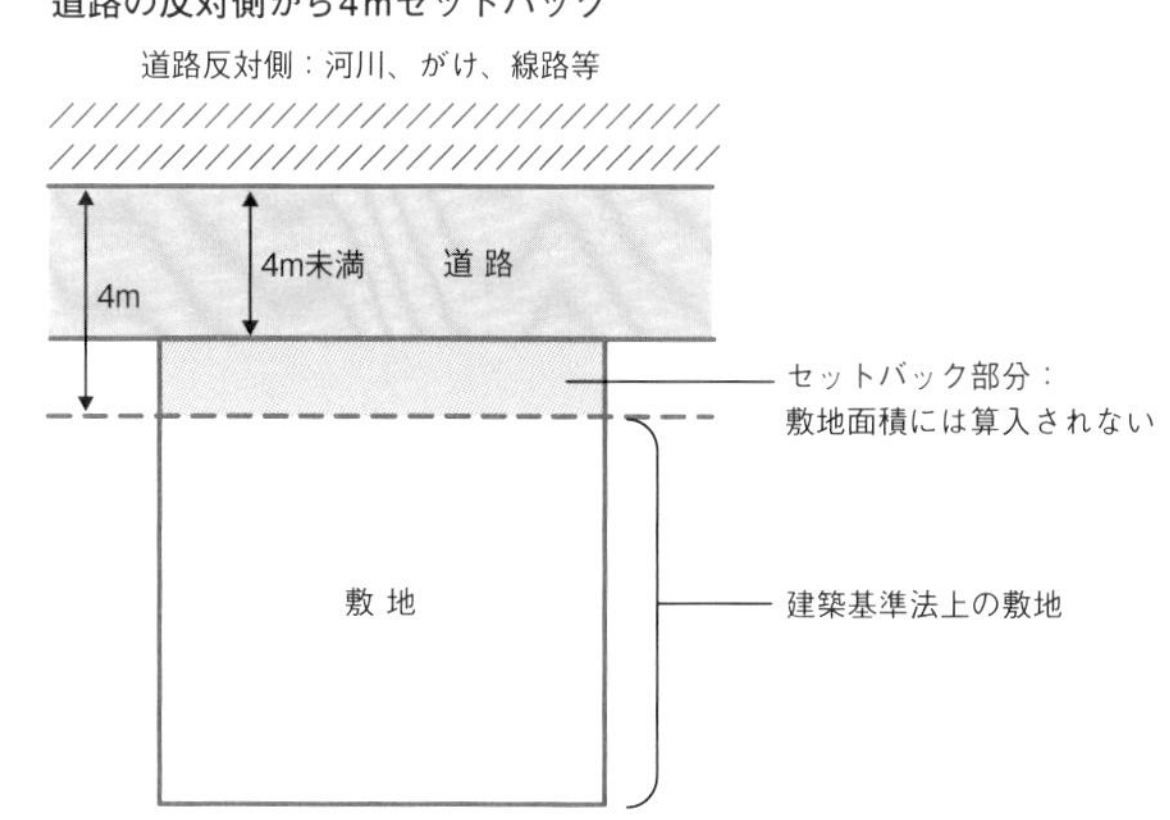

旗竿敷地や囲繞地通行権にご用心

さて、接道条件を満たしている土地であれば、どんな形状の土地でもいいのかといいますと、やはり、できるだけ整形な土地であることが望ましいといえます。

図3に示す土地Aは、路地状部分だけで道路に接道しており、**旗竿敷地**とか**路地状敷地**などと呼ばれています。こうした旗竿敷地は、戸建て住宅の環境としては道路から奥まって静かな環境であり悪くないと思われるかもしれませんが、路地状部分の幅や長さによっては、駐車スペースを取れなかったり、面積の割には有効なスペースが狭く、やはり効率の悪い土地です。

また、東京都の安全条例などでは、一般の戸建て住宅でも、路地状部分の長さが20mを超える場合には、接道長さは2mではなくて、3m以上必要になります。また、3階以上の建物や集合住宅などの特殊建築物では、路地状部分の形状により、さらに厳しい規制が掛けられています。

こうしたことから、一般には、**図3**の土地Aのような旗竿敷地を購入することは避けるべきでしょう。

なお、**図3**の土地Cのように、まったく道路に接する部分を持たない敷地を、**袋地**といいますが、こうした土地の場合でも、すでに建物が建っていて、隣地Dを通って道路から建物にアクセスしている場合があります。

こうしたケースでは、土地Cは道路との間の隣地Dの一部を通行する権利をもっており、この権利を**囲繞地通行権**といいます。

しかし、この囲繞地は、袋地にとっての必要最小限の通行を確保するための権利でしかなく、建物の新築や建て替えを行うために他人の土地を借りる権利ではありません。

したがって、今現在、袋地Cに建物が建っていても、囲繞地通行権による建物建て替えを主張することは原則的にできません。

こうした旗竿敷地や袋地は、どうして生まれるのでしょうか。その原因の多くは、もともと1つの敷地であったものが、敷地の一部の売却や相続による分割によって、旗竿敷地や袋地が生じてしまったものと考えられます。

ですから、所有している土地の一部の売却や相続による分割を行う場合には、将来の建物敷地としての有効性を確保するためにも、できるだけ、旗竿敷地や袋地を生じない分割方法を検討する必要があるでしょう。

なお、建物を建てるときに**建築確認申請**（70頁参照）という手続きを行いますが、この建築確認申請上の敷地は必ずしも土地の所有権とは一致していなくても認められます。

旗竿敷地や袋地上の新築や建て替えのために、道路に面する隣接地（**図3**の土地Bや土地D）の一部を、建築確認申請用として貸すことがありますが、こうしたことを行うと、将来、隣接地のほうで建て替えを行う際に、以前貸した敷地部分を建築敷地に含めることができなくなるので注意が必要です。

図3　旗竿敷地（路地状敷地）と囲繞地通行権

旗竿敷地の例

土地 A
土地Aの一部
路地状部分
土地 B
路地状部分の長さ
道路
接道長さ

袋地と囲繞地通行権の例

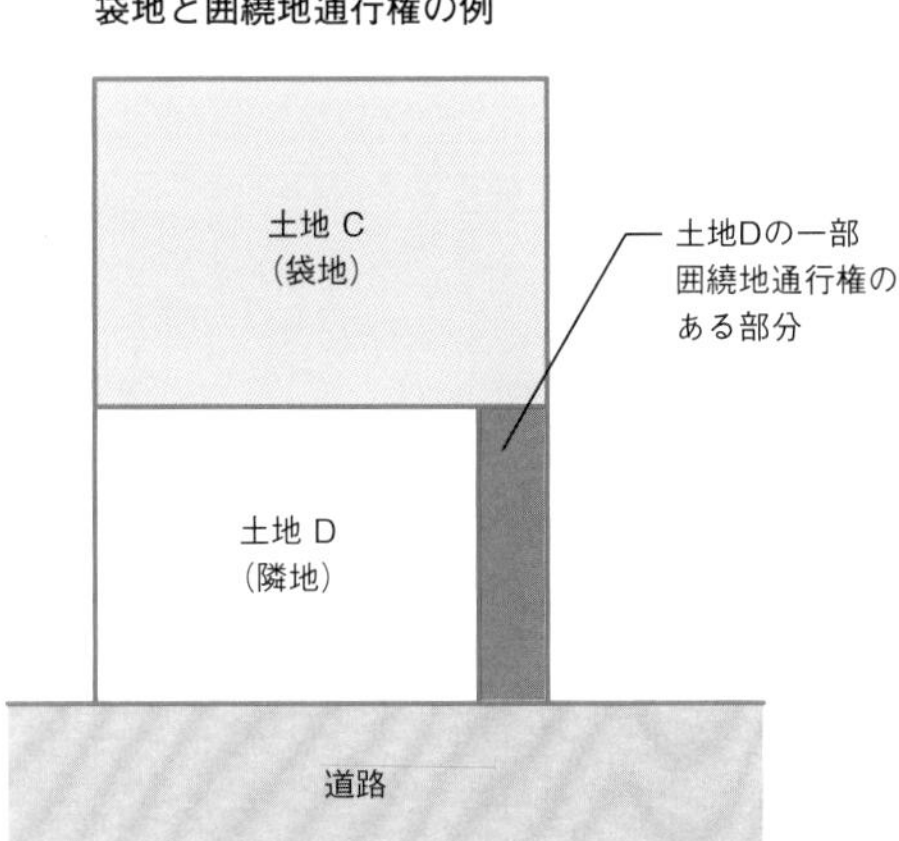

Environment

周辺の環境は大丈夫ですか？

「住宅は環境で買う」といわれるぐらい、家づくりには周辺の環境が大切です。

周辺の環境といっても、いろいろな要素が複合的に影響しあっているのですが、主な要素としては、

1 交通利便性
2 生活利便性
3 行政サービス・生活インフラ
4 子育て・教育環境
5 住環境
6 地域の将来性

などが挙げられます。これらをチェックリストの形で整理すると**表**のようになります。

前述のように、土地選びは、その土地が気に入るかどうかの第一印象が大切ですが、やはり、実際に購入するかどうかとなれば、周辺の地域を歩いてまわって、周辺環境を直接目で確かめたり、通勤経路を実際の通勤時間帯に実体験したり、市町村の役所に出向いて行政サービス内容などを確かめるといった作業が不可欠となります。

そうした際に、必要に応じ、**表**のようなチェックリストを使ってみてください。

表　土地探し、土地選びの際の周辺環境のチェックリスト①

	■チェック項目	■調査方法　備考	■結果
1 交通利便性／通勤のしやすさ	最寄駅までの交通手段／所要時間	■不動産会社に確認。できれば実際に通勤時間帯に想定する交通手段で最寄駅まで行き、所要時間を確認する	■徒歩（　　）分 自転車（　　）分 バス（　　）分
	最寄駅までのバス便の通勤時間帯での本数	■バス便利用の場合、時刻表等で確認	■（　　）本／時間
	始発バス・終バスの時刻		■始発（　：　）　最終（　：　）
	最寄駅から勤務先・通学先までの所要時間	■できれば、実際にラッシュ時に乗って、通勤・通学の所要時間を確認する	■通勤（　　）分　通学（　　）分
	ラッシュ時の本数	■時刻表等で確認	■（　　）本／時間
	通勤・通学のしやすさ	■乗換回数や混雑度、乗り継ぎのしやすさなどを実際に試乗して総合的に評価	■乗換（　　）回 混雑度　□良　□可　□不可 乗り継ぎ　□良　□可　□不可
	急行等の停車	■最寄駅が急行等の停車駅かどうかを時刻表等で確認	■急行停車　□無　□有 （　　）本／時間
	始発電車・最終電車の時刻	■時刻表等で確認	■始発（　：　）　最終（　：　）
	通勤交通費	■バス・電車等の往復交通費・定期代をバス会社・鉄道会社等に問い合わせて確認	■往復（　　）円　定期代（　　）円／月
	通学交通費	■同上	■往復（　　）円　定期代（　　）円／月
	タクシーの利用しやすさ	■終バス後などのタクシーの待ち時間、台数、料金等を地元の人などに聞いて確認	■待ち時間（　　）分 台数　□多い　□少ない　□無　料金（　　）円
	将来の利便性向上	■複々線化計画や増発計画、地下鉄との乗入計画などによる将来の利便性向上の可能性を鉄道会社等に問い合わせて確認	■複々線化　□無　□有（　　） 増発計画　□無　□有（　　） 乗入計画　□無　□有（　　）
	道路網の整備状況	■周辺地域の幹線道路、地区内道路などの道路網の道幅、車線数、混雑度などを地元の人に聞くか実地調査する	■道幅（　　）m 車線数（　　）車線 混雑度　□良　□普通　□悪
	自動車交通の利便性	■最寄の高速道路インターチェンジまでの距離・所要時間等を地元の人に聞くか実地調査する	■距離（　　）km 所要時間（　　）分

表　土地探し、土地選びの際の周辺環境のチェックリスト②

	■ チェック項目	■ 調査方法／備考	■ 結果
2 生活利便性	買い物の利便性 （商店街／スーパー等）	■ 購入予定地からの距離・交通手段・所要時間、駐車台数、閉店時間、商品の値段、品揃え等を地元の人に聞くか実地調査する	■ 距離（　　）m 所要時間（　　）分 □徒歩 □自転車 □車 駐車台数（　　）台 閉店（　：　） 値段・品揃え □良 □普通 □悪
	買い物の利便性 （生鮮食品店舗等）		■ 距離（　　）m 所要時間（　　）分 □徒歩 □自転車 □車 駐車台数（　　）台 閉店（　：　） 値段・品揃え □良 □普通 □悪
	買い物の利便性 （コンビニエンスストア等）		■ 距離（　　）m 所要時間（　　）分 □徒歩 □自転車 □車
	金融機関の利便性	■ 郵便局・銀行・信用金庫などの金融機関が近くにあるかどうか、キャッシュコーナーの営業時間などを地元の人に聞くか実地調査する	■ □郵便局 □（　　）銀行 □（　　）信用金庫 営業時間（　：　）
	行政機関の利便性	■ 市区町村の役所、出張所、警察署、派出所などへの距離、交通手段、所要時間等を地元の人に聞くか実地調査する	■ 役所：距離（　　）m 所要時間（　　）分 □徒歩 □自転車 □車 □バス 警察：距離（　　）m 所要時間（　　）分 □徒歩 □自転車 □車 □バス
	飲食施設等の利便性・充実度	■ レストラン・外食施設等が近くにあるかどうか、駐車台数、値段等を地元の人に聞くか実地調査する	■ レストラン □有 □無（□美味 □普通 □不味） 駐車台数（　　）台
	医療施設の利便性・充実度	■ 内科・小児科などの各種医院、病院、保健所等が近くにあるかどうか、施設の充実度などを地元の人に聞くか実地調査する	■ □内科 □小児科 □病院 □保健所 □その他（　　） 評価：□良い □普通 □悪い
	福祉施設の利便性・充実度	■ 高齢者がいる場合、デイ・ケアセンター、ケアハウス、特別養護老人ホームなどの福祉施設までの距離、交通手段、所要時間、施設の充実度などを地元の人に聞くか、実地調査する	■ 福祉施設の有無 □無 □有（　　） 距離（　　）m 所要時間（　　）分 □徒歩 □自転車 □車 □バス 評価 □良い □普通 □悪い

	■ チェック項目	■ 調査方法／備考	■ 結果
3 行政サービス・生活インフラ	文化施設・サービスの充実度	■ 図書館、公民館、文化ホールなどの施設が近くにあるかどうか、施設の充実度、利用のしやすさ、地域の文化活動の状況などを地元の人や自治体に聞く	■ 文化施設 □無 □有（　　） 距離（　　）m 所要時間（　　）分 □徒歩 □自転車 □車 □バス 評価 □良い □普通 □悪い
	医療サービスの充実度	■ 自治体による乳幼児等に対する医療費補助、定期検診、成人病検診などの医療サービスの状況を自治体に問い合わせるか、自治体の公報等から把握する	■ 医療費補助 □無 □有（　　） 定期検診 □無 □有（　　） 成人病検診 □無 □有（　　）
	福祉サービスの充実度	■ 高齢者や身体障害者に対する自治体の各種補助やケアサービス、在宅介護サービスなどの状況を自治体に問い合わせるか、自治体の公報などにより把握する	■ 各種補助 □無 □有（　　） ケアサービス □無 □有（　　） その他（　　）
	住宅取得支援制度の充実度	■ 自治体融資や各種助成制度など、自治体が住宅取得や住宅新築を支援する制度について自治体に問い合わせる	■ 融資 □無 □有（　　） 助成 □無 □有（　　） その他 □無 □有（　　）
	ゴミの収集方法	■ ゴミの分別収集のルール、収集回数、収集日など、自治体に問い合わせて確認する	■ 分別内容（　　） 週（　　）回 収集日（　　）
	自治体財政の健全性	■ 自治体の財政の健全性について、自治体の公報等により確認する。財政基盤の弱い自治体では、将来の財政破綻、サービス水準の低下、増税等の恐れがある	■ 財政 □良 □普通 □悪
	インフラ整備状況	■ 上下水道、電気、ガスの施設状況を不動産会社あるいは各事業者に問い合わせて確認する	■ □上下水道 □電気 □ガス （　　）
	通信インフラの整備状況	■ CATVや光ファイバーなどを使った次世代通信サービス等のサービスエリアに含まれているかどうか、必要に応じ各事業者に問い合わせ、確認する	■ 通信サービスのエリア □外 □内 内容：
	水道負担金等の状況	■ 水道や下水道の引き込みに際し、負担金が必要な場合があるので、負担金の有無、金額等について、不動産会社か自治体に問い合わせて確認する	■ 負担金 □無 □有 金額（　　）円

表　土地探し、土地選びの際の周辺環境のチェックリスト③

	■ チェック項目	■ 調査方法／備考	■ 結果
4 子育て・教育環境	保育環境	■ 乳幼児がいる場合、保育園や幼稚園は近くにあるか、募集時期や空き状況はどうか、時間外保育の有無などを自治体や施設に問い合わせて確認する	■ □保育園　□幼稚園　募集時期（　　月　　日） 空き状況　□無　□有 時間外保育　□無　□有　（　　　時まで）
	周辺の子供の遊び場	■ 公園等の遊び場が近くにあるか、安全な環境かなどを地元の人に聞くか実地調査する	■ 公園・遊び場　□無　□有（□近　□普通　□遠） 安全度　□良　□普通　□悪
	子供たちの数	■ 自分の子供と同年代の周辺地域の子供たちの数、幼稚園や学校のクラス数などを地元の人や自治体に聞いて把握する	■ 同年代の子供　□多い　□普通　□少ない クラス数：
	小学校・中学校への通いやすさ	■ どこの小学校、中学校の学区か、学校までの距離、所要時間はどれくらいか、自治体に問い合わせたり、実際に学校まで歩いて確認する	■ 学区（　　　） 距離（　　　）m　所要時間（　　　）分 □徒歩　□自転車　□車　□バス
	通学路等の安全性	■ 防犯上や交通安全上、通学路に危険はないかどうか、実際に歩いて確認する	■ 安全性　□安全　□普通　□悪い 備考：
	学校の教育環境	■ 学校の教育方針や校風、雰囲気、進学状況、全般的な教育水準などについて、不動産会社や地元の人に聞いて確認する	■ 校風（　　　） 雰囲気（　　　） 進学状況（　　　）
	学習塾等の状況	■ 近くに学習塾等があるか、その評判はどうかなど、地元の人などに聞いて確認する	■ 学習塾　□無　□有（　　　） 評判　□良　□普通　□悪

	■ チェック項目	■ 調査方法／備考	■ 結果
5 住環境	騒音・大気汚染、悪臭等の有無	■ 幹線道路や工場、鉄道、空港、ごみ焼却場、養鶏場等による騒音や大気汚染、悪臭等がないかどうか、不動産会社に確認するほか、地元の人に聞いたり、できれば休日以外に平日も現地を訪れ確認する	■ 騒音　□良　□普通　□悪 大気汚染　□良　□普通　□悪 悪臭　□良　□普通　□悪 その他：
	嫌悪施設の有無	■ 上記の他、日常の住環境に悪影響を与える可能性のある嫌悪施設（たとえば、パチンコ、カラオケ、火葬場、葬祭場、刑務所等）が近くにないかどうか、不動産会社に確認するほか、周辺を歩いたり地図などで自ら確認する	■ 嫌悪施設　□無　□有 内容：
	緑地環境	■ 公園や緑地など、自然を生かした緑地環境が近くにあるかどうか、不動産会社に確認するほか、周辺を歩いたり地図などで自ら確認する	■ 公園・緑地　□無　□有 距離（　　　）m　所要時間（　　　）分 □徒歩　□自転車　□車　□バス
	街並み等の住環境	■ 周辺地域の標準的な土地利用の状況、敷地規模、街並みとしての美しさ、街としての成熟度などを実際に歩いてみて総合的に把握する	■ 土地の利用状況（　　　） 敷地規模　□広い　□普通　□狭い（　　　）m²位 美しさ・成熟度　□美　□普通　□醜
	法規制の状況	■ 良好な住環境を担保する用途地域、建ぺい率・容積率の指定、地区計画や建築協定の有無などを不動産会社に確認するか、自治体に問い合わせて確認する	■ 用途地域（　　　） 建ぺい率（　　　）%　容積率（　　　）% 特別地区（　　　） 地区計画　□無　□有　　建築協定　□無　□有
	防犯・防災面から見た安全性	■ 防犯上、問題の多い地区が近くにあるかどうか、木造密集地区のように防災面から見て問題のある地区が近くにあるかどうか、災害時の安全な避難場所は近くにあるかどうかなどの点を、不動産会社に聞いたり、実際に歩いてみて把握する	■ 防犯上の評価　□良　□普通　□悪 防災上の評価　□良　□普通　□悪 避難場所　□無　□有　距離（　　　）m 所要時間：徒歩（　　　）分
	住民の状況	■ 平均的な地域住民の年齢層、所得水準、教育水準などを不動産会社などに聞いて把握する	■ 年齢層（　　　）　所得水準（　　　） 教育水準（　　　）

	■ チェック項目	■ 調査方法／備考	■ 結果
6 地域の将来性	騒音・大気汚染、悪臭等の有無	■ 周辺地域に大規模な住宅地開発、マンション開発、ショッピングセンターなどの商業開発、市街地再開発事業等があるかどうか、不動産会社や自治体に問い合わせて確認する	■ 開発予定　□無　□有 内容：
	防犯・防災面から見た安全性	■ 鉄道の新線計画、新駅の設置等で、都心部などへの交通アクセスが改善される可能性があるかどうか、不動産会社や自治体等へ問い合わせて確認する	■ 新線計画　□無　□有 新駅設置　□無　□有 その他：
	住民の状況	■ 幹線道路の新設、拡幅や延伸の計画、高速道路のインターチェンジの新設などの計画があるかどうか、不動産会社や自治体等へ問い合わせて確認する	■ 幹線道路　□無　□新設　□拡幅　□延伸 インターチェンジ新設　□無　□有 その他：

Site Situation

敷地の状況は大丈夫ですか？

家づくりのための土地探し・土地選びでは、周辺の環境と同様に、敷地自体の状況を的確に把握し、問題がないかどうかを確認する必要があります。

建築基準法上の道路と接道義務については、すでに詳しく取り上げましたが、それ以外にも、日照・通風、前面道路の状況、隣接地の状況、敷地の形状や地形、広さ、地盤の状況、法規制の状況などの多面的な観点から、検討を行う必要があります。

これらのうち、敷地の法規制については、後ほど詳しく取り上げるとして、残りの項目をチェックリストの形で整理すると**表1**のようになります。

表1について、若干補足すると、初めて家を建てる方が、土地の状況を見ただけで、**表1**の諸項目を的確に検討することは、そ

表1　戸建て住宅のための土地探し、土地選び敷地チェックリスト

	■チェック項目	■評価ポイント／備考	■評価
1 環境条件	道路の向き	■◎南側道路 ○東側道路・西側道路 △北側道路	
	日照・通風は良いか	■◎敷地にゆとりがあり日照・通風良 ○ある程度の日照・通風が確保できる ▲建て込んでいて日照・通風不良	
	水はけはよいか／湿り気はないか	■◎高台で水はけの良い土地 ○平坦地で普通の土地 ▲まわりより低い水はけの悪い土地	
	街並み・景観・住環境	■◎街並みの整った計画的な住宅地 ○戸建て住宅中心の一般住宅地 △アパートなども混在する住宅地 ▲工場・店舗なども混在する地域	
	周辺の平均的な敷地規模	■◎200㎡以上 ○150㎡以上 △100㎡以上 ▲100㎡未満	
	隣接地の状況	■◎一般の戸建て住宅 ○住居系用途（アパート等）／空き地 △非住居系用途・高層建物 ▲嫌悪施設、高圧線等が近くにあり	
	前面道路の交通量（騒音、振動、排気ガス等）	■◎交通量は少ない ○交通量は普通 ▲幹線道路で交通量多い	
	前面道路の幅員	■◎6m以上／歩道付き ○4m以上 ▲2項道路	
2 敷地の画地条件	敷地形状はよいか	■◎整形（長方形） ○ほぼ整形 ▲不整形・旗竿敷地	
	地形はよいか	■◎平坦もしくはやや南傾斜 ○やや東傾斜／西傾斜 △やや北傾斜 ▲傾斜地／崖地	
	間口は十分にあるか	■◎12m以上 ○8m以上 △5m以上 ▲5m未満	
	十分な広さがあるか	■◎建てたい広さの住宅を余裕をもって建てられる ○建てたい広さの住宅を何とか建てられる ▲建てたい広さの住宅が建設可能か不安がある	
	道路との高低差は適切か	■◎道路よりやや高い ○道路とほぼ平坦 ▲道路より低い	
	地盤はよいか	■○台地などの良好な地盤 △台地と谷地（低地）の境（造成工事の良し悪しによる） ▲谷地（低地）などの軟弱地盤	

う簡単なことではないと思います。できれば、この最終的な土地選びの時点で、信頼できる設計や施工の専門家に、現地に同行してもらい、プロの目で敷地を確認してもらうことをお奨めします。

また、土地の地盤条件は、実は土地選びのキーポイントになる重要な要素です。もちろん、軟弱な地盤であっても、地盤改良や基礎の形式によって、安全な住宅を建てることはできますが、各地の地震被害の事例を見ても、軟弱地盤の地域での被害が圧倒的に大きいことを改めて指摘しておきたいと思います。

表1の項目は実は土地価格の評価ポイントとも共通しているので、よい評価の土地ほど価格は高くなるのが通常です。したがって、予算面からみて、ある意味での割り切りが必要なケースも多いことをご理解の上、土地選びの際には、前項の周辺環境のチェックリストと同様、**表1**もぜひ活用してみてください。

なお、参考までに、建築計画の際に必要となる敷地のチェックリストは表2のようになります。

表2　建築計画の敷地のチェックリスト

登記上の記載 （※の項目を除く）	■ 地名・地番	■
	■ ※住所表示	■
	■ 地目	■ □宅地　□田　□畑　□山林　□その他（　　　）
	■ 登記面積	■ 　　㎡　　坪 うち私道負担分　　㎡
	■ ※実測面積	■ 　　㎡　　坪
	■ 所有権	■ □自己所有地　□借地（地主：　　　）
	■ 所有権以外 （抵当権など）	■
法的制限	■ 都市計画区域	■ □市街化区域　□市街化調整区域　□未線引区域　□準都市計画区域　□都市計画区域・準都市計画区域外
	■ 用途地域	■ □第１種低層住居専用地域　□第２種低層住居専用地域 □第１種中高層住居専用地域　□第２種中高層住居専用地域 □第１種住居地域　□第２種住居地域　□準住居地域　□田園住居地域　□近隣商業地域 □商業地域　□準工業地域　□工業地域　□工業専用地域　□なし
	■ 防火・準防火地域	■ □防火地域　□準防火地域　□法22条区域（屋根不燃化区域）　□指定なし
	■ 建ぺい率	■ 　　%
	■ （建築面積の限度）	■ 敷地面積×建ぺい率／100＝ ㎡まで
	■ 容積率	■ 　　%
	■ （延べ面積の限度）	■ 敷地面積×容積率／100＝ ㎡まで
	■ 高さ制限	■ 絶対高さ制限　□有（高さ　　m）　□無
		■ 道路斜線　勾配（　　　）
		■ 隣地斜線　□有　□無
		■ 北側斜線　□有（高さ　　m以上で勾配） □無
	■ 計画道路の予定	■ □有　□無
	■ 建築協定	■ □有　□無
	■ その他の制限	■
敷地が接する道路	■ 道路の所有	■ □公道　□私道（所有者：　　　）
	■ 道路幅員	■ 　　m（　　　側）
	■ 敷地と接する長さ	■ 　　m
設備関係	■ 水道	■ □公営　□私営　□井戸
	■ ガス	■ □都市ガス（　　　ガス）　□プロパン
	■ 電気	■ 　　電力
	■ 雨水・雑排水	■ □本管　□U字溝
	■ 汚水	■ □水洗放流　□浄化槽　□汲取り
敷地と周囲との状況	■ 境界線の距離	■（図で記入）
	■ 対角線の距離	
	■ 土地の傾斜	
	■ 隣地・道路との高低差	

Sales Contract

初めての土地売買契約

土地など不動産の売買契約では、事前に仲介業者（宅地建物取引士の資格を持つ者）から重要事項の説明が必ず行われます。

さて、以上述べたような検討手順で、気にいった土地が見つかると、いよいよ、土地の売買契約を行うことになります。

その際、通常は、その土地を紹介してくれた不動産屋さん（宅地建物取引業者、**宅建業者**と略称します）が売買契約の仲介を行うことになり、重要事項の説明を受けることになります。

重要事項の説明ってどんなこと？

これまで、土地探し、土地選びのポイントをご紹介してきましたが、実は、土地を買う場合には、こうした土地の物理的な条件以外に、土地の権利関係、私道負担の状況、取引条件（代金の支払い方、契約解除や違約に関する条件等）などを明確にする必要があります。

しかし、一般の方がこれらの事項を調査することは困難であり、また、取引条件についても十分な知識を持っていないのが一般的でしょう。そこで、契約の前に、不動産取引に関する専門家としての宅地建物取引士が、きちんと調査を行い、売り主・買い主双方の意向を調整した上で、買い主に、取引物件の重要な事項について書面（**重要事項説明書**）で説明することになっており、これを**重要事項の説明**といいます。

重要事項説明書に記載される内容は、おおむね**表1**のとおりです。

表1をみると、なんだかものすごく難しい話に思えますが、いずれも、土地の売買契約を間違いなく実行するために不可欠な項目です。こうした内容を契約の前に、仲介を行う不動産屋さん（宅建業者）の取引士からしっかりと説明を受けて、わからないところがあれば事前に質問を行い、疑問点をなくしてから契約にのぞむことが大切です。

また、こうした重要事項の説明は、その場で理解できないことも多いので、できれば契約の1週間ほど前には、説明を受けておいたほうがいいでしょう。

なお、重要事項の説明で、取引物件の権利の種類や内容はほぼ明らかになりますが、できれば、登記事項証明書を取り寄せて、売り主が登記上の所有者であるかどうかとか、乙区に抵当権などの所有権を制約する権利がついていないかどうかといった基本事項については、自分の目で確かめるという姿勢が大切でしょう。

なお、登記については、後ほどさらに詳しくご紹介します。

土地売買契約とは

重要事項の説明を聞き、売り主と買い主の双方が納得し、取引についての諸条件の合意をした後、いよいよ**売買契約**の締結を行います。

売買契約は、売り主が、ある財産権（この場合は土地の所有権）を買い主に対して移転することを約束し、買い主が売り主に対してその代金を支払うことを約束する内容の契約です。合意によって売り主は売買の目的物である土地や建物を買い主に引き渡し、その登記を移転する義務を負い、これに対して買い主は、売り主に代金を支払う義務を負うことになります。

売買契約の締結においては、売り主と買い主が、仲介業者立会いのもと売買契約書の読み合わせを行い、記載された売買契約条件の確認を行います。契約当日の席上であっても、疑問点などがあれば質問し、契約書に不満があれば、項目の追加、変更、削除等を行って納得できる契約を結ぶことが大切です。

そしていよいよ、売買契約書に署名、押印することになります。

そして売買契約の締結と同時に売買契約書において合意した手付金を買い主から売り主に支払います。手付金の支払い方法は一般に「現金」や「振込」もしくは「預金小切手」を使用します。

手付金に限らず、金銭の授受に預金小切手を使用する際は、万一に備え、預金小切手のコピーをとっておくと安心です。

表1　重要事項説明書の主な記載内容

	■ 評価ポイント／備考	■ 評価
表示	■ 仲介を行う宅建業者の概要	■ 商号、代表者氏名、主たる事務所、免許番号
	■ 説明をする宅地建物取引士	■ 氏名、登録番号、業務に従事する事務所
	■ 取引の態様	■ 売買等の態様、売主・代理・媒介の区分
	■ 取引対象物件の表示	■ 土地（所在地、登記上の地目、面積〔登記上または実測〕） 建物（所在地、家屋番号、種類および構造、床面積） 売り主の住所・氏名
取引物件に関する事項	■ 登記情報に記載された事項	■ 所有権に関する事項（土地・建物の名義人、住所） 所有権にかかる権利に関する事項（土地・建物） 所有権以外の権利に関する事項（土地・建物）
	■ 法令に関する制限の概要	■ 都市計画法（区域の区分、制限の概要） 建築基準法（用途地域名、区域・地区・街区名等、建築面積の限度、延床面積の限度、敷地等と道路との関係、その他の制限） それ以外の法令に基づく制限（法令名、制限の概要）
	■ 私道に関する負担に関する事項	■ 負担の有無、負担の内容（面積、負担金等）
	■ 水害ハザードマップにおける当該宅地の所在地	■ 水害ハザードマップの有無（洪水、雨水出水、高潮の有無）
	■ 飲用水・電気・ガスの供給施設および排水施設の整備状況	■ 直ちに利用可能な施設か、施設整備予定はあるか、施設整備に関する特別な負担はあるか等 飲用水の場合は公営・私営・井戸の区分 ガスは都市ガス・プロパンの区分
	■ 宅地造成または建物建築の工事完了時における形状・構造等	■ 未完成物件等の場合
取引条件に関する事項	■ 代金・交換差金および地代に関する事項	■ 売買代金、交換差金、地代
	■ 代金および交換差金以外に授受される金額	■ 金額、授受の目的
	■ 契約の解除に関する事項	■ 手付解除、引き渡し前の滅失・損傷の場合の解除、契約違反による解除、ローン特約による解除、契約不適合責任による解除等
	■ 損害賠償額の予定または違約金に関する事項	■ 売買契約において損害賠償額や違約金に関する定めをする場合に、その額および内容を記載
	■ 手付金等の保全の概要（業者が自ら売り主の場合）	■ 宅建業者が自ら売り主となる宅地、建物の売買において、一定の額または割合を超える手付金等を受領する場合に義務づけられている保全措置を説明する項目で、保全の方式、保全を行う機関を記載
	■ 支払金または預り金の保全措置の概要	■ 宅建業者が支払金、預り金等を受領する場合には、その金銭について保全措置を行うか否か、行う場合にはその措置の概要を記載
	■ 金銭の貸借に関する事項	■ 宅建業者による金銭の貸借の斡旋の有無、斡旋がある場合にはその内容（取扱金融機関、融資額、融資期間、利率、返済方法、保証料、ローン事務手数料、その他）、金銭の貸借が成立しないときの措置について記載
	■ 割賦販売に係る事項（業者が割賦販売をする場合）	■ 宅建業者が割賦販売をする場合、現金販売価格、割賦販売価格およびそのうち引渡しまでに払う金銭と賦払金の額を記載
その他	■ 添付書類等	■「備考」「特記事項」「容認事項」「告知事項」などとして、嫌悪施設や騒音などの周辺環境、近隣建物などによる将来的な問題、その他さまざまな事項を記載

売買契約書の記載事項とチェックポイント

売り主・買い主双方の署名捺印がされると、正式に契約が成立し、効力を発揮します。契約以後の内容変更は当事者双方が合意すれば可能ですが、場合によっては損害賠償や違約金の対象となりますので、契約書の内容は十分なチェックが必要です。

表2は、土地売買契約書の基本的な記載事項とそのチェックポイントを整理したものです。不動産取引に係わるトラブルの多くは、この売買契約書の不備によるケースが多いので、念には念を入れてチェックしてみてください。

特に、市販の契約書のひな型などをそのまま使う場合には、その記載事項が今回の取引の条件に適合したものであるかどうか確かめることが必要です。もし、これまで売り主と買い主で合意してきた条件と異なる場合には、契約書の内容を修正するか、特約条項を設けて合意した内容を盛り込む必要があります。

表2　土地売買契約書の基本的記載事項とチェックポイント

基本的記載事項	■ 内容およびチェックポイント
当事者の氏名および住所	■ 住民票記載の住所で記入します
売買対象不動産の表示	■ 原則として登記記録の表題部どおりに記載されています。この表示で売買不動産を特定します。なお、古い建物がある場合などでは、現況有姿のままか、建物を取り壊して売買するかも明記します
売買代金およびその支払方法	■ 売買代金総額、手付け金から残金支払いまでの支払時期と支払方法について記載されます。なお、土地などの売買の場合、公簿（登記記録に表示している）面積で取引するのか、実測面積で取引するのかを明示する必要があります
引き渡し時期	■ 物件の引き渡し時期が記載されます。通常は所有権移転登記と同時になります
所有権移転時期と登記申請について	■ どの時点で所有権移転および登記申請を行うかが記載されます。通常は売買代金全額の支払いが完了するのと同時に、所有権移転および登記申請を行います
代金以外の金銭（登記費用等）の授受に関する定め	■ 売買代金以外の金銭授受について記載されます。所有権移転登記の登録免許税、登録手数料は買い主負担となります
手付け解除・その他契約解除に関する定め	■ 通常、相手方が契約の履行に着手するまでは、買い手は手付金放棄、売り主は手付金の倍返しによって、解約ができる権利を有しています
契約違反の場合の取り決め	■ 売り主または買い主が期限を定めた義務の履行をせず、契約に違反した場合の措置が記載されています
ローン利用の特約	■ ローン利用がある場合、融資の実行が否認された場合の措置とその期日が記載されています。万一、約束した期日までにローンの利用ができなくなったときには、無条件で解約できることとし、売り主は手付け金等の全額を速やかに買い主に返還する旨、取り決めることが一般的です
天災地変等の不可抗力による損害賠償	■ 契約から引き渡しまでの間に、天災地変等の不可抗力により取引物件に損害が発生した場合、その責任と負担について定めた事項が記載されています
契約不適合責任	■ 引き渡し後、売り主が知り得なかった物件に関する不具合が発見された場合に、売り主の修復等の責任に関して定めた事項が記載されています
公租公課の分担の取り決め	■ 固定資産税、都市計画税等は引き渡し日による日割清算を行います。通常、引き渡しの日の前日までは売り主負担、引き渡し日以降は買い主負担となります

Site Register

土地建物の登記はどうするの？

土地や建物の売買には、登記の知識は不可欠です。不動産を所有するつもりなら、いつかはその仕組みを理解する必要があります。

図1　土地の登記事項証明書の書面例

○○県○○市○○区○○丁目○○－○○－○　　全部事項証明書　（土地）

【表題部】（土地の表示）			調製　令和○○年○○月○○日	地図番号　余白
【所在】	○○区○○丁目		余白	
【①地番】	【②地目】	【③地積】㎡	【原因及びその日付】	【登記の日付】
○○番○○	宅地	188 : 63	余白	余白
余白	余白	余白	余白	令和○○年○○月○○日

【権利部（甲区）】（所有権に関する事項）				
【順位番号】	【登記の目的】	【受付年月日・受付番号】	【原因】	【権利者その他の事項】
1	所有権移転	令和○○年○○月○○日 第○○○○○号	令和○○年○○月○○日相続	所有者　○○区○○丁目○番○○○号
	余白	余白	余白	令和○○年○○月○○日

＊　下線のあるものは抹消事項であることを示す。　　整理番号　A00000（1/1）　1/2

【権利部（乙区）】（所有権以外の権利に関する事項）				
【順位番号】	【登記の目的】	【受付年月日・番号】	【原因】	【権利者その他の事項】
1	抵当権設定	令和○○年○○月○○日 第○○○○○号	令和○○年○○月○○日設定	債権者 利息 損害金 債務者 抵当権者

これは登記記録に記録されている事項の全部を証明した書面である。

令和○年○月○日
○○地方法務局○○支局　　登記官　　○○○○　印

＊　下線のあるものは抹消事項であることを示す。　　整理番号　A00000（1/1）　2/2

登記はなぜ必要なの？

登記とは、登記所が土地建物の状況や権利関係を、**図1～3**のような登記情報として記載して、一般に公開することです。

土地の売買契約が終了し、代金の授受が終わると、買い主の土地所有権を保全するために、土地の登記を行う必要があります。

どういうことかというと、A（売り主）とB（買い主）との間で土地の売買契約が交わされた場合、登記しなくても、AとBの間では、この売買契約は法律上も有効です。しかしBは、売買によってAから土地を取得したことを登記しなければ、法律上、A以外の第三者に対して自分が所有者であることを主張することができません。

たとえば、Aが第三者Cに、その土地を売却し（つまり、同じ土地をBとCに二重に売却し）、Bが登記をする前にCが登記をした場合には、BはCに対して、Bが所有者であることを主張できないことになります。

こうした事態を避けるため、Bは、代金の支払い後遅滞なく、登記所に所有権移転の登記の申請をする必要があるのです。

具体的には、売買代金から手付金を差し引いた残代金を支払うときに、売主から**所有権移転登記**をしてもらうことになり、その登記手続は通常、**司法書士**に依頼します。

残代金支払いの際に、司法書士に立ち会

図2　土地の登記事項証明書の例

この所在と地番で物件の登記簿を特定できます

宅地、畑、山林など、土地の現況、利用目的などに重点を置いて定められています

土地の水平投影面積で、宅地などは1m²の100分の1まで計算して記載されます。しかし、この登記面積（公簿面積）は実測面積と異なる場合も多く、売買契約では、どちらの面積で契約するかを確認します

○○県○○市○○区○○丁目○○－○○－○　　全部事項証明書　（土地）

【表題部】（土地の表示）			調製　令和○○年○○月○○日	地図番号　余白
【所在】	○○区○○丁目		余白	
【①地番】	【②地目】	【③地積】㎡	【原因及びその日付】	【登記の日付】
○○番○○	宅地	188　63	余白	余白
余白	余白	余白	余白	令和○○年○○月○○日

【権利部（甲区）】（所有権に関する事項）				
【順位番号】	【登記の目的】	【受付年月日・受付番号】	【原因】	【権利者その他の事項】
1	所有権移転	令和○○年○○月○○日 第○○○○○号	令和○○年○○月○○日相続	所有者　○○区○○丁目○番○○○号
	余白	余白	余白	令和○○年○○月○○日

【権利部（乙区）】（所有権以外の権利に関する事項）				
【順位番号】	【登記の目的】	【受付年月日・番号】	【原因】	【権利者その他の事項】
1	抵当権設定	令和○○年○○月○○日 第○○○○○号	令和○○年○○月○○日設定	債権者 利息 損害金 債務者 抵当権者

抵当権、賃借権、地上権などの権利が付着しているかがわかります

相続・売買など所有権移転の原因の履歴がわかります

ってもらい、所有権移転登記に必要な書類（権利証または登記識別情報、印鑑証明書、実印による登記委任状など）が、売り主から司法書士に手渡されたことを確認してから、残代金を支払うことが大切です。

　また、抵当権や、仮登記などがなされている不動産については、それらの登記抹消に必要な書類も、同時に司法書士に手渡されたことを確認してから残代金を支払うことが必要ですが、このような場合には、契約書の中に売り主の登記抹消の義務を明記しておいたほうがいいでしょう。

登記の手続きはどうすればいいの？

　登記の申請をするためには、必要な事項を記載した申請書とその添付書類を、登記所に提出しなければなりません。申請書は、自分で作成して提出することもできますが、所有権移転等の権利の登記の申請書については、司法書士に依頼するのが普通でしょう。また、建物を新築した場合などにする**表示に関する登記**の申請書は、通常は**土地家屋調査士**に作成を依頼します。

　売買による所有権移転登記の申請書には、原則として、

①登記原因である売買契約が成立したことを証する売買契約書（ない場合には、申請書の副本）
②売り主の印鑑証明書（作成から3カ月以内のもの）
③**登記済証**（いわゆる**権利証**）または登記識別情報
④売り主の実印による登記委任状
⑤固定資産評価証明書
⑥買い主の住民票の写し
⑦買い主の登記委任状

を添付しなければなりませんので、司法書士に登記手続きの代行を依頼する際に、これらの書類を準備する必要があります。

　登記所に提出された申請書が受理された場合には、受付日、受付番号が記録されます。

　次に、登記の申請があった土地または建物の登記情報の記載を確認しながら、申請内容が法律に適合するか、登記情報の記載と一致するか、添付書類がそろっているかなどが審査されます。申請に不備がないことが確認されると、申請内容に従って、登記に必要な事項が記入されます。

　さらに、ここまでの処理がきちんと行われたかどうか、登記官が再度チェックし、正しく処理されたことを確認した場合には、登記識別情報が作成されます。

　登記手続き完了後、登記識別情報を受け取ることになります。司法書士に依頼した場合は、その事務所から送付されるはずです。また、登記内容を確認するため、登記情報を取っておきます。なお、目隠しシールが貼られた登記識別情報は、次に何らかの登記をする際に必要な書類ですので、大切に保管しておきます。

図3　建物の登記事項証明書の例

建物の敷地の所在・地番が記載されます

地番区域ごとに建物敷地の地番と同じ番号がつけられます

○○県○○市○○区○○丁目○○－○○－○　　　全部事項証明書　　（建物）

【表題部】（主たる建物の表示）			調製　令和○○年○○月○○日	所在図番号　余白
【所　在】	○○区○○丁目○○○番地		余白	
【家屋番号】	○○番○○の○		余白	
【①種類】	【②構造】	【③床面積】㎡	【原因及びその日付】	【登記の日付】
居宅	軽量鉄骨造スレート葺2階建	1階　66　82 2階　66　82	令和○○年○○月○○日新築	余白
余白	余白	余白	余白	令和○○年○○月○○日

【権利部（甲区）】（所有権に関する事項）				
【順位番号】	【登記の目的】	【受付年月日・受付番号】	【原　因】	【権利者その他の事項】
1	所有権保存	令和○○年○○月○○日 第○○○○○○号	余白	所有者　○○区○○丁目○番○○○号
	余白	余白	余白	令和○○年○○月○○日

建物の主用途で、居宅のほか店舗、寄宿舎、共同住宅、事務所、旅館、料理店、工場、倉庫、車庫、発電所、変電所に区分され、該当しないものはこれらに準じて適当に定められます。主たる用途が複数なら「居宅・店舗」のように表示されます

①建物の主たる構成材料、②屋根の種類、③階数（階層）の3つで表示されます。なお、地階、屋階などで天井高さ1.5m未満のものは階数に算入されません

各階ごとに、壁その他の区画の中心線で囲まれた部分の水平投影面積を平方メートル単位で、100分の1未満の端数切り捨てで表示されます

登記の中身にはどんなものがある？

不動産登記は、私たちの大切な財産である土地や建物の所在、面積のほか、所有者の住所・氏名などを一般公開することにより、権利関係等の状況が誰にでもわかるようにし、取引の安全と円滑をはかる役割を果たしています。

登記記録は**表題部**と**権利部**（**甲区**、**乙区**）に区分されており、これらが土地・建物それぞれについて作成されています。**図1・2**は土地の登記事項証明書、**図3**は建物の登記事項証明書の例です。

表題部には、土地の場合は、所在・地番・地目（たとえば、宅地、畑、山林など）・地積などが、建物の場合には、所在・家屋番号・種類（たとえば、居宅、店舗など）・構造（たとえば、「木造瓦葺2階建」など）・床面積などが記載されます。

これらは**不動産の表示に関する登記**と呼ばれ、その土地・建物の物理的な現況をできるだけ忠実に公簿上に表示するという役割を持っています。

表題部に続く権利部には、その不動産についての権利に関する内容が表示されます。

まず、甲区には、その不動産の所有権に関する事項が記載され、過去から現在までの所有者や、所有権移転の原因（売買、相続など）が順を追ってわかるようになっています。

次に乙区には、その不動産についての所有権以外の権利（地上権、賃借権、抵当権など）に関する事項が記載されますが、所有権以外の権利の登記がない場合には、乙区をつくらずに、その不動産の登記記録は甲区までとなります。

登記記録の全部または一部をコピーしたものを**登記事項証明書**、以前の閲覧に代わるもので現在の権利のみを記載したものを**登記事項要約書**といい、登記所へ手数料を添えて請求をすれば、誰でも交付が受けられます。

土地の売買契約をすませた後は、売買代金の支払いと同時に登記申請を行い、登記完了後に、この登記事項証明書を取り寄せて、記載事項の確認を行う必要があります。

家の新築は規制がいっぱい

建築基準法は設計のプロでも、すべてを理解している人が少ないほど複雑な法律です。建て主としては、詳細はプロに任せ、最低限知っておくべきことに絞って理解しておきましょう。

家を建てるには確認申請が必要

設計図ができあがり、工事費も予算内に収まりそうとなれば、いよいよ着工。というわけにはいきません。日本には建築基準法という法律があって、その法令に従わないと、建築できないことになっているからです。

建築基準法は、建物の用途、構造、設備やその敷地について、最低の基準を定め、その遵守を国民に義務づけています。違反すると、懲役・罰金などが課され、場合によっては行政代執行によって、マイホームでさえ取り壊させることも可能です。

もっとも、この法律は建物を安全につくることによって、人命や財産を保護するとともに、衛生で快適な住環境を維持することを目的としています。

具体的には、設計図書などをそろえて、役所または指定確認検査機関に申請すると、3週間くらいで確認済証（**建築確認通知書**）が交付され、それから晴れて着工となります。この申請を**建築確認申請**といいます。

もちろん、建築基準法令に不適合な部分があると、設計図を修正しなければ、確認済証は交付されません。家が完成したら、**完了届**を出して**完了検査**を受け、**検査済証**の交付、引き渡し、建物の登記（融資の実行）を経て、マイホームが完全に自分のものとなるわけです（**図1**）。

これらの申請実務などは、工事や設計の依頼先がやってくれますので、このような手続きがあることを理解しておけばよいでしょう。確認申請手数料は、確認検査機関によって異なりますので、時間とコストを考えて適切に選択しましょう。ちなみに横浜市では、床面積100～200㎡で確認申請2万8千円、中間検査2万3千円、完了検査2万4千円です。

なお、木造3階建てや一定規模の鉄骨造、鉄筋コンクリート造の建物は地域によって、工事中に中間検査を受けなければなりません。横浜市は確認申請された50㎡以上の建築物に中間検査を義務づけています。

ところで、役所の担当者を**建築主事**、建築主事を置く市町村の長や知事を**特定行政庁**と呼びます。法令の特例を利用するときや、建築のトラブルがあると、必ず登場してきますので、覚えておいたほうがよいでしょう。

最近では、民間でも建築確認や検査ができるようになっているので、時間とコストを考えて適切に選択してください。

図1　家を建てるのに必要な法的手続き

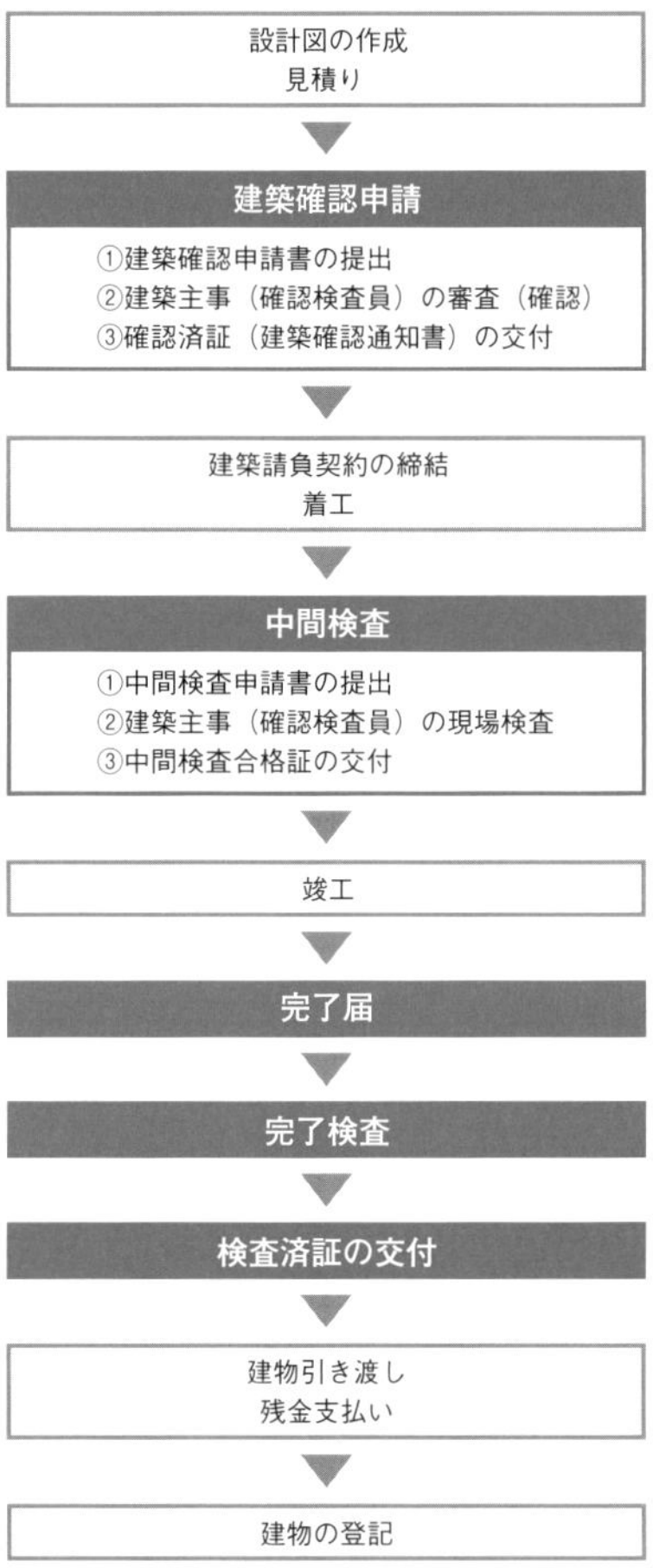

設計図の作成
見積り
▼
建築確認申請
①建築確認申請書の提出
②建築主事（確認検査員）の審査（確認）
③確認済証（建築確認通知書）の交付
▼
建築請負契約の締結
着工
▼
中間検査
①中間検査申請書の提出
②建築主事（確認検査員）の現場検査
③中間検査合格証の交付
▼
竣工
▼
完了届
▼
完了検査
▼
検査済証の交付
▼
建物引き渡し
残金支払い
▼
建物の登記

建て主はどんな規制を知っていればよいの？

建て主として、最低限知っておきたいのは、自分の土地にどれくらいの規模の建物を建てられるかです。これは土地を購入する際の重要な判断基準でもあります。

建物の規模には、その家の面積や高さがありますが、特に面積くらいは算出できるようにしたいものです。面積、高さとも用途地域ごとに制限が異なり、住居系の地域ほど厳しくなります。

1．知っておきたい建築面積と延べ床面積の算定方法

まず、家の面積には、**建築面積**と**延べ床面積**の2種類があります。

建築面積とは、家を建てるのに敷地をどのくらい使えるかということです。一般の2階建て木造住宅なら、1階部分の面積と考えればよいでしょう。正確には、建物の

水平投影面積をいいます。建物の真上から光を当てて、地面にできる影の面積のことです。厳密には、軒、ひさし、バルコニーなど、柱や壁に支えられていない、はね出している部分は、その先端から**1m**を除いて計算してよいことになっています（**図2**）。ただし、カーポートは、**図3**のように扱われていることもあるようです。

この建築面積は、柱や壁の中心線で計測します（計測方法は延べ床面積も同じ）。

延べ床面積は、各階の床面積の合計で、法律用語では**延べ面積**といいます。正確には、屋内的用途に使われる空間の床面積が対象となり、建築面積と異なり、住宅の出入りのための玄関ポーチなどは対象になりませんが、駐車場や駐輪場は対象になります。バルコニーなども、建築面積と扱いが少し異なり、吹きさらしで、外気に十分開放されていれば、先端から**2m**まで対象外。壁や柱の有無は関係ありません（**図2**）。

建築面積は**建ぺい率**で、延べ床面積は**容積率**で、それぞれ制限されています。敷地面積に、建ぺい率、容積率を乗じた数値が、建築面積と延べ床面積です。

たとえば、敷地面積が100㎡で、建ぺい率50％、容積率100％なら、建築面積の限度は50㎡、延べ床面積100㎡となります。建ぺい率、容積率は、用途地域ごとに**表1**のように定められています。複数の建ぺい率や容積率が指定された用途地域は、各自治体の都市計画により、どの数値を採用するか定めているので、市区町村の都市計画課などに聞けば教えてくれます（都市計画図に記載されていますが、ハウスメーカーや設計者、不動産屋などの専門家なら事前に必ず調べています）。

建築面積が最大どれくらいとれるかは、敷地面積に、その敷地に指定されている建ぺい率を乗じることで簡単に算出できます。また、敷地が角地であれば、建ぺい率が10％加算されることがあります。

延べ床面積は、建築面積よりもやや複雑で、敷地が接する前面道路の幅員、つまり敷地が面する道路の幅によって、容積率が変わってきます。前面道路の幅員が**12m**以上であれば指定容積率そのものとなりますが、12m未満の場合は前面道路の幅員（m）に係数、すなわち原則的に「住」がつく用途地域は**0・4**、その他の用途地域は**0・6**を乗じた容積率と、**指定容積率**を比べ、いずれか小さいほうの容積率となります。この容積率を**基準容積率**と呼び、敷地面積に基準容積率を乗じたものが延べ床面積の最高限度となります（**図4**）。

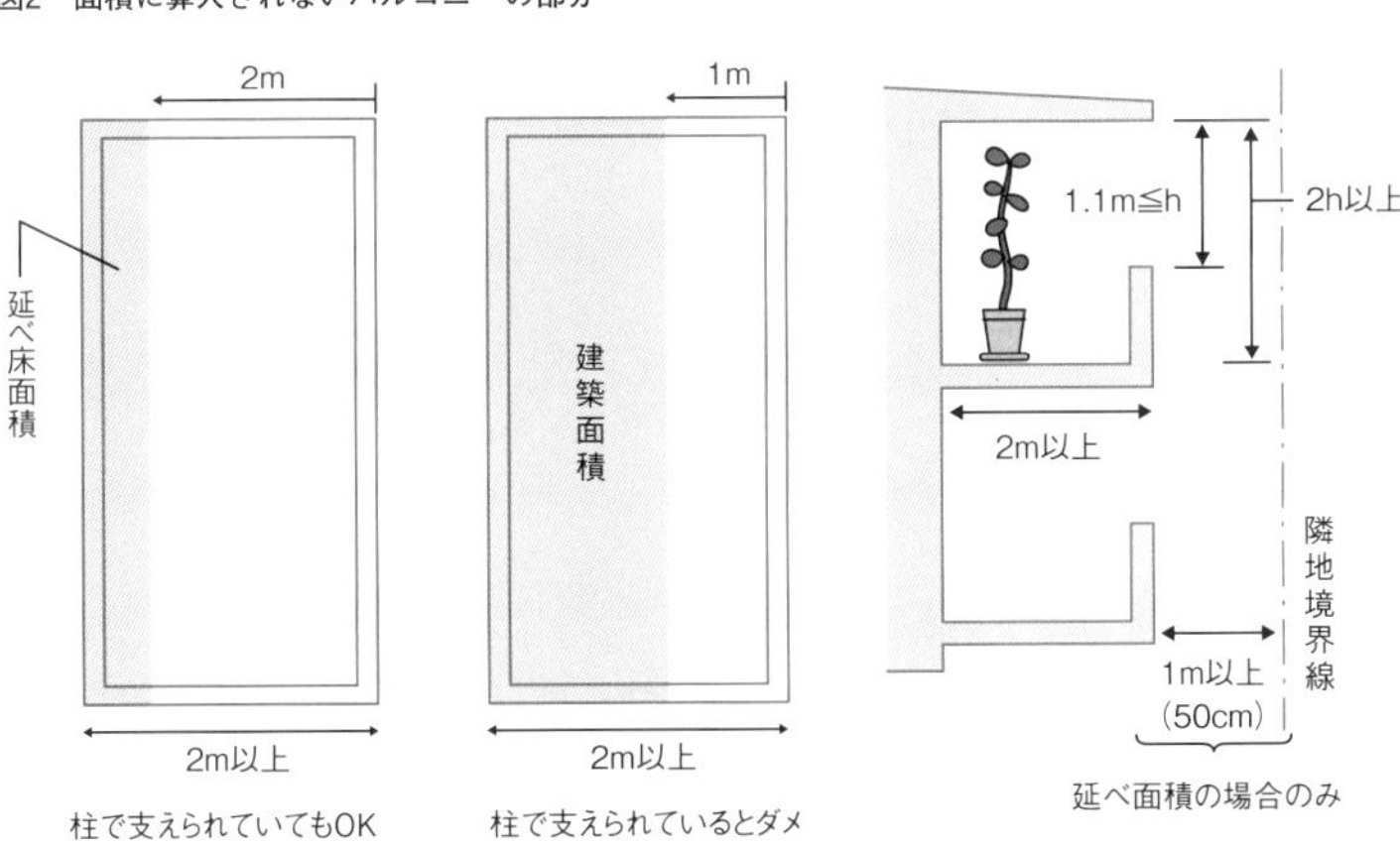

図2　面積に算入されないバルコニーの部分

図3　建築面積に算入されないカーポートの部分

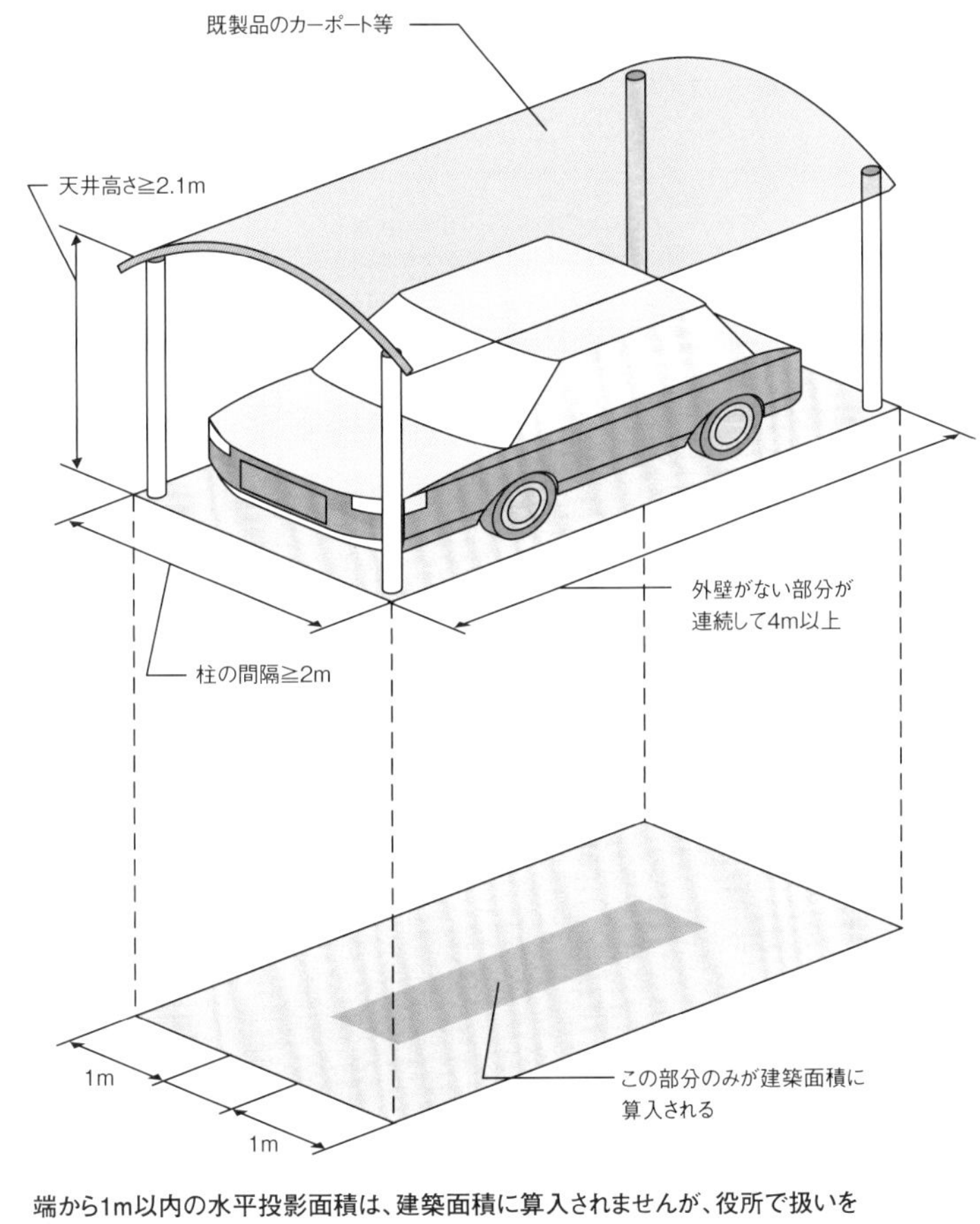

既製品のカーポート等
天井高さ≧2.1m
外壁がない部分が連続して4m以上
柱の間隔≧2m
1m
1m
この部分のみが建築面積に算入される

端から1m以内の水平投影面積は、建築面積に算入されませんが、役所で扱いを確認しましょう

2・容積率の得トク情報

駐車場（車庫）・駐輪場は住宅部分の**25％**、**地下室**は地上部分の**50％**まで、この計算の対象外となります（**図5**）。駐車場などは住宅以外でも緩和されますが、地下室の緩和は住宅や老人ホーム等の用途に限ります。たとえば、住宅の敷地が80㎡で、基準容積率が100％とすると、延べ床面積の限度は80㎡となりますが、これに地下室40㎡、駐車場30㎡まで加えることができ、この場合、床面積150㎡まで建てられます。

また、小屋裏物置は、直下階の床面積の50％までなら、床面積に算入されません（「階」としても扱われません）。天井裏や床下も同様です。ただし、天井の最高さが1・4m以下で、物置など収納スペースでの利用に限られます（**図6**）。

逆に、これ以上の面積にしたり、天井高を高くすると、階とみなされ2階建て住宅でも3階建てに扱われ、日影規制、防火規制、構造規制など、たくさんの規制が増えてきます。建築基準法は、基本的に3階以上だとかなり厳しくなってきます。

以上のように建築面積（建坪）、延べ床面積といっても、法律上の上限面積と施工上の面積は異なるので、役所に提出する面積と工事費の基礎になる面積は違ってきます。さらに固定資産税など税金の基礎になる床面積は、登記情報に記載された面積になりますが、不動産登記法上の床面積の算定方法になるので、これも違ってきます。

3・ちょっと難しい高さ制限の仕組みを理解する

高さの制限も面積と同様に、用途地域ごとに異なりますが、具体的にすべての建物の高さを制限しているのは、第1種と第2種の低層住居専用地域と田園住居地域だけです。これらの地域は学校などを除き、**10mまたは12m**を超える建物は建てられません。10mか12mかは、都市計画で定めています。この制限を**絶対高さ**といいます。

絶対高さ制限以外は、主に**斜線制限**によって建物の高さを規制しています。斜線制限は、素人には少しわかりにくい規制ですが、その仕組みだけは理解しておきましょ

表1　建ぺい率と容積率の概要

<table>
<tr><th rowspan="2">種別</th><th rowspan="2" colspan="2">適用条件</th><th colspan="14">用途地域</th></tr>
<tr><th>第1種低層住居専用地域</th><th>第2種低層住居専用地域</th><th>第1種中高層住居専用地域</th><th>第2種中高層住居専用地域</th><th>第1種住居地域</th><th>第2種住居地域</th><th>準住居地域</th><th>田園住居地域</th><th>近隣商業地域</th><th>商業地域</th><th>準工業地域</th><th>工業地域</th><th>工業専用地域</th><th>無指定地域</th></tr>
<tr><td rowspan="4">建ぺい率（%）</td><td colspan="2">①一般の敷地</td><td colspan="2">30
40
50
60</td><td colspan="2">30
40
50
60</td><td colspan="3">50
60
80</td><td>30
40
50
60</td><td>60
80</td><td>80</td><td>50
60
80</td><td>50
60</td><td>30
40
50
60</td><td>30 60
40 70
50
（※1）</td></tr>
<tr><td colspan="2">②角地等（※2）</td><td colspan="8">①に10加算</td><td colspan="2">①に10加算</td><td colspan="2">①に10加算</td><td>①に10加算</td><td>①に10加算</td></tr>
<tr><td colspan="2">③防火地域内の耐火建築物等（※3）</td><td colspan="8">①に10加算</td><td>①+10</td><td>100</td><td colspan="2">①に10加算</td><td>①に10加算</td><td>①に10加算</td></tr>
<tr><td colspan="2">④上記②+③（※3）</td><td colspan="8">①に20加算</td><td>①+20</td><td>100</td><td colspan="2">①に20加算</td><td>①に20加算</td><td>①に20加算</td></tr>
<tr><td rowspan="2">容積率（%）</td><td>前面道路の幅員≧12m（※4）</td><td>指定容積率</td><td colspan="2">50
60
80
100
150
200</td><td colspan="2">100
150
200
300
400
500</td><td colspan="3">100
150
200
300
400
500</td><td>50
60
80
100
150
200</td><td>100
150
200
300
400
500</td><td>200
300
400
500
600
700
800
900
1000
1100
1200
1300</td><td>100
150
200
300
400
500</td><td>100
150
200
300
400</td><td>100
150
200
300
400</td><td>50
80
100
200
300
400
（※1）</td></tr>
<tr><td>前面道路の幅員＜12m</td><td>基準容積率</td><td colspan="8">前面道路の幅員（m）×0.4
（第1・2種低層地域、田園住居地域以外で、特定行政庁の指定区域内：0.6）かつ
指定容積率以下</td><td colspan="6">前面道路の幅員（m）×0.6
（特定行政庁の指定区域内：0.4、0.8）
かつ
指定容積率以下</td></tr>
</table>

※1　特定行政庁が都市計画地方審議会の議を経て指定する数値
※2　角敷地または角敷地に準ずる敷地で、役所（特定行政庁）が指定するものの内にある建築物（役所ごとの基準に適合していること）
※3　第1種・2種・準住居地域、近隣商業地域、準工業地域で建ぺい率の上限が80%の地域は、制限なし（100%）建ぺい率80%とされている地域外では準防火地域内の耐火・準耐火建築物等も含む
※4　前面道路が複数ある場合は、最大幅の道路で計算できる

図4　延べ床面積の算定方法

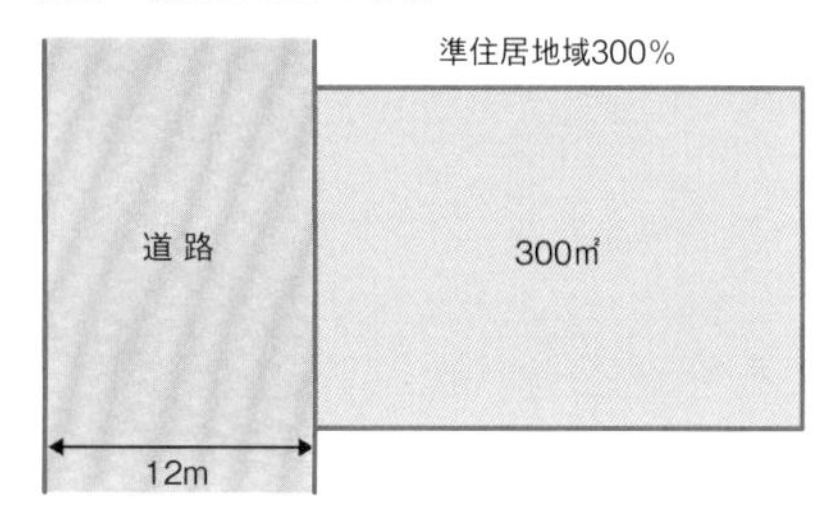

容積率の限度
基準容積率＝指定容積率＝300%
延べ床面積の限度
最大許容延べ床面積＝300㎡×300%＝900㎡

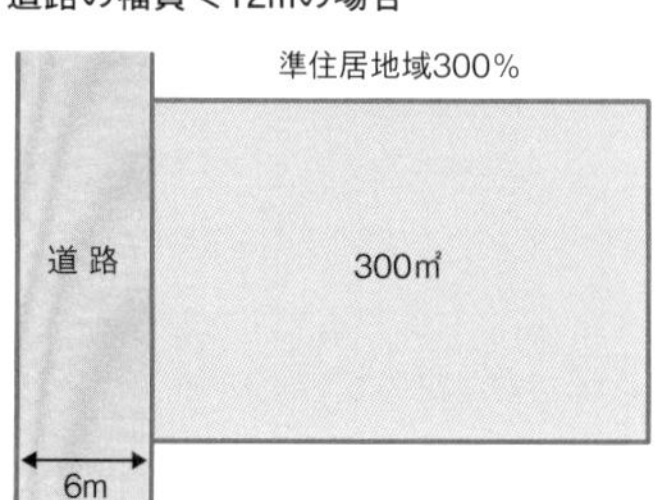

容積率の限度
前面道路による容積率、かつ、指定容積率以下
基準容積率＝6m×0.4＝240%＜300%∴240%を採用
延べ床面積の限度
最大許容延べ床面積＝300㎡×240%＝720㎡

う。理解のコツとしては、巨大な三角定規を常に頭に思い浮かべることです。三角定規を直角に立て、斜線の延長線から上には建物が建てられなくなることです。斜線の角度ではなく、底辺の長さと高さの比で規制しています。

たとえば、**図7**①のように第1種低層住居専用地域で幅員4mの道路ぎりぎりに高さ10mのトウフのような四角い家を計画したとします。絶対高さ制限10mは確かにクリアしていますが、ここで敷地に対して反対側の道路の端から底辺4m、高さ5mの三角定規が想定され、その斜線の延長線より上には家を建てられません。どこまで制限が及ぶかは、容積率によって決まり、道路の端から水平20～30mの間の範囲です。

この結果、家の形は**図7**②のようになります。これが道路斜線制限というものです。三角定規の斜線の勾配（底辺：高さ）は、原則的に住居系用途地域で**1：1・25**、その他の用途地域は**1：1・5**となっており、住居系用途地域の勾配の方が緩やかで厳しい制限となっています。

ただし、**図7**②の例で、敷地に余裕があり、道路に対して家を2mセットバック（後退）させると、道路斜線の起点も反対側に2m移動できるので、元のトウフの家を建てられることになります（**図7**③）。

ここで、道路が南側なので敷地の道路側に庭をつくり、家を北側へ隣地境界線ぎりぎりに寄せたとします。ところが、第1種・2種低層住居専用地域や田園住居地域には、真北方向から**北側斜線**という制限がかかり、隣地境界線から**5m**の高さに、三角定規が乗せられ、勾配**1：1・25**の斜線の上に建物は建てられなくなります（**図7**④⑤）。

北側斜線は第1種・2種中高層住居地域にもあり、**10m**の高さから制限されています。斜線制限は、これ以外に隣地斜線がありますが、高さ20mまたは31m以上が対象なので、戸建住宅レベルでは考慮する必要はありません。

このほか、高さ制限の1つに**日影規制**がありますが、木造2階建て住宅の規模では、

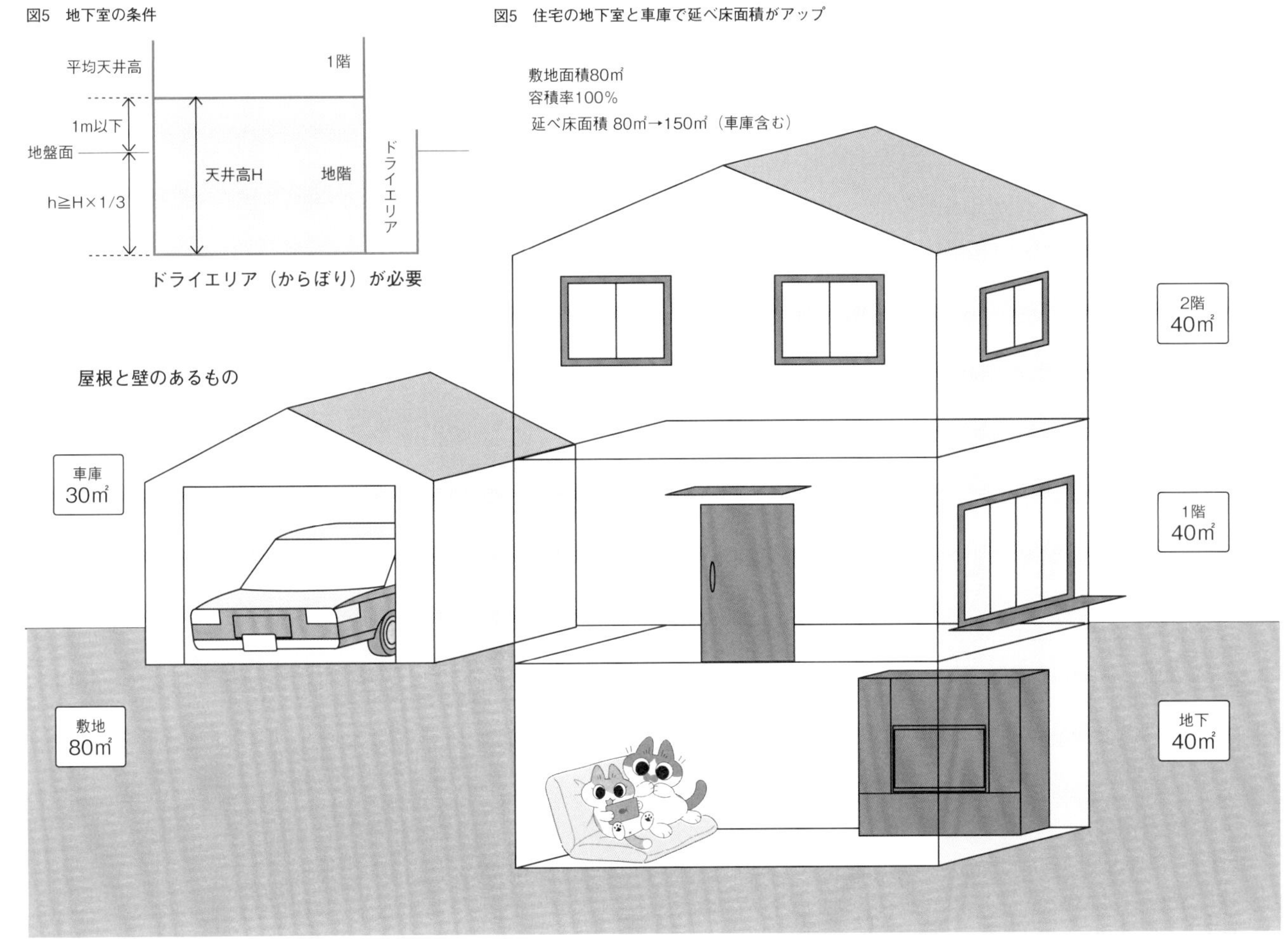

図5　地下室の条件

図5　住宅の地下室と車庫で延べ床面積がアップ

図6　床面積に算入されない小屋裏の条件

小屋裏の床面積 A×1/2㎡以内
天井高さ 1.4m以下
下階の床面積 A㎡
物置・収納スペース
固定された階段やはしごは不可の場合あり

まず規制の対象になりません。逆に日影の被害を受けたときの知識として知っておいたほうがよい程度です。

4・敷地のバリエーションで規制の内容も変化する

以上が建て主として最低限知っておきたい法律の知識です。ただ、法律というのは原則の規制に加え、それに緩和や特例があるのが常です。建築基準法も同じで、敷地の高低差や敷地に面する道路の数、近隣の公園・川の有無などによって、規制の内容が緩和されることもあります。**図8**に一例を紹介していますが、敷地の条件によってケースバイケースなので、必要に応じて参照してください。延べ床面積が増えることもあるので、ざっと目を通しておくとよいでしょう。

5・防火対策のための規制に注意する

これまでの内容は、**形態制限**といって、都市の中をいくつかの地域に分けて、地域ごとの街づくりの方向性を決め、そのために、建物の形や大きさを制限しているものです。

形態制限は、都市を有効に機能させることを目的とした規制ともいえます。

そして、都市を維持していく上で重要なのが防火対策です。このため用途地域と同じように、地域に網をかけて規制しており、**防火地域**、**準防火地域**、それに法22条区域**（屋根不燃化区域）**の3つがあります。これらの防火規制は、火災の延焼の防止を目的としているので、建物の材料を規制しています。どの地域に指定されているかは、都市計画図などに記載されているので、役所で確認できます。

防火地域や準防火地域等に指定されている地域内に家を建てる場合には、建物の回数や面積に応じて、建物を耐火または準耐火建築物等にしなければなりません。

商業地域の多くは防火地域の指定がなされていますが、たとえば、東京都目黒区内は、すべて防火地域または準防火地域に指定されているなど、都市部では住宅地でも防火規制に留意する必要があります。

図7　道路斜線と北側斜線の仕組みを三角定規で理解する

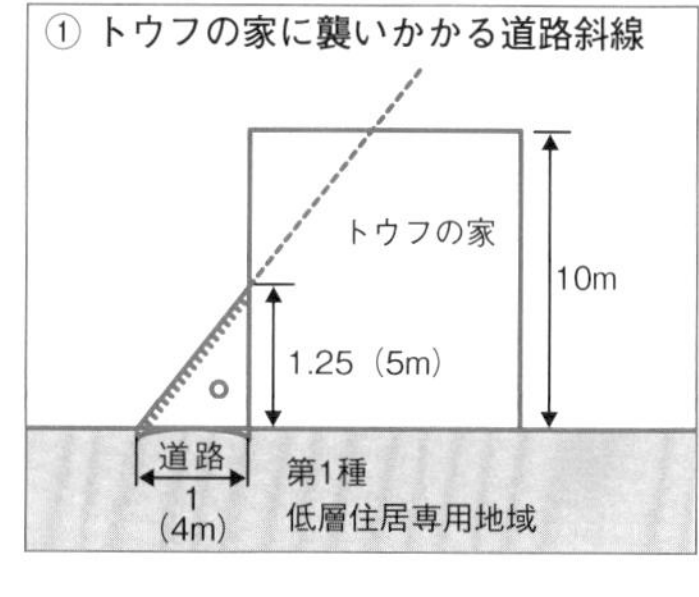

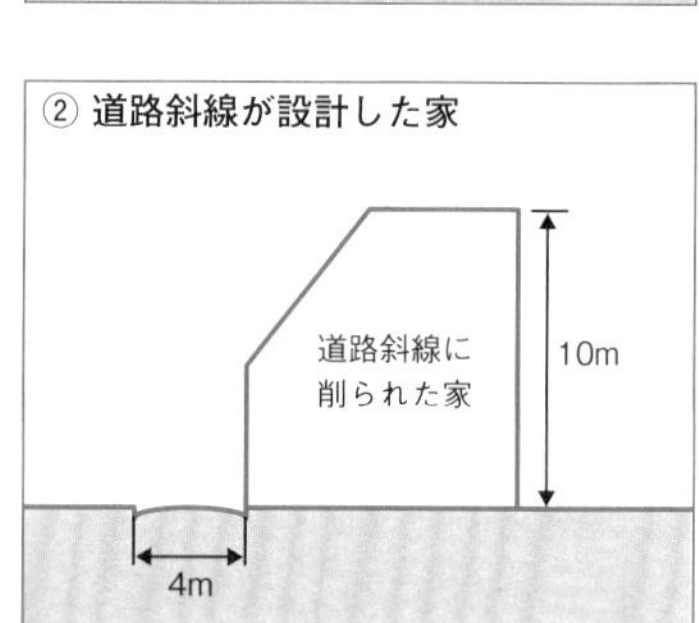

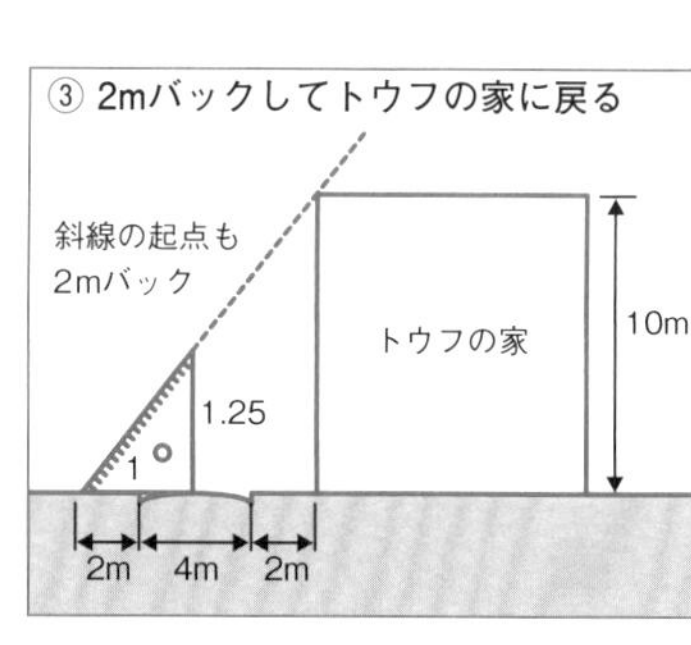

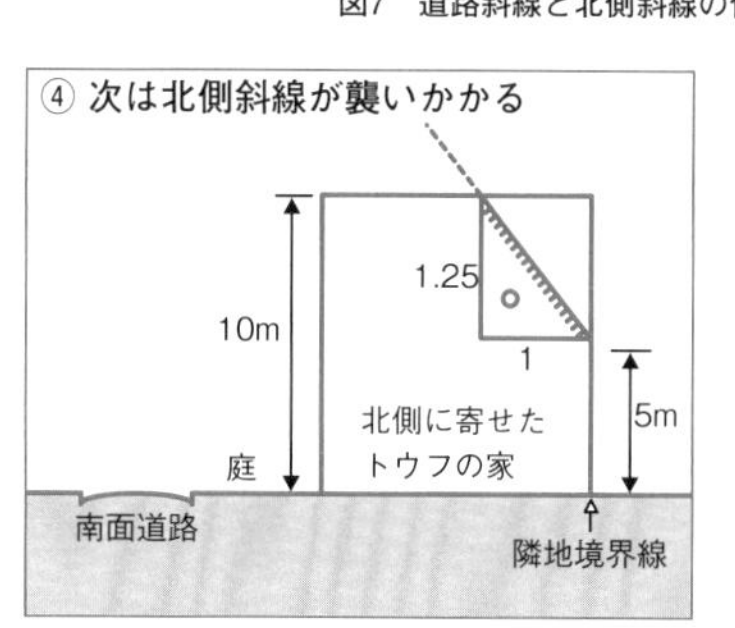

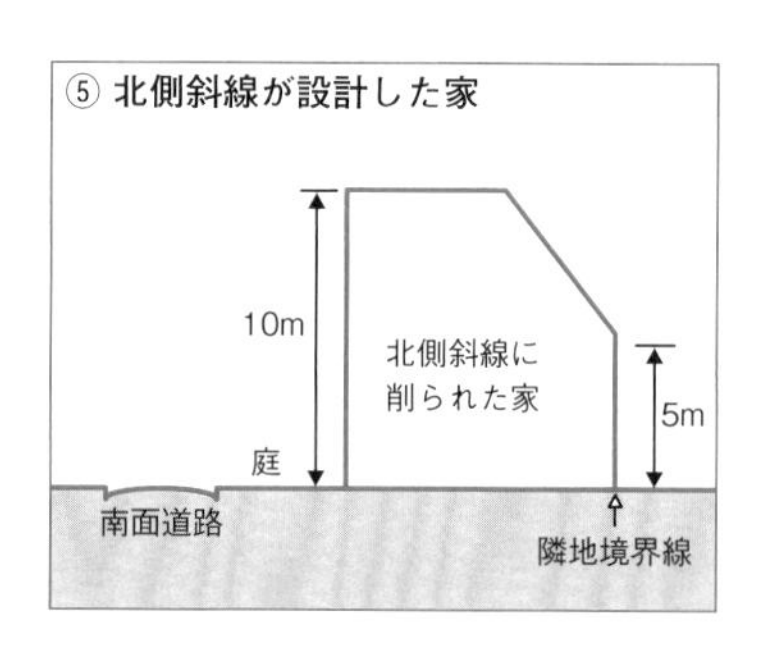

図8　道路斜線の得トク情報（一例）

前面道路が1m以上低い場合

適用距離
道路斜線
1
1.25
(1.5)
緩和部分
斜線の起点を
この分だけ
高くできる
敷地
高低差
H≧1m
$\frac{H-1}{2}$ m
道路
北側斜線も類似の緩和あり

前面道路が2つある場合

道路幅Bの斜線
道路幅Aの斜線
10m
A>B
2Aかつ35m以内
B
A
道路幅Aの斜線
A
AB二面から斜線制限が適用されるが、上記の範囲で道路の幅Aで計算できる

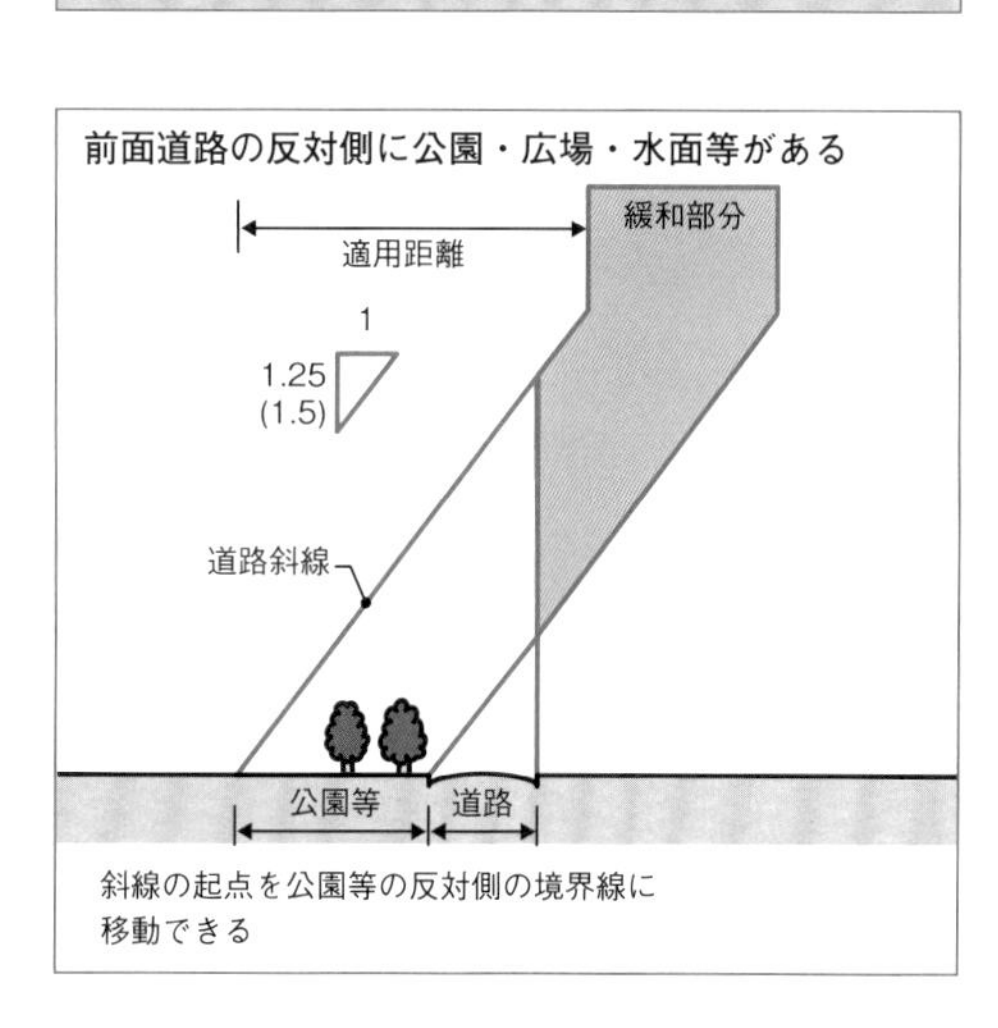

斜線の起点を公園等の反対側の境界線に移動できる

表2 防火地域・準防火地域の規制

階数	防火地域 50㎡以下	防火地域 100㎡以下	防火地域 100㎡超	準防火地域 500㎡以下	準防火地域 500㎡超 1,500㎡以下	準防火地域 1,500㎡超
4階以上	耐火建築物 +耐火建築物相当	耐火建築物 +耐火建築物相当	耐火建築物 +耐火建築物相当	耐火建築物 +耐火建築物相当	耐火建築物 +耐火建築物相当	耐火建築物 +耐火建築物相当
3階建て	耐火建築物 +耐火建築物相当	耐火建築物 +耐火建築物相当	耐火建築物 +耐火建築物相当	一定の防火措置	準耐火建築物 +準耐火建築物相当	耐火建築物 +耐火建築物相当
2階建て	準耐火建築物 +準耐火建築物相当	準耐火建築物 +準耐火建築物相当	耐火建築物 +耐火建築物相当	防火構造の建築物 +防火構造の建築物相当	準耐火建築物 +準耐火建築物相当	耐火建築物 +耐火建築物相当
平屋	準耐火建築物 +準耐火建築物相当	準耐火建築物 +準耐火建築物相当	耐火建築物 +耐火建築物相当	防火構造の建築物 +防火構造の建築物相当	準耐火建築物 +準耐火建築物相当	耐火建築物 +耐火建築物相当

6・覚えておきたい延焼のおそれのある部分

昔は市街地でも焼き杉の焦げ茶色をした外壁の家が少なからずありましたが、最近は朽ちかけた家で稀に見る程度になりました。これは、コストの問題もありますが、先の防火上の地域指定によるものでしょう。

防火地域の範囲は限られますが、準防火地域や屋根不燃化区域は、かなり広範に指定されています。これらの地域で**延焼のおそれのある部分**については注意が必要です。延焼のおそれのある部分とは、基本的には隣地との境界線や敷地が面する道路の中心線から、1階が**3m**以内、2階以上が**5m**以内にある部分のことです（**図9**）。この3m、5mの線を**延焼線**と呼ぶこともあります。防火地域や準防火地域では、この部分の窓や玄関のドアも、網入りガラスなど防火仕様にする必要があります。なお、建物と隣地境界線との角度に応じて、延焼のおそれのある部分が緩和されます。

図9 延焼のおそれのある部分

5m　5m
3m　3m
2階　1階　2階　1階
隣地境界線
または
道路の中心線

（注）ただし、正確には建物と隣地境界線との角度に応じて延焼のおそれのある部分の範囲が定められる

隣近所の法律問題

日本の厳しい土地事情のせいか、近隣者同士の建築トラブルはかなり多いようです。トラブルを避けるには、建築基準法だけでなく、民法の相隣関係規定を知っておく必要があります（民法209～238条）

1・民法の相隣関係規定とはどのようなもの？

近隣同士の権利調整などのため、土地や建物の所有者に権利や義務などを定めた規定です。民法は私法といって、私人間を調整する法律なので、建築基準法と異なり、強制力はありません。実際には、裁判所の確定判決が必要となることも多いようです。しかし、近隣と交渉する際には、非常に有益な知識です。

2・隣地使用権

工事などのため、隣地所有者に隣地の使用を請求できる権利です。家の新築や増改築で、どうしても隣地を使用しなければ工事ができない場合、隣地の居住者の承諾を得て、所有者と居住者に通知することでその土地を使用できることになっています。工事用の足場を組むことも含まれます。

3・囲繞地通行権

他人の土地に囲まれた袋地（ふくろじ）の所有者が、囲んでいる隣地（囲繞地（いにょうち））を通行できる権利です（図）。隣地所有者にとって不利益となるので、通行の場所や方法は必要最小限にしなければなりません。家を建てられるように通行幅を広げられるかどうかの裁判所の判断は、難しい場合が多いようです（接道義務、57頁参照）。

4・排水、排水管、配管などの設置

土地所有者は雨水など自然に流れてくる水を妨害してはならず、高地所有者は必要な排水を低地に流すことができます。同様に、他に方法がなければ、水道管、ガス管、電線、電話線などを隣地に配管、配線できると考えられています（図）。なお、屋根から直接雨水が隣地に流れ込むことは禁じられています。

5・境界

敷地の境界に、隣家と共同費用で塀などを設置できます。新築に際しては、建物を境界線から50㎝以上離す義務がありますが、その地域で行われていなければ必要ありません。他の敷地が見渡せる窓や縁側を、境界線から1ｍ未満の距離に設けるときは、目隠しが必要です。

また、隣地の植栽の枝や根が越境して支障がある場合は、枝は切り取るよう請求でき、根は自分で切り取ることが可能です。

なお、日照権は、明文化された法律はありませんが、その被害に対して損害賠償や建築の差し止めを請求することができます。ただし、受忍限度といって、社会生活上がまんすべき限度を超えたと、裁判所が判断した場合に限られているようです（建築基準法の日影規制と直接は関係ありません）。

図　袋地所有者の配管方法

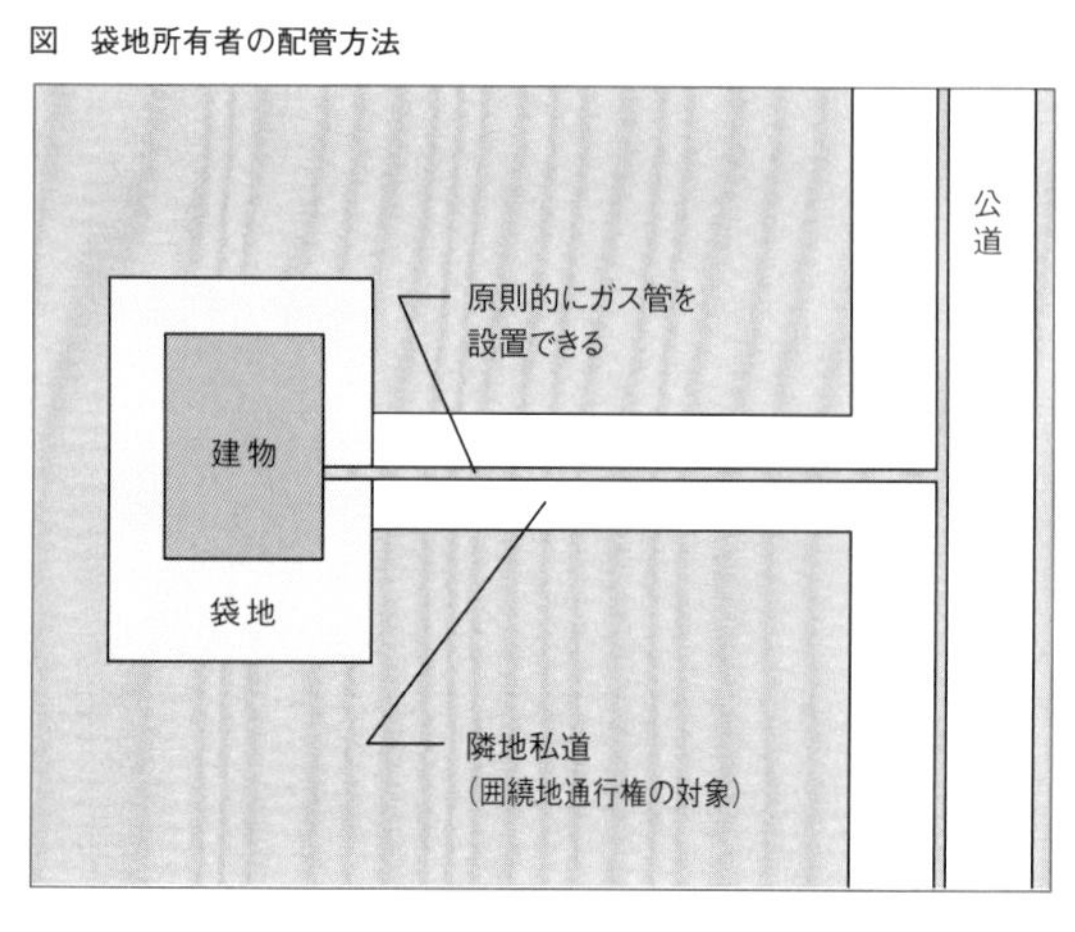

Quality Assurance

品確法で工事契約が有利に

契約書を交わさずに建築工事を依頼する方が結構います。工事にはトラブルが付きもので、予期しないことが起きるものです。どんなに信頼できる相手であっても、必ず契約書を交わし、内容をチェックしましょう。

図　品確法における新築住宅の基本構造部分

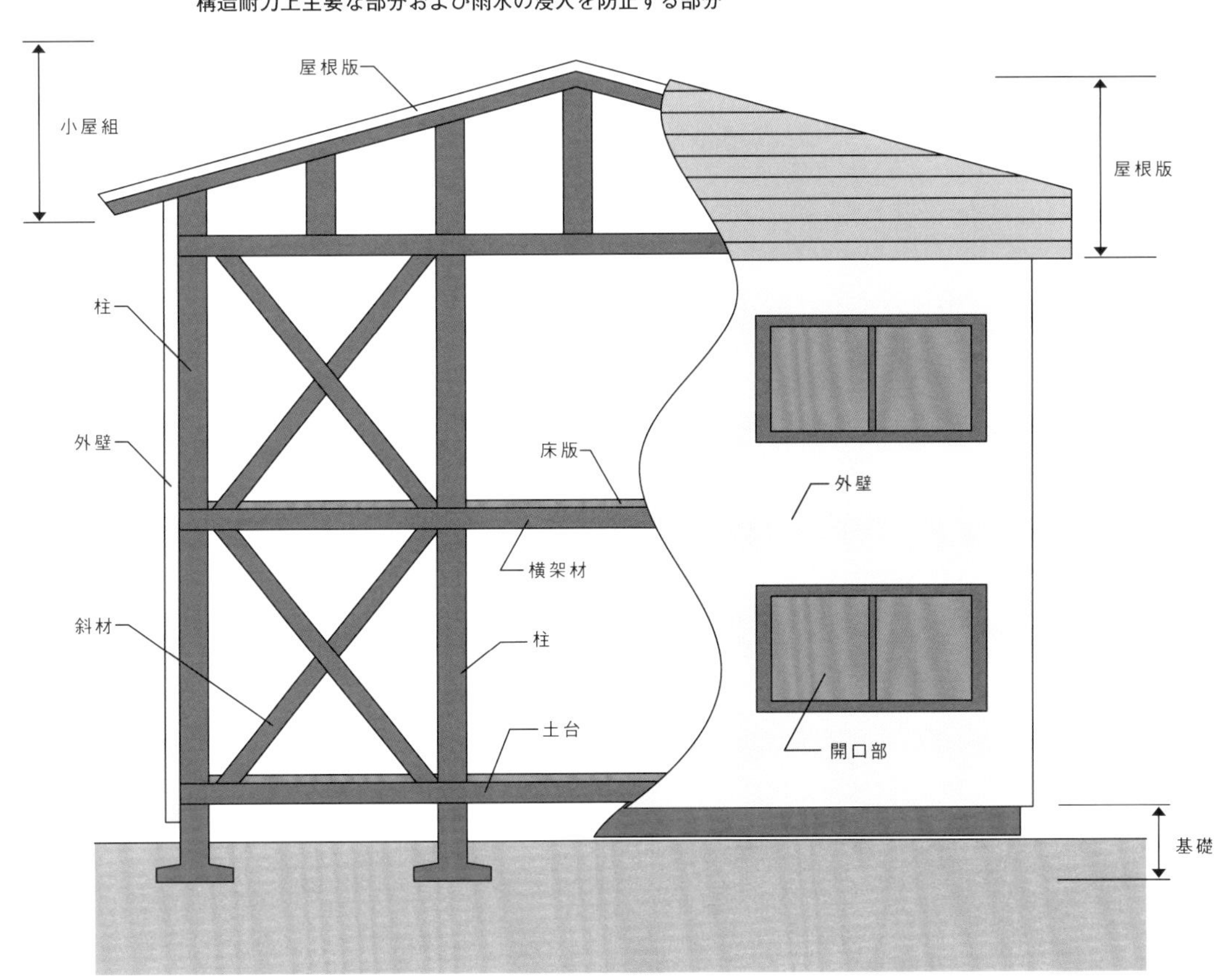

1・工事契約は何を約束するもの?

建築工事契約は、民法の**請負契約**にあたります。すでにある物を受け渡して代金を授受することが売買です。これに対し、請負とは、建築という仕事をして、建物を完成することを約束すること。それに工事費という報酬を支払うことを約束するのが、請負契約です。

2・建築工事請負契約書のチェックポイント

契約書には細かい約款と図面、仕様書を添付して、必ず割印をしておくことが大切です。そのため契約時期は、図面ができあがった後がよいでしょう。

契約で重要なのは、いつ建物が完成し、その金額がいくらで、何回に分けて支払うか、という点です。住宅の支払時期は、契約時20〜30%、上棟時20〜30%、完成引き渡し時50%などさまざまですが、フラット35などのローンを利用するなら、「○○貸付金交付時、○円」などを明記して決めるとよいでしょう。

3・欠陥住宅への対処方法

請負契約をした工務店などの施工者は、民法や品確法（住宅の品質確保の促進等に関する法律）によって、さまざまな義務を負います。その中で最も重要なのが**契約不適合責任**です。建物の欠陥や不具合などがあった場合、その内容によって、建て主は修理の要求や損害賠償の請求、契約の解除、代金の減額請求ができます。

ただし、施工者が欠陥に責任をもつ期間が法律で決まっていて、新築住宅の基本構造部分（77頁図）は品確法により完成後10年まで、それ以外は民法で契約不適合を知ってから1年以内に通知することとなっています。ハウスメーカーでは10年保証が一般的ですが、新築の基本構造部分を除いて、品確法による強制力はありません。

そして、もしものときのために「住宅瑕疵担保履行法」もあります。これも新築住宅が対象ですが、売主や工事会社に「瑕疵担保保険」か「保証金供託」のいずれかへの加入が義務づけられており、売主が倒産して補修できない場合などは、保険に加入している新築住宅を取得した人は、保険法人に瑕疵の補修などにかかる費用（保険金）を直接請求することができます。万が一、事業者が倒産した場合でも、消費者は原則2000万円までの補修費用を受け取ることができます。

住宅の契約時には、保険などの措置をとっているかについての説明および書面交付を受けましょう。

●構造耐力上主要な部分

基礎	■ 地盤も実質的に対象となる。杭含む
壁	■ （構造耐力上重要な間仕切壁を含むかは不明）
柱	■ （間柱、付け柱を含むと推定される）
小屋組	■ 母屋、束、隅木etc.
土台	■ —
斜材	■ 筋かい、火打材、方づえetc.
床版	■ —
屋根版	■ —
横架材	■ 桁、梁etc.

●雨水の浸入を防止する部分

屋根	■ 屋根の仕上げ・下地、ルーフバルコニー、シーリング材etc.
外壁	■ 外壁の仕上げ・下地、シーリング材etc.
開口部	■ 窓、戸、枠などの建具、シーリング材etc.
排水管	■ 雨水の排水管で、屋根・外壁の内部、屋内にあるもの

4・住宅性能表示制度を利用して品質をアップ

■

住宅性能表示制度を利用すれば、欠陥住宅を回避したり、一定の品質を確保することが可能です。建て主でも施工者でも利用できますが、費用は15万円前後かかります。

指定住宅性能評価機関（各地の住宅センターなど）に設計図などを添付して申請すると、その設計内容を10分野33項目にわたって住宅の性能を数値で評価し、**設計住宅性能評価書**を交付してくれます（161頁参照）。その評価書（コピーで可）を請負契約書に必ず添付してください。次に工事中に3回、竣工時に1回の現場検査があり、**建設住宅性能評価書**が交付されます。設計段階と工事・竣工段階で数値を比べ、数値が下がっていれば、無償修理や損害賠償を請求できます。

施工者が要求に応えないときは、住宅紛争審査会（**指定住宅紛争処理機関**：各地の弁護士会）に申請します。わずか1万円の申請料で住宅紛争を迅速に処理してくれます（目安は6カ月）。

ただし、請負契約書に「添付した設計住宅性能評価書の性能を約束したものではない（参考的資料に止まる）」などの記載があると、無効になるので注意しましょう。

この制度を利用した上で、設計の評価書の交付時点に請負契約を交わし、建設の評価書の交付時点で残金を支払うという契約ができればベストといえます。

この制度は施工者が倒産すると、効力がなくなるので、㈶住宅保証機構等の「住宅完成保証制度」に加入している施工者を選べば、万一の倒産や不具合があった場合の無料修理にも対応できます。

●評価問合せ：
㈶日本建築センター（電話03-5283-0473）
●指定住宅性能評価機関一覧
国土交通省ホームページ（http://www.mlit.go.jp/）に掲載
●紛争問合わせ：（公財）住宅リフォーム・紛争処理支援センター（電話0570-016-100）

Long-life Quality

税制優遇を受ける長期優良住宅

「つくっては壊す」家から、長期にわたって良好な状態で使うことのできる家をつくることを目的に、「長期優良住宅法」が制定されました。一定の条件をクリアして認定を受けると、税制や有志、補助金制度などでさまざまな優遇を受けることができます。

1・長期優良住宅とは

戦後の高度経済成長を経て、日本は世界最高水準の経済成長を実現してきました。しかしいまだに欧米諸国に比べて「ゆとり」や「豊かさ」が実現しにくい状況にあります。今後さらに少子化高齢化が進み、福祉に対する国民の負担の増大や、さらには地球温暖化問題や廃棄物問題などの環境問題の深刻化も予想されます。

「つくっては壊す」フローの消費型社会から、「いいものをつくって、きちんと手入れして、長く大切に使う」ストック型社会への転換を図るため、2006年に「生活基本法」が制定され、2009年に長期優良住宅制度が設けられました。長期にわたる良好な状態で使用するための措置が講じられた住宅（長期優良住宅）の普及を促進することで、環境の負荷の低減を図りつつ、良好な住宅ストックを将来世代に継承し、より豊かで優しい暮らしへの転換が図られることになります。毎年、10万戸程度の新築一戸建てが長期優良住宅として認定を受けています。

2・住宅性能表示制度との関わり

長期優良住宅は2000年に施行された「住宅の品質確保の促進等に関する法律」（品確法）を下敷きとしています。品確法では品質確保を促進するために「住宅性能表示制度」を設けていますが、長期優良住宅では、その表示基準の一部を認定基準として活用しています。表示基準の10項目のうち、「構造の安定に関すること」「劣化の軽減に関すること」「維持管理・更新への配慮に関すること」「温熱環境・エネルギー消費量に関すること」の4項目です（表）。

3・税や融資の優遇が受けられる

長期優良住宅は、耐久性に優れ、適切な維持保全が確保される良質な住宅ですが、当然そのぶんの建築コストは一般住宅よりも高くなる傾向があります。しかし、良質な住宅ストックを普及させ将来世代に継承させるために、税制、融資、補助金制度等、

	表示事項（日本住宅性能表示基準で規定）	評価の方法（評価方法基準で規定）
①構造の安定に関すること	地震や風などで力が加わったときの建物の強さに関連すること…【耐震等級】【耐風等級】など	壁量、壁の配置のつりあいなど
②火災時の安全に関すること	火災が発生した場合の避難のしやすさ・建物の燃えにくさに関連すること…【感知警報装置設置等級】【耐火等級】など	感知警報装置の設置、延焼のおそれのある部分の耐火時間など
③劣化の軽減に関すること	建物の構造躯体等の劣化（木材の腐食・鉄のさびなど）のしにくさに関連すること…【劣化対策等級（構造躯体など）】	防蟻・防腐処置、床下・小屋裏の換気など
④維持管理・更新への配慮に関すること	配置等の日常の維持管理（点検・清掃・修繕）のしやすさに関連すること…【維持管理対策等級（専用配管）】	地中埋設管の配管方法など
⑤温熱環境・エネルギー消費量に関すること	防寒防暑など、室内の温度や暖冷房時の省エネルギーに関連すること…【省エネルギー対策等級】	躯体・開口部の断熱や設備の省エネ性能など
⑥空気環境に関すること	化学物質などの影響の抑制など、室内の空気の清浄さに関連すること…【ホルムアルデヒド対策等級】【全般（局所）換気方法】など	居室の内装材の仕様、換気措置など
⑦光・視環境に関すること	採光などの視覚に関連すること…【単純開口率】【方位別開口比】	居室の床面積に対する開口部分の面積割合など
⑧音環境に関すること	騒音の防止など聴覚に関連すること…【透過損失等級】	サッシなどの遮音等級
⑨高齢者等への配慮に関すること	加齢などに伴う身体機能の低下に配慮した移動・介助のしやすさ、転落など自己の防止に関連すること…【高齢者等配慮対策等級】	部屋の位置、段差の解消、階段の安全性、手すりの設置、通路・出入り
⑩防犯に関すること	開口部の侵入防止に関連すること…【開口部の侵入防止対策】	開口部の鍵やガラスの仕様など

図　長期優良住宅の主な認定基準

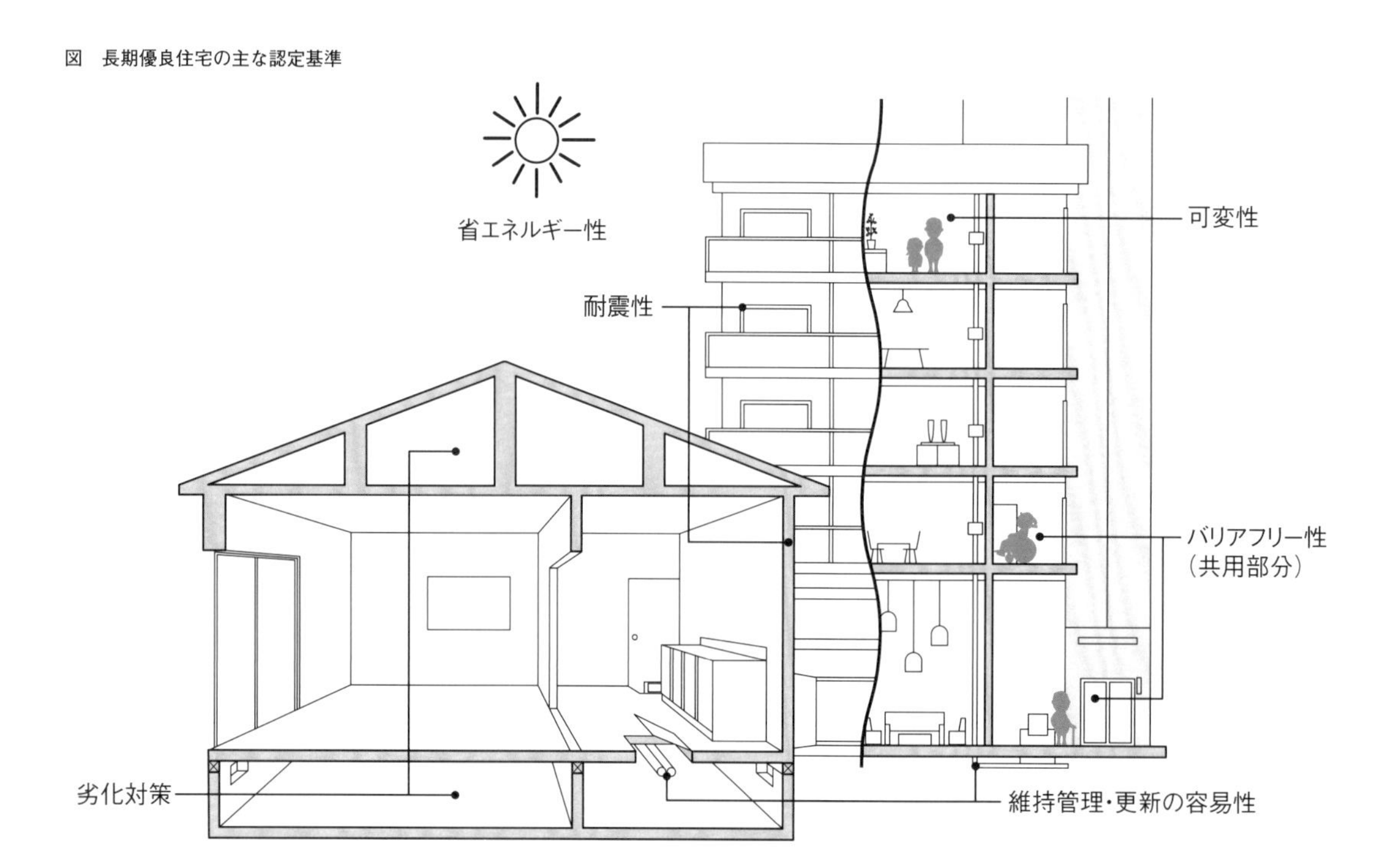

さまざまな優遇措置があります。

税の優遇として所得税、登録免許税、固定資産税、不動産取得税等で優遇があります。さらに民間金融機関と(独)住宅金融支援機構が提携して提供する長期固定型の住宅ローン（フラット35Ｓ）の融資や、耐震性能によって地震保険の保険料の割引が適用されます。

4・長期優良住宅の認定基準

長期優良住宅の認定項目には、劣化対策、耐震性、省エネルギー性、維持管理・更新の容易性、可変性、バリアフリー性、居住環境、住戸面積、維持保全計画、災害配慮があります。新築の一戸建て住宅では、これらの認定項目うち、可変性とバリアフリー性を除く項目について認定基準が定められています。

劣化対策では、数世代にわたり住宅の構造躯体が使用できることが求められており、住宅性能表示制度の劣化対策等級3＋αを満たさなければなりません。耐震性についても、一定の地震の後でも継続的使用が可能となるよう、建築基準法レベルの1・25倍以上が要求されています。また、省エネルギー性では、高水準の省エネルギー性能を確保するため、住宅性能表示制度の断熱等性能等級5と一次エネルギー消費量等級6が、維持管理・更新の容易性では、維持管理対策等級（専用配管）等級3が要求されています。

なお、住戸面積については、一戸建て住宅の場合には75㎡以上が求められており、まちなみに調和した居住環境であることや、点検・補修等に関する計画が策定されていることも要求されています。

また、都市の低炭素化を促進するため「**認定低炭素住宅制度**」もあります。これは長期優良住宅とは異なりますが、住宅の省エネルギーに特化して評価するもので、基準を満たせば同様に税の優遇が受けられます。ただし、その基準は高く、省エネ法の省エネ基準に比べてエネルギー消費量を20％以上削減することなどが求められます。

Image

こんな家がほしい!
住まいのイメージづくり

あやふやなフォルムと
ディテールのないビジュアルなイメージを
具体的なカタチにしていく過程に入ります。
建物のスケルトン(骨組み)を決め
自分なりのプランニングをして
イメージの空間を現実に落としこんでいきます。
ラフな形態がかたまってきたら
家づくりの依頼先を選び
住まいに対する要望と夢を伝えましょう。

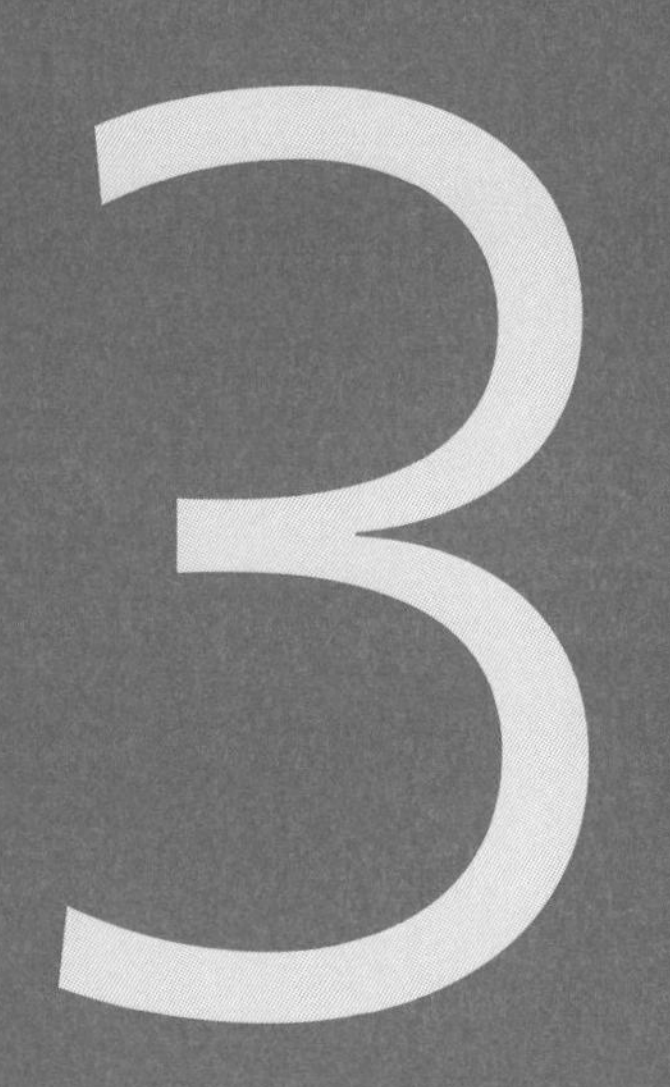

Structure

住まいの構造・構法を知ろう

新しい住まいを考えるときにぜひ知っておきたいのが、住まいの仕組み、つまり「構造・構法」です。住まいの間取りやデザインにも深く関わってくることですので、代表的な構造の特徴を理解しておきましょう。

図1　在来軸組構法の軸組

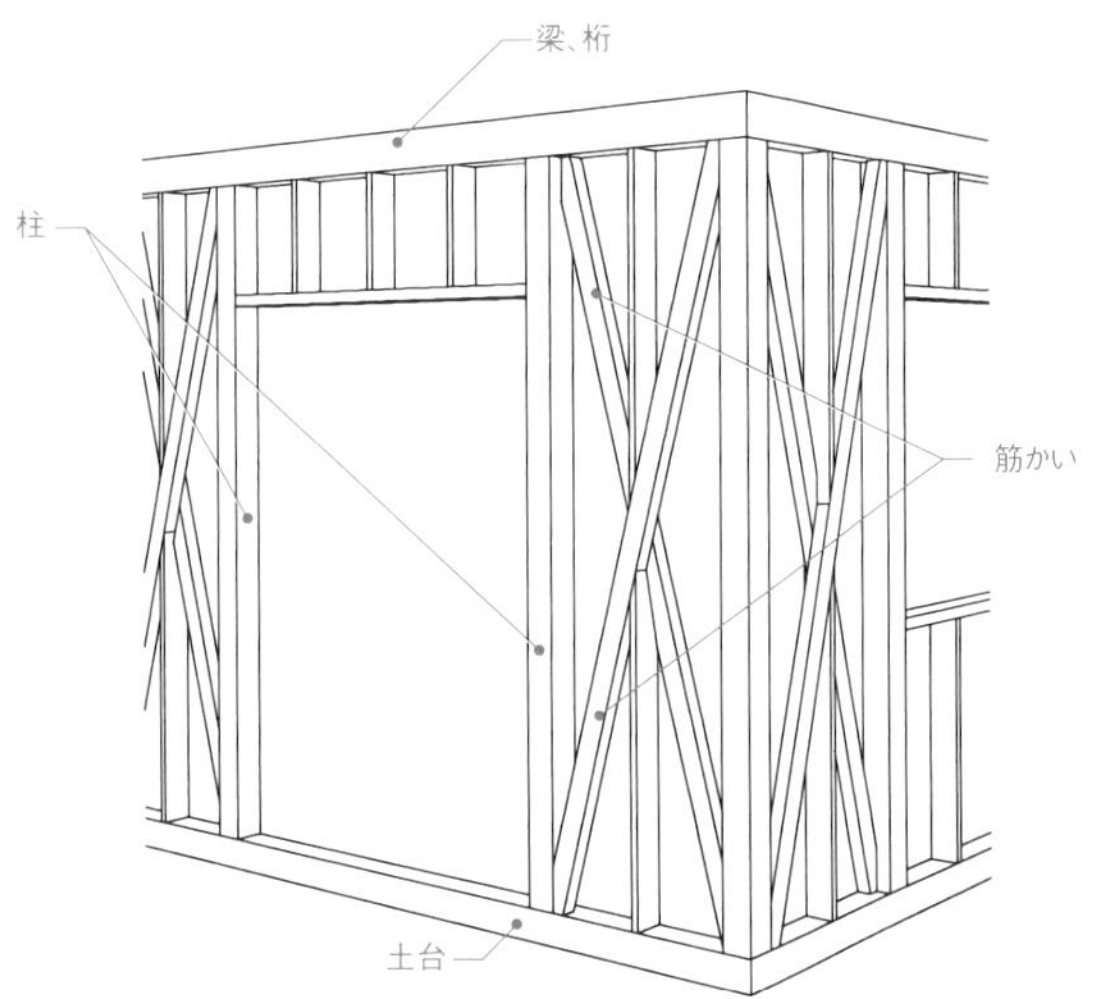

図2　在来軸組構法の構造

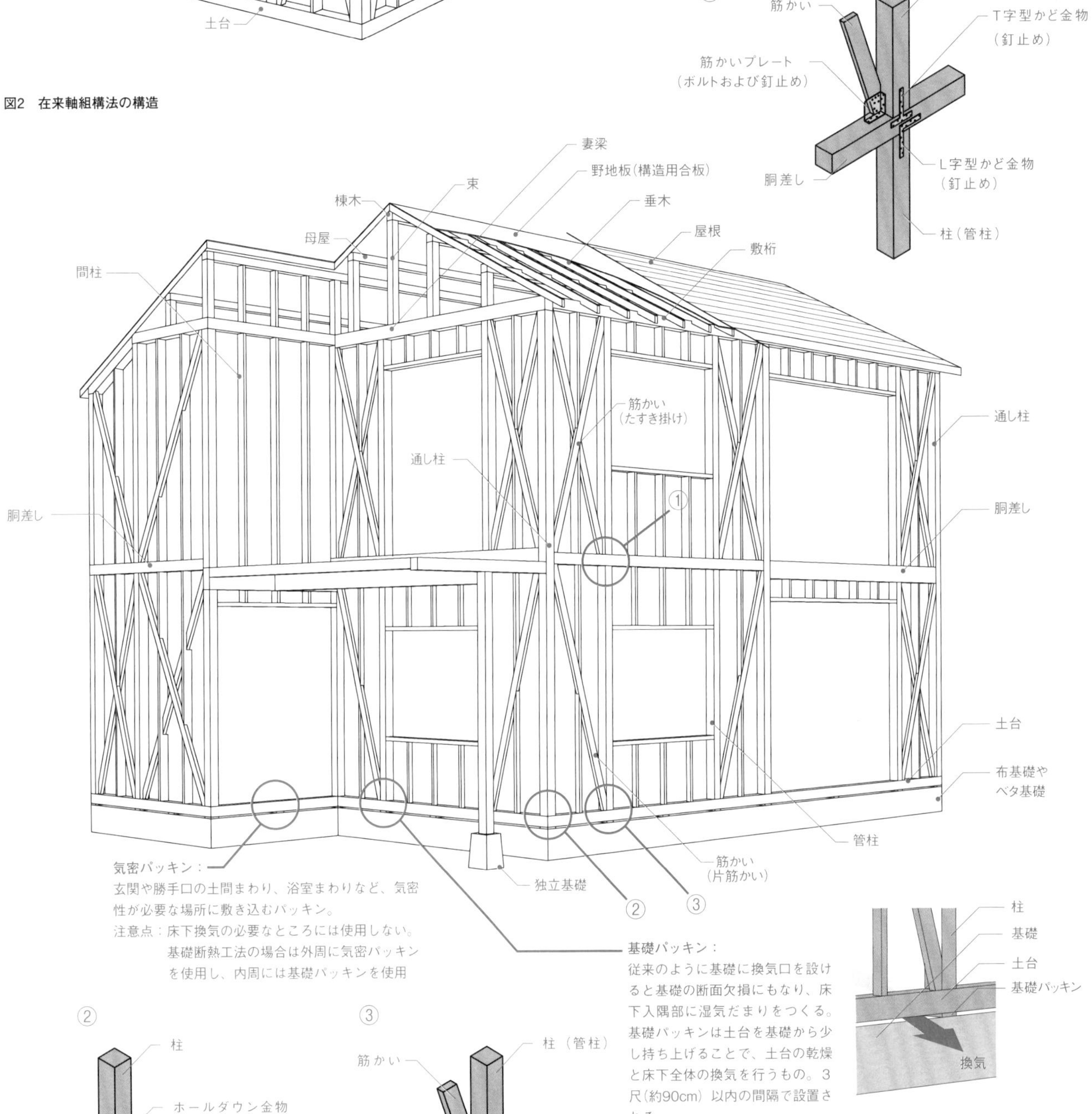

②

柱
ホールダウン金物
（ボルト止め）
アンカーボルト
土台
基礎

Zマーク表示金物同等品として、柱にビス止めのホールダウン金物が最近では主に使われている

③

柱（管柱）
筋かい
筋かいプレート
（ボルトおよび釘止め）
土台
基礎
L字型かど金物
（釘止め）

どんな構造・構法があるの？

住まいを持ちたいと思っている人は、マンション（集合住宅）がいいか、戸建住宅がいいか、さらに戸建住宅でも、注文住宅か建売住宅かと悩むことでしょう。このような分類は、住まいの「形態」や「供給面」によるものです。このほかに、住まいの「仕組み」で分類する考え方があります。

住まいを**構造・構法（工法）**的に分類すると、各ハウスメーカーの独自の工法を除き、おおむね**表1**のようになります。ここでは、その概要を説明しましょう。

1・木造

昔から「人間の住まい」というのは、身近にある材料で厳しい自然環境に耐え得るようにつくられてきました。たとえば、アラスカのイヌイットは氷から家をつくりました。まわりに岩山しかないような場所で暮らす人々は石を切り出し、積み上げて家をつくりました。そして、日本では豊富な木材が身近にあったので、木で家をつくったのでしょう。

(1) 在来軸組構法

現在の日本の住宅では最も一般的な構法です。**土台**、**柱**、**梁**（はり）と組み上げて、建物の骨組みがつくられます（**図1・2**、**写真1**）。

筋かい（すじかい）という斜め材や、**構造用合板**などの面材を入れた壁をバランスよく配置することで、地震や風圧に耐えるように考えられた構法です（詳細は建築基準法施行令第46条第4項および平成12年建設省告示第1352号、**図3**）。

間取りの自由度が高いので、開放的な空間にも、プライバシーを重視し閉じた空間にも柔軟に対応できます。壁は一般的に、和室は**真壁**（しんかべ）、洋室は**大壁**（おおかべ）でつくることが多いようです（**図4**）。また、比較的、増改築しやすい構法といえるでしょう。

土台と柱、柱と梁など、2以上の部材を角度をつけて接合したものを仕口、長手方向に部材の長さを増すために、そのまま接合したものを**継手**（つぎて）といいます（148頁）。

筋かいの端部や柱の仕口、継手の方法は具体的に建築基準法により明示され、主に

表1 住まいの主な構造・構法

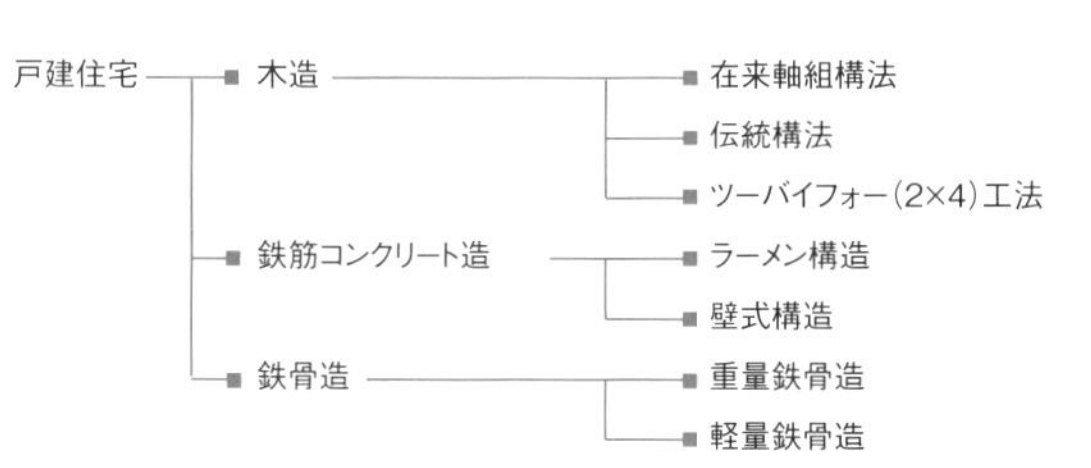

図4 真壁と大壁の違い

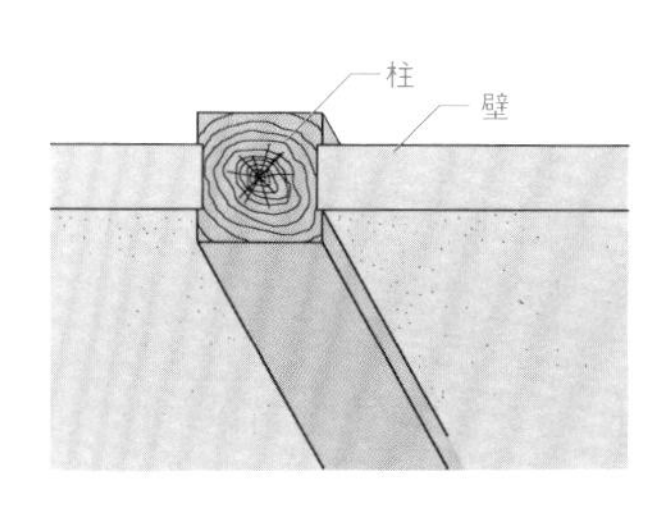

柱が壁の面より出ている

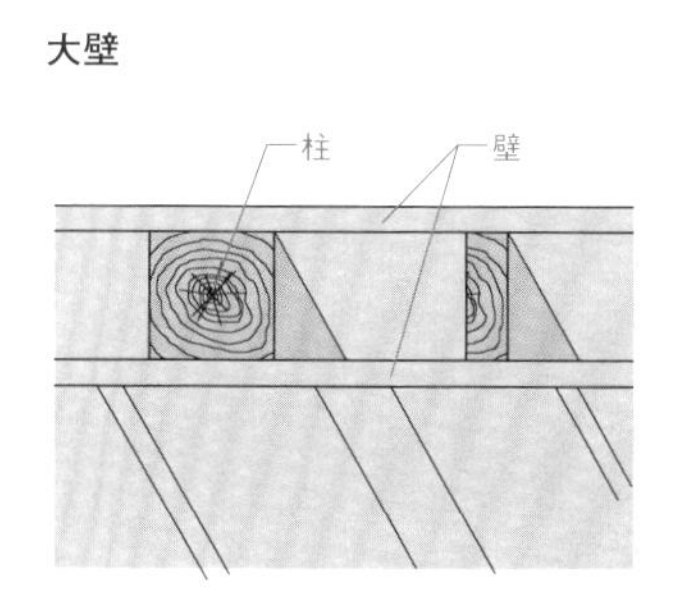

柱が壁の中にある

図3 筋かいや面材の働き

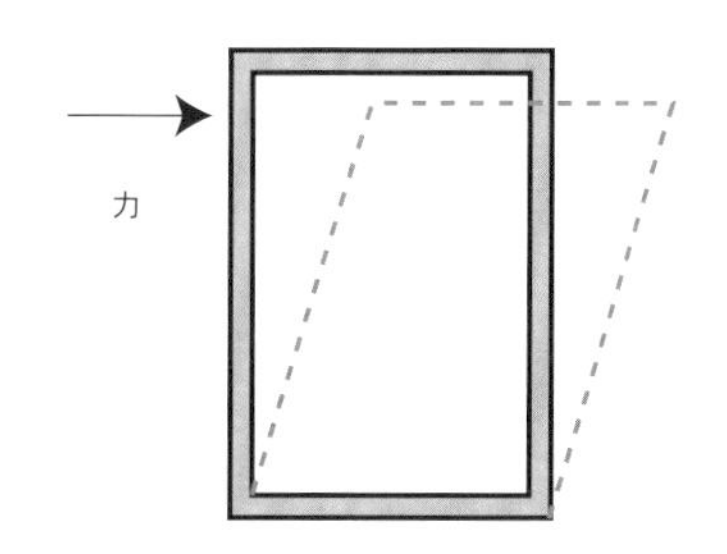

水平荷重（横からの力）が加わると変形しようとする

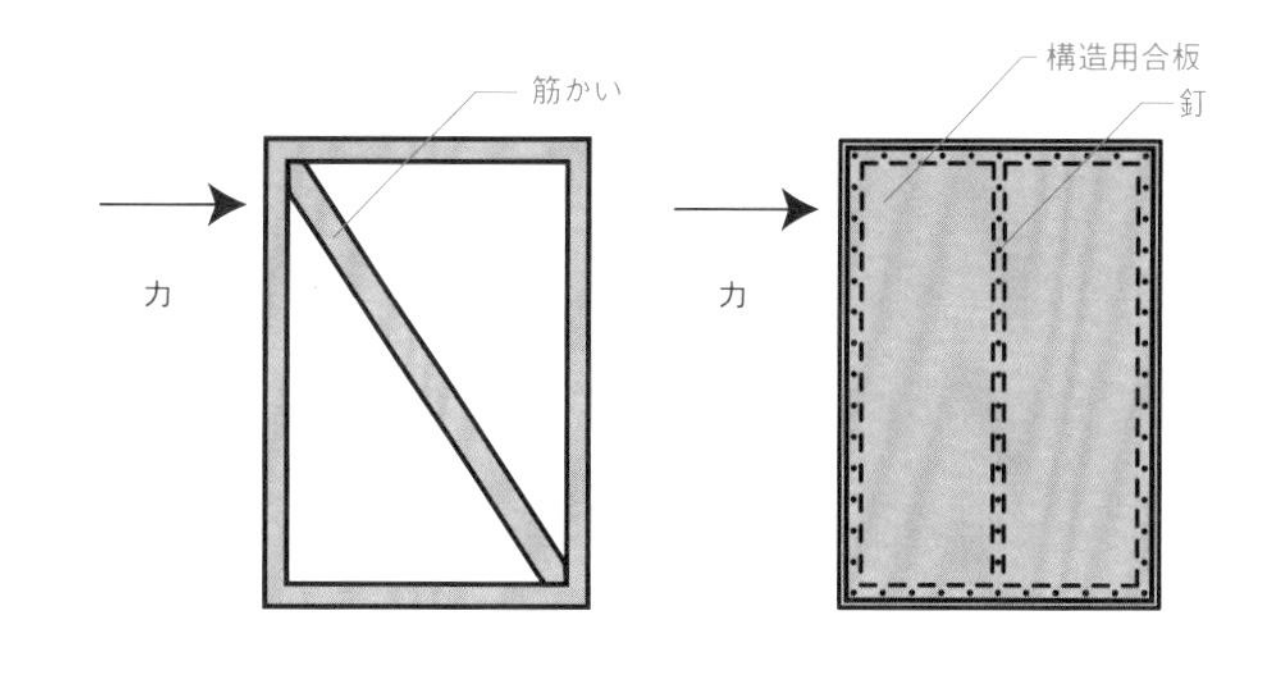

筋かいや構造用合板などを入れることで水平荷重に耐える

写真1 在来軸組構法の住宅の施工

1階の建て方がほぼ完了した時点の様子。近年では「通し柱」を入れずに、1階分の高さの「管柱」だけでつくる住宅もある。その場合は接合部は補強する

写真2　筋かいプレートとホールダウン金物

ホールダウン金物はZマーク表示金物もしくは同等認定金物を使用する

図5　伝統構法の構造

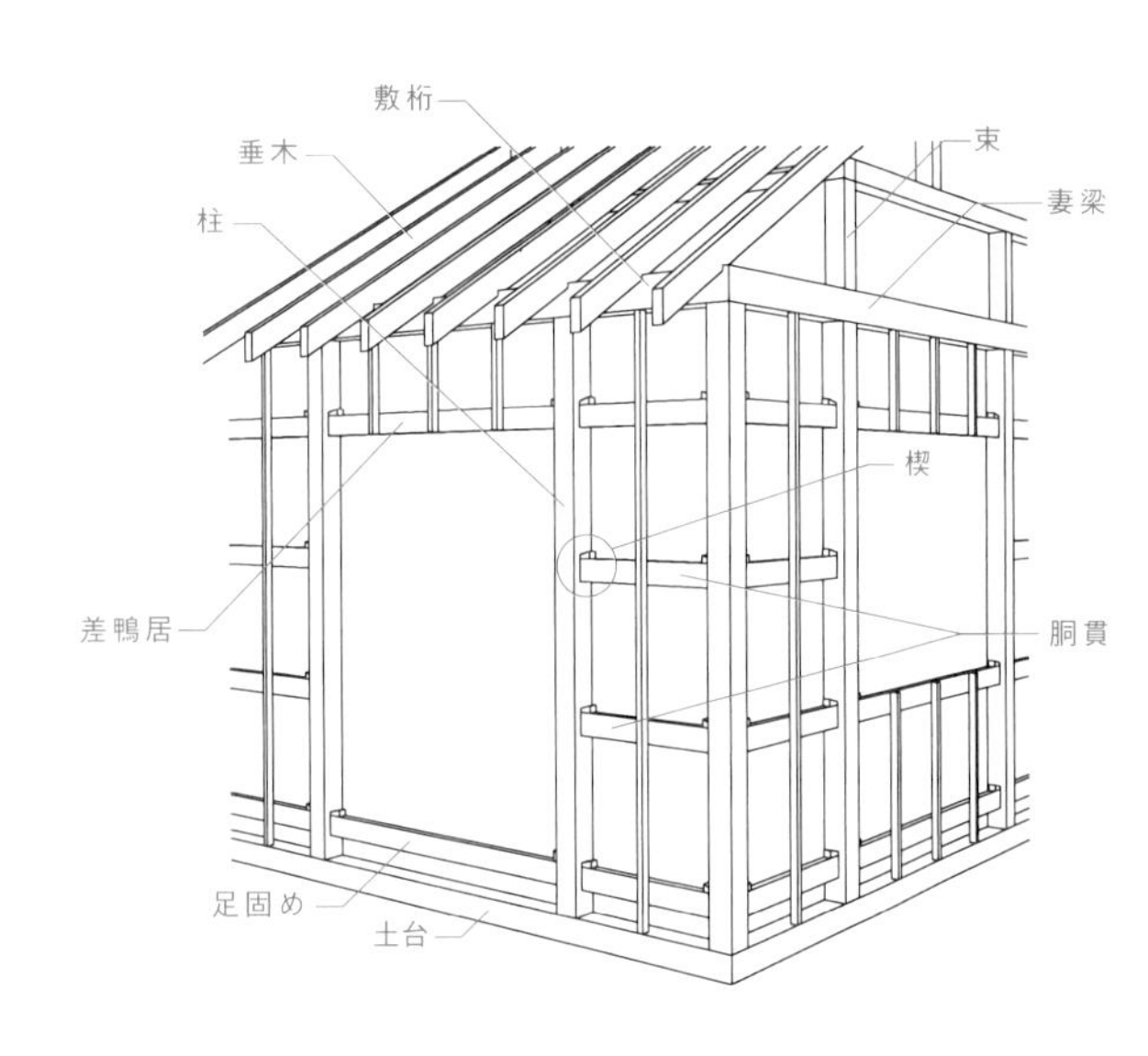

図6　ツーバイフォー（2×4）工法の構造

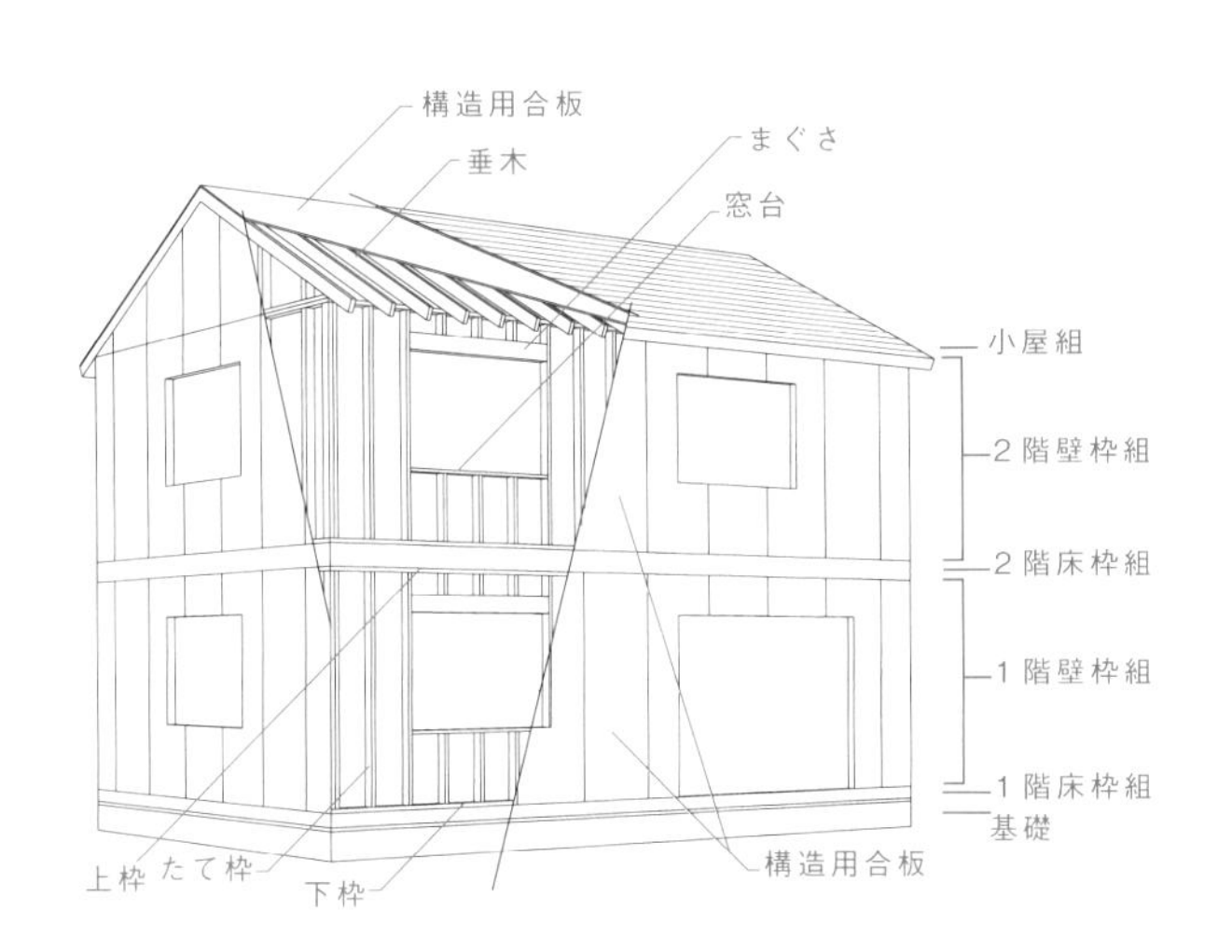

金物で補強されるようになっています（詳細は平成12年建設省告示第１４６０号、**写真2**）。

しかし注意したいのは、木材が十分に乾燥していなければ、補強しても効果は期待できないということです。木は乾燥すると収縮します。これを「木が痩せる」といいますが、たとえば金物をボルトで締めた後に木が痩せてしまえば、金物と木の間に隙間が生じ、ボルトが緩んでしまいます。あとから締め直すことは困難ですので、十分に乾燥した材を使用したいものです。

複雑な仕口の加工には大工の熟練技術が必要ですが、最近はほとんど、コンピュータ制御で機械加工する専門の工場に依頼するプレカットが多くなりました。プレカットは精度よく計画的に加工でき、工期の短縮や手間が大幅に減ることから、コストダウンになるといわれています。

（2）伝統構法

日本に昔からある構法で、神社仏閣や民家などもこの構法の一部です。部材と部材を組み合わせて築き上げる様子は、まさしく「匠の技」といえるでしょう。もちろん熟練した技術が必要ですが、昨今では伝統構法に精通した大工が少なくなっているようです。

建物の仕組みとしては、**柱と梁**、そのほか**足固め**（あしがため）、**差鴨居**（さしがもい）、貫（ぬき）などの水平部材を用いることによって、建物全体で抵抗するという考え方です（**図5**）。

（3）ツーバイフォー（2×4）工法

この工法は、同じ「木造」でも、前述の在来軸組構法や伝統構法とはまったく異なる仕組みをもっています。

その名の通り、公称2×4インチ、2×6インチ等の断面寸法をもつ木材を主に使用して「枠」をつくり、その枠に構造用合板を釘打ちして「パネル」化します。このパネルを用いて、大きな箱をつくるように躯体（くたい）を組み立てるもので、枠組壁工法ともいいます（**図6**）。このパネルが耐力壁となり、建物全体にバランスよく配置することで、地震や風圧、屋根や床の荷重（かじゅう）に耐えるようになっています。この辺りは、在来構法における筋かいの考え方に似ているところです。しかし、在来構法のように複雑な仕口の加工がなく、部材を釘打ちで接合するため施工がしやすく、工期も短くてすみます。

増改築については、耐力壁の量やバランスを考慮する必要があり、在来構法に比べ対応が難しいといえるでしょう。将来、増改築の可能性がある場合は、あらかじめ設計者に相談し、ある程度考慮した設計にしてもらうことをお勧めします。

なお、木造住宅の基礎は、**布基礎**か**ベタ基礎**が一般的に使われています（**図7**）。布基礎は帯状に連続して設けられる基礎で、Tの字を逆にしたような形をしています。底辺部分や立上がり部分の寸法、またコンクリートの中に入れられる鉄筋の種類や数等は、最低値が建築基準法施行令で定められています。

ベタ基礎は床下全面をコンクリートで覆うもので、建物の荷重を底版全体で受け止めます。ベタ基礎についても、それぞれ仕様が定められています。

88頁で説明する地盤調査によってわかる土地の状況やコストなどから、建物に合った適切な種類の基礎を選ぶことが重要です。

2・鉄筋コンクリート造

鉄筋とセメント・砂・砂利からできているコンクリートが一体となって建物を支える構造を**鉄筋コンクリート造**（RC造）といいます（**写真3**）。

鉄筋は「引っ張る力」に強く、コンクリートは「圧縮力」に強いという性質をもっていますので、その両方の特性をうまく組み合わせ、建物にかかる力に耐えるように考えられた構造です。この構造は、専門の構造設計が必要ですが、耐震性にも、耐火性にも優れています。

施工は、現場で鉄筋を組んで型枠を設置し、そこにコンクリートを**打設**（だせつ）（流し込むこと）しますが、打設の仕方や気候条件などにより品質が左右されます。施工の良否が建物の強度に影響をあたえることがあるので、施工管理が極めて重要だといえます。

また、コンクリートは、打設から硬化して強度がでるまでに日数がかかるので、工期には十分余裕をみておきましょう。

（1）ラーメン構造

ラーメン（Rahmen）とは、ドイツ語で、部材の各接点が剛に接続されている骨組のことをいいます。柱と梁からなる構造で、それらが地震や風圧、床や屋根の荷重に耐えるようなつくりです（**86頁図8上**）。

眺望などのために大きな開口部を設けることが可能で、間仕切りも自由に設けることができるというメリットがあります。一方、デメリットとしては、柱や梁が大きいので、室内に露出し、インテリアに影響をあたえる場合があります。

（2）壁式構造

地震や風圧、床や屋根の荷重を壁が支えるように考えられた構造です（**図8下**）。

柱がないので間取りを自由に考えられますが、壁の量によって建物を支えているので、あまり大きな空間にはできません。増改築時の間仕切りの変更も限られています。

3・鉄骨造

（1）重量鉄骨造

使用される鋼材は、製鉄メーカーで品質管理されたJIS規格品で、強度や性能も均一で安定しています。建築用鋼材は、おおまかに形鋼（かたこう）・鋼管（こうかん）・鋼板（こうはん）に分類できます

図7　基礎の種類

布基礎

砕石

帯上に連続して設けられる基礎。良質な地盤の場合に用いられる

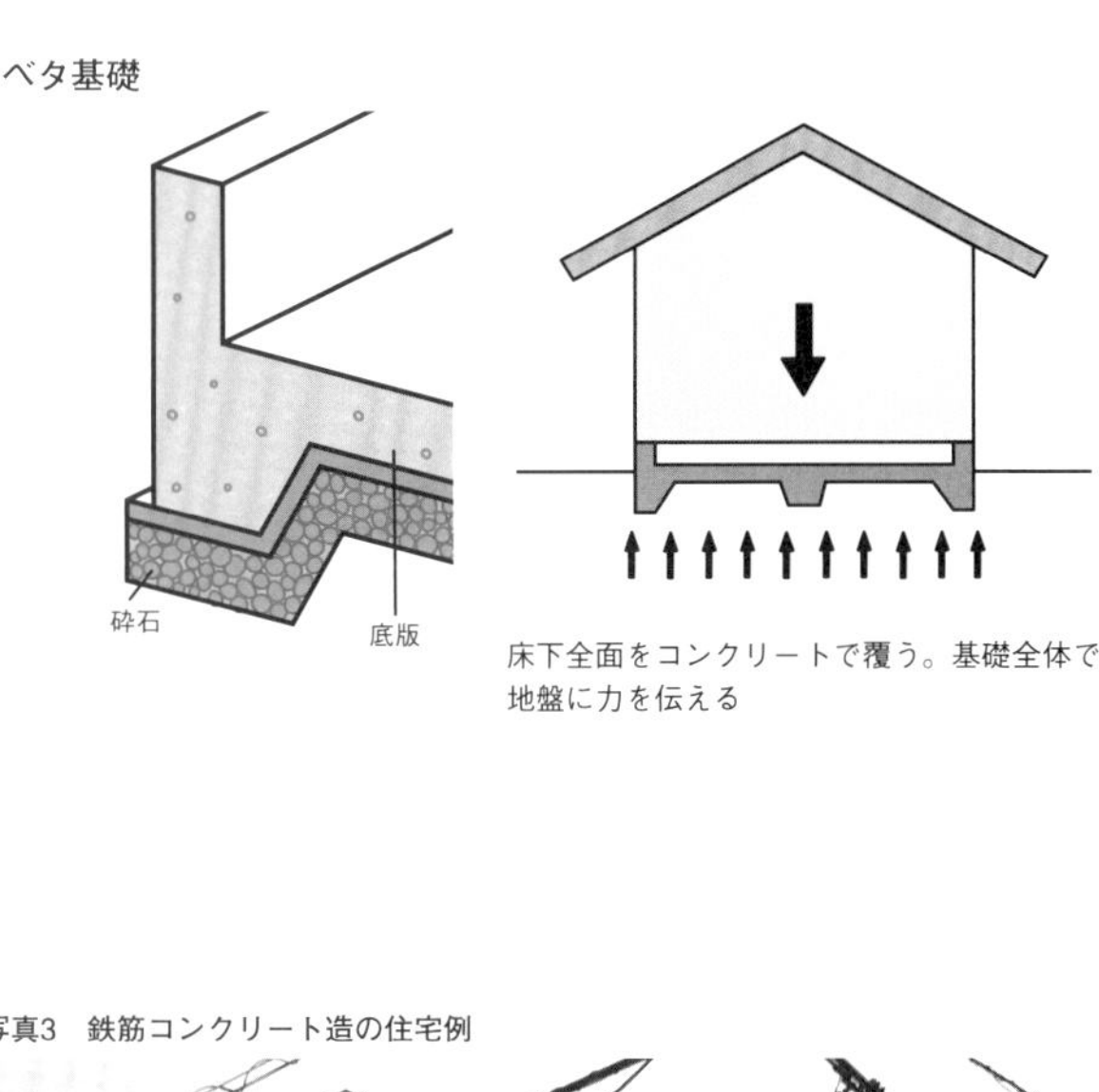

床下全面をコンクリートで覆う。基礎全体で地盤に力を伝える

写真3　鉄筋コンクリート造の住宅例

が、最近の2～3階建ての住宅では、主に柱に角形鋼管、梁にH形鋼が使われます（**表2・写真4・図9**）。

これらの鋼材は、設計図にあわせて長さや仕口を工場加工します。そして、基礎ができあがったところで、現場に加工した鋼材を搬入し、組み立てます（これを「鉄骨建て方」といいます）。

この構造も専門の構造設計が必要ですが、木造に比べて柱と柱の間隔を大きくとることができるので、開放的な大きな空間が可能で、間仕切りも自由に設けられます。増改築も、柱・梁を動かさなければ楽に行えます。また、鉄筋コンクリート造に比べて工場製作の割合が高いので、工期も比較的短縮できます。

なお、建て方の際、クレーンなどの大型機械を使用するため、前面道路が狭い敷地や路地状敷地には不向きかもしれません。

(2) 軽量鉄骨造

使用される鋼材が、重量鉄骨造とは形状も厚さも異なります（**表2**）。木造と重量鉄骨造の中間的な構造で、小規模の建物や、ハウスメーカーの鉄骨系プレハブ住宅に多く見られます。

4・その他の工法

その他には、ハウスメーカーなどの住宅で見られるプレハブ工法があります。あらかじめ部材の多くを工場生産し、現場で組

図8　鉄筋コンクリート造の仕組み

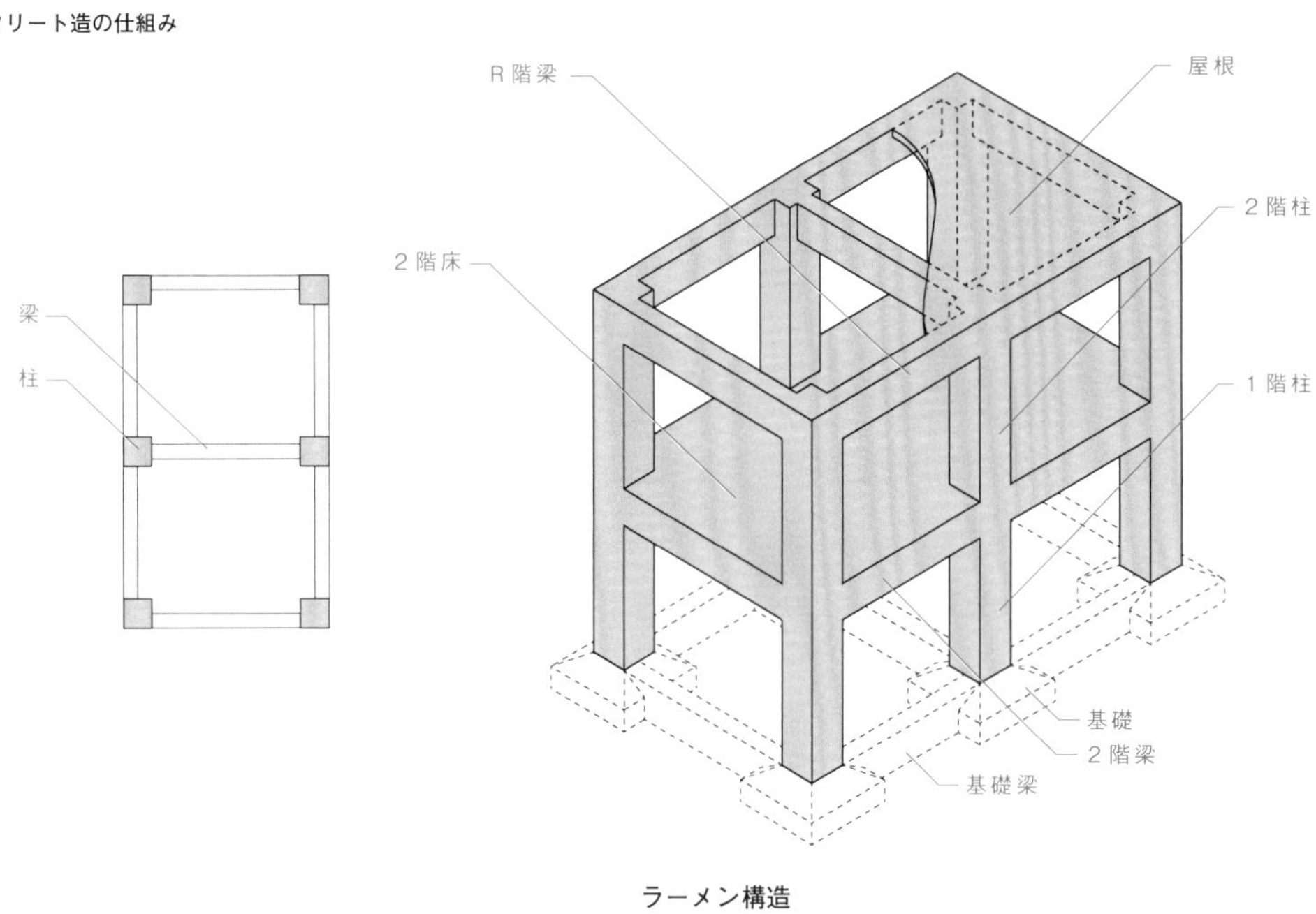

ラーメン構造

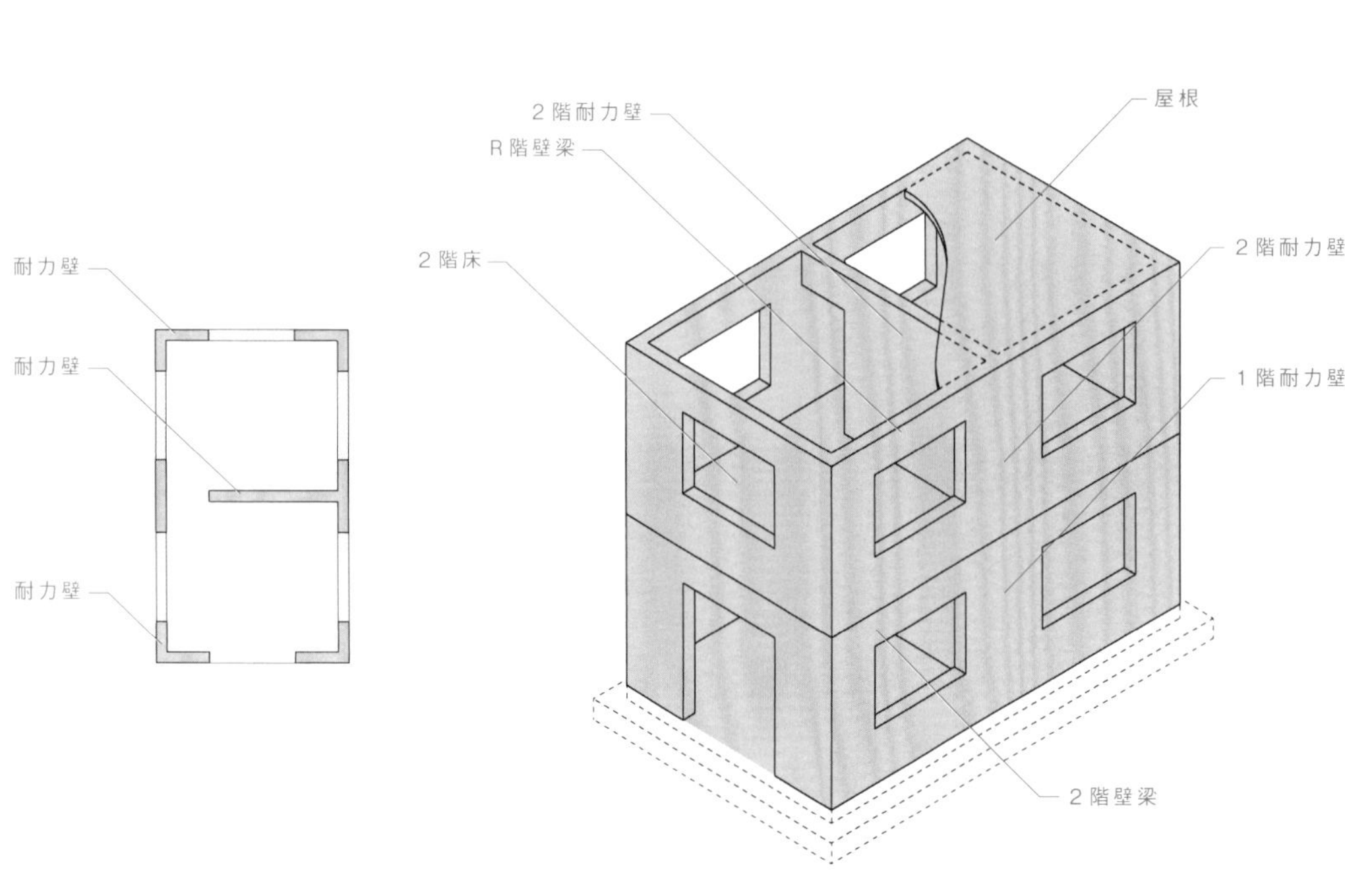

壁式構造

表2　住宅建築に使用される鋼材

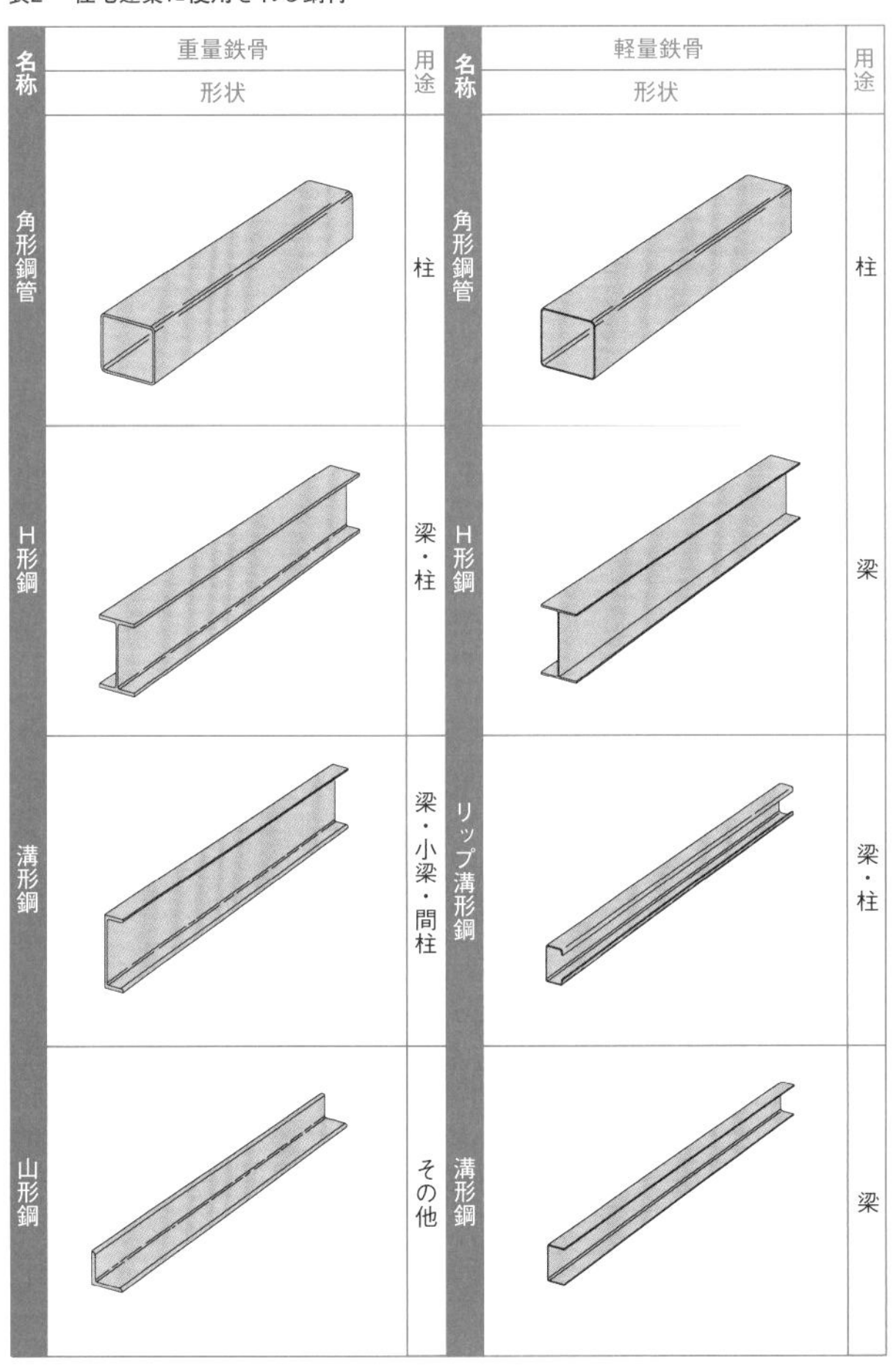

名称	重量鉄骨 形状	用途	名称	軽量鉄骨 形状	用途
角形鋼管		柱	角形鋼管		柱
H形鋼		梁・柱	H形鋼		梁
溝形鋼		梁・小梁・間柱	リップ溝形鋼		梁・柱
山形鋼		その他	溝形鋼		梁

写真4　重量鉄骨造の施工

図9　鉄骨造（ラーメン構造）の仕組み

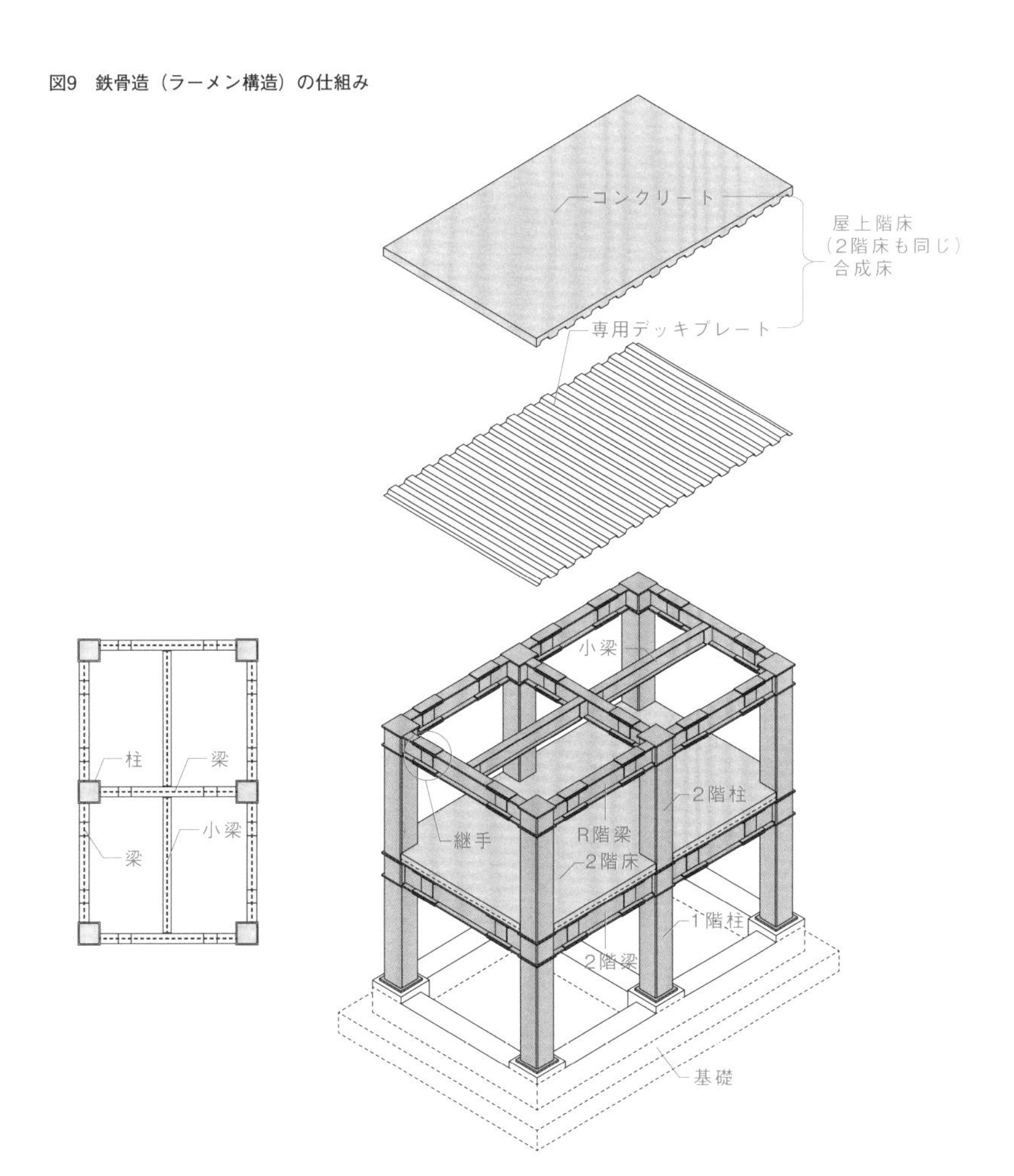

み立てる工法です。構造部材の材料により、木質系・鉄骨系・コンクリート系に分けられます。

ここまで代表的な構造・構法（工法）を紹介しましたが、どの構造で住まいを建てるかは、さまざまな条件を考慮して決定しなければなりません。しかし、堅固な構造体でつくっておけば、生活スタイルが変わっても、インテリアだけをリフォームして住むことができるのです。これは昨今耳にする「スケルトン（骨組）・インフィル（内装）」の考え方でもあります。住まいを20年で建て替えるなど、とんでもないこと。住まいは消耗品ではないのですから。

Ground

知っておきたい地盤のこと

家が建つ地盤の状況は、建物に少なからず影響を及ぼします。軟弱な地盤や地層が不均一な地盤では、地震が起こったときなどに建物に大きな被害が出やすいのです。それで、家を建てようとする土地の地盤についての理解を事前に深めて、必要であれば改良する方法が一般的にとられています。

図1　地形と地質

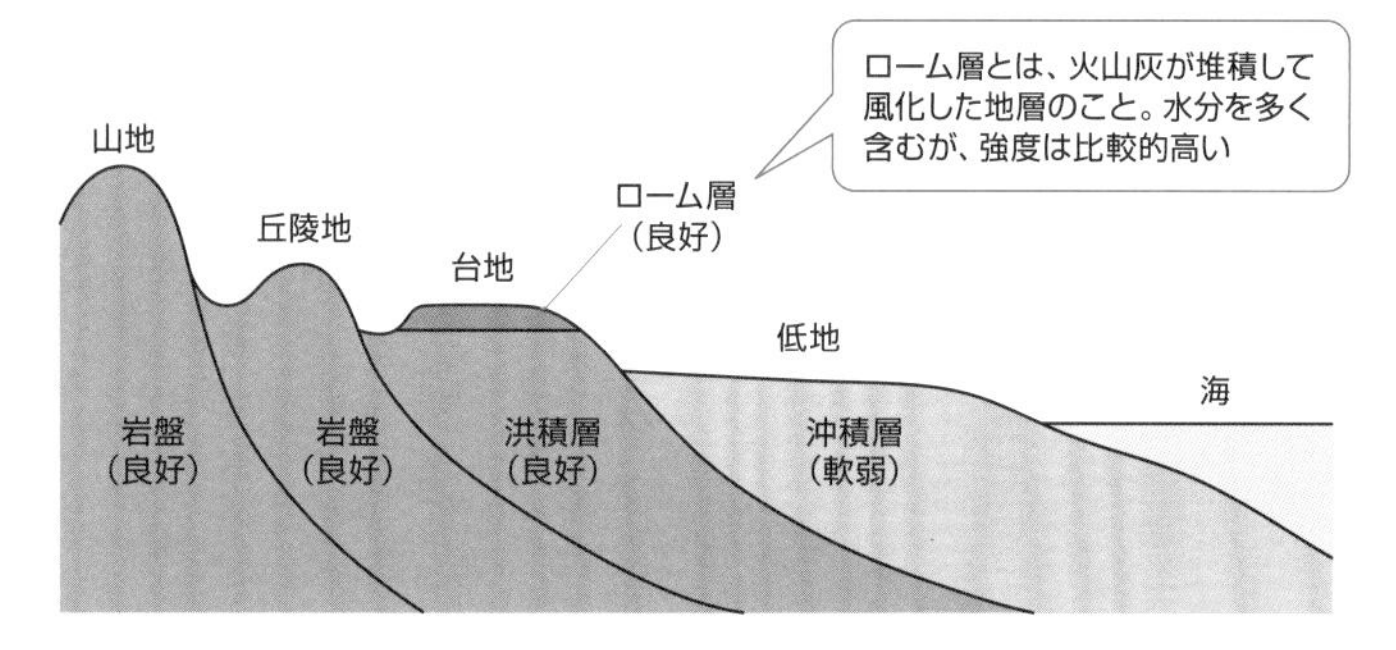

図2　注意したい地盤

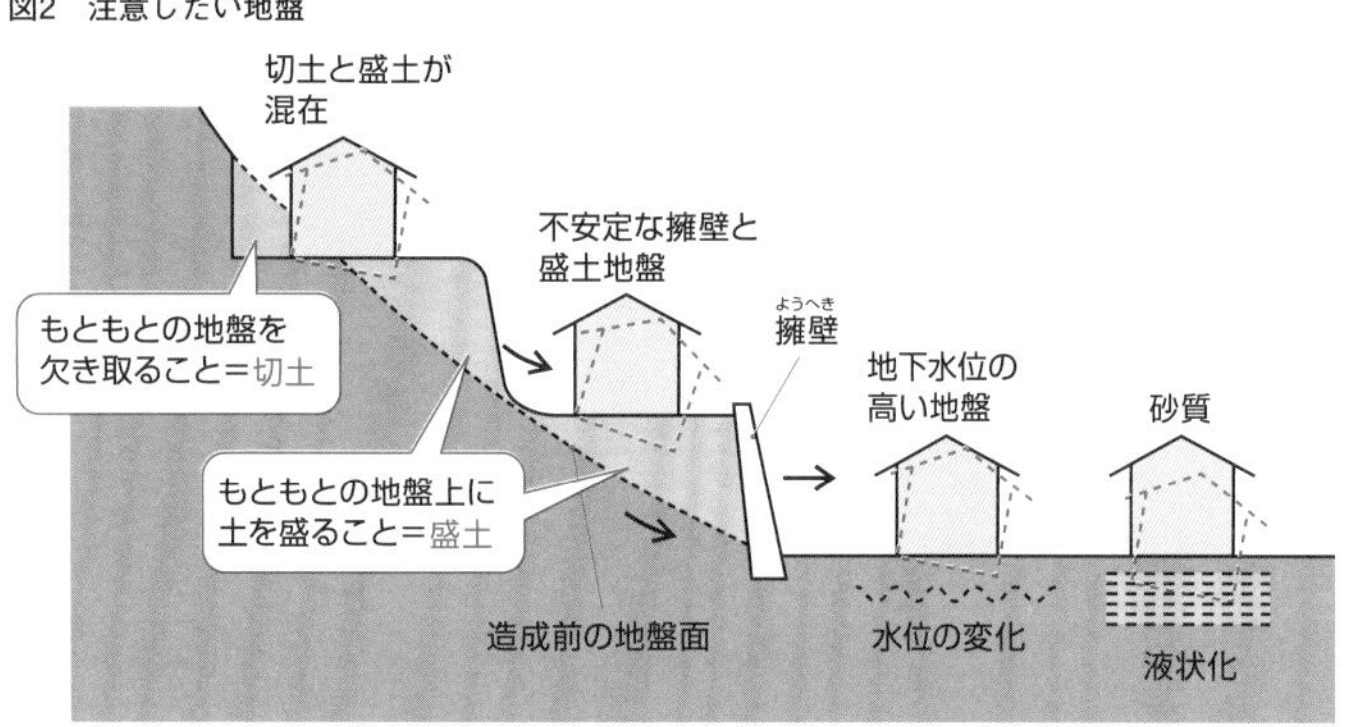

1・地盤の特徴

地盤の状態は場所によって異なります。高台と海岸付近では当然、固さなどの特性は異なります。一般的には、山から海に向かって硬い地盤（洪積層）の上に軟らかい地盤（沖積層）が載っています。丘陵地や台地は安定した地盤が多く、低地の海沿いや川沿いなどでは不安定な地盤が多いといわれています（**図1**）。

同じ丘陵地でも、宅地開発された中には、傾斜した元の地盤面を「切土」「盛土」をして雛壇状に地盤を造成したものがあります。このような場所では切土したところと、盛土したところでは地盤の固さが異なりますので、十分に気を付けなければなりません（**図2**）。

このような土地では、地震などで建物が不揃いに沈下を起こし、建物にダメージを与える「**不同沈下**」という現象が起こる可能性があります（**図3**）。

埋立地などで、地盤が砂質層で地下水位が浅い場合などは、比較的大きな地震が起こると「**液状化**」を起こす場合もあります（**図2**）。この液状化というのは、地下水を含んだ砂地盤が地震の振動で液体状になり、重い建物は埋もれたり、倒壊したり、また、地中の下水管が浮き上がったりする現象のことです。

2・地盤調査

先のように地盤の状況はさまざまで、建物の基礎を支える地盤には一定以上の強度が必要なことから、家を建てる土地の性質を知っておくことは重要です。そこで、家づくりが始まる前に、計画地の地盤調査を行うことが一般的になっています。あらかじめ地盤調査を行うことで、土の種類や固さ・柔らかさなどを知り、基礎の設計に役立てるためです。

調査は、木造住宅など比較的軽量なものでは**スクリューウエイト貫入試験方法**や表面波探査試験という方法が一般的です。住宅でも鉄筋コンクリート造のように重量がある建物では、ボーリング試験、標準貫入試験、平板載荷試験といった方法をとりますし、これらの試験を併用する場合もあります。

スクリューウエイト貫入試験方法は、先端がスクリュー状のロッドに荷重をかけ、ハンドルに回転を加えて地中にねじ込むものです。その半回転数を測定し、地耐力（地盤の強さ）を推定します（**写真1**）。

【地盤等　検索サイト】
・計画地の地盤の傾向を知るため、ボーリングデータ検索サイトは便利です。

【ボーリングデータ検索サイト】
・国土地盤情報検索サイト（国土交通省）
http://www.kunijiban.pwri.go.jp/jp/
・地盤情報配信サービス「地盤情報ナビ」（中央開発株式会社）
http://www.geonavi.net/georisknavi2/

【ハザードマップ検索サイト】
・洪水・土砂災害・津波のリスク情報、土地の特徴・成り立ちなどを確認できます。
・ハザードマップポータルサイト（国土交通省）
https://disaportal.gsi.go.jp/

3・地盤改良

地盤調査の結果、地耐力が十分でないと判断された場合は、地盤の改良が必要になってきます。以下の3つが、代表的な改良方法です（図4）。

①表層改良

軟弱な地盤の層が浅い場合（おおむね2m程度）に建物より広い範囲を総掘りし、セメント系の特殊な材料ともとの土とを撹拌・混合・転圧させ、その地盤を硬化させ強度を上げる工法です。

②柱状(ちゅうじょう)改良

軟弱な地盤の層がおおむね6m程度ある場合に、建物の基礎下にセメント系の特殊な材料ともとの土とを撹拌しながら杭状（直径60cm程度）に固める工法（写真2〜5）。間隔や本数は計算により決定します。

③鋼管杭打ち

軟弱な地盤の層が深い場合、建物の基礎下に鋼管の杭を支持層（固い地盤）まで到達するように打設する工法。間隔や本数は計算により決定します。

地盤が弱い可能性のある土地では、こうした地盤対策費を予算にあらかじめ見込んでおくことが必要です。

写真1　スクリューウエイト貫入試験方法

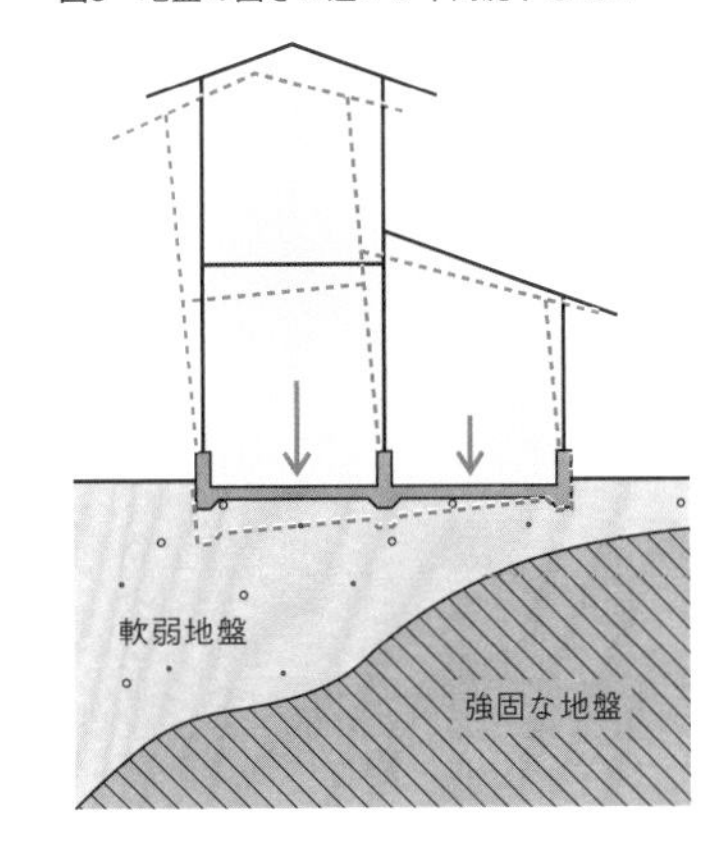

図3　地盤の固さの違いが不同沈下を生む

図4　軟弱地盤の改良方法（例）

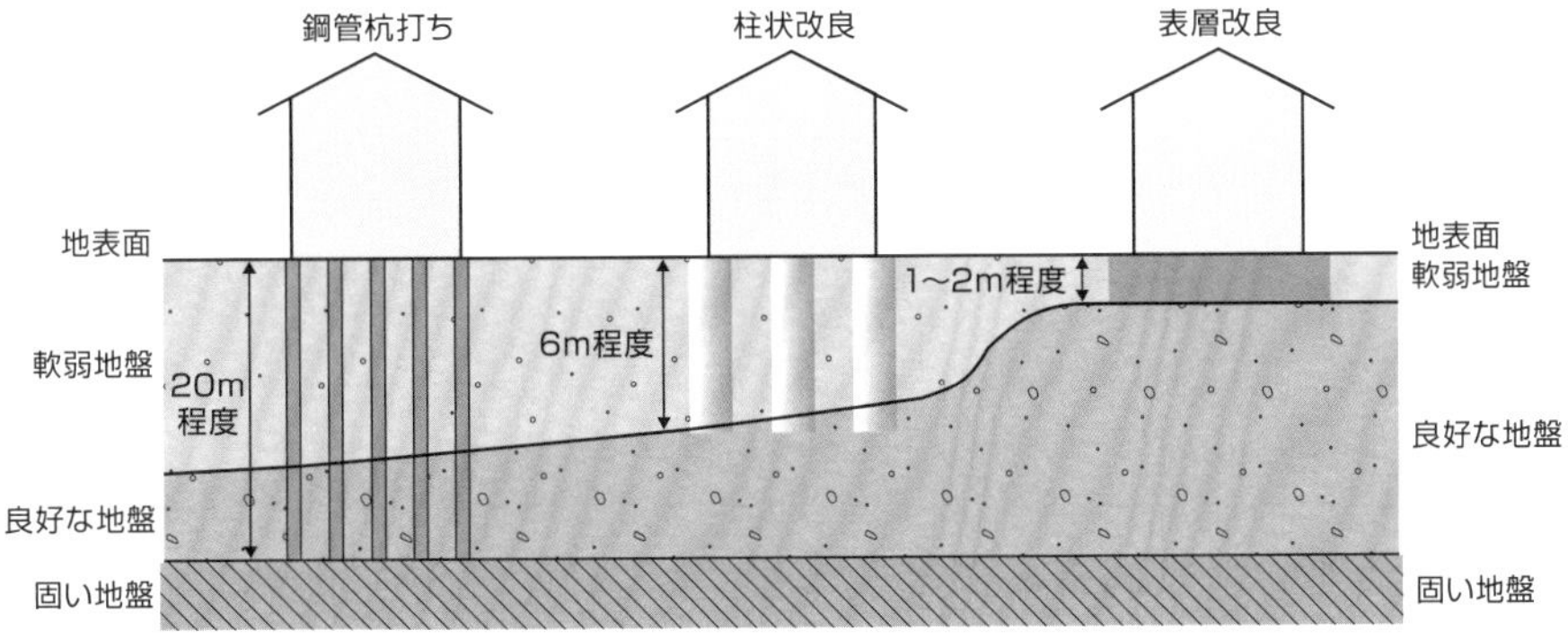

鋼管杭打ち　柱状改良　表層改良
地表面　軟弱地盤　20m程度　6m程度　1〜2m程度　良好な地盤　固い地盤

写真3　足元がゆるい場合に機械の足に板を敷く

写真2　柱状改良の様子。機械と材料を搬入

写真5　土砂とセメント系固化材を混合した土を埋め戻す

写真4　孔を掘削する

写真提供／アトリエ8

Planning

住まいの間取り指南

家づくりを決心してから、最初に想像を巡らすのは「間取り」でしょう。新しい住まいの間取りをイメージするのはとても楽しいこと。ここでは、もう少し踏み込んで、間取りづくりの基本を学びましょう。そして、家族が楽しく生活できる間取りを考えてみませんか。

間取りを考えてみよう

「居心地のよい住まい」を手に入れるためにはどうしたらよいのでしょうか？

これは、住み手の「好み」と「生活スタイル」をどれだけ間取りに反映できるかにかかっています。そのためには、家族の好みや生活スタイルを整理し、新しい住まいへの要望としてまとめることも大切ですが、さらに、その要望を「間取り」という形にすることがポイントになります。

住まいは、部屋やコーナーあるいは庭など、いろいろな用途や性格を持った「部分」が寄り集まって「全体」ができています。全体から部分を考え、部分から全体を考えるという往復運動をどれだけ丹念にできるかが「納得ゆく間取り」を生む決め手です。間取りづくり（プランニング）は専門知識と経験を必要とするため、実際にはプロに依頼しますが、自分でも間取りを考えてみることによって、住まいへの夢を膨らませましょう。

ここでは、
①主な部屋の広さと配置の考え方を知る
②モデルケースで間取りを実践する
の順に解説し、最後に、
③間取りプランの実例
を紹介します。

図1　L・D・Kのつながり
※　L：リビング（居間）　D：ダイニング（食堂）　K：キッチン

単独型

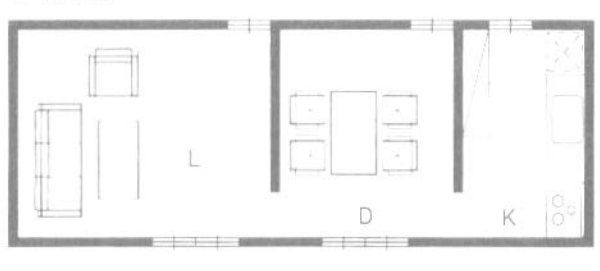

それぞれの部屋の独立性が保たれ、落ち着いた空間となる。比較的大規模の住宅向け

ＬＤ型（K独立タイプ）

キッチンが独立しているので、キッチンとダイニングのつながり方（家事動線）がポイント。食事から、食後の団らんへの移行はスムーズ。中小規模の住宅向け

ＤＫ型（L独立タイプ）

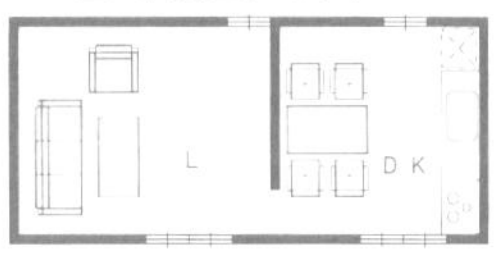

キッチンとダイニングが同室なので配膳・片づけは楽。ただし、DK空間にゆとりがない場合、食事が落ち着かなくなることも。中小規模の住宅向け

ＬＤＫ型

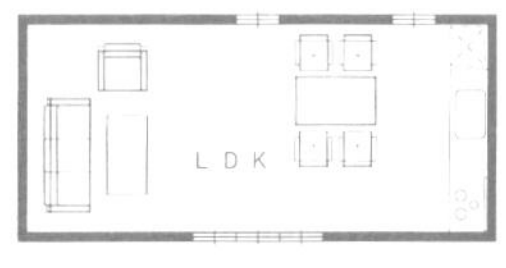

ＬＤＫ全体でコンパクトにまとめることもできるため、小規模住宅でも可。料理や片づけをしながら、団らんに加わることができる。ただし、キッチンの臭いや煙がＬＤに拡散するので、換気がポイント

1・主な部屋の広さと配置

まず、間取りづくりの基礎知識として、主要な部屋の広さや配置の考え方を知っておきましょう。なお、部屋の広さや各部分の寸法の数値は、あくまでも目安です。住まいの条件に合わせて活用してください。

（1）共用スペース

共用スペースは、間取りの核になる重要な空間です。一家団らんの場であったり、時には来客を迎えたりするコミュニケーションの場であり、かつ、本を読んだり、テレビを見たり、多様な用途で使われる場でもあります。

ですから、共用スペースはなるべくゆとりある空間が望ましいでしょう。敷地に建てられる家の大きさは限られていますが、個室をコンパクトに計画すれば、その分、共用スペースを広くすることが可能です。

また、実際の広さ以上に、広がりを感じさせるような演出も有効です。例えば、吹き抜けや勾配天井により天井を高くしたり、ウッドデッキなどを部屋の延長（半屋外）として設けたりして、広々とした空間を演出することができます。

また、共用スペースの配置では、風通しや日当たりを考慮しましょう。都市部の住宅密集地では、2階に共用スペースを配置して、風通しや日当たりを確保するケースも見られます。

しかし、何よりも大切なのは、自分たち家族の生活スタイルにあった共用スペースを考えるように心がけることです。

●リビング（居間）：L［8畳〜］
ダイニング（食堂）：D［6畳〜］

住まいの核となるリビングやダイニング、キッチンは、家族が集まる「共用スペース」として、1つのまとまりで考えます。

これらの部屋のつながり方には、「D単独」「LD型」「DK型」「LDK型」の4タイプがあります（**図1**）。

●キッチン：K［3畳〜］

キッチンのレイアウトは「I型」「II型」「L型」「U型」などがあります。このレイアウトによって、キッチンの所要面積や調理や片づけの動線が異なります（**図2**）。

ダイニングとのつながり方に着目すると、「オープン」「セミオープン（対面）」「クローズド（独立）」の3タイプに分けられます。**オープンタイプ**は、料理や片づけをしながら家族とのコミュニケーションが可能ですが、臭いや煙が拡散したり、片づける前のキッチンが見えてしまう場合もあります。一方、**クローズドタイプ**では、臭いや煙を遮断することができますが、作業する人が孤立してしまう点が気になります。

このように、ダイニングとのつながりによって、キッチンの性格が変わってきますので、利用者が何を優先するかをよく考えて選ぶべきでしょう。

さらに、食事の支度・片づけを含む家事全般が効率よく行われるように、キッチンを中心とした、ほかの家事との動線も考慮

図2　キッチンのレイアウト

I型
狭いキッチンに対応できる。ただし、作業時の横方向の移動が大きい

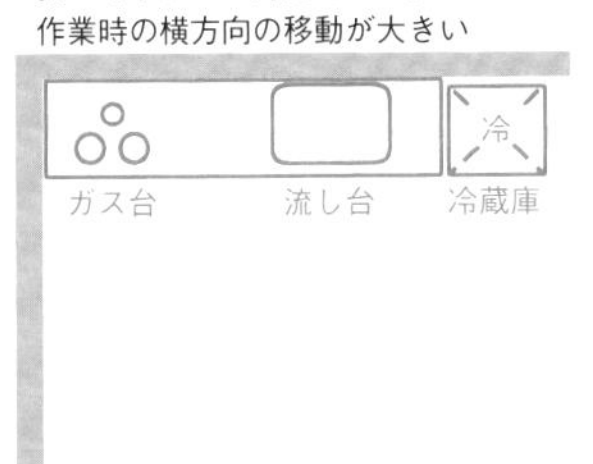

II型
2人での作業がしやすい。横方向の移動距離が短いので、慣れると作業が楽

L型
比較的狭いキッチンでも、広い作業スペースが確保できる。コーナー部分の活用がポイント

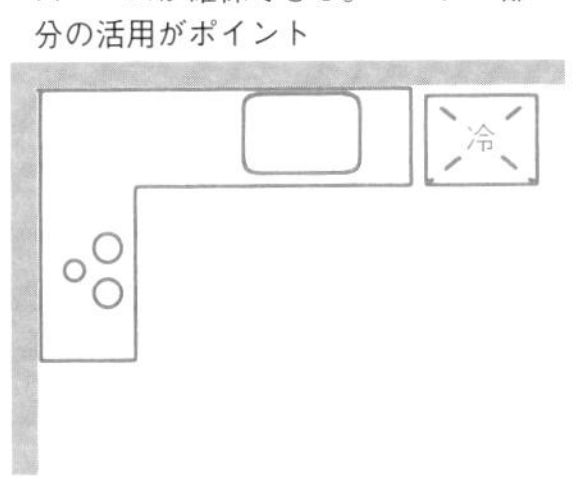

U型
キッチンにある程度の広さが必要。U字の中を適度に狭くすると、移動距離が短くなり楽

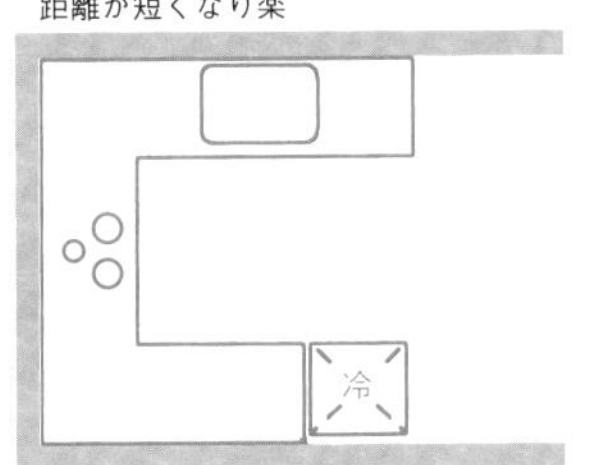

アイランド（島）型
アイランド部分は四方向から使える為、家族で料理が楽しめる

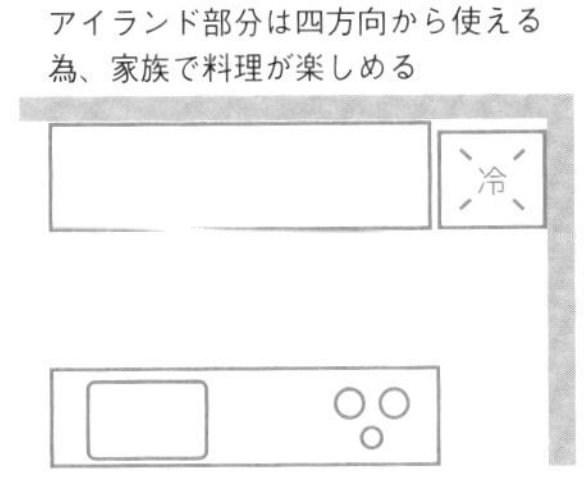

ペニンシュラ（半島）型
半島のように突き出した配列。半島部分が対面式となる

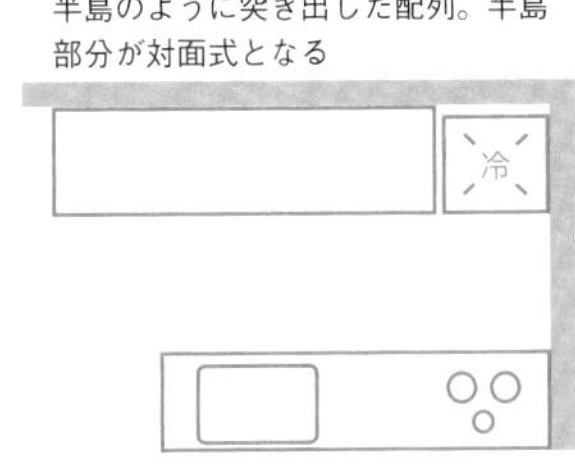

してください。

また、調味料から調理用品まで細かいものが多いキッチンでは、何をどこに収納するのかよく検討し、機能的かつ十分な大きさの収納スペースを計画しましょう。

(2) 個室スペース

●寝室［布団：6畳～、ベッド：8畳～］

寝室はベッドや布団のスペースだけではなく、衣類の収納（クロゼット）や、着替えや化粧などの身支度スペースが必要です。使用する寝具がベッドか布団かによって、必要な広さが異なります。

ベッドを使用する場合は、そのサイズによっても変わりますが、最低8畳は必要でしょう（**図3**）。一方、布団を使用する場合は、最低6畳の和室と布団収納用に1間の押入が必要です。

寝室の配置は、まずプライバシーを確保することを優先させ、共用スペースから離れた場所に独立した部屋として配置します。その上で風通しや日当たりなどを検討しましょう。

●子供室［3畳／人～］

子供室は、住まいの中で最も変化が大きい部屋といえるでしょう。子供の成長に伴って、部屋の使い方や、部屋に求められる役割が変化します。

例えば、小学生（低学年）ぐらいまでは、夜寝るときだけ子供室を利用していたのが、徐々に子供室にいる時間が長くなり、宿題や試験勉強をしたり、好きな音楽を聴

参考：単位について

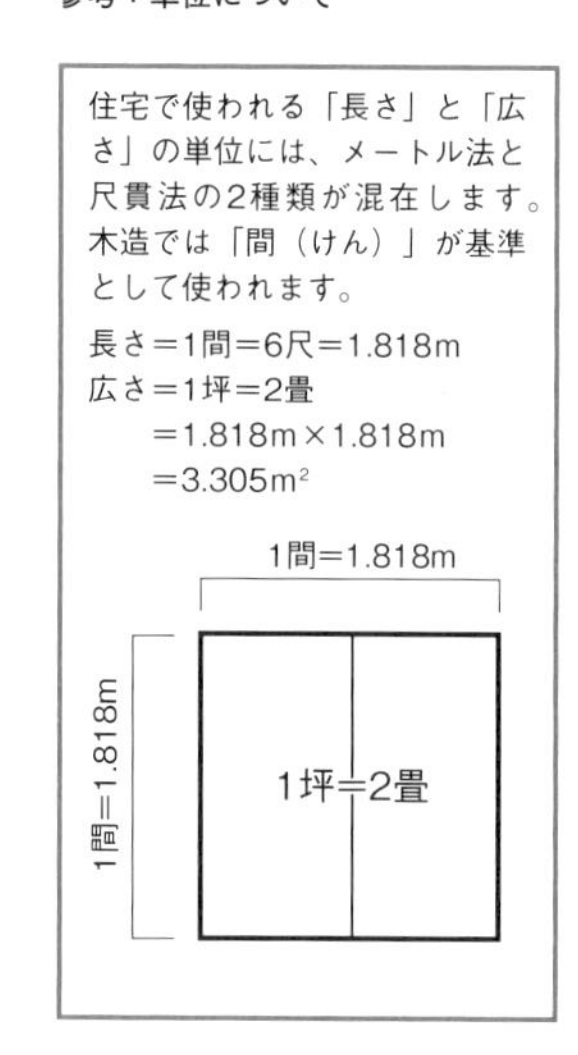
住宅で使われる「長さ」と「広さ」の単位には、メートル法と尺貫法の2種類が混在します。木造では「間（けん）」が基準として使われます。

長さ＝1間＝6尺＝1.818m
広さ＝1坪＝2畳
＝1.818m×1.818m
＝3.305m²

図3　寝室とベッドの大きさ

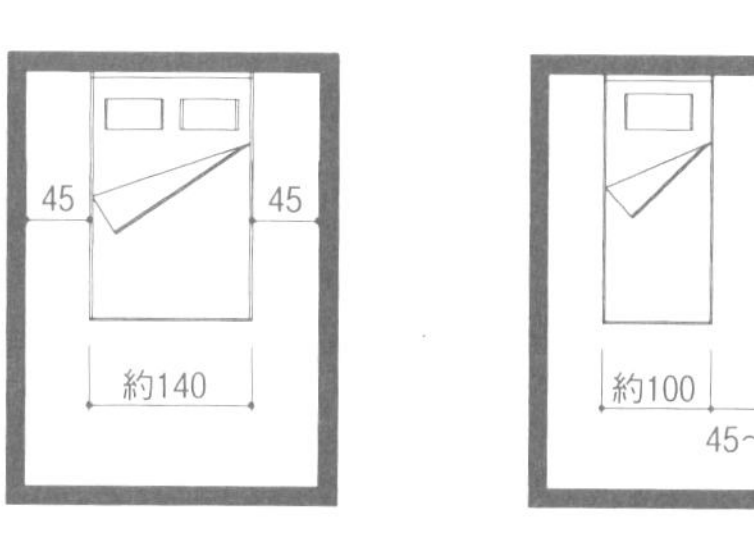

6畳にダブルベッドを配置　　8畳にシングルベッドを配置

ベッドを置く場合は8畳程度を見込んでおく

図4　変化する子供室

～小学生（低学年）

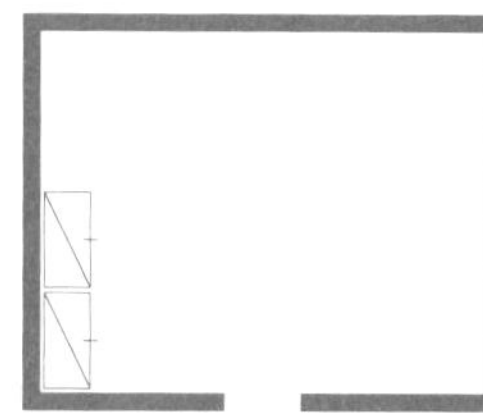

広い遊び場的な子供室。勉強は、別に設けた共用のスペースで

～小学生（高学年）

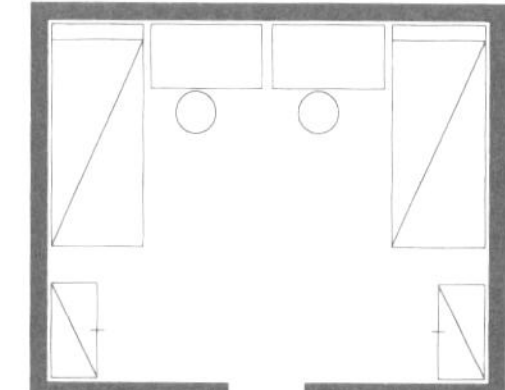

勉強と就寝に必要な机・いす、ベッド、収納棚を配置。個室化せず開放的に

中学生～

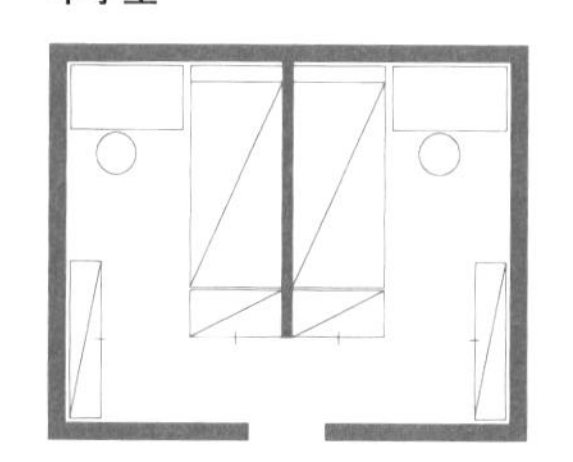

子供の成長に合わせて個室化。勉強と就寝のためのコンパクトな空間に分ける

子供室に求められる機能や広さは、子供の成長に伴って変化するため、フレキシブルなつくりとしておくことが望ましい

くなど趣味の時間を過ごしたりするようになります。成長して社会人になると帰宅も遅くなり、部屋にいる時間は減るかもしれません。そして、結婚を機に独立し、家を出ることも考えられます。

住まいは5年や10年で建て替えるものではありませんので、将来を考え、子供の成長にあわせてアレンジできるようにしておくのが望ましいでしょう（**図4**）。また、成長に伴う持ち物の増加に備えて、収納に余裕をもっておくことも必要です。

子供室の配置は、昨今の「引きこもり」などの問題を考えると、あまり独立度を高めずに、親子が互いに気配を感じられる位置にすることをお勧めします。

（3）水まわりスペース

●浴室［2畳程度］
洗面・脱衣室［2畳程度］
トイレ［1畳程度］

水まわりはサニタリーとも呼ばれ、浴室や洗面・脱衣室、トイレなどをいいます。設置される衛生設備機器には給排水や給湯用の配管が必要となりますので、一カ所にまとめたほうが経済的です。

水まわりを一カ所にまとめる際、一般によく見られる組み合わせのパターンを知っておけば、間取りづくりの参考になるでしょう（**図5**）。なお、脱衣室に洗濯機を設置する場合は、およそ半畳弱のスペースが必要となります。

トイレは、共用スペースと個室スペース

図5　水まわりの配置パターン例

3.75畳

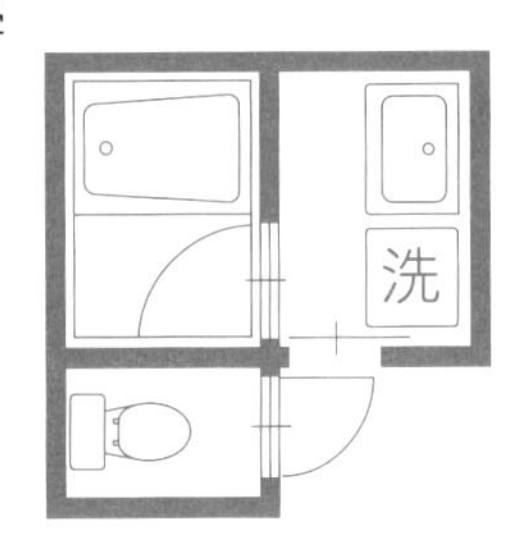

4畳

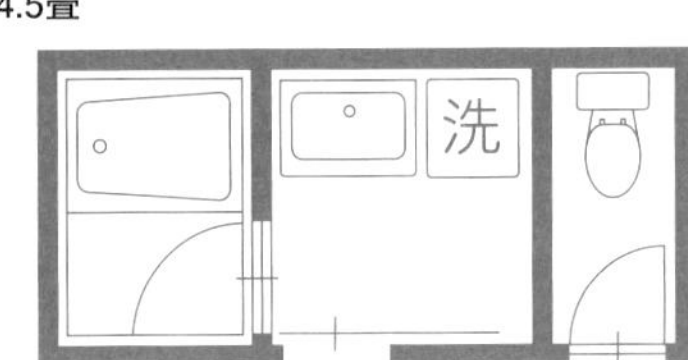

4.5畳

5畳

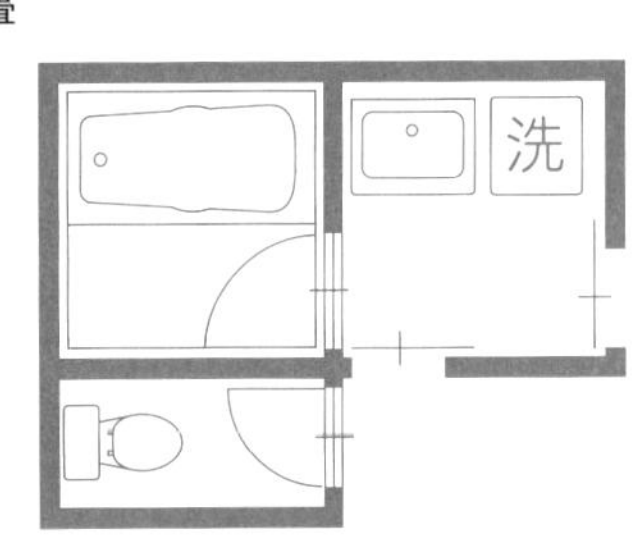

図6　階段の形態

直進階段

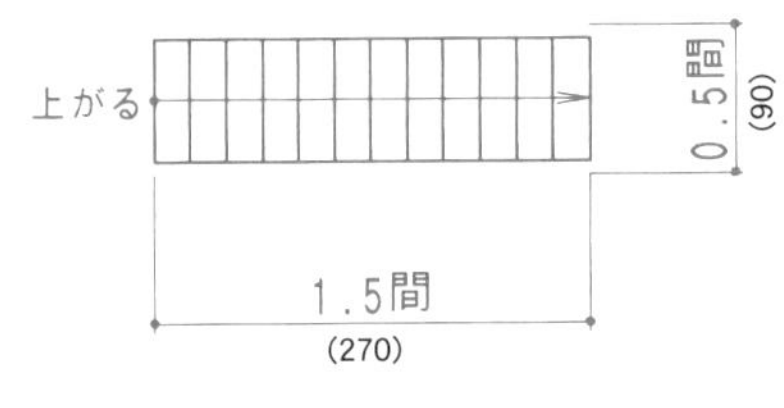

最も単純な形態だが、万一転落すると一気に下階まで落ちてしまう。踊り場などを設置したい

回り階段

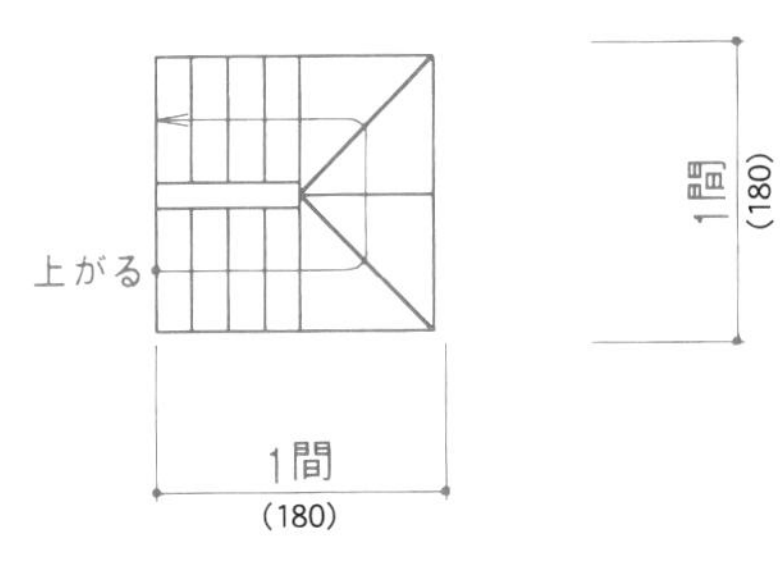

踊り場がない分、少ない面積で済む。体の向きをかえながら昇降する回転部分は特に安全に配慮したい

折返し階段

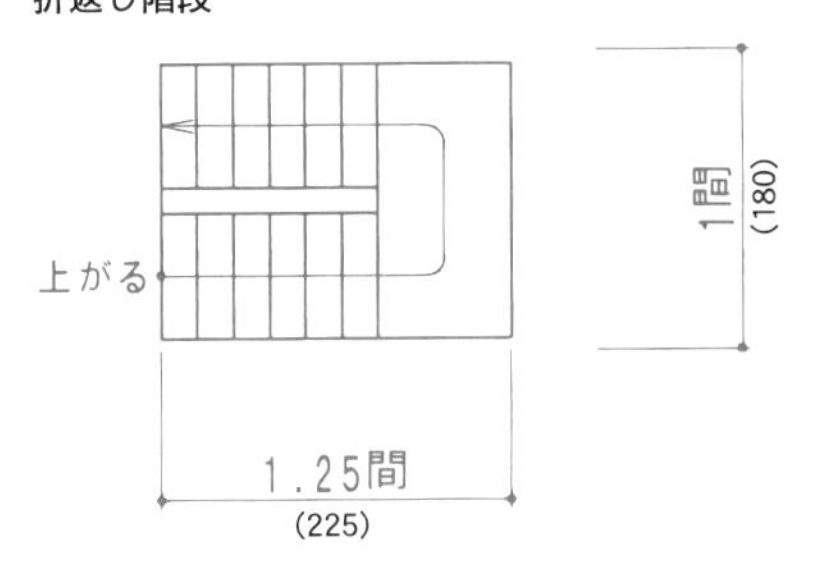

最も昇降がしやすく、比較的安全な形態。やや面積が大きくなる

※　（　）内の寸法単位はcm

にそれぞれ設置するのが望ましく、また、トイレで使うものはトイレに収納できるよう、ちょっとした収納を用意することをお勧めします。

また、ドアは車椅子の使用を考慮し、広めの引き戸にする方法もあります。

（4）その他のスペース

●玄関［2畳～］

玄関は住まいの顔です。家族だけではなく、来客を最初に迎える場所でもあります。ガラス類を防犯上支障のない程度に使用するなどして、できるだけ明るく、そして歓迎の気持ちが表れるような演出のある空間にしたいものです。

また、玄関には、下駄箱を中心に十分な収納スペースが求められます。靴・傘・スリッパ・コート、場合によってはスポーツ用品や日曜大工用具をしまうことも。天井までの高さの収納を用意するなど、スペースを確保するようにしましょう。

●廊下・階段

廊下や階段は、無駄のない間取りを考える上でポイントとなる部分です。

廊下はできるだけ簡潔に、必要最小限のスペースでまとめたほうがよいでしょう。曲がり角が多いと、出会い頭の事故につながり危険です。

階段は、形態によって特徴があります（**図6**）。昇りやすい勾配で、必ず手すりを設け、安全に配慮した階段を計画しましょう。廊下・階段ともに、幅は最低でも有効80cm程度確保したいものです。

●収納スペース

「収納が足りない」といった不満をよく耳にします。家族の成長に合わせて所有する物の数も増えますので、あらかじめ将来を予測し、相応の収納スペースを用意する必要がありますが、一方で、物を減らす暮らし方を考える必要もあるでしょう。

収納には、押入から食器棚まで、さまざまな用途のものがあり、何を収納するかにより必要な奥行きが決まります（**表1**）。扉や引き出しがある場合には、「扉を開ける」「引き出しを開ける」といった開閉動作のスペースが必要になりますので（**図7**）、収納の配置を考える際は、スペースの確保を必ず確認しましょう。

表1　収納の種類と奥行

奥行寸法（cm）	収納の例	収納するもの
25	本棚	雑誌・本（A4版21cm、B5版18.2cm）、ファイルなど
35	下駄箱、食器棚、キャビネット	食器、調理用具、鍋、靴など
45	整理ダンス、和ダンス	和服、洋服（セーター、ワイシャツなど）、バッグ、スポーツ用品など
60	洋服ダンス、クロゼット	洋服（スーツ、コート、ジャケットなど）、座ぶとん、スーツケースなど
80	押入	ふとん

収納スペースは広さの確保だけでなく、利便性も併せて考える必要があります。ウォークスルークロゼットは2方向に扉があり、通り抜けができるクローゼットです。回遊性が高く採光や通気性もよいので、家事動線の確保や湿気の防止につながります。

家事効率を向上させるためのスペースもあります。家事室は洗濯の後のアイロンがけ、洗濯物の片付けなど、家事の効率が向上するスペースです。またキッチンの一部分またはキッチンに隣接して設けられる収納スペースとして、パントリー（食品庫）を設けると、食品のほか、日常使う頻度の少ない調理器具や什器類のストックが可能になります。

図7　開閉動作に必要なスペース

整理ダンスの開閉

洋服ダンスの開閉

2・実践！間取りをつくろう ～家野家のケース

それでは、家野さん一家を例にあげて、間取りづくりを実践してみましょう。

(1) 家野家の間取りづくり

家野澄香さんは36歳の主婦。3歳年上のご主人との間に、小学校4年生の長女と1年生の長男がいます。現在住んでいる都内の2LDKの賃貸マンションが手狭になり、家を建てることになりました。

さて、家野家の「間取りづくり」のシナリオは次の通りです。

①家族の要望をまとめる
②敷地と周辺環境を把握する
③建物のだいたいの大きさをつかむ
④ゾーニングを（エリア分け）考える
⑤間取りを考える

新しい住まいに対する家族全員の要望は、すでにまとめてありますので（**表2**）、②の「敷地の調査」から見ていきましょう。

(2) 敷地と周辺環境を把握する

家づくりにおいて、敷地とその周辺環境を知ることはとても大切なことです。敷地が決まったら現地に足を運び、五感を駆使して周囲を観察します。敷地をよく知るためには、真ん中に立って、東西南北の写真を撮るのもいいでしょう。そして、

・周囲には何があるか
・敷地の高低差
・道路の幅や位置、交通状況
・隣家の配置（できれば窓の位置も）を確認し、眺望、日当たり、騒音などをチェックします。さらに、近隣の住民やコミュニティなども把握しておきましょう。

今回澄香さんが購入した敷地は、東京近郊の閑静な住宅街にある42坪ほどの土地です。道路は東側に位置し、土地の高低差はありません。そこで、建物を北および西側に寄せ、東側に駐車スペースを配置する方向で考えます（**図8**）。

(3) 建物の大きさをつかむ

敷地に建てられる建物の大きさは、建ぺい率と容積率により制限されます（71頁）。澄香さんの敷地の条件は次の通りです。

・敷地面積　約42坪（140㎡）
・建ぺい率　50％
・容積率　100％

この場合、どのくらいの大きさの建物が建てられるのか、検討してみましょう。

まず、法的に許される建築面積の限度と延べ床面積の限度を算出します（**表3**）。

次に、建築面積の限度から、各階の床面積を21坪として、総2階建て（1・2階が同じ面積）で考えます。そうすると、延べ床面積は21坪×2＝42坪となり、容積率の限度内にも収まりましたので、この程度の大きさの家ならば、この敷地に建てられることがわかります。

また、法的な制限とともに、予算による制限も検討する必要があります。澄香さんの場合は、予算的にやや厳しいことがわかりましたので、延べ床面積を36坪（72畳）程度として検討を進めることにしました。

表2　家野家の新しい住まいへの要望

	■ 要望事項	優先度
パパ	■ 1．小さくてもいいから書斎がほしい	△
	■ 2．車庫と日曜大工用の収納がほしい	○
	■ 3．子供たちが大きくなったら、子供室を別用途に使いたい	○
	■ 4．居間の近くに和室がほしい（ゴロ寝したい）	○
	■ 5．2階にみんなで使える部屋がほしい	○
	■ 6．風呂とトイレを寝室の近くに配置したい	△
ママ	■ 1．用途に合わせた収納がほしい	△
	■ 2．キッチンはあまり人に見られたくないので、独立型にしたい	○
	■ 3．水まわりは機能的にしたい	○
	■ 4．大きな食卓がほしい	○
	■ 5．吹き抜けがほしい	○
	■ 6．子供部屋へはリビングを通っていくようにしたい	○
子供たち	■ 1．個室がほしい	×
	■ 2．大きな木の机がほしい	△
	■ 3．階段のある家がほしい	○
	■ 4．2段ベッドがほしい	△

表3　面積の計算

敷地面積＝140㎡（約42坪）

建築面積の限度＝敷地面積×建ぺい率
＝140㎡×50％＝70㎡（約21坪）

延べ床面積の限度＝敷地面積×容積率
＝140㎡×100％＝140㎡（約42坪）

図8　家野家の配置計画

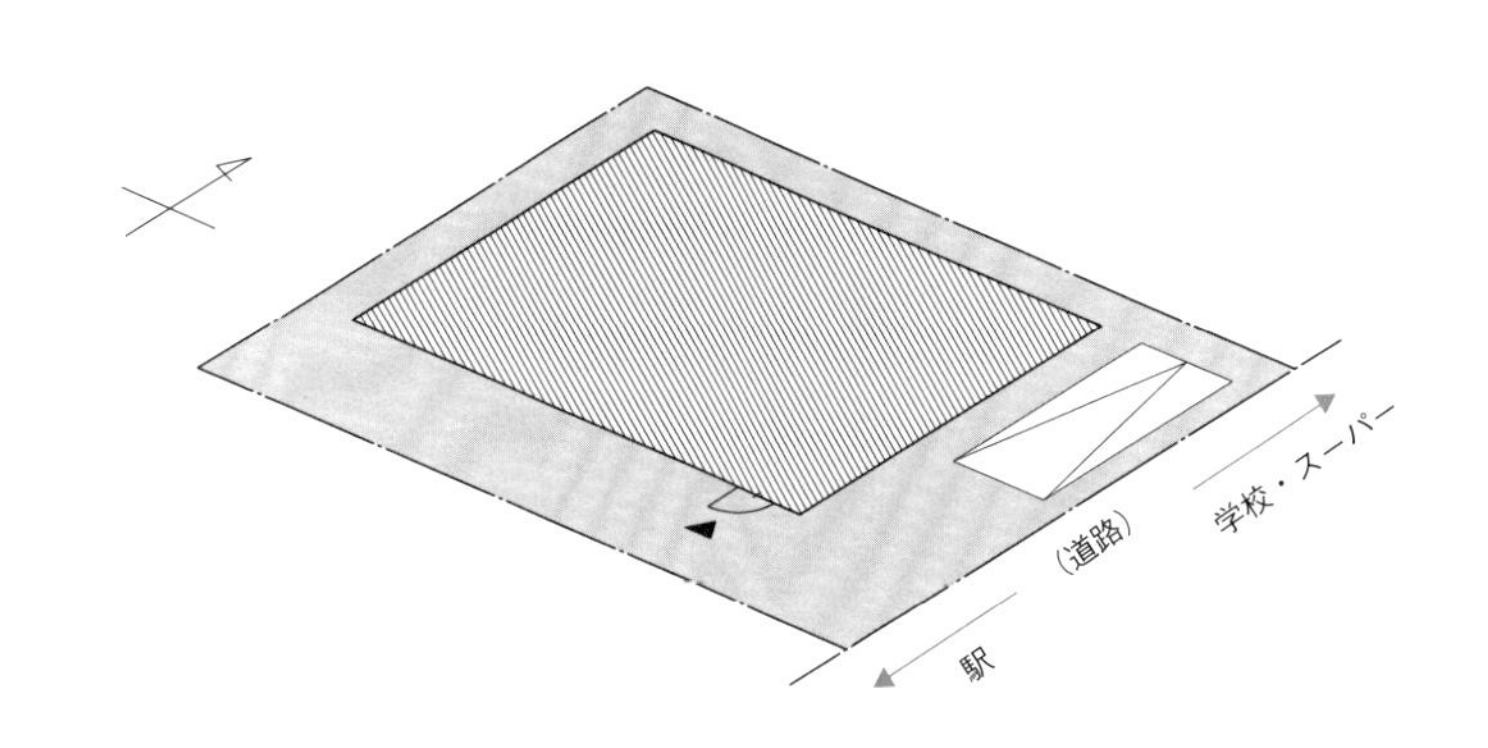

（4）ゾーニングを考える

敷地の形状や周辺状況を把握し、建物のだいたいの大きさがわかったところで、まず、おおまかなゾーニング（エリア分け）を行います。

玄関から入り、くつろぐ・食べる・寝る・働く（家事）などの生活行為がスムーズに行われるように、各部屋の役割と部屋間のつながりを考えてゾーニングをします。車を所有する場合は、駐車スペースを配置して、玄関とのつながり方を考えておきましょう。

それでは、澄香さんの家のゾーニングを考えてみましょう。

まず、敷地の状況を考慮し、建物の配置および玄関の位置を決めます。この敷地は東側に道路がありますので、建物を北西に寄せて、東側に駐車スペースを配置します。なお、駐車スペースには、一般乗用車で約5m×3mの広さが必要です。

次に、共用スペースと個人スペースを何階に配置するか、どのくらいの広さを割り当てるかを考えてみましょう。

この敷地の付近は住宅密集地ではないので、1階部分の日当たりが確保できる環境です。そこで、共用スペースを1階に配置し、個人スペースは2階に配置しました。

各スペースの広さの配分は、目安として、共用スペース約1／3、個室スペース約1／3と考え、残りの1／3が水まわりや玄関・廊下・階段、収納などのスペースと考えます。澄香さんの家の場合、それぞれ12坪（24畳）程度となります。

ここで、最初にまとめておいた、新しい住まいに対する家族の要望（表2）を見ながら、必要な（欲しい）部屋をリストアップします（表4）。前述の12坪（24畳）を目安にして、各部屋の広さの見当をつけた上で、1階と2階におおまかに割り当てていきます（図9）。人の動きを考慮し、最適な位置を見つけだしましょう。

気をつけなければならないのは、「建物は立体で考える」ということです。特に、階段の位置は上下階で揃えなければなりませんので、上階と下階両方のプランに影響を与えます。「1階を基準にして階段の位置を考えたら、2階では中途半端な位置になり、部屋がうまく割り当てられない」などは、よくあること。このようなところが非常に難しいところです。

階段のほか、上下階のつながりで注意しなければならないのは、

- 吹き抜けの位置を揃える
- 子供室や、トイレ・洗面所などの水まわりを上階に配置する場合、その下階には、音の影響を考えて部屋を割り当てる

などが挙げられます。

表4　新しい住まいに必要な部屋

階	区分	部屋名	広さ（畳）
1階	共用スペース	リビング・ダイニング	12.0
		キッチン	4.0
		和室	8.0
	水まわりスペース	浴室	2.0
		洗面・脱衣室	2.0
		トイレ	1.0
	その他	収納	4.0
		玄関	4.0
		階段・廊下ほか	3.0
	小計		40.0
2階	個室スペース	寝室	7.5
		子供室	7.5
		プレイルーム	8.0
	水まわりスペース	トイレ	1.0
	その他	階段・廊下	8.0
	小計		32.0
	合計		72.0

区分別				
	共用スペース	24畳		33.3%
	個室スペース	23畳		32.0%
	水まわりスペース	6畳	(8.3%)	34.7%
	その他	19畳	(26.4%)	

（5）具体的な間取りを考える

いよいよ、具体的に間取りを考えます。ゾーニングの結果をもとにして、各部屋の広さを決め、割り当てていきます。

それでは、澄香さんの家の間取りを見てみましょう（図10）。

玄関まわりには、下駄箱のほかに、納戸として使用できるたっぷりとした収納スペースが確保されています。

リビング・ダイニングは12畳で、特に広いスペースではありませんが、大きなテーブルを配置して、食事のほか、子供たちの宿題や澄香さんの家計簿つけなどに使えるようになっています。また、この間取りを特徴づける8畳の吹き抜けがあり、空間に広がりが感じられるとともに、2階との一体感も得られます。

キッチンは、澄香さんの要望通りクローズド型ですが、引き違い戸を開けておけば、

図9　ゾーニングの結果

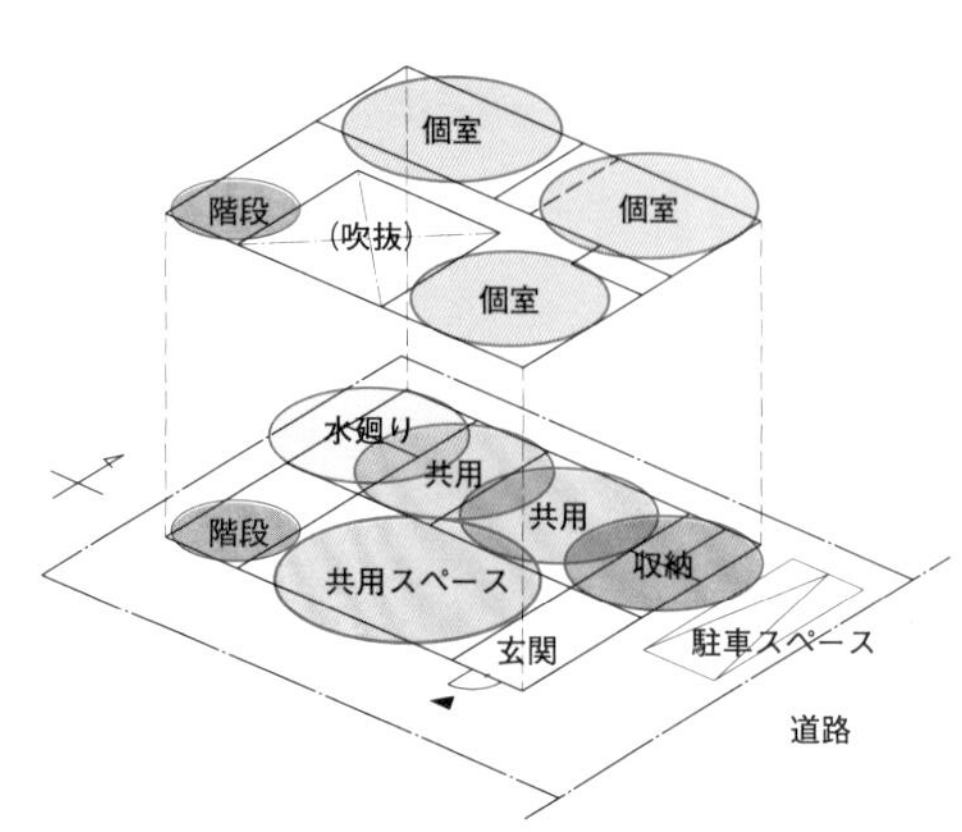

リビングの様子がわかります。

　2階は、コンパクトな寝室と子供室に対して、多目的に使用できるプレイルームを広くとり、バルコニーや吹き抜けと合わせて開放的な空間を演出しています。このプレイルームは、子供の成長に伴い、個室にすることも可能です。

　なお、2階に上がるには、必ずリビング・ダイニングを通るように階段が配置されているので、多忙な澄香さんも子供たちの様子がわかり安心です。


住まいに対する考え方は、人それぞれ千差万別ですので、間取りを考える「コレダ！」という法則は残念ながら見あたりません。しかし、間取りをあれこれ考えながら、新しい住まいのイメージを思い描くのはとても楽しいことです。

　専門知識と長年の経験をもつプロの設計者に任せるところは任せて、もっと気軽に楽しみながら、家族に合った間取りを考えてみましょう。

A
D
B
C
E
子供室
（7.5畳）
寝室
（7.5畳）
トイレ
吹抜
プレイルーム
（8畳）
バルコニー
4間＝約7.2m
5間＝約9.1m

2階平面図

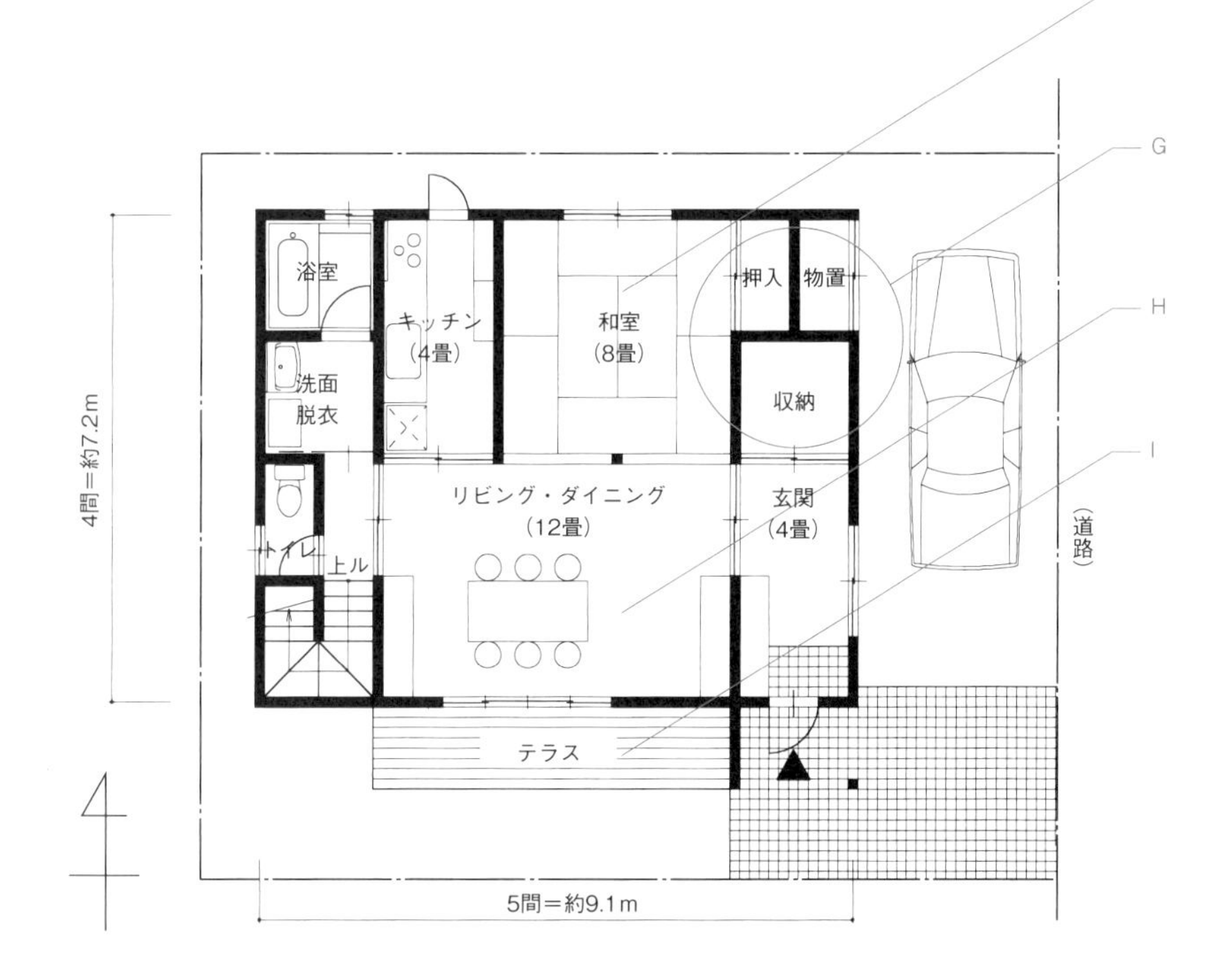

1階平面図

図10　家野家の間取り
〔2F〕
A　コンパクトにまとめた個室。その分、プレイルームを充実
B　共用スペースと個室スペース、両方にトイレがあると便利
C　子供たちの勉強やパパの趣味に。家族みんなで使えるスペース
D　吹き抜けにより、1・2階を一体化
E　広めにとったバルコニー
〔1F〕
F　和室でゴロ寝。予備室としても使用できる
G　ゆとりある収納スペース
H　大きなテーブルで食事・宿題・家事など
I　リビング・ダイニングと一体化したテラス

間取りの実例を見てみよう

さまざまな特徴をもつ間取りの実例4プランを紹介します。家族の要望や敷地の条件に合わせて間取りを考える際、ぜひ参考にしてください。

1F平面

玄関 リビング ダイニング キッチン 和室

前面道路

書斎

B1F平面

PLAN1

桜台の家

家族構成	夫婦＋子供２人
敷地面積	144.20㎡(43.62坪)
延床面積	148.11㎡(44.79坪)
B1階床面積	23.45㎡(7.09坪)
1階床面積	64.40㎡(19.48坪)
2階床面積	60.26㎡(18.22坪)
設計	櫂建築設計事務所／石田桂一郎

●PLAN1

建物に囲まれた旗竿敷地ながら、光と風を取りこんだプラン

北側を除く3方向を建物に囲まれた、旗竿敷地に建つ住宅です。敷地の北側には緑地が広がっており、リビングの北側に設けられた大きめの窓から、木々の緑を楽しめるようになっています。

リビングの南側には、1階の掃き出し窓のほか、2階吹き抜け部分にも窓を設けているので、冬でも十分な日当たりが確保されます。また、南北の窓を開けておけば、リビング全体に風が通り抜けるのです。

2階の子供室は、子供たちの独立後、他の部屋に転用する可能性を考えて、壁で区画せず、可動式の収納家具で仕切ってあります。

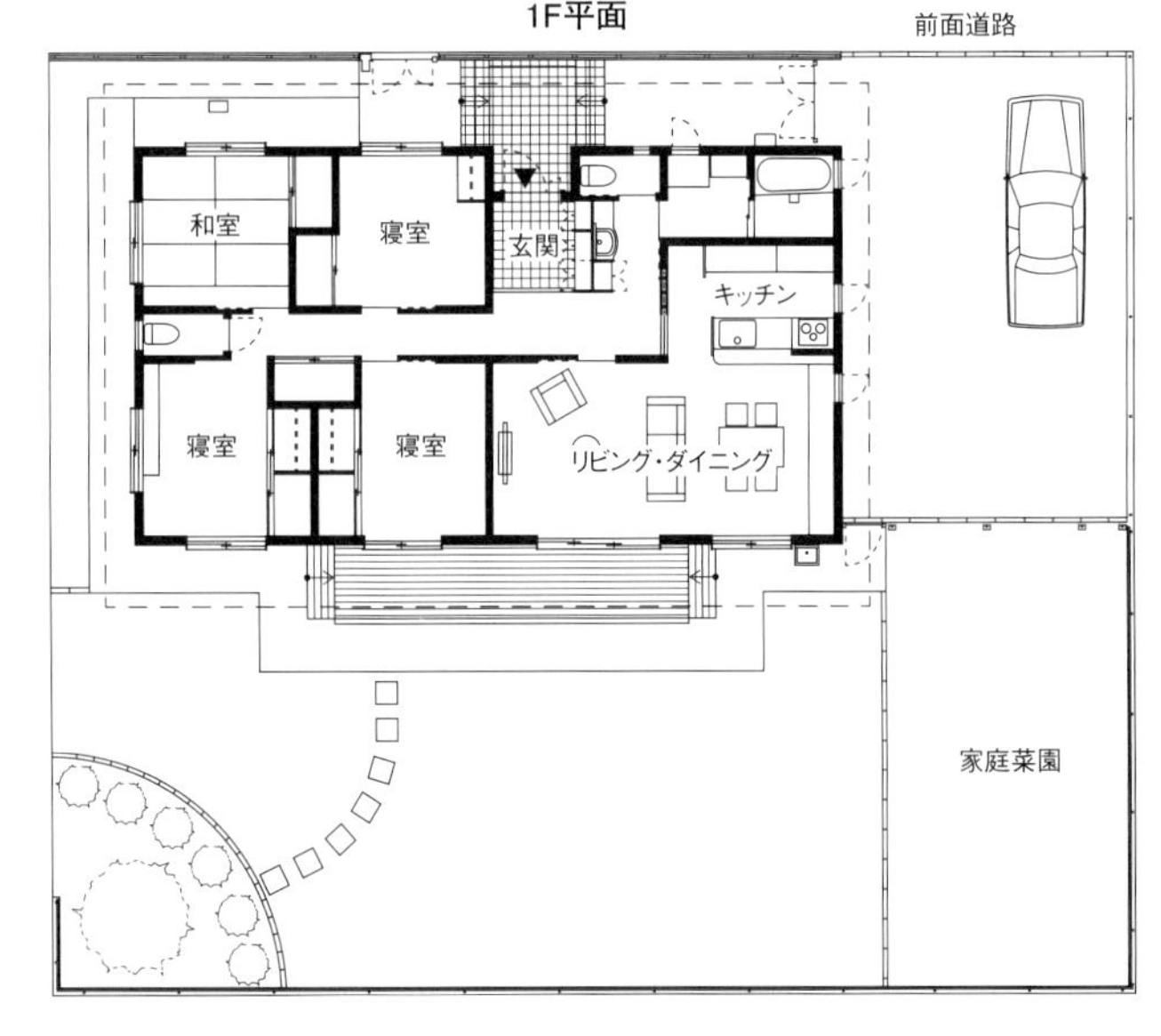

PLAN2

宇都宮の家

家族構成	夫婦+子供1人
敷地面積	431.81㎡（130.62坪）
延床面積	112.27㎡（33.96坪）
設計	深滝准一建築設計室　深滝准一

●PLAN2

広い敷地を生かした開放感あふれる平屋プラン

ご主人の定年退職に伴い、生まれ育った場所でのんびりと暮らせるよう、将来の高齢化に対応させた平屋のプランです。南側に庭を広く確保し家庭菜園や植栽を設けて、住まい手が自らの手で庭をつくれるようにしています。平面的には、パブリックな空間のリビング・ダイニングをワンルームとし、キッチンで作業していてもコミュニケーションが取れるつくりです。また、プライベート空間は家族それぞれの個室を設け、和室は来客対応用としています。内装はリビング・ダイニングの梁を露出し、勾配のついた高い天井としています。外観はシンプルな長方形とし、狭小地ではなかなか実現できない軒の出を深くして省エネ性とメンテナンス性を考慮しています。

1F平面

前面道路

2F平面

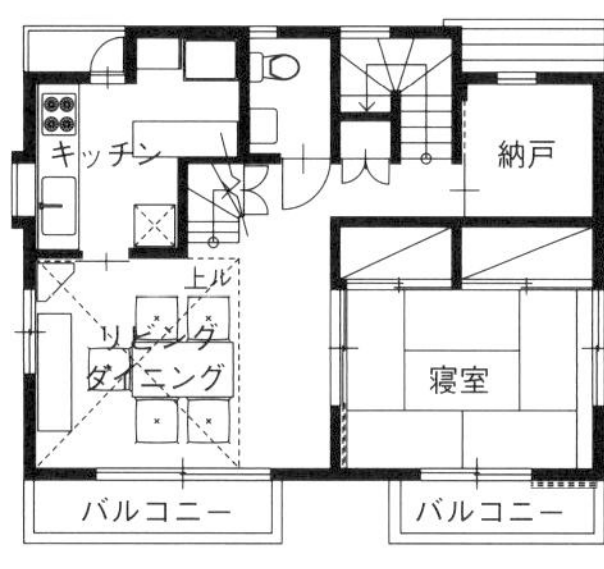

3F平面

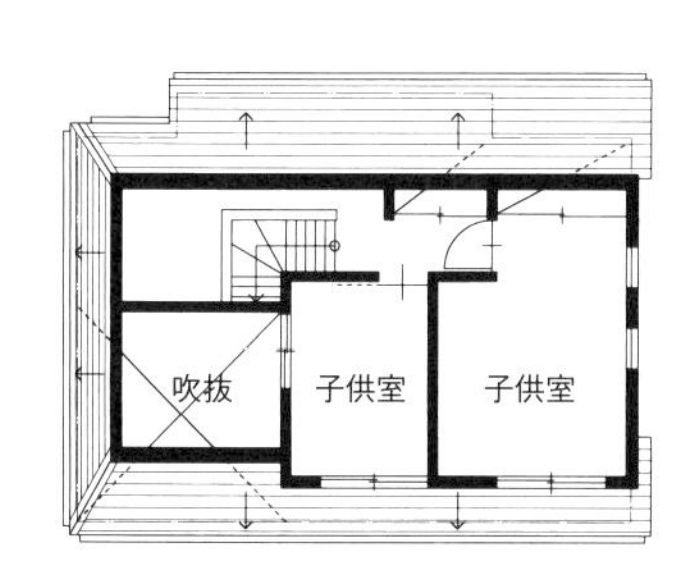

PLAN3

丸山の家

家族構成	両親＋夫婦＋子供３人
敷地面積	99.17㎡（29.99坪）
延床面積	147.68㎡（44.66坪）
1階床面積	54.45㎡（16.47坪）
2階床面積	51.69㎡（15.63坪）
3階床面積	41.54㎡（12.56坪）
設計	櫂建築設計事務所／石田桂一郎

●PLAN3

玄関と浴室・洗面脱衣室のみを共用、上下分離型の二世帯プラン

1階が親世帯の居住スペース、2・3階が子世帯のスペースという二世帯プランです。食事の好みや時間帯が異なるため、各世帯にキッチンを設置。一方、浴室は両世帯で共用していますが、時間をうまく割り振り使っています。世帯間が適当な距離を保った二世帯住宅といえるでしょう。

1階のキッチンと洗面・脱衣室は直接行き来ができるので、食事の支度の合間に洗濯をしたり、子供たちの入浴の面倒を見たりするのに便利です。また、洗面・脱衣室にある小さな勝手口はゴミ出しなどに役立っています。

2階のリビング・ダイニングの一部には吹き抜けを設け、面積的な狭さを上下の広がりで補っています。

1F平面

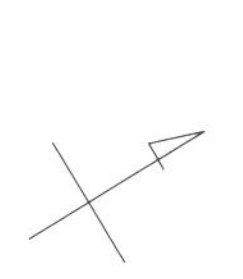

前面道路

2F平面

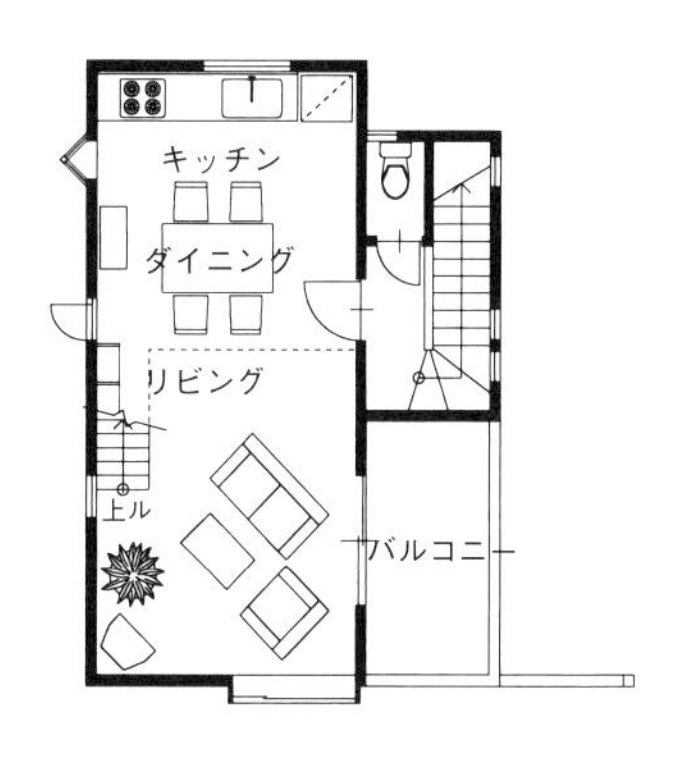

ロフト平面

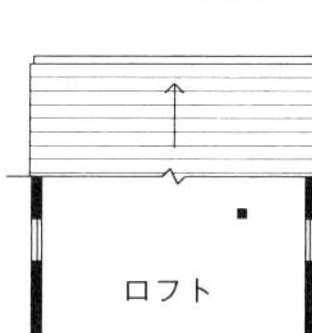

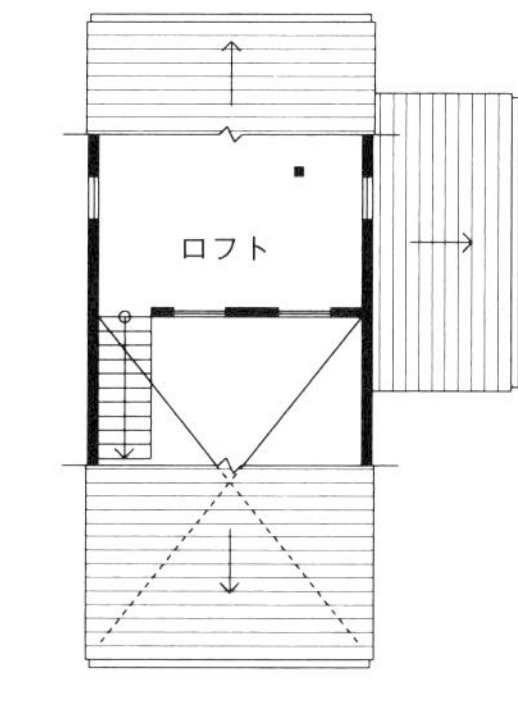

PLAN4

関前の家

家族構成	夫婦＋犬１匹
敷地面積	92.56㎡（27.99坪）
延床面積	71.50㎡（21.62坪）
1階床面積	35.75㎡（10.81坪）
2階床面積	35.75㎡（10.81坪）
設計	櫂建築設計事務所／石田桂一郎

●PLAN4

2階に共用スペースを配置した、夫婦2人の小規模プラン

夫婦2人のための最小限住宅です。敷地南側が道路に接しているので、1階は、南に面して開口部を設けることを控え、落ち着きが求められる寝室を配置しました。

2階のリビングの前には、広めのバルコニーを設置。背の高い手すり壁によって道路からの視線が遮られていますので、リビングの延長としても使えます。

キッチン・ダイニングの天井は低めに抑えてあり、その分、リビングの吹き抜けが広がりを感じさせる空間です。

なお、ロフトは、家で仕事をする奥様の専用スペースとして利用されています。

Contractor

家づくりの依頼先の選び方

家づくりの依頼先は、大きく「ハウスメーカー」「工務店」「設計事務所（建築家）」の3種類に分けられます。ここでは、それぞれの特徴と選び方のポイントを解説します。よく研究して、自分達の家づくりにふさわしい依頼先を選びましょう。

ハウスメーカー

「ハウスメーカー数社の営業さんと会ったわけですが、その中で最終的に、一番信頼できると思ったのがA社のBさん。

私達のいいたいことを正確に理解して、プランに反映してくれます。聞き落としの多い営業さんや他社の欠点をあれこれいう営業さんもいた中で、家づくりを任せられるのはBさんしかいない！とA社に決定。

その後も良い関係が続き、大満足の家づくりができました」と、ハウスメーカーで家を建てたKさん。

図1　ハウスメーカーによる家づくりのプロセス

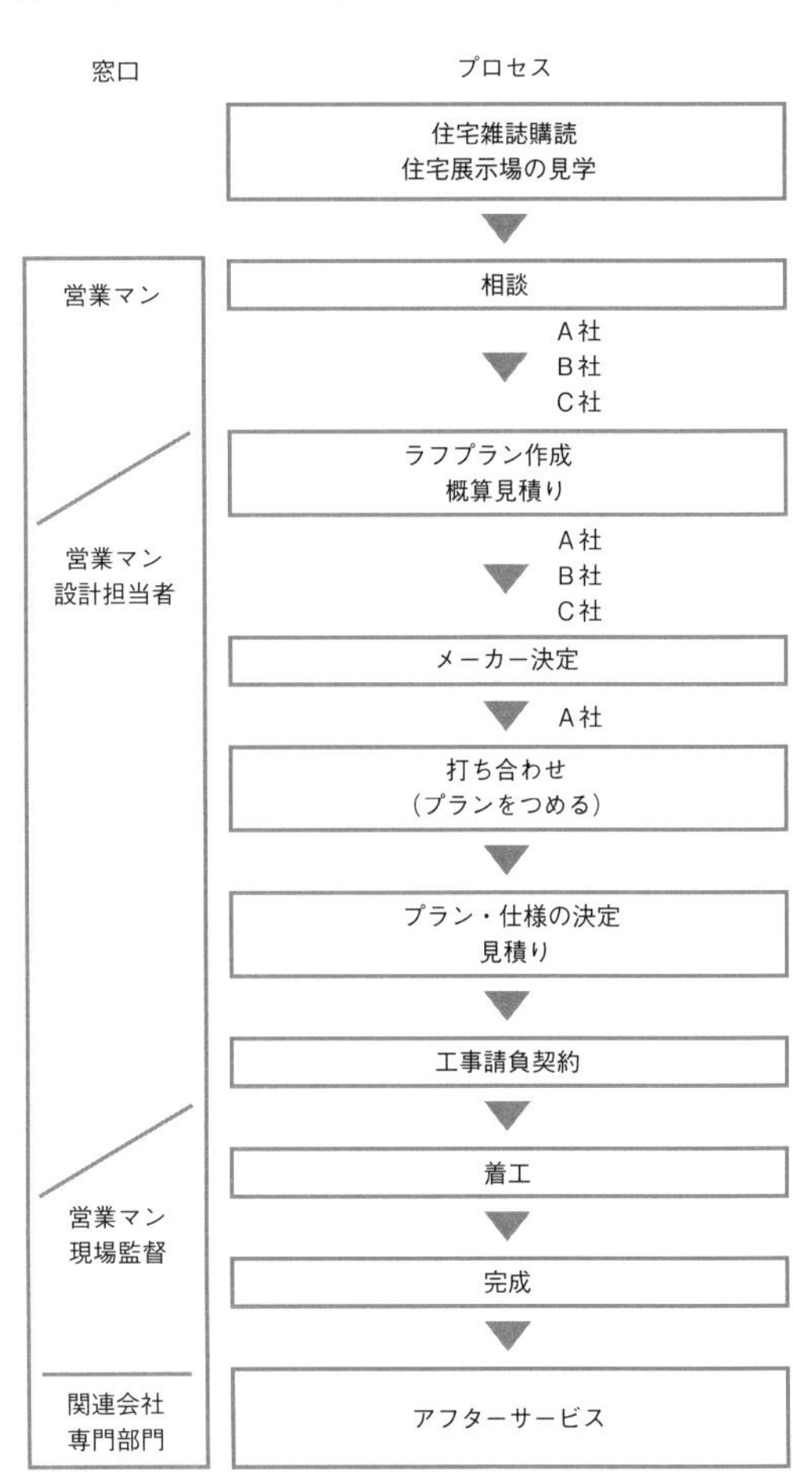

家づくりの依頼先として、まず思い浮かぶのは、日頃テレビCMなどで目にする機会の多い、大手ハウスメーカーでしょう。

ハウスメーカーとは一般に、広範囲な営業網をもつ、大手の住宅建築会社をいいます。住宅を「商品化」し、部材の生産から施工に至るまで、工場生産比率を高めシステム化を図っています。土地探しや資金計画からアフターサービスまで、家づくり全般に渡るサービスが特徴です。

全国各地の住宅展示場に建てられている「モデルハウス」では、各種のカタログが用意され、担当の営業マンが質問や相談に応じてくれます。モデルハウスに行ったことがきっかけとなり、ハウスメーカーとの家づくりを始める人も多いようです。

1・家づくりの特徴

(1) 設計・施工一貫ながら、家づくりの過程ごとに分業制

ハウスメーカーによる家づくりのプロセスは、図1のようになります。

設計、施工、アフターサービスの各過程で、担当部門が異なったり、協力会社が携わったりしますので、相談窓口あるいは責任者は誰かを確認しておきましょう。

(2) 基本的には規格化された住宅。「フリープラン」といっても・・・

ラフプランの段階では、営業マンがプランをつくることが多いようです。その後、詳細プランを検討する段階に入ると、設計担当者が加わり、細部を決めていきます。

ハウスメーカーで建てる家は、ある程度規格化された工業製品の組み合わせでつくられるので、プランに関して多少制約があることを否めません。敷地の大きさや形など、条件によっては建てられないことも。

フリープラン（自由設計）の場合でも、そのメーカーの採用する構造・工法を前提としたプランとなります。また、床・壁・天井の仕上げ材、窓やドアの建具など、ある程度決められた範囲のものから選ぶのが一般的です。

しかし、最近は、建て主の予算や好みに合わせて何種類かの商品（モデル）を展開し、間取りや仕様を幅広く取り揃えているところも多くあります。

(3) 工場生産比率を高めて工期短縮。現場工事は協力会社の腕次第？

ハウスメーカーの家づくりでは、工場生産された部材やパーツを多用するため、比較的品質は安定しています。また、現場の工事が少なく、工期が短いことも特徴です。

しかし、現場の工事を担当するのは、地元の協力工務店や下請工事会社ということが多く、これらの協力会社の技術力が施工品質に大きく関係します。メーカーの工事監理体制（工事をチェックする体制）がきちんと確立していることが望まれます。

工事について相談や質問がある場合は、現場監督か営業マンが窓口となります。

(4) 引渡後はメンテナンス担当部門が窓口。担当者とサービス内容を確認して

家を引き渡した後は、メーカーのメンテナンス担当部門や協力会社によって、定期点検やメンテナンスが行われます。

担当者が変わりますので、万一何か問題が残っている場合は、営業マンや現場監督からきちんと引き継がれているか、引き渡し前によく確認してください。

また、契約書や保証書をよく読んで、保証の内容も確認しておきましょう。

表1　ハウスメーカーの代表的な工法

工法		メーカー
木造軸組工法		アイフルホーム、木下工務店、住友林業、積水ハウス、日本ハウスHD、一条工務店、タマホーム、アキュラホーム、ユニバーサルホームなど
ツーバイフォー工法		住友不動産、東急ホームズ、三井ホーム、大東建託、スウェーデンハウスなど
プレハブ工法	木質系プレハブ	ミサワホーム、積水化学工業（セキスイハイム）、ヤマダホームズなど
プレハブ工法	鉄骨系プレハブ	積水化学工業（セキスイハイム）、積水ハウス、パナソニックホームズ、トヨタホーム、ミサワホーム、大和ハウス工業、旭化成ホームズなど
プレハブ工法	コンクリート系プレハブ	大成建設ハウジングなど

2・情報収集と選び方

住宅雑誌や新聞広告、住宅展示場など、情報を得やすいのがハウスメーカー。

表2に、ハウスメーカーに関する情報源とその活用ポイントをまとめましたので、参考にしてください。適切な情報をうまく活用し、自分の家づくりにあったハウスメーカーを選びたいものです。

3・家づくり成功へのカギ

ハウスメーカーの家づくりのカギを握るのは、**営業マン**といえるでしょう。家づくりの成否は、担当営業マンの能力と相性によるところが大きいようです。

家づくりの相談窓口である営業マンには、建て主の希望を理解し、実現できる能力が望まれます。

また、ハウスメーカーで建てる家はシステム化されているとはいえ、そのほとんどは、工場生産された部材を、図面に合わせて現場で組み立てていく「一品生産品」です。これに係わる多くの協力会社の人々をハンドリングする力量も問われるのです。

表2　ハウスメーカー選びの情報源

情報源	活用ポイント
住宅雑誌	■ 商品情報や施工事例をチェックします ■ 施工事例には、写真の他に間取り図と、床面積などの基礎データが掲載されていることが多いので、自分の家づくりの参考にしましょう
住宅展示場	■ 実際の生活を念頭におきながら、空間や使い勝手を体感しましょう ■ ただし、住宅展示場は広い敷地に最高のグレードで、理想的に建てられています。自分の予算や条件に合わせて冷静に判断してください ■ また、家具やカーテン、小物などがセンスよくコーディネイトされていて、ついつい目が行きがちですが、これは住宅の質とは無関係。これらの装飾を除いた、住宅そのものをチェックしてください ■ 営業マンがさまざまな質問に応じてくれますので、警戒しすぎずに接してみましょう。このとき、営業マンの人柄や対応の姿勢もチェックしましょう
カタログ	■ 商品の詳細な情報をチェックします。特に、標準仕様の内容と、その場合の本体工事費は必ず確認しましょう ■ カタログには住宅展示場の写真が使われる場合が多く、標準以外の仕様や設備が掲載されていることがあります。それが、どのグレードのどんな仕様かを十分理解するとともに、標準仕様の内容も把握しておく必要があります
インターネット	■ ハウスメーカーのホームページでは、会社情報や商品情報を調べることができます ■ 家づくりのノウハウを掲載したり、Q＆Aコーナーを開設するなど、各社工夫を凝らしたホームページが増えています ■ 現場見学会やオープンハウス（内覧会）、セミナーの情報も掲載されていますので、上手に活用してください ■ 最近では、YouTubeやInstagramなどSNSを活用した情報の発信も増えており、動画で詳細を確認することができます ■ 個人の発信する情報には誤った情報も含まれる場合がありますので、慎重に判断してください

工務店

「選んだのは、地元のＣ工務店。木造在来工法の老舗で、大工さんの腕もしっかりしていると評判もいいみたい。１００％注文住宅であるということも気に入った理由でした。工事の間にはちょっとした手配ミスもあったのですが、対応が早いので、大きな問題にならずに済みました」と、工務店で家を建て替えたＳさん。

工務店とは一般に、営業網を比較的狭い地域に限定し、地域に密着した建築会社をいいます。

工務店の数は非常に多く、その規模は、社長兼大工といった小規模経営から、従業員が数百名というところまで、大小さまざまです。このうち大半を占めるのは、社長と数名の大工、そして事務員というような、小規模経営の工務店。小規模ならではの機動力と細かな対応が特徴です。

最近では、多様化する住まいのニーズに応えるために、新技術を導入して品質や性能の向上を図ったり、設計や提案にも力を入れるところが増えているようです。

1・家づくりの特徴

(1) 設計から施工まで一貫した家づくり

工務店には、設計から施工まで一貫して家づくりを依頼することができます。

この場合に注意したいのが、工事監理の体制。監理は、工務店の監理担当者や現場監督が行いますが、施工者に都合のよいチェックになっていないか確認しましょう。

(2) 木造在来軸組構法を中心に、建て主の希望に合わせた自由なプラン

一般に、伝統的な木造在来軸組構法を得意とする工務店が多いようです。基本的には自由設計が主体の家づくりで、建て主の希望や条件に合わせて設計します。

しかし、デザインや見栄えについては、工務店側の施工のしやすさが優先してしまうことも。デザインにこだわりがある場合は、写真を見せるなどして、具体的に希望のイメージを伝えることが必要です。

(3) 地元工務店ならではの対応の早さ

地元の工務店であれば、何か困ったことがあった場合にも素早い対応が期待できます。また、入居後のメンテナンスについて、気軽に相談できるというメリットも。

身近で信頼できる工務店を選び、末永くお付き合いしていきたいものです。

2・情報収集と選び方

地域密着型の工務店を支えるのは、地元の評判といっても過言ではありません。

その地域で長年営業し、実績のある工務店ならば、ひとまず信頼できるといえます。

工務店の会社案内などを見て、業務経歴を確認してみてください。また、何件か実際の物件を見て、住んでいる人の話を聞いてみましょう。

工事途中の現場もチェックしたいものです。ゴミの始末や駐車のしかた、資材や器具の置き方などで、その工務店の家づくりに対する姿勢が見えてきます。

それでも不安な場合は、役所を利用しましょう。各都道府県の建築指導担当部署では、建設業者の登録台帳を閲覧することができ、業務経歴や資本金が分かります。

このほか、㈶住宅保証機構の「住宅完成保証制度」に登録している工務店かどうか確認してみるのもよいでしょう。この制度は、工事途中で工務店が倒産した場合に代替業者が引き継ぎ、家を完成させるというもの。この制度に登録している工務店であれば、さらに安心です。

3・家づくり成功へのカギ

一概に工務店といっても、社長兼大工といった小規模経営から、従業員が数百名というところまで、その規模には大きな幅があります。どんな規模であっても、工務店の家づくりのカギは、やはり、**施工の技術力**といえるでしょう。

また、工務店といっても、その会社がすべての工事を担当するわけではありません。木工事（柱・梁など家の骨組み）と造作工事（木材を使った仕上げ）を除き、基礎、水まわり設備、屋根など、すべて各専門工事会社が請け負います。それら職方を取り仕切り、統率する大工棟梁としての力量も重要です。

Contractor

設計事務所（建築家）

『建築家』に頼んで、こだわりの家をつくりたい。これが昔からの夢でした。

ツテも何もなかったのですが、住宅雑誌に載っていたある建築家の住宅写真が気になり、話を聞きに行ったのがきっかけです。

何回か話をするうちに、デザインやコスト、住まいに対する考え方に共感、設計をお願いすることにしました。結局、完成までに、30回以上打ち合わせを重ね、大満足の家ができました」と、Tさん。

設計事務所とは一般的に、一級建築士、または二級建築士、木造建築士の有資格者が運営する事務所のことで、施工会社（ハウスメーカーや工務店）から独立した立場で、設計と工事監理を専門に行います。

なお、一般には、事務所を運営する建築士のことを「建築家」と呼ぶようです。

1・家づくりの特徴

（1）設計と施工は完全分離。工事監理は建築士に任せて！

設計事務所との家づくりの場合、設計事務所が設計を行い、施工は別途、工事請負契約を結んだ工務店が行います。設計と施工が別々の契約に基づき、完全に分離して行われるわけです（図2）。施工を担当する工務店は、建て主自身が直接指定することも可能ですが、多くの場合、設計事務所が手配してくれます。

また、設計事務所には工事監理を委託することも可能です。工事監理は、家の完成度を左右する重要な仕事。第三者の立場で、工事を厳しくチェックしてくれる設計事務所は心強い存在です。

（2）敷地条件、予算、法規制など厳しい条件にも柔軟な対応

設計事務所との家づくりは、100％オーダーメイドです。建て主と話し合いを重ね、さまざまな要望を聞いた上で、専門家としてのノウハウを駆使した具体的なプランをつくっていきます。

特に、変形狭小敷地などの厳しい条件下では、最も頼りになる存在でしょう。「素人では思いもよらない、斬新な解決策が提案された」という話はよく聞かれます。

とはいっても、設計事務所によって作風も考え方もさまざまなので、自分の考えや好みにあった人を選ぶことが大切です。

なお、家づくりの期間は、余裕をもって、少なくとも1年程度みておきましょう。

2・情報収集と選び方

なかなか知り合う機会がなく、敷居が高いという印象のある、設計事務所。

表3の情報源を参考に、気にいった家が見つかったら、気軽に事務所に連絡を。実際に会って話をしたり、過去の作品を見せてもらったりしましょう。焦らず、じっくりと自分に合うか判断してください。

図2　設計事務所（建築家）との家づくり

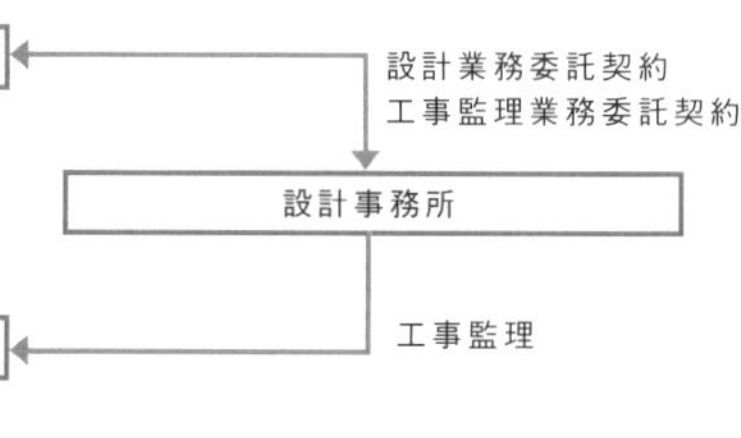

表3　設計事務所（建築家）選びの情報源

情報源	活用ポイント
住宅雑誌 住宅・建築専門誌	■ 住宅写真や記事を見て、作風や家づくりの考え方をチェックしましょう
インターネット	■ 設計事務所が開設するホームページには、過去の作品や、家づくりに対する考え方が掲載されていることが多いので、得意分野や作風、考え方をチェックすることができます ■ 現場見学会やオープンハウス（内覧会）の情報も積極的に活用しましょう ■ その他、「設計コンペ」などを開催し、設計事務所と建て主を仲介するホームページやプロデュース会社もあります。上手に活用すれば、自分に合った設計事務所を選ぶための有効な手段と言えるでしょう ■ YouTubeやInstagramなどSNSで事例を確認できるところも増えているので上手に活用しましょう
その他	■ 地元の設計事務所を探す場合、各地の建築家協会や各県の建築士会に問い合わせてみる方法もあります

3・家づくり成功へのカギ

設計事務所の技術力にはかなり幅があり、そのデザイン傾向や住宅に対する考え方もさまざまです。設計事務所にとっての技術力とは、工務店とは多少異なり、建て主が希望する住宅性能を実現する設計力と工事監理の能力といえるでしょう。

設計事務所の家づくりのカギは、**『デザインや考え方の相性』**と**『設計力・工事監理能力』**といえます。設計の意図通りに工事が行われているか監理する能力は、住宅の質を高める上で特に重要です。

依頼先選びのチェックポイント

最後に、依頼先選びのチェックポイントをまとめます。依頼先を決定する際、1つの判断材料としてください。

●希望のイメージにあった設計・施工をしてくれそうですか？

家づくりに対する考え方や価値観は十人十色。その中で自分の希望に合った設計や施工をしてくれる依頼先を見極めることが重要です。依頼先の営業マンや設計者は、あなたが希望するイメージを理解してくれていますか？

●何でも相談できる信頼関係を築くことができますか？

こちらの希望や考えを十分に聞いてもらい、満足のいく家にしたいもの。そのためには、何でも相談できる依頼先を選ぶことです。家づくりの相談窓口である営業マンや設計者の対応に満足していますか？　信頼関係を築いていけそうですか？

●工事監理がきちんと行われる体制が整っていますか？

工事監理は非常に大切な仕事で、家の完成度を左右するといえます。特に、ハウスメーカーや工務店の場合、設計と施工を一貫して請け負いますので、監理者が独立した立場で工事をチェックできる体制かどうか、きちんと確認しましょう

コラム 毎日の暮らしやすさが災害時の支えになる「フェーズフリー」

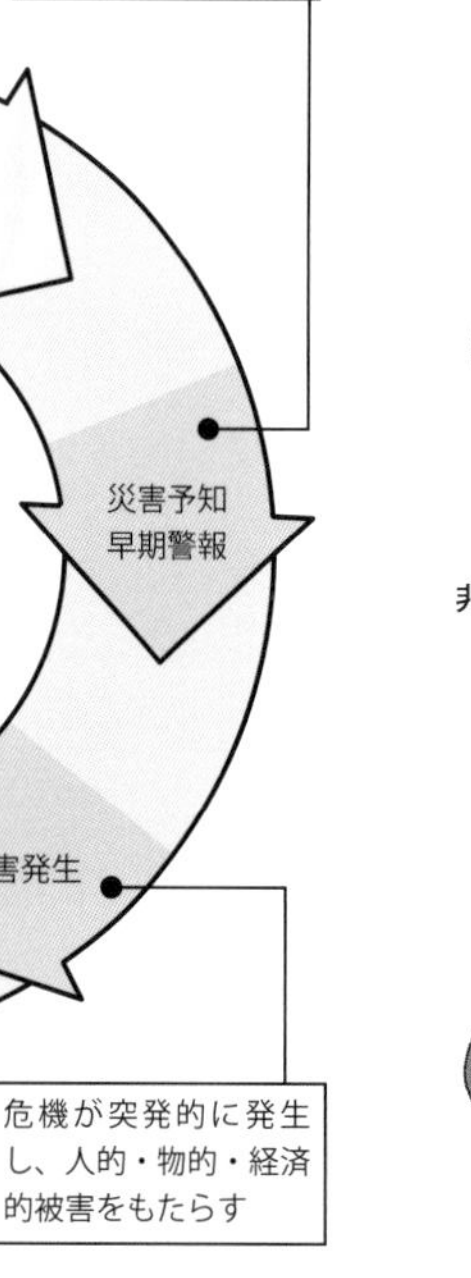

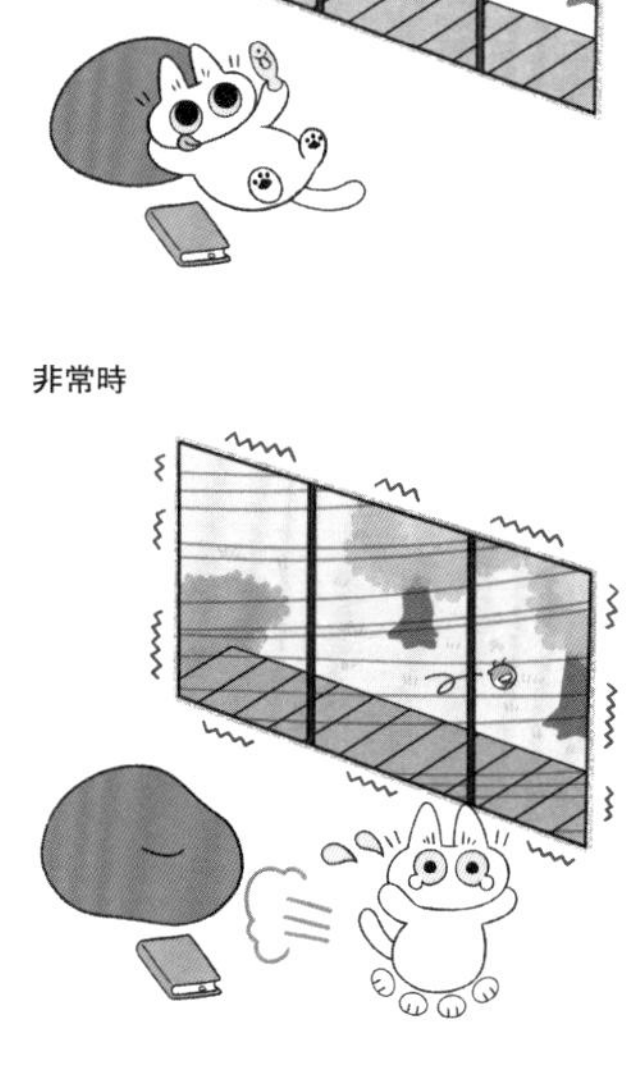

災害大国の日本。近年、大震災や大型台風などにより、多くの被害が発生しています。防災意識は高まっているものの、突発的な事象に常時対応できる状態にしておくことは難しいものです。そこで「フェーズフリー」の考え方を取り入れることで、災害への備えを常に意識し続けなくても、使い慣れた暮らしや住まいが、そのまま非常時にも役立つ環境を作り出せると考えます。

フェーズフリーとは

私たちは、平穏な日常と非常時のサイクルの中で生活しています。フェーズフリーとは、日常時・非常時といった社会概念にとらわれず、適切な生活の質を確保しようとする考え方です。もしもの時だけでなく、いつもの生活の質までをも向上させるのがフェーズフリーの考え方で、日常時・非常時の垣根なく私たちの生活のあらゆるシーンが快適になるということなのです。

フェーズフリー住宅で快適に暮らす

毎日の暮らしそのものが「もしも」の支えになるフェーズフリー住宅。災害対応のサイクルに応じて計画することで、フェーズフリー住宅の実現につながります。

①災害予知・早期警報（開放感のある住まい）
窓の配置や間取りの工夫で、視界が外に開かれたつくりとする。平常時は四季や天気の移り変わりを意識しながら心地よく暮らし、非常時は外の様子から危険を察知しやすい。

②災害発生（じゃまのない住まい）
生活動線上に収納を設けることで整頓しやすくなり、パントリーは備蓄品のローリングストックにも有効。大型家具を置かずに済むので、家具の転倒による事故の心配が軽減される。

③被害評価（健康状態が見える住まい）
床下や天井裏、配管などを見えやすいつくりとする。建築主自身が傷み具合を把握できれば、普段からメンテナンスがしやすく、非常時はライフラインの状態などを確認しやすい。安全な場所へ避難すべきか、在宅避難とすべきかの判断材料にもなる。

④災害対応（回遊性のある住まい）
動線に回遊性があると、動きやすく家事もしやすい。光や風も採り入れやすく、災害時には多方向への避難が可能。玄関以外に、避難にも利用できる掃出し窓などを設けるとよい。

⑤復旧・復興（アウトドアを取り入れた住まい）
ランタンやストーブ、カセットコンロなどのアウトドア用品を暮らしに取り入れると、ライフラインが止まった場合も食事の用意などができ、生活の質を低下させずに過ごせる。

NPO法人フェーズフリー建築協会
風祭千春

Request

新しい住まいへの要望をまとめよう

新しい住まいに対する家族全員の要望を整理して、営業マンや建築士にきちんと伝えることができれば、家づくりの成功へ向けて一歩前進したといえるでしょう。

ここでは、新しい住まいへの要望を、次の3つのステップで整理します。

STEP 1 現在の家族の生活を見直してみよう（チェックシート①～⑤）

STEP 2 現在の住まいの不満を整理してみよう（チェックシート⑥）

STEP 3 新しい住まいへの要望をまとめよう（チェックシート⑦～⑫）

それぞれのステップで必要な情報が整理できるチェックシートを用意しましたので、このシートを使って、実際に要望をまとめていきましょう。

1・現在の家族の生活を見直してみよう

住まいとは家族の生活の場です。家族の生活の実態を知り、それに合わせて住まいを考えることはとても大切です。

家族全員が快適に暮らすことのできる住まいをつくるために、まず、現在の家族の生活を見直してみましょう。

〈チェックシートの使い方〉

①家族の生活スタイル

普段の生活の様子を1人ずつ記入しましょう。家族全員のシートを比べてみると、食事や就寝時間のズレ、休日の過ごし方の違いなどが、改めてはっきりするはずです。

②家族の団らん・食事のスタイル

リビングやダイニングなど、家族のコミュニケーションの場を検討する際に参考となる項目です。家族全員で話し合いながら記入してください。

③接客について

接客スペースを考える際に参考になる項目です。過去1年間を振り返り、どれくらいの来客があったか、どこで接客したかをまとめておきましょう。

④ペットについて

⑤車について

ペットや車についても、忘れずに記入しておきましょう。

2・現在の住まいの不満を整理してみよう

家を建てようとする理由の一つには、現在の家に対する不満（使い勝手の悪さ、収納スペースの不足など）がありませんか？そこで、新しい住まいへの要望をまとめる前に、現在の家に対する不満や改善したい点を洗い出しておきましょう。

〈チェックシートの使い方〉

⑥現在の住まいの不満

部屋ごとに不満や改善したい点を洗い出します。家族全員で意見を出し合って、どんどん書き込んでいきましょう。

欄外に各部屋のチェックポイントをまとめましたので参考にしてください。

3・新しい住まいへの要望をまとめよう

いよいよ新しい住まいへの要望をまとめていきます。これまでに記入したチェックシートを見ながら、家族全員で話し合い、要望をまとめていきましょう。

〈チェックシートの使い方〉

⑦家づくりの計画概要

ここでは、予算や入居希望日など家づくりの前提となる事項を記入しておきます。

⑧住まい全体に関する要望

外観や内観（インテリア）のイメージなど、住まい全体に関する要望を整理します。住宅雑誌など、希望のイメージを表す資料があれば、誌名や掲載ページを記入しておきましょう。

⑨部屋別の要望

ステップ1と2で記入した、チェックシート①～⑤（現在の家族の生活）と⑥（現在の住まいの不満）を参照しながら、部屋ごとに要望事項を記入します。

優先して実現したい要望事項については、赤ペンなどで印をつけておきましょう。

⑩屋外の希望事項

部屋別の要望事項と同様、車庫や庭についてもまとめておきましょう。

⑫新しい住まいで使う家具

「使用する予定の家具が、新しい住まいに入らない！」、そんな失敗を犯さないように、使用する家具とそのサイズを整理しておきましょう。現在の住まいから持ち込む家具と新たに購入する家具、両方とも記入してください。

これまでに記入したチェックシート①～⑫を依頼先の担当者（営業マンや設計者）に見せながら、新しい住まいへの要望をもれなく伝えるようにしましょう。

現実には、敷地や予算の制限があり、全ての要望を満たす家を建てることは難しいかもしれません。しかし、こちらの要望をきちんと担当者に伝えていれば、プロの専門知識や経験を活かした、最善のプランを提案してくれるはずです。

平日	休日	平日	休日	平日	休日

③ 接客について

来客の頻度	月（　　　　　　）回ぐらい
接客の場所はどこですか？	□客間　□居間　□その他（　　　　　　　　　　）
専用の客間は必要ですか？	□必要　□必要ではない　□その他（　　　　　　　　　　）

④ ペットについて

ペット	□有（種類：　　　　　　　　　）　□無
ペットの居住環境 （どこで、どのように飼っていますか）	

⑤ 車について

車種		所有台数	

ステップ１：現在の家族の生活を見直してみよう

① 家族の生活スタイル ※記入欄が足りない場合はコピーしてお使い下さい。家族全員が記入するようにしましょう。

名前・年齢					
続柄					
職業・学校					
生活パターン	起床時間	平日	休日	平日	休日
	朝食の時間				
	夕食の時間				
	入浴の時間				
	就寝時間				
	平日の夕食後の過ごし方 （どこで、何をしますか）				
	休日の過ごし方 （どこで、何をしますか）				
趣味・習いごと					
新しい家への夢や希望					
備考 （将来の独立の予定など）					

② 家族の団らん・食事のスタイル

家族団らん	家族団らんの時間	週（　　　　）日ぐらい （時間帯：　　　　　　　）
	家族団らんの過ごし方 （どこで、何をしますか）	
食事	家族一緒の食事の頻度	週（　　　　）日ぐらい 具体的には：　□朝食　□昼食　□夕食　□休日

寝室	現在の広さ　（　　　　　　　　畳）	
	不満点・改善したい点	□広さは十分ですか？ □睡眠を妨げるような問題点はありませんか？ □収納スペースは十分ですか？ □コンセントや照明スイッチの数や位置に不満はありませんか？
子供室	現在の広さ　（　　　　　　　　畳）	
	不満点・改善したい点	□広さは十分ですか？ □日当たりや風通しなど、居住性に不満はありませんか？ □収納スペースは十分ですか？
浴室	現在の広さ　（　　　　　　　　畳）	
	不満点・改善したい点	□広さは十分ですか？ □位置に不満はありませんか？ □設備機能に不満はありませんか？ □ミストサウナ □浴室暖房乾燥機
洗面・脱衣所	現在の広さ　（　　　　　　　　畳）	
	不満点・改善したい点	□広さは十分ですか？ □位置に不満はありませんか？ □設備機能に不満はありませんか？ □収納スペースは十分ですか？
トイレ	現在の広さ　（　　　　　　　　畳）	
	不満点・改善したい点	□広さは十分ですか？ □位置に不満はありませんか？ □設備機能に不満はありませんか？

ステップ２：現在の住まいの不満を整理してみよう

⑥ 現在の住まいの不満 ※記入欄が足りない場合はコピーしてお使い下さい。家族全員が記入するようにしましょう。

玄関	現在の広さ　（　　　　　　　　　畳）	
	不満点・改善したい点	□広さは十分ですか？ □下駄箱などの収納スペースは不足していませんか？
リビング	現在の広さ　（　　　　　　　　　畳）	
	不満点・改善したい点	□空間(面積、高さ)にゆとりがあり、くつろげるスペースになっていますか？ □日当たりや風通し、眺望など、居住性に不満はありませんか？ □テレビ
ダイニング	現在の広さ　（　　　　　　　　　畳）	
	不満点・改善したい点	□広さは十分ですか？食卓まわりのスペースに余裕はありますか？ □リビングやキッチンとのつながりに不満はありませんか？
キッチン	現在の広さ　（　　　　　　　　　畳）	
	不満点・改善したい点	□キッチンの使い勝手に不満はありませんか？ □ダイニングとのつながりに不満はありませんか？ □収納スペースは十分ですか？ □コンセントの数や位置に不満はありませんか？
書斎	現在の広さ　（　　　　　　　　　畳）	
	不満点・改善したい点	□広さは十分ですか？ □必要設備を設置するスペースは確保できていますか？ □日当たりや風通しなど、居住性に不満はありませんか？

キッチン	広さ　（　　　　　　）畳	
	ダイニングとのつながり方	□一体型（ＤＫ）　□独立型（Ｄ・Ｋ）
	要望事項	
	ほしい設備・機器	
書斎	広さ　（　　　　　　）畳	
	要望事項	
寝室	広さ　（　　　　　　）畳	
	付属する部屋の希望	□ウォークインクロゼット　□納戸　□テレビ（8K・4K） □その他（　　　　　　　　　　）
	要望事項	
子供室 **（名前：　　　　　）**	広さ　（　　　　　　）畳　□個室　□共用（　　　人）	
	要望事項	
	子供の独立後など、 将来の予定	
（　　　　　　）	広さ　（　　　　　　）畳　□洋室　□和室	
	要望事項	
（　　　　　　）	広さ　（　　　　　　）畳　□洋室　□和室	
	要望事項	
（　　　　　　）	広さ　（　　　　　　）畳　□洋室　□和室	
	要望事項	

ステップ3：新しい住まいへの要望をまとめよう

⑦ 家づくりの計画概要

希望依頼先	
建築予算	建築予算　（　　　　　　）万円
入居希望日	入居希望日　（　　　　　）年（　　　　　）月（　　　　　）日頃 その理由：

⑧ 全体に関する要望

希望の 外観イメージ	外観イメージ（参考資料がある場合は、誌名、号、ページなどを記入しましょう）
	庭やアプローチのイメージ（参考資料がある場合は、誌名、号、ページなどを記入しましょう）
希望の 内観イメージ	内観イメージ（参考資料がある場合は、誌名、号、ページなどを記入しましょう）
住まいで重視する ポイント	（A＝かなり重要、B＝やや重要、C＝それほどでもない、D＝わからない　を記入してください） （　　）外観　（　　）インテリア　（　　）設備・機器 （　　）省エネ性能　（　　）健康・自然素材　（　　）バリアフリー （　　）耐久性　（　　）家相　（　　）コスト （　　）その他（具体的に：　　　　　　　）

⑨ 部屋別の要望 ※記入欄が足りない場合はコピーしてお使い下さい。家族全員が記入するようにしましょう。

玄関	広さ　（　　　　　）畳	
	要望事項	
リビング	広さ　（　　　　　）畳	
	要望事項	
ダイニング	広さ　（　　　　　）畳	
	リビングとのつながり方	□一体型（LD）　□独立型（L・D）
	要望事項	

⑫ 新しい住まいで使う家具

※記入欄が足りない場合はコピーしてお使い下さい。家族全員が記入するようにしましょう。

	名称	サイズ（幅 × 奥行 × 高さ）	備考（色、設置場所など）
リビング			
ダイニング			
キッチン			
書斎			
寝室			
子供室 （名前：　　　　）			
（　　　　　）			
（　　　　　）			

■ 記入例

子供室 （ 長男 ）	学習机、イス	1000×675×1200（mm）	
	洋服ダンス	650×600×1200（mm）	●ダークブラウン ●下部に引き出し有り
	ベッド	約2000×1000×450（mm）	（新規購入）

新しく購入する家具も記入しておきましょう

収納家具については、扉の開け方や引き出しの有無も記入しましょう

浴室	広さ　（　　　　　　　）	
	要望事項	
	ほしい設備・機器	
洗面・脱衣所	広さ　（　　　　　　　）	
	要望事項	
	ほしい設備・機器	
トイレ	広さ　（　　　　　　　）	
	要望事項	
	ほしい設備・機器	□洋式　□自動洗浄機能 □その他（　　　　　　　　　　　　）

⑩ 屋外の要望事項

車庫	台数	
	要望事項	
外構・エクステリア	植えたい花や樹	
	ほしい庭の設備	□物干し　□物置　□屋外照明　□自転車置き場 □その他（　　　　　　　　　　　　）
	要望事項	
その他、 ペットへの配慮など		

⑪ その他、新しい住まいに対する夢、希望することを自由に記入して下さい

コラム——耐震・免震・制振の違い

図1　耐震・免震・制振の特徴

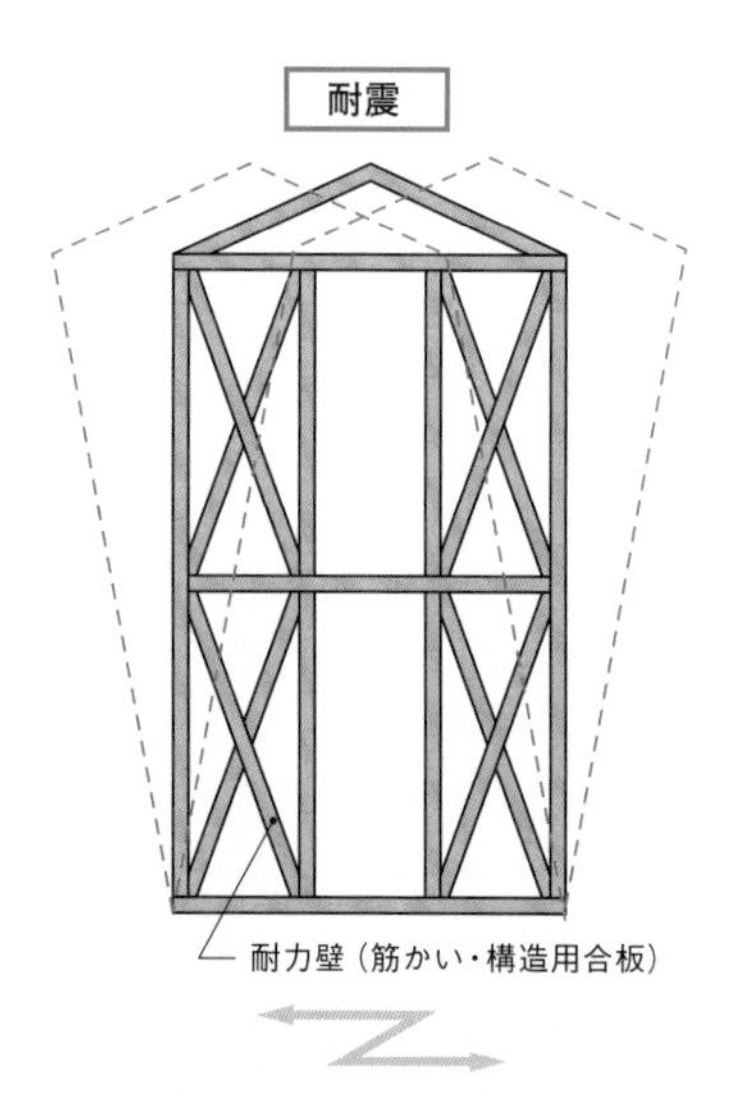

壁量を増やしたり、接合部を強固にして、建物自体の強度で地震に耐える

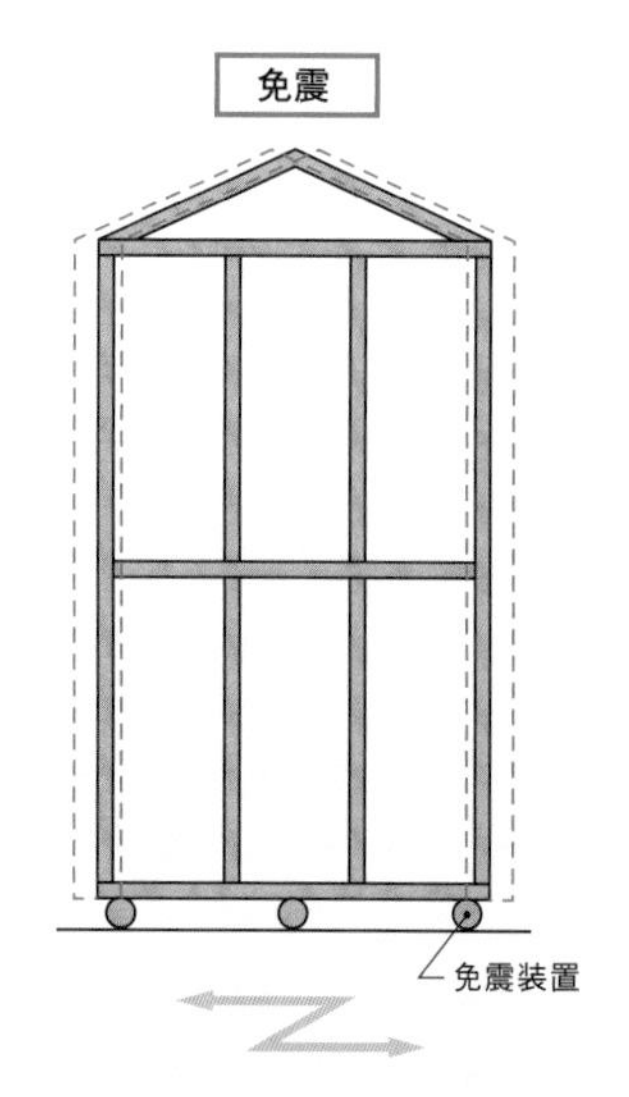

基礎と建物の間に免震層を設け、地震の揺れを受け流す

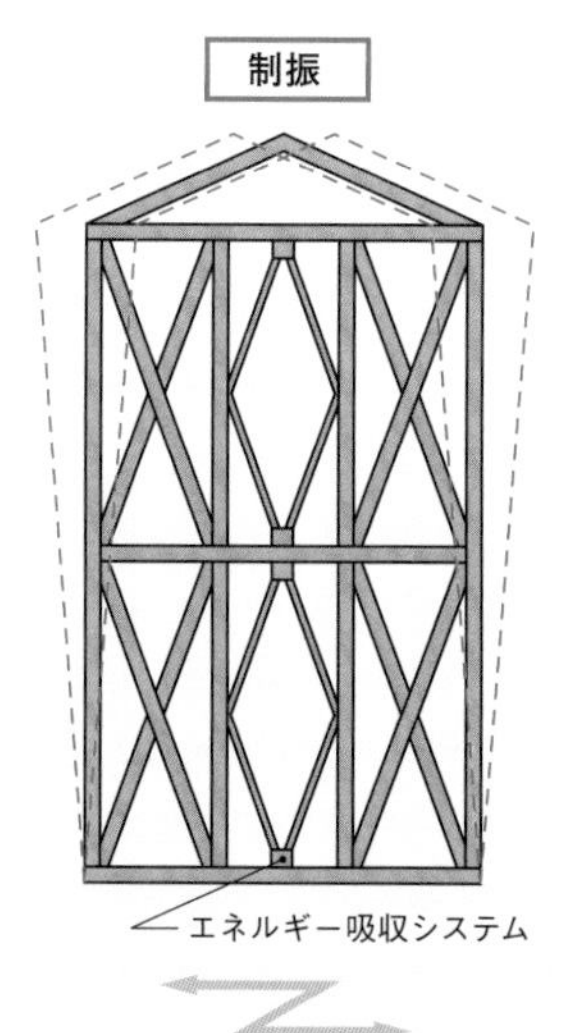

壁に専用装置を装着して、地震の揺れを吸収し、建物の変形を抑える

図2　免震住宅の構造と装置

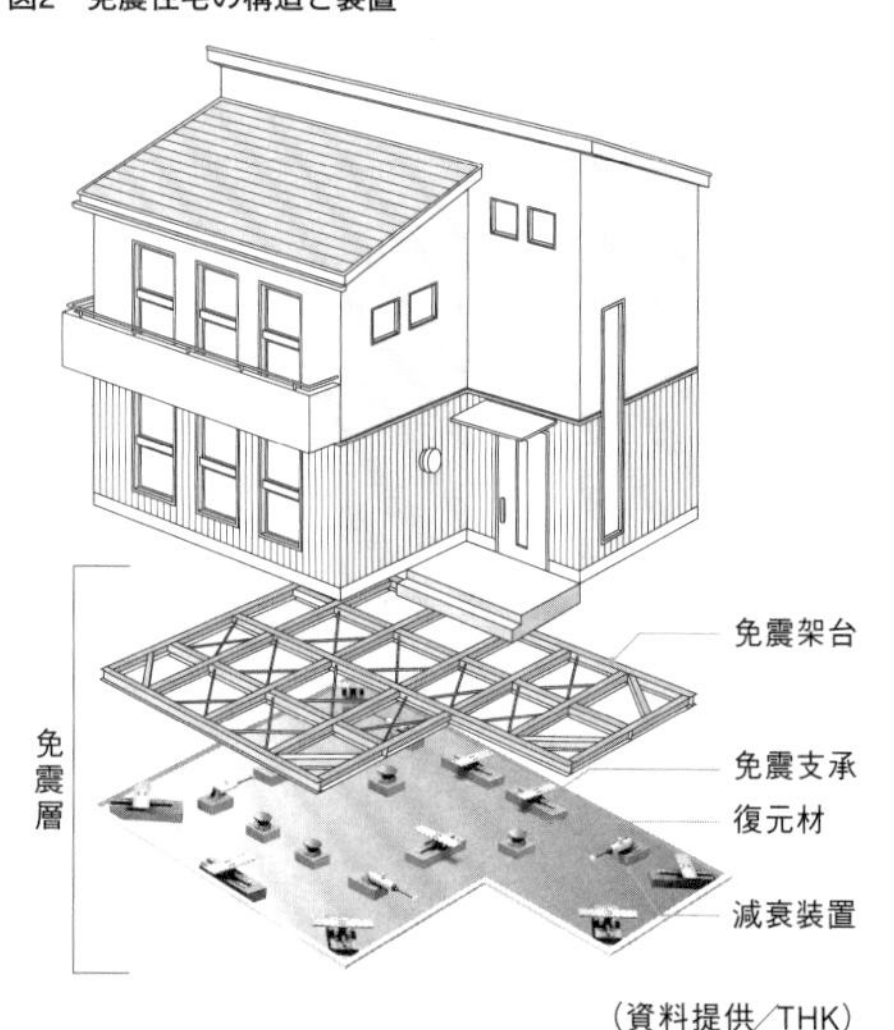

（資料提供/THK）

免震層とは、基礎の上に設置する免震装置と免震架台のこと。免震装置は、免震支承（住宅の荷重を支えながら水平方向に動く）と、減衰装置（急激な動きによる衝撃を吸収する）、復元材（地震時に動いた住宅が元に戻るように促す）の3つで構成される。免震架台には、H形鋼や集成材が使用される

住まいを地震から守る仕組みは現在、大きく「耐震」「免震」「制振（制震）」の3つに分けられています（図1・表）。

表　耐震・免震・制震の効果

	耐震	免震	制振
敷地の余裕	不要	要	不要
地盤の条件	なし	あり	なし
地震時の揺れ	大	小	中
耐風性能	中	不利	有利
コスト	低	高	中
メンテナンス	不要	要	不要
大地震後の修復費	多	少	少
家具転倒の可能性	高	低	中

建物を丈夫にする耐震

建物全体を丈夫にして、地震や強風に耐えるようにするのが、**耐震**です。木造在来軸組工法の場合は、建築基準法施行令にもとづいて耐力壁をバランスよく配置します。また、鉄骨造やRC造でも、柱と梁で構成されている建物は、接合部（仕口）を強固にしたり、斜め材を付加して全体を強くします。

揺れを逃す免震

地盤（基礎）と建物を切り離し、地震の揺れを建物に伝わりにくくしたものが、**免震**です。建物と基礎の間に球状の物やスライドレール、積層ゴムなど建物の荷重を支持しながら水平方向に動く装置（免震装置：アイソレータ）と、その動きを自動車のショックアブソーバのように吸収する装置（減衰装置：ダンパー）を設け、地盤が動いても建物は追随しないようにします（**図2**）。これまでは病院や公共施設などに用いられてきましたが、昨今では住宅にも採用されています。

揺れを抑えこむ制振

揺れを制御できる装置を建物内に設けて、地震や強風による揺れを少なくするのが、**制振**です。木造住宅では、ダンパーを筋かいなどに取り付け、地震や強風による建物の揺れをそのダンパーに吸収させて揺れを低減させる方法が多く採用されています。ダンパーの素材は、メーカーによって多種多様です。

Plan

イメージの具体化。設計図と見積り書のチェックポイント

3次元の空間デザインが2次元の紙に写しとられ
設計図面として渡されます。
その図面から実際の空間をイメージするのは
なれない者にとって難しい作業です。
図面から読みとるポイントを学びましょう。
その図面をもとに見積もりが行われ
設計担当者のコストデザインが
見積り書として具体的な金額に置き換えられます。

Drawings & Specifications

誰でもわかる設計図書

設計図書とは、工事を行うために必要な「図面」と「仕様書」を合わせた書類です。設計者は建て主と打合せを重ねた結果を図面にまとめ、施工者（工務店など）はその図面をもとに工事を進めていくため、建築を計画・実施する際の基本となるものなので、できるだけ理解しておくようにしましょう。

仕様書・概要書・仕上げ表

仕様書は、図面では表現しづらい工事種別ごとの施工方法や材料の指定、各種指示事項などを文章や数字で表記したものです。工事の費用や建物の性能に関わる重要な内容なので、図面と同様、十分に理解することが大切です。

冒頭は、共通事項として設計者と施工者で行き違いが生じないように、基本的なルールをまとめています。次いで、工事の進行に沿うように注意事項が明記されています。

仕様書は建築基準法のほか、建築工事監理指針や木造住宅工事仕様書などをもとに作成されるのが一般的です。これらによって建物は一定以上の性能を確保し、技術基準を守って建てることができています。

仕様書と同様、文字と数字を中心にまとめられた資料に、**工事概要書**と仕上げ表があります。工事概要書には、工事名称・工事場所・敷地情報・構造規模・建物情報が記載されています。仕上げ表は外部と内部の仕上げ表に分かれ、それぞれの仕上げが明記されています。**外部仕上げ表**には屋根、軒先、軒裏、庇、外壁、基礎、外構の仕上げ材や品番・色などが、**内部仕上げ表**には部屋ごとの床、幅木、壁、天井の材料のほか、造作家具の材質や仕上げ方なども記載されます。

内部仕上表

階	室名	内装制限	床(仕上)LV	天井高さ	天井懐	床	巾木	壁	天井	備考	器具リスト
1階	玄関		1FL -200	CH 2250 (吹抜)	140	モルタル金鏝仕上 土間コンクリート下地	モルタル金鏝押さえ	ラワン合板 t:5.5 オイル塗装 PB t:12.5	ラワン合板 t:4 無塗装	靴収納 ラワンランバーコア t:21 オイル塗装 給気口 AT-100QRKF3 <(株)メルコエアテック>	■洗面脱衣室 洗面器: CIE-SHLAA60/WH <cielo((株)平田タイル)> 洗面水栓: 71091000 <ハンスグローエジャパン(株)> ▲鏡: Q17454ND <ランドマーク((株)キムラ)> ハンガーバー(ロング): 6φステンレス(オーダーW800) <(株)toolbox> ハンガーバー: 6φステンレス(標準W400) <(株)toolbox> 洗濯機パン: PWP640N2W <TOTO(株)> 洗濯水栓: TWAS20A1A <TOTO(株)> タオルウォーマー: TS-K80 <森永エンジニアリング(株)> ▲バスタオルホルダー:
	縁側		1FL ±0	CH 2377 (吹抜)	175	ラワン合板 t:15 オイル塗装 構造用合板 I 類 t:24	—	ラワン合板 t:5.5 オイル塗装 PB t:12.5	ラワン合板 t:4 無塗装		
	浴室		1FL -9	CH 2000	205	(ユニットバス仕様による)	—	(ユニットバス仕様による) 外壁面 PB t:12.5	(ユニットバス仕様による)		
	洗面脱衣室		1FL ±0	CH 2250	200	ラワン合板 t:15 オイル塗装 構造用合板 I 類 t:24	—	ラワン合板 t:5.5 オイル塗装 PB t:12.5	吹抜 (一部 ラワン合板 t:4 無塗装)	収納棚 ラワンランバーコア t:21 オイル塗装 カウンター ラワンランバーコア t:21 オイル塗装	
	トイレ		1FL ±0	CH 1400~2250	50	ラワン合板 t:15 オ[illegible] 構造用合板 I 類 t[illegible]					
	廊下		1FL ±0	CH 2250	200	ラワン合板 t:15 オ[illegible] 構造用合板 I 類 t[illegible]					
	ウォークインクローゼット		1FL ±0	CH 2250	200	ラワン合板 t:15 オ[illegible] 構造用合板 I 類 t[illegible]					
	階段下収納		1FL ±0	施工可能最大	—	ラワン合板 t:15 オ[illegible] 構造用合板 I 類 t[illegible]					
	主寝室		1FL +150	CH 2100	90	[illegible]					
2階	階段室		2FL ±0	CH 勾配天	—	段板 ラワン合板 t:1[illegible] (段鼻 ラワン無垢材[illegible])					
	リビング		2FL ±0	CH 1800~ 勾配天	—	タモ複合フローリン[illegible] 150×1900×14 構造用合板 I 類 t[illegible]					
	ダイニング		2FL ±0	CH 1800~ 勾配天	—	タモ複合フローリン[illegible] 150×1900×14 構造用合板 I 類 t[illegible]					
	キッチン		2FL ±0	CH 1800~ 勾配天	—	タモ複合フローリン[illegible] 150×1900×14 構造用合板 I 類 t[illegible]					

特記仕様書の扱いについて

・文中にて「□」選択肢の項目は、黒く塗り潰した「■」の項目のみを適用とする。
・メーカー指定品については、「同等品」にて代替可能とする。
ただし、その採用にあたっては、係員の承認を受けるものとする。

共通一般事項

項目	内容
優先順位	・優先順位は下記を原則とし、各書に相違がある場合は確認する。 1 質疑回答書 2 現場説明書 3 特記仕様書 4 設計図 5 標準仕様書
設計図書	・本特記仕様書、設計図、指示書(質疑[illegible])を「設計図書」という。
標準仕様書	・設計図書に明記なきものは、下記の標[illegible] ◎フラット35融資物件の場合 『フラット35対応 木造住宅工事[illegible] 住宅金融支援機構 発行 ◎その他の物件の場合 『公共建築工事標準仕様書 [illegible] 『公共建築改修工事標準仕様書[illegible] 『公共建築木造工事標準仕様書[illegible] 国土交通省 大臣官房 官庁営[illegible]
工事上の疑義	・疑義のあるときは契約前に確認し、質疑[illegible] ・協力職方にも内容理解の徹底を図り、[illegible] 係員と協議し施工する。 ・設計図書に記載がなくとも、外観上、構[illegible] 認められるものは、請負金額の予算内に[illegible]
提出図書	・工事に関わる提出図書は下記に定める。 ■工事請負契約書 写し1部 ■工事工程表 1部 □現場代理人および主任技術者届 ■協力職方名簿 1部 ■打合せ議事録 ■変更工事見積書 1部 ■官公署届出書類控 1部 □工事保証書 □工事竣工届 ■工事竣工引渡し書 1部 □竣工写真 指定写真[illegible] 提出媒体[illegible] □工事竣工図 □設計者[illegible] ■施工図・製作図 1部 ■プレカット図 ■施工記録写真 1部
定例現場打合せ	・工事中は日程調整のうえ、定期的に現[illegible]
軽微な変更	・細部の納まり等、現場にて発生する軽微[illegible] 請負金額の変更なしに施工するものとす[illegible]
追加変更工事	・工事金額の増減を伴う追加変更工事が[illegible] 上記の「変更工事見積書」を提出し、施[illegible]
既存部との取合い	・本工事の都合により、既存建物を破損・[illegible] 本工事の仕上げ材、または旧工事の仕上[illegible]
別途工事	・請負者は別途工事に関して、工程・納ま[illegible]
諸検査と工事保証	・各工程ごとに係員が検査を行い、指摘[illegible] ・竣工時には施主立会いのもと、「竣工検[illegible] ・引渡し1年を経過した時点で、「1年検査[illegible] 建具の建付けと調整、雨仕舞いの不具合[illegible] 起因する不都合については、請負者の負[illegible] なお、不可抗力と施主の使用過誤による[illegible]
シックハウス対策	・本工事に使用する構造材および内装材[illegible] 国交省告示第1113~1115号による指[illegible] すべて日本工業規格(JIS)または日本農[illegible] 「☆☆☆☆等級の製品とする。 ・クロルピリホスを添加した建材の使用は、[illegible]

項目	内容
省エネ対策	・建築物省エネ法の施行に伴う、適切な断熱施工の方法に関しては、下記を参考とする。特に、床・壁の取り合い、配管まわりの断熱、気流止めには注意する。 『住宅省エネルギー技術 施工技術者講習テキスト－施工編－』 一般社団法人 木を活かす建築推進協議会 発行 (※Webデジタルブックでも全ページ閲覧可)

仮設工事

項目	内容
地縄張り	・係員立会いのもと、それぞれの敷地境界線を確認し、図面に基づいて地縄張りを行う。この際、設計図との誤差を確認する。

基礎工事 （※合わせて構造図を参照とし、差異がある場合は構造図優先とする。）

項目	内容
基礎	・鉄筋コンクリート造とする。 ・形状・配筋は、構造図の「標準基礎詳細図」による。 ■ベタ基礎 □布基礎 □独立基礎 □その他 ・コンクリート強度等 強度(N/mm2) □18以上 ■21以上 □その他 スランプ(cm) ■18以下 □15以下 □その他 水セメント比(%) □60以下 □55以下 □その他 ・布基礎の場合 点検口等で基礎が連続しないときでも、フーチングは連続させることを原則とする。 ・スリーブ等の開口部には、必要な「開口補強」を行う。
土間防湿コンクリート	・形状・配筋は、構造図の「標準断面詳細図」による。 ・材料は、特記がない限り、基礎に準ずる。 ・引込み配管・配線立ち上げ等は、設備工事との工程調整に注意する。

項目	内容
材料検査	・構造材 必要に応じて係員の検査を受けてから施行する。 ・その他の材 その都度確認する。
板図の確認	・構造図による伏図、軸組図をもとに板図を作成し、木取りや継手・仕口の考え方等、設計意図の確認を行う。 ・1階床組では、基礎工事との関連調整の確認を行う。
〈土台〉	
土台	・樹種 ■ヒノキ(心材) □ベイヒバ(心材) □ヒバ(心材) □その他 ・仕上げ寸法 120×120mmを標準として、その他は設計図による。 ・工法 継手 持ち出し継手とし、以下の略鎌系の継手とする。

外部仕上表

部位		備考(商品等)
基礎	コンクリート打ち放し仕上げ(補修程度) 天端:セルフレベリング t:10 ベタ基礎(鉄筋コンクリート造)	束: 鋼製束(フラットタイプ) N460T <フクビ化学工業(株)>
床下換気口	基礎パッキン t:20 (ポリオレフィン樹脂＋炭酸カルシウム製)	換気部材: キソパッキンロング KP-L120 (床下断熱範囲) 気密パッキンロングKPK-N120(基礎断熱範囲) <城東テクノ(株)>
屋根1(大屋根)	ガルバリウム鋼板 縦ハゼ葺@380 アスファルトルーフィング940 t:1 構造用合板 特類 t:12	ガルバリウム鋼板: 【不燃認定番号NM-8697】適合品 ルーフィング(※同等品可): Pカラー <田島ルーフィング(株)> 雪止め: Lアングル(既製品)溶融亜鉛めっきの上SOP 換気部材: 防虫金網
屋根2(下屋)	ガルバリウム鋼板 縦ハゼ葺@380 アスファルトルーフィング940 t:1 構造用合板 特類 t:12 通気胴縁 45×30 構造用合板 特類 t:12	ガルバリウム鋼板: 【不燃認定番号NM-8697】適合品 ルーフィング(※同等品可): Pカラー <田島ルーフィング(株)> 換気部材: 防虫金網
歩行屋根	(レッドシダー 90×30 すのこ置敷 木材保護塗料塗り) 防火仕様専用カラートップコート JE-2090#C20(平滑仕上) FRP防水塗布(プライマー＋防水補強層1＋防水補強層2＋中塗) 構造用合板 特類 t:12×2枚貼 構造用合板 特類 t:24	FRP: 【防火認定番号:DR-1552】 ジョリエースFRP防水工法(責任施工) 「住宅ベランダ防火仕様(ノンケイカル)」 <アイカ工業(株)> オーバーフロー: SUS 20φ程度 ルーフドレイン: FRP防水横引き用
破風・鼻隠し	ガルバリウム鋼板 曲げ加工 杉 18×105	
笠木	ガルバリウム鋼板 曲げ加工	
軒樋	ガルバリウム鋼板製丸型既製品(金物共)	軒樋: スタンダード半丸120 #色未定 <(株)タニタハウジングウェア>
竪樋	ガルバリウム鋼板製丸型既製品(金物共)	竪樋: 丸たてといφ60 #色未定 <(株)タニタハウジングウェア>
軒天1	米ツガ羽目板 90×定乱尺×10 オイル塗装 木下地	羽目板: 米ツガ羽目板 P003 <(株)東京工営>
軒天2	パルプ繊維混入セメント板 t:12 SOP 木下地	軒天材: 軒天12無孔板フラットYL900(無塗装品) <ニチハ(株)>
外壁1	水系アクリル共重合樹脂塗材吹付 補強用繊維ネット 軽量モルタル t:15 通気ラス(防水紙付きラス700g/㎡以上) 通気胴縁 t:15@455(巾45以上) 透湿防水シート 構造用合板 特類 t:12	仕上塗材: ジョリパットネオ JQ-700#グレー系 <アイカ工業(株)> 【防火構造(外壁) PC030BE-9192(外壁通気工法)】 繊維ネット(※同等品可): アリスグラスファイバーネット <富士川建材工業(株)> 軽量モルタル(※同認定番号品可): ラスモルII <富士川建材工業(株)> 通気ラス(※同等品可): フジカワ通気ラス <富士川建材工業(株)> 換気部材: 防虫換気材ブラック <フクビ化学工業(株)> 下部水切: ガルバリウム曲げ加工
外部手摺	錆止めの上、SOP 手摺: ST-FB 32×12 手摺子: ST-FB 32×12	

外構仕上表

部位	部材	備考(商品等)
ポーチ	モルタル金鏝仕上 土間コンクリート下地	
外部階段	モルタル金鏝仕上 コンクリートブロック下地	
自転車置場	砂利敷	
犬走り	砂利敷	
郵便受	既製品ポスト 木下地	サインポスト クリアス #ナチュラルブラック <パナソニック(株)>
表札	支給品	

断熱材 （※各部気流止め設置必須。防湿フィルムは、JIS A 6930適合品とする。）

部位	規格と必要厚さ	商品(※すべて同等品可)
屋根断熱(大屋根)	押出法ポリスチレンフォーム保温板3種aD t:110	ミラフォームラムダ t:55＋t:55 <(株)JSP>
屋根断熱(下屋)	押出法ポリスチレンフォーム保温板3種aD t:110	ミラフォームラムダ t:55＋t:55 <(株)JSP>
天井断熱(歩行屋根)	押出法ポリスチレンフォーム保温板3種aD t:110	ミラフォームラムダ t:55＋t:55 <(株)JSP>
壁断熱	防湿層耳付高性能グラスウール16K相当 t:105	イゾベール・スタンダード t:105 <マグ・イゾベール(株)>
床断熱(外気に接する)	(該当箇所なし)	
床断熱(その他)	押出法ポリスチレンフォーム保温板3種aD t:55	ミラフォームラムダ t:55 <(株)JSP>
基礎断熱(外気側)	押出法ポリスチレンフォーム保温板3種aD t:55	ミラフォームラムダ t:55 <(株)JSP>
基礎断熱(床下側)	押出法ポリスチレンフォーム保温板3種aD t:55	ミラフォームラムダ t:55 <(株)JSP>

Check 1
住宅金融支援機構の工事仕様書などに従って工事を行うように明記されているか確認

Check 2
仕様書ではホルムアルデヒド発散区分も明記されているので確認

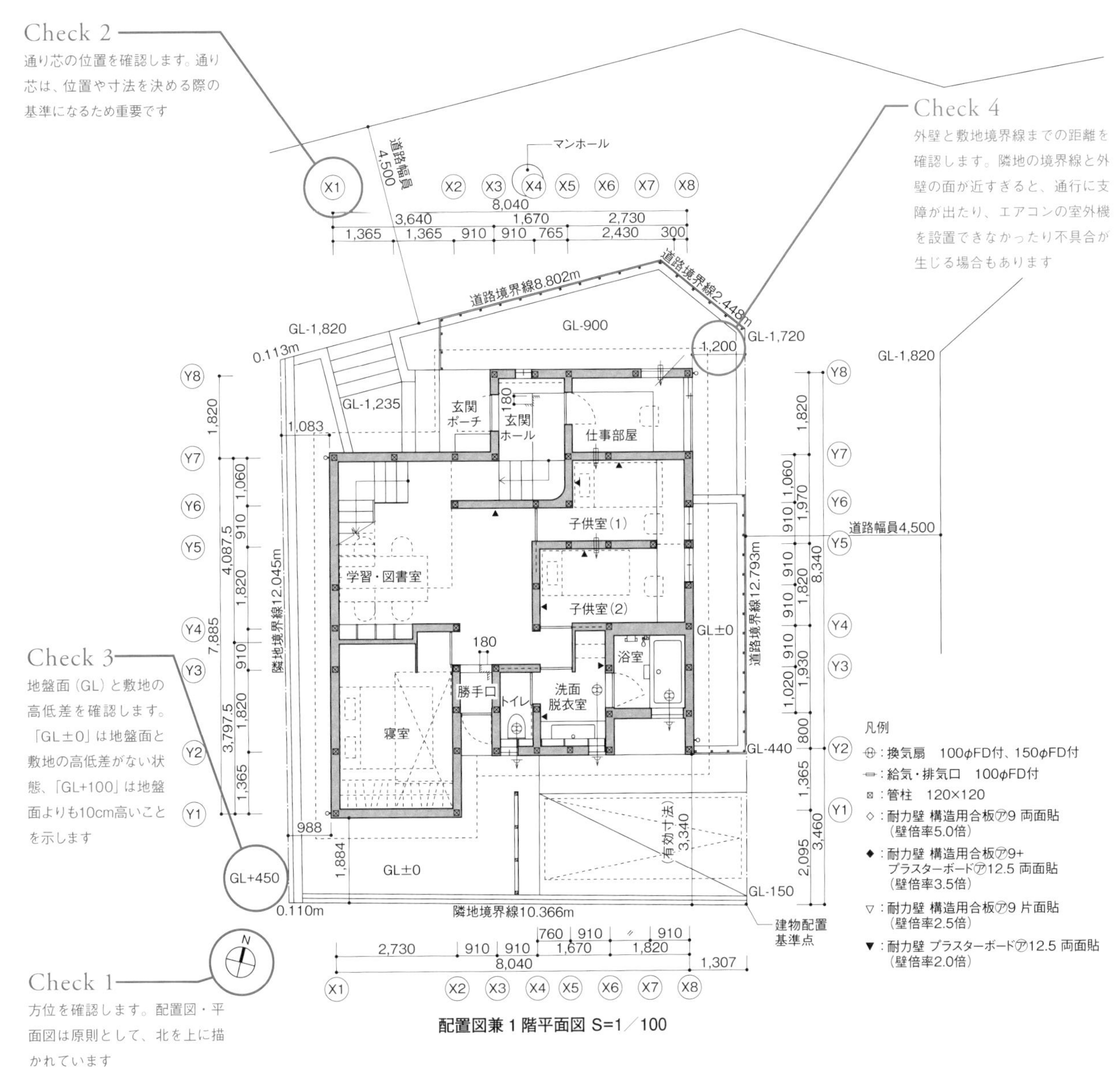

配置図兼１階平面図 S=1／100

※上の例では配置図と平面図を1枚の図面で兼用していますが、別々の図面を作成する場合もあります。

配置図・平面図

配置図は、敷地の周辺情報と敷地内の建物の位置を表した図面です。図面には縮尺や方位のほか、敷地の形状や道路と接する長さ、道路の境界や隣地の境界から建物までの距離、道路と敷地の高低差などが記載されます。道路には建築基準法上の分類があり、その分類により制限が変わるため道路の種類や道路の幅も記載されます。

平面図は間取りを描いた図面のことで、各階ごとに作成されます。原則的に北を上に描かれ、寸法は㎜（ミリメートル）を基本とし、通り芯を基準に描かれます。通り芯とは、柱や壁の幅の中心を通る線（芯）のことです。建築面積や延べ床面積の算定の基準となる大切な要素です。平面図にはそれぞれの部屋の名称や広さが書かれ、窓や扉、柱の位置などが記されます。

「GL」とは地盤面（グランドライン）のことで、工事の際に基準となる高さ方向のレベルを示します。道路と高低差がある場合などは、道路から玄関に至る階段の段数や高さが適正かなどを検討するために役立ちます。また、隣地の境界線と外壁の面が近すぎると、通行に支障が出たりエアコンの室外機を設置できなかったりと不具合が生じる場合もあるので外壁と境界線までの距離を確認しておくことも大切です。

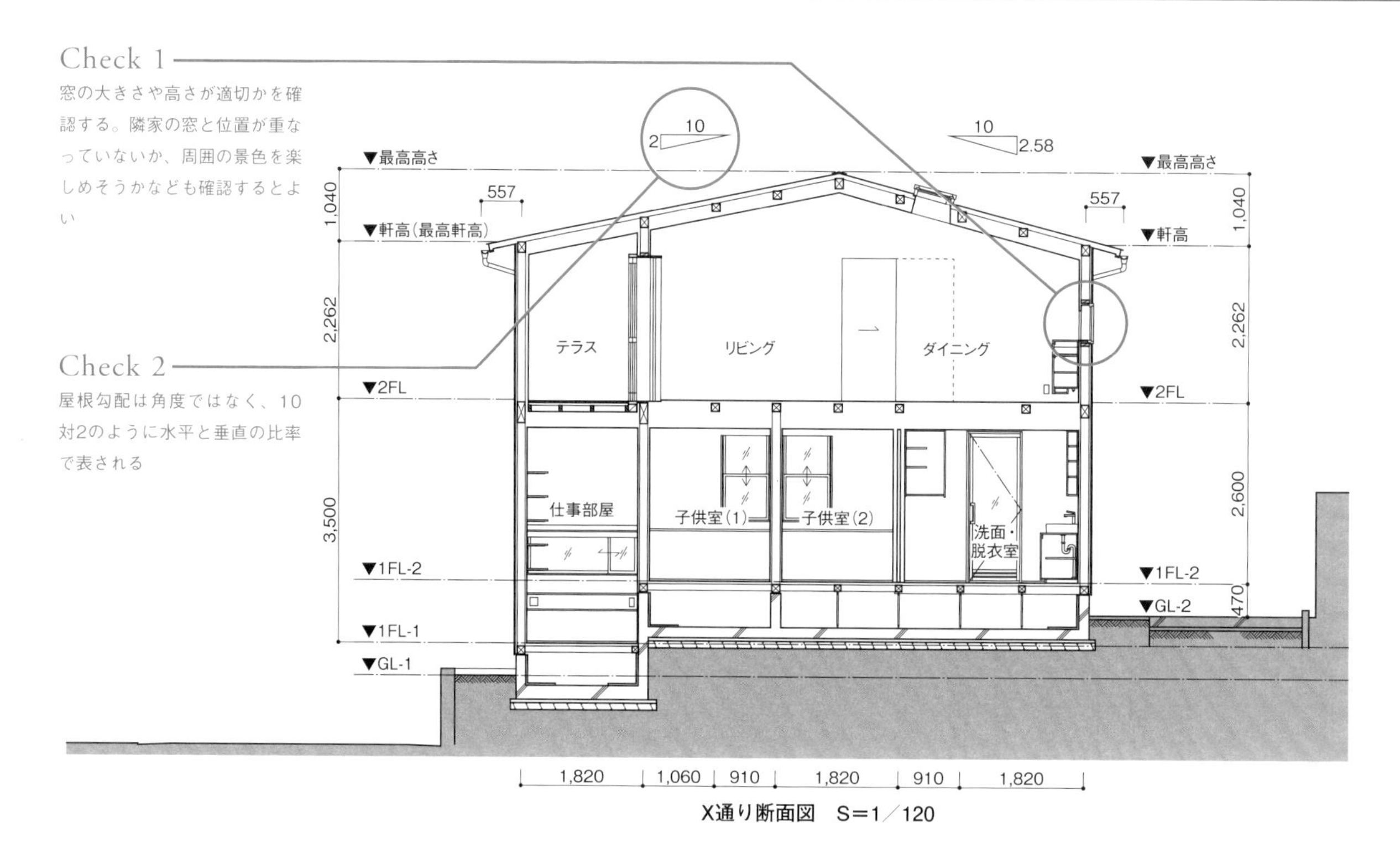

X通り断面図　S=1／120

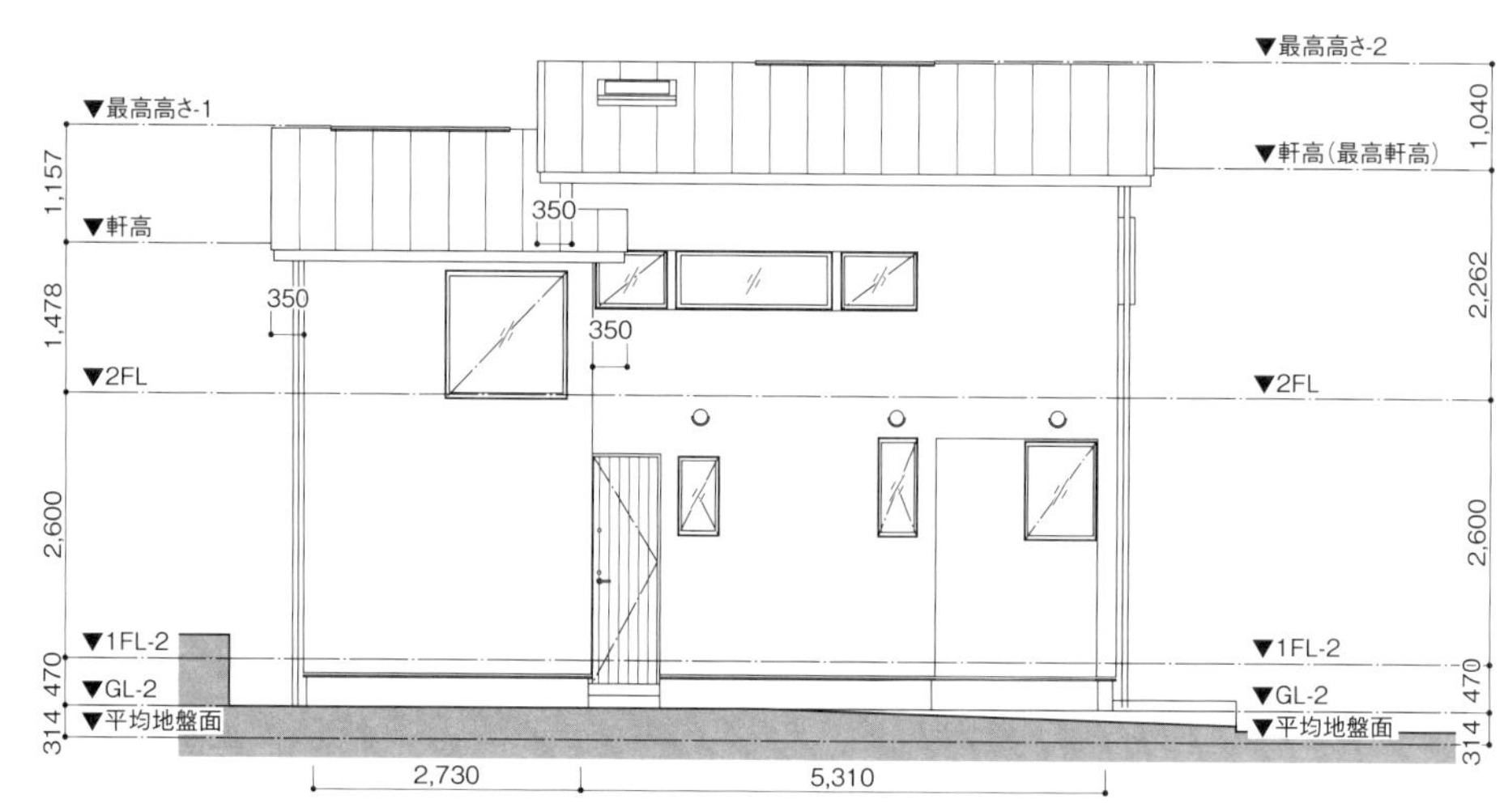

南立面図　S=1／120

立面図・断面図

建物を東西南北の4面から描いた外観図を**立面図**といいます。主に外壁の仕上げについて記されており、玄関や窓の位置、屋根や庇の形状、バルコニーやテラスの位置や形状、手摺の形、樋の位置、換気口などがわかります。立面図では窓の位置や大きさを確認できるので、隣家の窓と位置が重なっていないか、周囲の景色を楽しめそうかなどを確認すると共に建物の形や屋根勾配などに違和感がないかも検討するとよいでしょう。

断面図は、建物を垂直に切断して内部を描いた図面です。一般的には、建物の主要な場所を通る面と、直行する面の2つの図面が描かれます。断面図には地盤面から1階の床までの高さ、2階から軒までの高さ、建物の一番高い位置の高さなど、平面図からは読み取りにくい高さに関する情報が記されています。

立面図と断面図を合わせてみると、部屋の「高さ」や「上下の位置関係」がよくわかるため、それぞれの部屋の関係が適切かどうかも確認することができます。たとえば水まわりの下に寝室が配置されると、寝ている時に音が気になるかもしれません。断面図をよく確認することで、間取りや設備の配置の再検討に役立ちます。

前述の配置図、平面図、仕上げ表に加え、立面図、断面図を加えたものが基本設計図書となります。

平面詳細図

基本設計が完了すると、実際に工事を行うための図面を作成する「**実施設計**」に移行します。基本設計期間に作成する基本設計図は縮尺が1／100程度ですが、実施設計ではこれをもとに縮尺を1／50程度に拡大した**平面詳細図**を描きます。もっと詳細な図面が必要な場合には1／30程度での作成や、部分的に拡大した**部分詳細図**を作成することもあります。

柱や壁、窓などの構成部材とその寸法が記され、階段の細かな寸法や造作家具、キッチンのつくりやフローリングの張り方向やタイルの割り方も詳しく描かれています。122頁の矩計図と共に、設計図の中で最も重要な図面の1つです。

縮尺が1／100の図面と比べると、各部の詳細な寸法がミリ単位で記されているのが平面詳細図の特徴です。材料一つひとつの厚みや壁をつくる下地のほか、部屋の有効寸法もミリ単位で表記されているので、実際の暮らしを具体的にイメージしながら確認していくとよいでしょう。

テーブルや椅子などの置き家具や洗濯機などの家電は点線で描かれています。大きな家具や家電を置く部屋は、搬入に必要な寸法が確保されているか、扉を開いた時に家具にぶつからないか、十分な通路幅が確保されているかなど、有効寸法や動作寸法を念入りに確認しておきましょう。

Check 3
部屋の扉や収納の戸は、幅と開く方向が示されています。扉を開いた時に十分な通路幅が確保されているかなどを確認することが重要

Check 1
大きな家具・家電を置く部屋は、搬入に必要な寸法が確保されているか確認します

Check 4
階段の寸法が細かく記載されています

Check 2
置き家具や冷蔵庫、洗濯機などの家電は点線で描かれています。自分たちの暮らしにやすい位置になるかを確認します

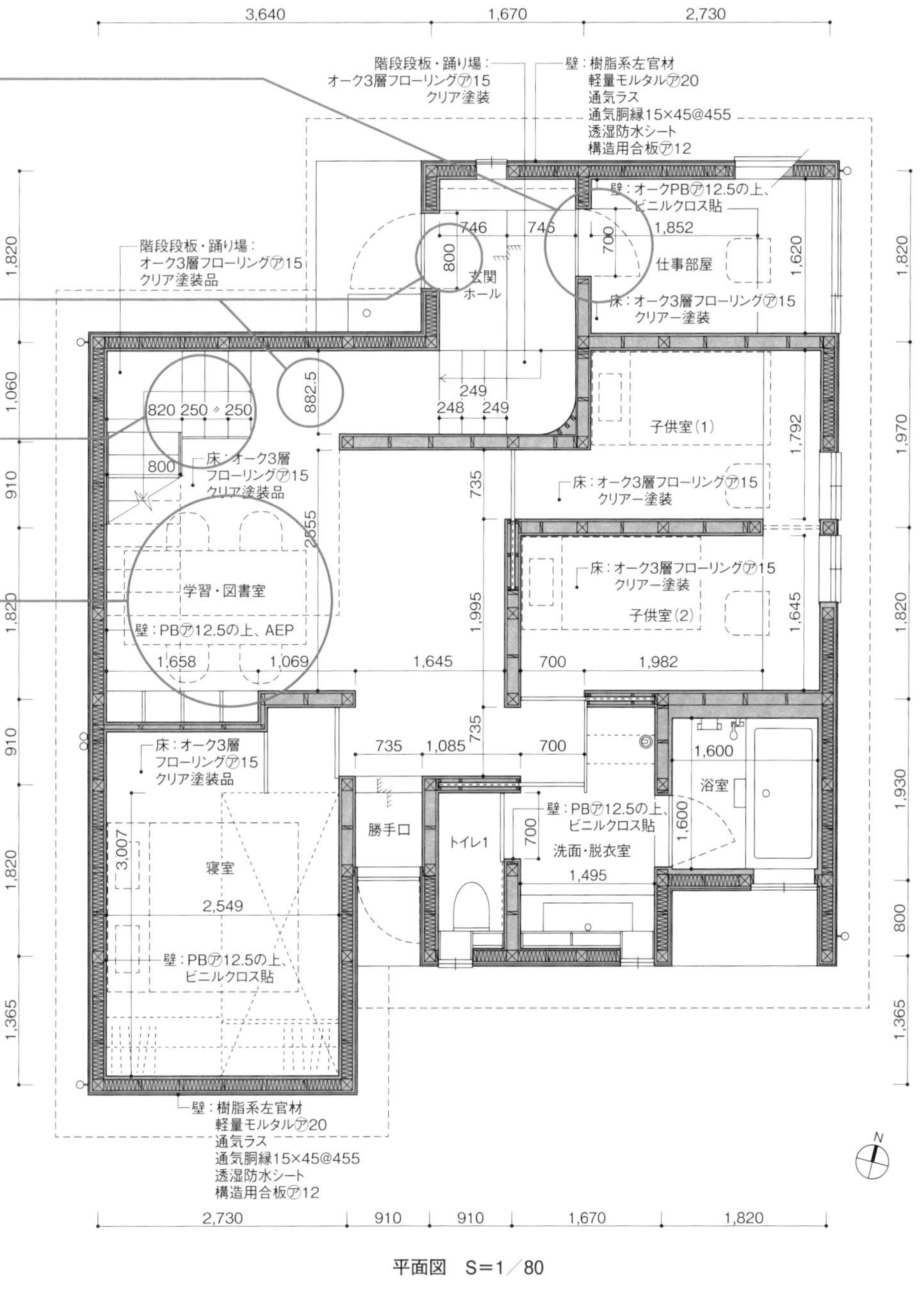

平面図　S＝1／80

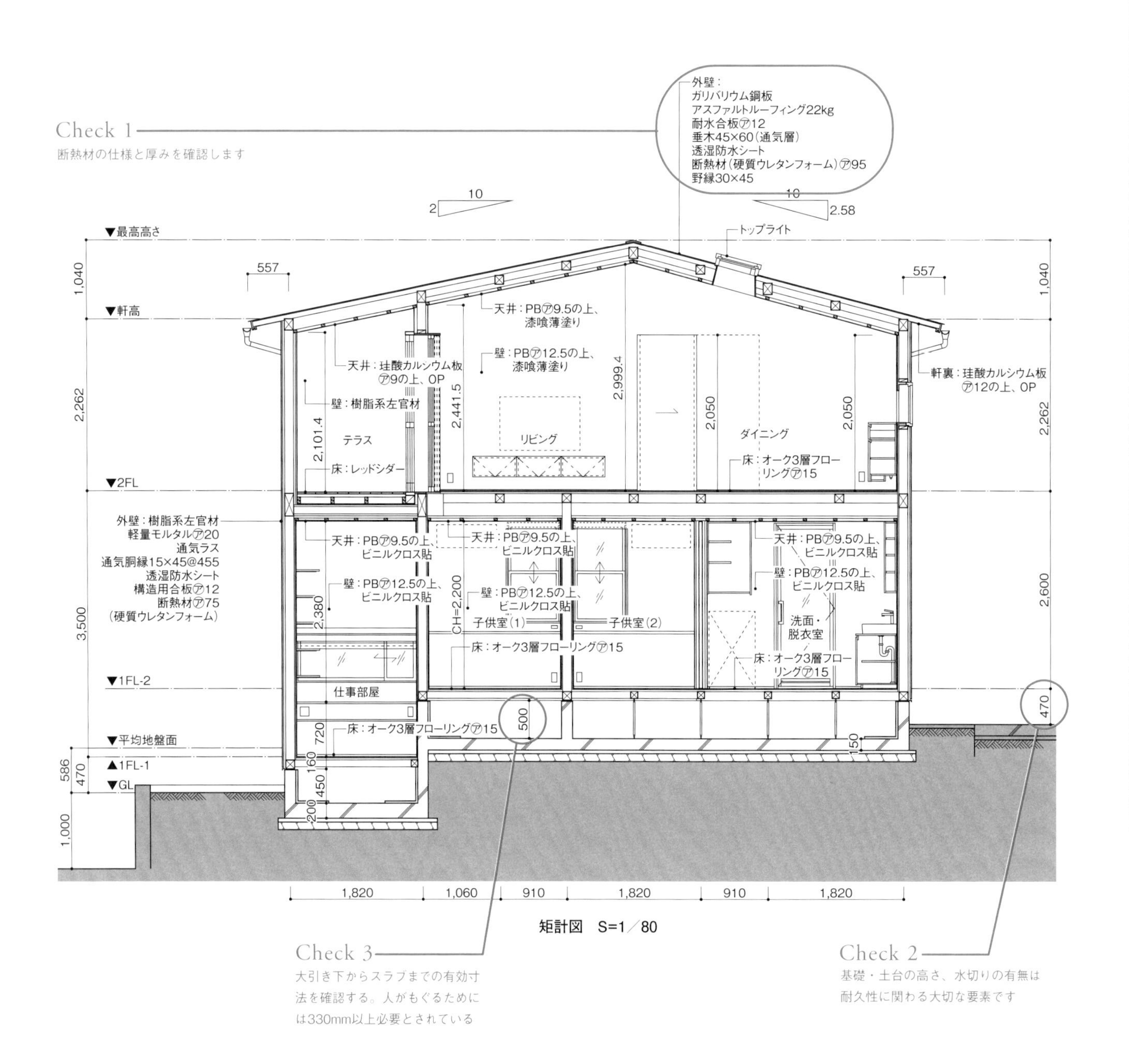

矩計図（かなばかりず）

矩計図は縮尺1／100程度の断面図をより詳しく記した詳細図で、「断面詳細図」ともよばれます。

矩計図には、建物の基礎の形状から土台や柱、梁など建物を支える構造部材とその寸法、窓や扉などの開口部の位置と納まり、床・壁・天井それぞれの構成部材と仕上げ材、断熱材の位置や厚さ、屋根仕上げ材の葺き方など幅広い情報が記されています。各部までの高さ（基礎上端、床の高さ、軒の高さ）など、建物の構成から仕上げ、寸法まで詳細に明記されているため、平面詳細図と並んで重要な図面の1つです。

縮尺は平面詳細図と合わせることが多く、1／50程度が一般的です。より詳細に描く場合には、1／30もしくは1／20で作成されます。

矩計図の特徴は壁や床、天井（屋根）裏の詳細な様子が分かることです。こうした部分には、ほとんどの家で断熱材を施します。近年は省エネ性能が重視され、適切な性能を発揮するためには正しい材料を正しい位置に配置し、適切な厚みを確保することが求められていますから、矩計図で確認するとよいでしょう。また、床下（基礎）についての情報も得られます。土台の木材や工法を確認し、雨など水の影響を受けないよう地盤面から適切な距離を取っているか、床下の点検に十分なスペースを確保しているかなども確認できます。

い通り軸組図　S＝1／100（60%に縮小）

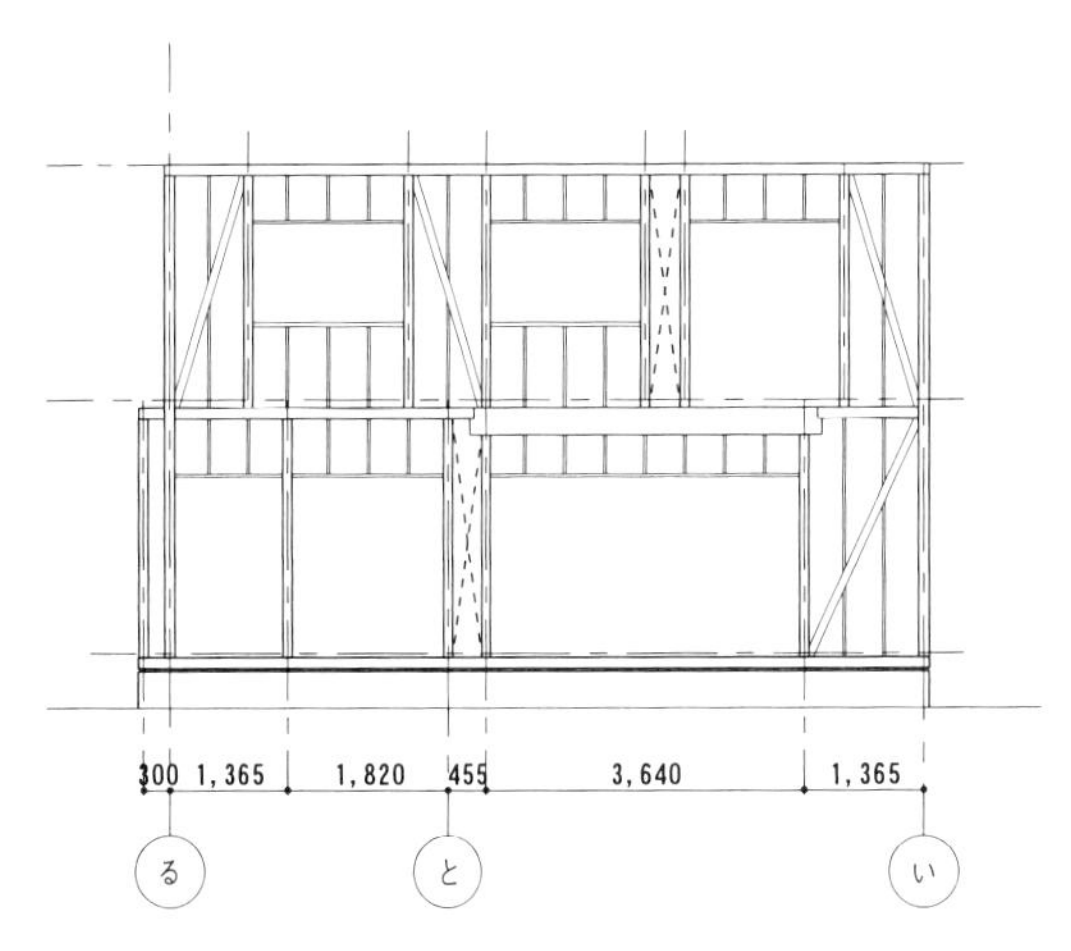

9通り軸組図　S＝1／100（60%に縮小）

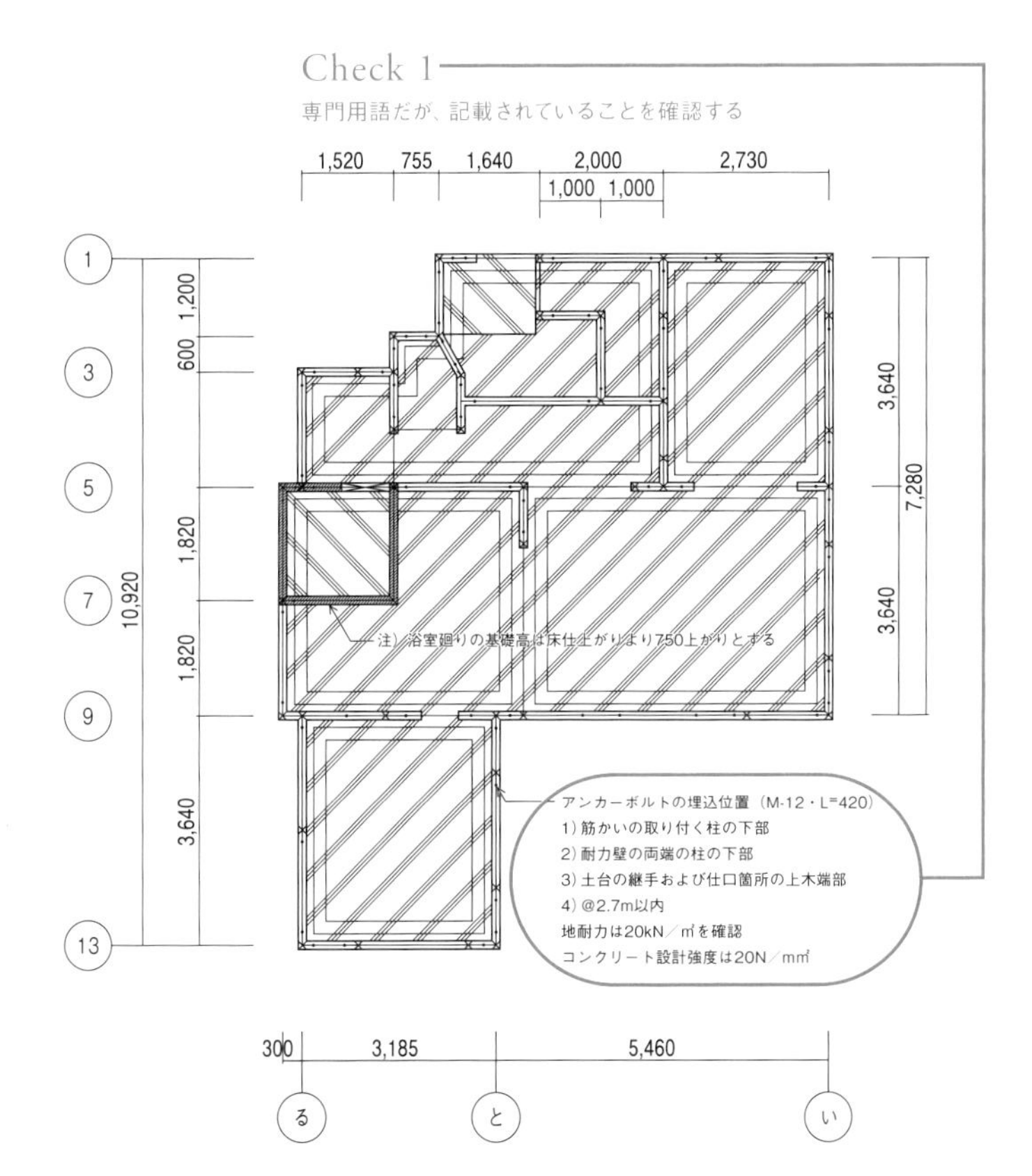

基礎伏図　S＝1／100（60%に縮小）

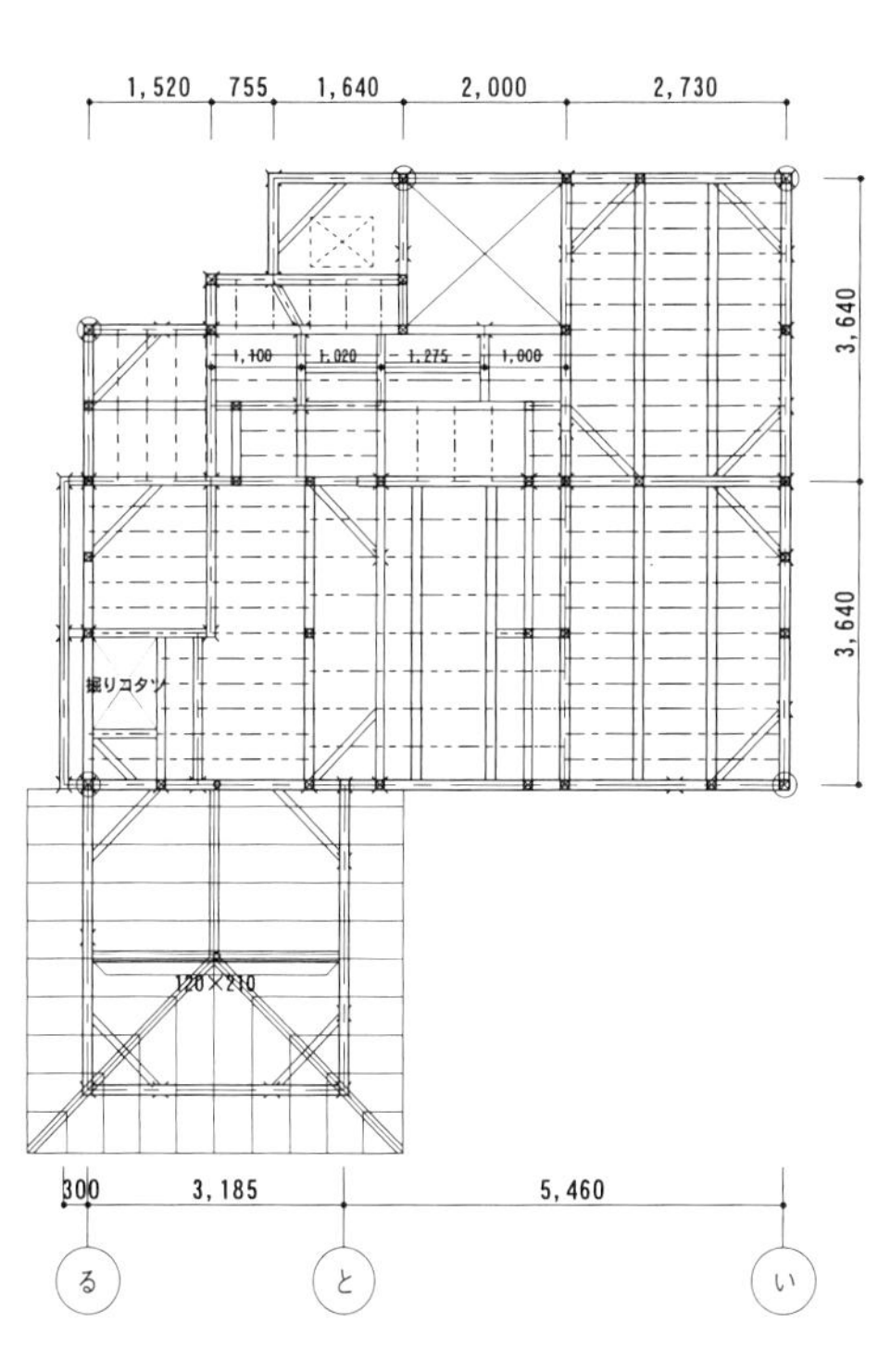

梁伏図　S＝1／100（60%に縮小）

構造図

設計の途中には地盤調査を行います。地盤調査には「標準貫入試験（ボーリング調査）」や「スクリューウエイト貫入試験方法」などの種類があり、戸建住宅では**スクリューウエイト貫入試験方法**を採用することが多いです。いずれの場合も調査結果を確認して基礎の種類を決め、必要があれば地盤改良を行います。基礎の種類は、「布基礎」と「ベタ基礎」に分けられます。ベタ基礎は底板一面が鉄筋コンクリートになっている基礎のことで、床下の断熱や防湿を兼ねるため採用が増えているようです。

地盤改良には、表層改良・柱状改良・鋼管杭圧入工法などいくつかの種類があり、地盤の強度や土質の構成、建物の規模により、適切な改良方法で実施します。

実施設計に入ると、平面詳細図や矩計図などの意匠図と平行して、構造についても検討し、「**構造図**」としてまとめます。構造図には伏図、軸組図、詳細図、梁リストなどが含まれます。これらは骨組みの状態を図面化したものなので、柱や梁などの構造部材の位置や寸法が記載されています。

伏図とは、柱や梁などの構造部材を上から見下ろした状態で描いた図面のことで、基礎伏図・床伏図・小屋伏図などの種類があります。軸組図は、土台・柱・梁・筋かいのほか、耐力壁の位置なども示したものです。金物の納まりは特に重要なので、別途、詳細図に記されます。

展開図

展開図とは、部屋ごとに、室内側から壁面を見て描いた図面です。一般的には、基準となる面から時計回りに、一面ずつ描き、どの部屋も同じ順番で繰り返していくのがルールです。

展開図には、天井の高さや窓の形状や位置のほか、扉や幅木、造り付けのカウンターや収納、換気扇や給気口、スイッチプレートやコンセントなど壁面に見えるものすべてが描かれます。平面詳細図や矩計図では網羅しきれない情報が得られるため、大切な図面の1つです。平面的な図面とあわせて見ていくと立体的に認識しやすくなるため、空間を理解するのに役立ちます。

壁面に見えるものが図として描かれているだけでなく、それぞれの仕上げの仕様は文字で、各部の寸法は数字で記されています。気になるポイントが多いキッチンや洗面廻りは、特に細かくチェックしておくとよいでしょう。カウンターや収納の高さ、引き出しや開き扉の開き勝手などは、日々の使い勝手に直結するので大切です。

ほかにも、スイッチ、コンセント、給湯リモコンの位置も記されています。手が自然に届く場所に設置されているか、家族も使いやすい位置かどうかなど、生活をイメージしながら確認するとよいでしょう。特にコンセントの数は、いわゆるタコ足配線にならないように家電の数と照らし合わせてチェックしましょう。

キッチン展開図　S＝1／80

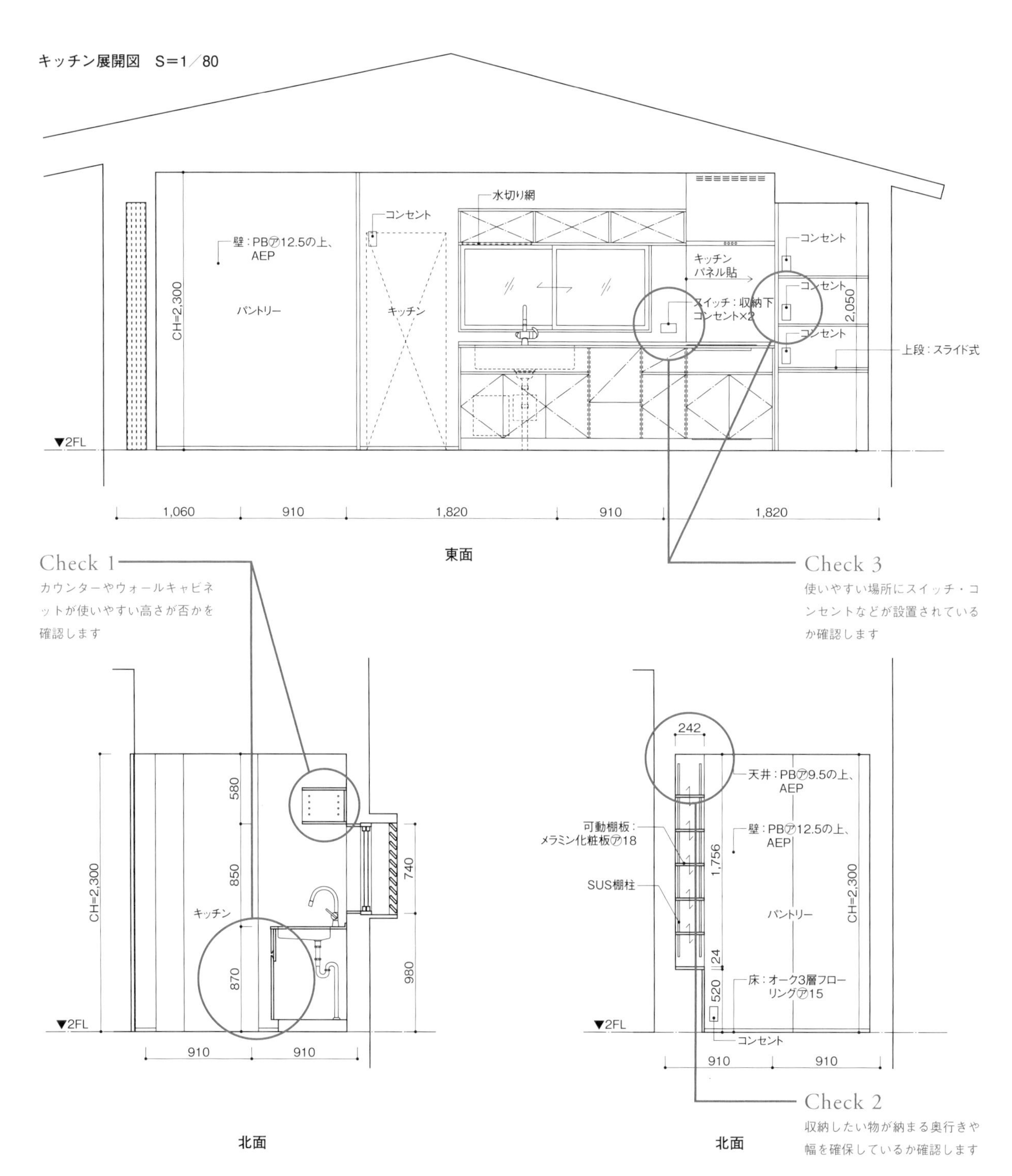

家具詳細図

家具詳細図は、造り付け家具の詳細を描いた図面です。家具の形や寸法、引き出しや扉の開き方、材質や仕上げ方などが細かく記載されています。

造り付け家具（造作家具）とは、建築工事のなかで大工や家具業者が制作し、取り付けを行う家具のことです。ダイニングテーブルや椅子、ソファなど独立して移動することができる家具は一般的には置き家具と呼び、造り付け家具と区別しています。

造り付け家具のよいところは、好きな材料を使い、希望のサイズで制作できるところです。壁と壁の間にぴったりはまるようにつくったり、壁一面を棚にしたりと住宅に合わせた設計ができます。デッドスペースになりやすい場所も、棚などを造り付けて収納にすれば、空間が無駄なく使えます。

造り付け家具の制作方法には、大きく2つあります。1つは家具業者がつくる方法、もう1つは大工がつくる方法です。家具業者がつくる場合は、専門的な技術と道具を駆使するため、精度にこだわった美しい家具をつくることができます。

一方、大工がつくる場合は、凝った細工は難しい場合があるものの、コストや製作期間などを考えると大変バランスのよい方法です。限られた予算のなかでやりくりをする場合には、適材適所を考えて、メリハリをつけた選択をするとよいでしょう。

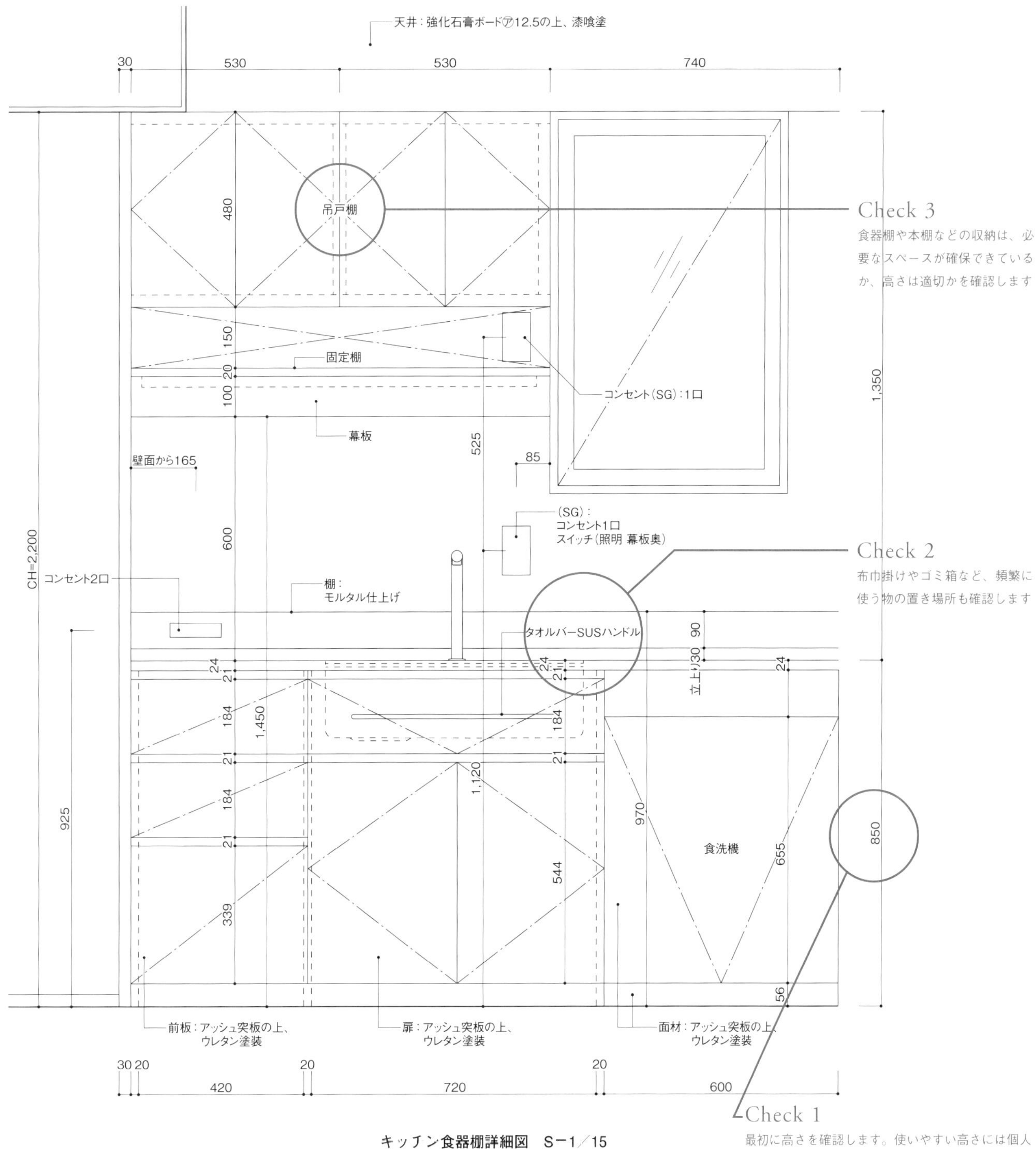

キッチン食器棚詳細図　S=1／15

電気設備図・給排水衛生設備図

設備図には、スイッチやコンセント、テレビや電話、照明計画について描かれた電気設備図と、給水・給湯、排水について描かれた給排水衛生設備図、エアコンや換気扇などについて記載された空調換気設備図などもあります。

電気設備図では、それぞれを記号化した凡例を用いておおよその場所を示しています。照明器具とスイッチの位置が描かれ、線でつながっているので、「このスイッチを押すとここの照明器具が点灯する」といった具合に想像しながら、一つひとつ確認していきます。

スイッチとあわせて確認したいのが、コンセントの場所や数です。家電が集中しやすいキッチン周りやリビングなどは、特に注意が必要です。暮らし始めてから想定より家電が増えてタコ足配線にならないよう、現在の家電の数+αのコンセント数を確保しておきましょう。

水と湯の配管経路や排水管のルートが描かれた平面図を、**給排水衛生設備図**といい、水廻りに関する事項がまとめられています。配管経路に併記されているのが器具表です。これは設備機器の品名、品番および設置場所が記載されたリストで、設置の際はこれをもとに確認します。設備器具を自分で選ぶ際は、カタログやホームページで確認のうえ、ショールームで実物に触れてみると具体的にイメージが膨らみます。

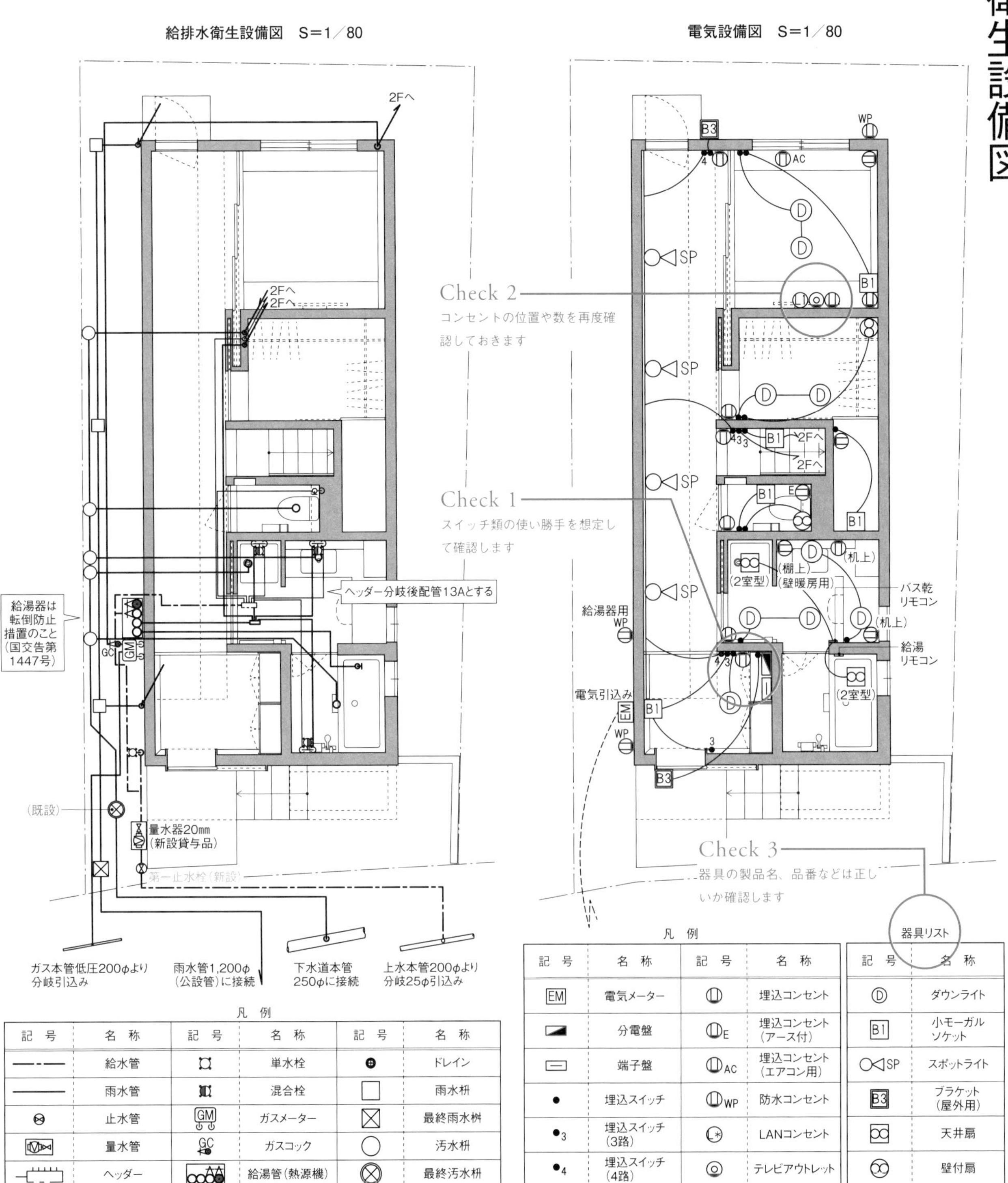

凡例（給排水衛生設備図）

記号	名称	記号	名称	記号	名称
—・—・—	給水管		単水栓		ドレイン
———	雨水管		混合栓		雨水枡
	止水管	GM	ガスメーター		最終雨水桝
	量水管	GC	ガスコック		汚水枡
	ヘッダー		給湯管（熱源機）		最終汚水枡

凡例（電気設備図）

記号	名称	記号	名称
EM	電気メーター		埋込コンセント
	分電盤	E	埋込コンセント（アース付）
	端子盤	AC	埋込コンセント（エアコン用）
●	埋込スイッチ	WP	防水コンセント
●3	埋込スイッチ（3路）		LANコンセント
●4	埋込スイッチ（4路）		テレビアウトレット

器具リスト

記号	名称
D	ダウンライト
B1	小モーガルソケット
SP	スポットライト
B3	ブラケット（屋外用）
	天井扇
	壁付扇

外構図　1/60（50%に縮小）

ガレージ床詳細図　1/10（50%に縮小）

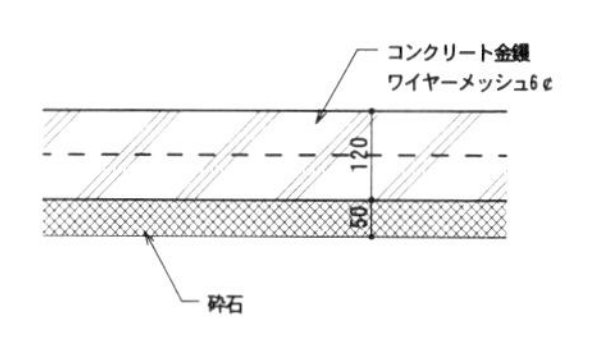

門柱壁詳細図　1/40（70%に縮小）

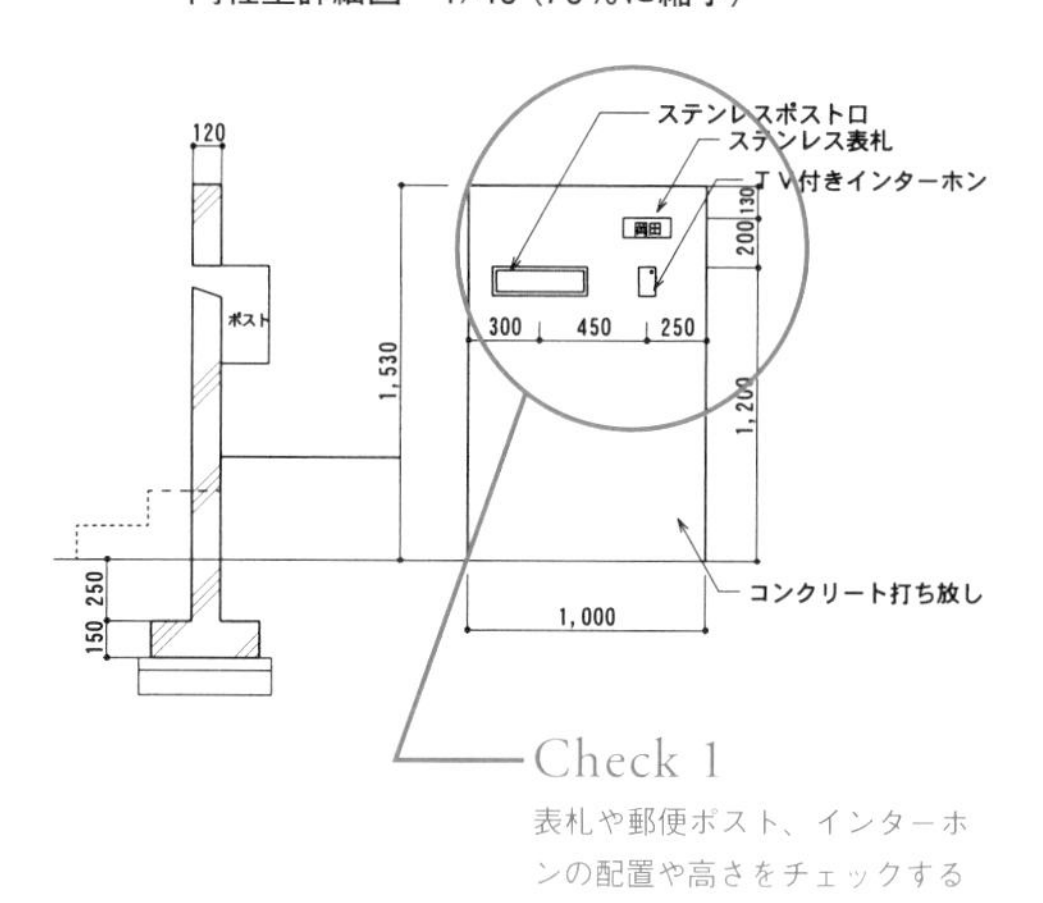

Check 1
表札や郵便ポスト、インターホンの配置や高さをチェックする

フェンス詳細図　1/40（70%に縮小）

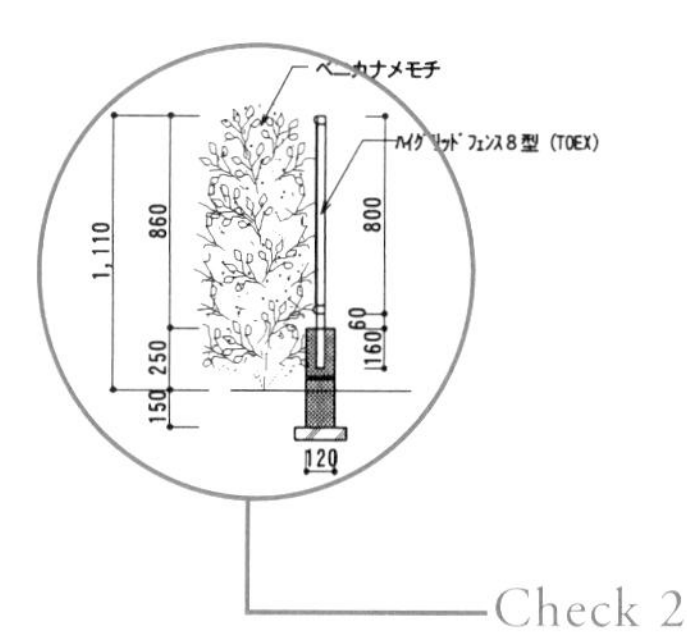

Check 2
フェンスと同じくらいの高さの樹木を植えることで、庭の眺めを損ねないよう配慮されている

外構図

プランニングの最初の段階から、建物と外構は一体として計画します。これをゾーニング（96頁）といいます。縮尺1／100の配置図や平面図でも簡単な外構の様子が描かれますが、**外構図**はそれをさらに詳しく表したものです。門・塀・車庫・物置・テラスやデッキのほか、表札や郵便受けなどの付属物の配置が描かれます。また、どの植物をどこに植えるかという植栽計画も表されます。

浄化槽や排水管の経路や、インターホンや門灯・庭園灯の配線は、先に説明した各設備図に記されますが、外構の仕上げ、例えばコンクリートやタイル・枕木・土などの舗装の仕方にも影響しますので、外構図と照らし合わせてその位置関係をチェックします。玄関前のシンボルツリーを予定していた位置に排水管が通っていた…ということは、よくあることなのです。

平面詳細図での打ち合わせも進んでくると、例えば、どこでテレビを見るかということを検討して、テレビの位置や配線を決めていくのと同じように、どこに座って庭を眺めるかということを検討します。窓を通しての眺めや、日差しの入り方、周囲からの視線や外観、あるいは植物の生育条件（日当たりなど）を検討して、植栽の種類や大きさを決めていきます。

Estimate

見積り書の読み方

見積り書とは、建て主と設計者が打ち合わせを積み重ねながらつくりあげた設計図書を数字（金額）と文字に置き換えたものです。今まで思い描いてきたものが具体的に表わされていますので、現実を受け入れながら、内容を十分に理解し、実現に向けて検討を行ってください。

見積り書とは

実施設計図書が完成したら、施工会社に見積りを依頼します。見積り書の役割は、総額を提示するだけでなく、工事の内容や範囲を明確にすることでもあります。

正確な見積り書を作成するためには、できるだけ詳細な図面や仕様書、仕上げ表が必要になります。時間はかかりますが建て主と設計者が一緒に取り組む必要があります。

見積り書は工事種別ごとに工事金額が表記され、その合計として総額が明記されるのが一般的です。ただし工事種別ごとの金額を「一式」として表記する場合もあれば、明細を細かく表記する場合もあります。主に設計の依頼先（ハウスメーカーや工務店など）によって変わるため、それぞれの見方を知っておくとよいでしょう。

1・見積り書の種類

（1）部位別見積り

ハウスメーカーで住宅を建てる場合は、**部位別見積り**が一般的です。これは基礎、躯体（建物の骨組み）、キッチン、収納家具、照明器具、設備機器などの部位ごとにまとめて金額を明示された見積り書で、項目が少ないため理解しやすく、金額を大枠でとらえるのに適しています。逆に、金額を細かく確認するのは難しい仕様ともいえます。

（2）工事種別見積り

工務店などで住宅を建てる場合は、**工事種別見積り**として提出されることが多いです。これは仮設工事、基礎工事、木工事、屋根板金工事、塗装工事、内装工事など工事の種類別に金額を算出した見積り書です。工事種別ごとに一式としてまとめて書かれるのが一般的ですが、工務店によっては、材料や数量などの明細まで記載する場合もあります。細かければ細かいほど、どこにいくらかかるのか予算が明確にわかりますが、反面、確認は大変になります。

（3）設計事務所が行う見積り

設計事務所（建築家）に依頼して注文住宅を建てる場合、実際の工事を請け負うのは施工会社（工務店など）であり、設計事務所ではありません。見積り書は施工会社が作成するため、その会社の状況（工務店の規模、得意不得意、忙しさなど）によって見積り金額が異なることがあります。特に、指定材料や工法によっては経験の有無や、図面の読み取り方によっても見積り金額に差が出るものです。そのため施工会社の選定を兼ね、相見積り（複数の施工会社から見積りをとること）をして比較検討する方法もあります。

この場合、見積り書は工事種別見積りで出してもらうとよいでしょう。見積りの明細が細かく分かるほど、高い精度で工事金額を比較検討できるためです。相見積りの場合もできるだけ項目をそろえて見積りを作成してもらえると比較しやすいですが、無理に統一を依頼するとミスが起きやすくもなるので、ある程度は任せ、そのうえで比較表をつくると便利です。

見積り書の明細が細かくなると、複雑でより専門的になるため、実際の確認は設計事務所に任せるケースがほとんどですが、気になる点や分からないことは説明をしてもらい、理解をしておくことが大切です。

2・見積り書の内容

（1）御見積書（表紙）

見積り書の書式は、「御見積書（表紙）」「工事費内訳書」「工事費内訳明細書」の3種類から構成されます。

表紙には、見積り金額のほかに工事名・工事場所・工事期間・見積りの有効期限・支払条件が記載されます（**表1**）。支払条件には、支払い回数や時期が記されます。これは、契約または着工時・上棟時・竣工時の3回が慣習となっていますが、フラット35の中間金の貸し付け時期や木工事後に搬入される住宅設備機器の金額が大きい場合を考慮して、出来高に合わせ支払い回数を増やす傾向にあります。

（2）工事費内訳書

各工事科目の金額を「一式」としてまとめ、建築本体工事、設備工事、付帯工事、諸経費と大別して表示します（**表2**）。

設備工事とは、電気・水道工事と、住宅設備機器工事をいいます。それに事例ごとの特別なという意味で付帯工事があり、その合計に対して諸経費を%で表します。

諸経費とは会社を運営するのに必要な現場経費、一般管理費、営業利益などをいい、その額は10%前後が一般的です。「原価でサービスします」といって、この比率が極端に少ない場合は、その分が他の工事科目に振り分けられている場合があります。ここは「ブラックボックス」ともいわれ説明が難しいのですが、ただ安いのではなく、労力に見合う適切な金額が提示されていることが、正確な見積書といえるでしょう。

なお、いわゆる「坪単価」というのは、床面積1坪あたりの工事費ですが、建築本体工事費だけを対象とする場合と、設備工事までを含める場合があります。付帯工事や諸経費は含まないのが普通です。

(3) 工事費内訳明細書

工事費内訳書に記載された工事科目ごとに、使う材料の種類、その数量と単価、あるいは労務費などを細かく記載したものが、工事費内訳明細書です（**表3**）。

金額は「数量×単価」で表され、数量は㎡・m・カ所・個・本・枚などの単位で表します。単価は、厳密には材料費に労務費や経費などを加えた金額なのですが、実際の見積りには市況単価（相場）や資料単価（市販の積算資料ポケット版による数値）などが利用されます。

(4) 別途費用

別途費用には、設計監理料や確認申請費用、設計段階では確定できないカーテン類・造園・特注家具などの別途工事費、地盤調査や地鎮祭費用、不動産取得税・登記費用、ローン手数料、仮住まいや引越し費用などがあります（19頁）。

ハウスメーカーの見積り書は、請負金額のほかに「別途費用」の項目が並べられていて、家づくりの総費用がわかりやすい見積り書になっています。しかし、通常は「見積り書に記載無き事項は全て別途工事とします」などの但し書きがあり、これらの費用は見積りに含まれません。

総費用の最終的な判断をするときには、何が見積り書に含まれているかをよく確認し、含まれていないものは、専門の工事会社に見積りをとるか、設計者に概算を確認しておきましょう。

DATA

O邸データ
敷地面積／206.46㎡
建築面積／76.80㎡
延べ床面積／125.40㎡
家族構成／夫・妻・長男が同居。長女は月に1回ぐらい泊まりに来る。次男は地方の国立大学生
予算／最初はマンションを出たくない夫の反対もあり2,500万円だったが、香港で仕事をしている長女が近々帰国、いずれ2世帯との話があり、マンションを手放し3,500万円とした

※下記工事費は物価や流通価格に応じて変化するため、必ずしも現在の価格を示しているわけではありません

表1

御見積書

O邸　新築工事

下記の通り御見積申し上げます。

見積金額	¥31,000,000- 円也
消費税額	¥3,100,000- 円也
合計金額	¥34,100,000- 円也

工事場所	○○県○○市○○町○○-○○
見積年月日	○○年○○月○○日
お支払条件	着工時○%、上棟時○%、竣工時○%
有効期限	30日
備　考	この見積書に記載無き事項は全て別途工事とします。

表2　工事費内訳書

No./工事種目	工事科目	数量	単位	単価	金額
A.建築本体工事	1.仮設工事	1	式		775,000
	2.土工・基礎工事	1	式		1,798,000
	3.木工事	1	式		8,463,000
	4.屋根・板金工事	1	式		2,015,000
	5.タイル工事	1	式		527,000
	6.左官工事	1	式		744,000
	7.建具工事	1	式		2,790,000
	8.内装工事	1	式		1,240,000
	9.塗装工事	1	式		2,232,000
	10.雑工事	1	式		1,550,000
B.設備工事	1.住宅設備機器工事	1	式		1,364,000
	2.電気設備工事	1	式		2,108,000
	3.給排水衛生設備工事	1	式		1,333,000
C.付帯工事	1.外構工事	1	式		1,550,000
	2.ガス工事	1	式		186,000
D.諸経費		8.1	%		2,325,000
計					31,000,000

表3　工事費内訳明細書（基礎工事の例）

No./名称	摘要	数量	単位	単価	金額
1.布基礎 RC 造	W120	70.00	m	14,000	990,780
2.防湿コンクリート屋内	厚60	65.19	㎡	4,000	260,760
3.束石設置屋内		38.00	カ所	900	34,200
4.基礎パッキン		70.00	カ所	1,000	70,000
5.高基礎 RC 造浴室	W120	6.12	m	15,000	91,800

見積り書の比較・検討〜Z邸見積り事例

ここでは設計事務所による注文住宅の事例を用いて、実際に工務店2社から提出された見積り書を見ながら、工事種ごとの内訳明細書のチェックポイントを解説します。

1・見積り書の比較

最も注意すべき点は、工務店によって見積り書の書式や項目に違いがあるということです。できるだけ項目をそろえて作成してもらえると比較しやすいですが、無理に統一を依頼するとミスが起きやすくもなるので、ある程度は任せ、そのうえで比較表をつくると便利です。

では具体的に比較表を見てみましょう。左に載せたのはZ邸の例です。工務店2社から見積りをとり、内容を比較しやすいように仕分けし直し、表にまとめました。左欄には工事種別を記載しA社、B社のそれぞれの金額を右側に並べています。

■Z邸工事費見積比較表

施工会社名	A社	比率	B社	比率
工期	約6ヶ月		約6ヶ月	
延床面積（㎡/坪）…b	77.5㎡/23.44坪		77.5㎡/23.44坪	
坪単価…a/b	1,284,129		1,305,631	
工事金額（税抜）…a	30,100,000		30,600,000	
工事金額（税込）	33,110,000		33,660,000	
□工事金額内訳（本体）				
A.建築工事	21,144,816	75.6%	22,677,200	79.6%
B.電気設備工事	2,042,740	7.3%	1,750,000	6.2%
C.給排水衛生工事	2,581,517	9.2%	2,424,800	8.5%
D.空調換気設備工事	1,316,604	4.7%	1,036,000	3.6%
E.ガス設備工事	349,440	1.3%	406,000	1.4%
F.外構植栽工事	541,135	1.9%	210,000	0.7%
工事計	27,976,252	100.0%	28,504,000	100.0%
諸経費（※）	2,629,767	9.4%	2,109,296	7.4%
出精値引前の工事金額	30,606,019		30,613,296	
値引き	−506,019		−13,296	
□A.建築工事費内訳				
1.仮設工事	1,388,240	5.0%	1,736,000	6.1%
2.基礎工事	2,472,960	8.8%	1,694,000	6.0%
3.木工事	8,259,986	29.5%	10,542,000	37.0%
4.屋根板金工事	1,393,980	5.0%	1,064,000	3.7%
5.断熱工事	412,370	1.5%	378,000	1.3%
6.金物工事	147,000	0.5%	294,000	1.0%
7.鋼製建具工事	671,566	2.4%	630,000	2.2%
8.木製建具工事	1,599,528	5.7%	1,779,638	6.3%
9.ガラス工事	260,960	0.9%	124,362	0.4%
10.左官工事	1,174,460	4.2%	1,159,172	4.1%
11.塗装工事	883,330	3.2%	758,828	2.7%
12.内装工事	54,600	0.2%	56,000	0.2%
13.家具工事	1,271,620	4.6%	1,176,000	4.1%
14.雑工事	1,154,216	4.1%	1,285,200	4.5%
建築工事計	21,144,816	75.6%	22,677,200	79.6%

※諸経費は工事計（100%）に対して何%を占めているかを表しています。
※見積り金額は物価や流通価格に応じて変化するため、必ずしも現在の価格を示しているわけではありません

項目を比較していくと、A社の金額が高い工事もあれば安い工事もあります。これは、木工事が得意な工務店もあれば金物工事が得意な工務店もあるように、各社の得意不得意があるためです。金額の高い・安いには必ず理由があるはずですから、気になる点は質問して疑問をなくしましょう。

金額の右に記したパーセンテージは、各工事金額が占める割合です。特に注目したいのは諸経費で、これは工務店の人件費や広告宣伝費などに関係するため、単に少なければよいという訳ではありません。総合的な判断が必要になりますので、設計者に意見を求めるとよいでしょう。

(1) 仮設工事

建築工事費内訳について、まずは仮設工事を解説します。仮設工事とは、建物を建てるために必要ではあるけれど直接はかかわらない準備の作業です。費用には、足場組みや養生、仮設トイレや仮設の電気・水道の設置、清掃などの作業費が含まれます。建物が完成すると取り払われるため分かりにくいものですが、だからといって金額を減らすことは案外難しい項目です。

(2) 木工事

木工事は、建物の構造部材である柱や梁といった骨組みや、間柱、合板などの下地材、気密を確保するための細かな部材、仕上げにもなる造作材やプレカットの加工材など、木を使う工事全般をいいます。木造住宅の場合、工事費全体の中で最も割合が高い工事の1つで、大工の手間代も計上されています。

(3) 屋根板金工事

屋根板金工事とは、主に鉄の板を切ったり曲げたり、加工をして行う工事を指します。それぞれ材料の単価と数量が記載されているので単価が妥当であるか、数量が間違っていないかを確認しましょう。

たとえば屋根をガルバリウム鋼板という材料で葺く場合、その材料費や手間代がここに計上されます。また建物の基礎と外壁が接する部分に水切という部材を取り付ける際、ガルバリウム鋼板を使う場合には板金工事としてこの項目に計上されます。その他、屋根の軒先に取り付ける樋や庇などもこの項目に含まれます。

(4) 金物工事

金物工事は、板金とは異なる鉄の素材を使用する工事です。たとえば、階段や手摺など厚みのある鉄の素材を用いる工事がこれにあたります。上のZ邸の比較表を見てみると、A社とB社で2倍の金額差があります。これは、B社は図面の内容では施工できず、より複雑な工事が必要と判断して

Plan

4 イメージの具体化。設計図と見積り書のチェックポイント

異なる施工方法を提案した一方、A社は図面通りに施工できると判断して金額を提示したためです。このように、金物工事では加工や材料調達の事情によって金額に差が出る場合があります。金額が指す内容をよく確認したうえで、どちらを採用するか設計者とともに判断するとよいでしょう。

(5) 左官工事

左官工事とは土や砂、石灰などと水を練り合わせた材料を使用した塗り壁や下地工事のことをいいます。Z邸ではモルタル下地の上に弾性系の仕上げ材料を吹き付ける仕様としたため、左官工事の項目の中に下地と仕上げの両方が計上されています。

見積り項目には材料の単価と数量が記載されていますが、職人の手間代と材料費を合わせて「材工」などと表記している場合もあります。ただし、材料だけの場合も材工の場合も数量は変わらないはずなので、適正な数量であるかを確認します。

(6) 電気設備工事

電気設備工事には、幹線引込工事、弱電設備工事、電灯コンセント工事、照明器具工事、アンテナ工事などが含まれます。

スイッチやコンセントは、その方式による単価と箇所数が明記されているので図面と照らし合わせて確認します。照明器具も

木工事

工事種目	工事科目	規格	単位	数量	単価	金額	備考
3.木工事	1.屋根下地	構造用合板12×3×6	枚	78	2,000	156,000	
	2.軒天仕上	ケイカル板12×3×6	枚	12	3,300	39,600	
	3.外壁下地	構造用合板9×3×10	枚	4	4,110	16,440	
	4.外壁下地	構造用合板12×3×6	枚	52	3,300	171,600	
	5.壁下地	PBt=12.5	枚	70	660	46,200	
	6.壁下地	PBt=9.5	枚	18	550	9,900	
	7.壁仕上	ラワン合板12×3×6	枚	22	2,880	63,360	
	8.壁仕上	ラワン合板3×3×6	枚	18	2,000	36,000	
	9.壁仕上	シナ合板12×3×6	枚	6	6,830	40,980	
	10.床下地	構造用合板24×3×6	枚	28	3,230	90,440	
	11.床仕上	バーチ無垢フローリング	箱	28	7,500	210,000	
	12.床仕上	杉縁甲板15×105×3650	束	1		15,000	
	13.天井下地	PBt=9.5	枚	11	550	6,050	
⋮	⋮	⋮	⋮	⋮	⋮	⋮	⋮

屋根板金工事

工事種目	工事科目	規格	単位	数量	単価	金額	備考
4.屋根板金工事	1.屋根　竪ハゼ葺き		㎡	49	7,800	382,200	
	2.軒先ケラバ		m	36	1,200	43,200	
	3.破風板		m	36	4,250	153,000	
	4.換気棟		m	8	15,000	120,000	
	5.雨押え		m	5.5	15,000	82,500	
	6.雪止め		m	14.5	5,500	79,750	
	7.下屋　竪ハゼ葺き		㎡	8.5	7,800	66,300	
	8.軒先ケラバ		m	11	1,200	13,200	
	9.破風板		m	11	4,250	46,750	
	10.雨押え		m	6	15,000	90,000	
	11.土台水切り		m	22	1,200	26,400	
	12.木建鴨居		式	1		15,000	
	13.木建鴨居		式	1		12,000	
⋮	⋮	⋮	⋮	⋮	⋮	⋮	⋮

金物工事

工事種目	工事科目	規格	単位	数量	単価	金額	備考
6.金物工事	1.階段手摺鋼材費、加工費	スチールフラットバー	式	1		85,000	
	2.搬入取付費		式	1		20,000	
⋮	⋮	⋮	⋮	⋮	⋮	⋮	⋮

左官工事

工事種目	工事科目	規格	単位	数量	単価	金額	備考
10.左官工事	1.外壁下地	通気ラス　モルタルt=20	㎡	116	5,800	672,800	
	2.外壁仕上	ジョリパットJP-700リシン仕上	㎡	116	2,800	324,800	
	3.玄関床仕上	モルタル金鏝押え	㎡	11	4,500	49,500	
⋮	⋮	⋮	⋮	⋮	⋮	⋮	⋮

電気設備工事

工事種目	工事科目	規格	単位	数量	単価	金額	備考
B.電気設備工事	1.仮設工事		式			40,000	
	2.インターホン配線、取付		箇所	1		10,000	
	3.電灯配線工事		箇所	24	2,800	67,200	
	4.コンセント工事		式			264,400	詳細別紙
	5.TV用配線		箇所	3	10,000	30,000	
	6.TEL用配管、配線		箇所	2	10,000	20,000	
	7.LAN用配管、配線		箇所	2	17,000	34,000	
	8.分電盤工事	22回路、予備2回路	箇所	1		85,000	
	9.弱電盤工事		箇所	1		30,000	
	10.インターホン機器		箇所	1		41,000	
	11.換気扇電源工事		箇所	4	3,000	12,000	
⋮	⋮	⋮	⋮	⋮	⋮	⋮	⋮

コンセント工事

工事種目	工事科目	規格	単位	数量	単価	金額	備考
4.コンセント工事	1.片切スイッチ		箇所	17	4,500	76,500	
	2.3路4路スイッチ		箇所	4	4,500	20,000	
	3.2口コンセント		箇所	25	3,500	87,500	
	4.E付コンセント		箇所	3	5,800	17,400	
	5.専用コンセント100V-E		箇所	5	9,000	45,000	
	6.専用コンセント200V-E		箇所	1		10,000	
	7.防水コンセント		箇所	1		8,000	
⋮	⋮	⋮	⋮	⋮	⋮	⋮	⋮

照明器具工事

工事種目	工事科目	規格	単位	数量	単価	金額	備考
16.照明器具工事	1.照明器具B1		台	1		13,500	
	2.照明器具B2		台	8	3,200	25,600	
	3.照明器具B3		台	1		6,200	
	4.照明器具DL		台	4	4,800	19,200	
	5.照明器具HD(ホワイト)		台	3	6,000	18,000	
	6.照明器具HD(ブラック)		台	6	6,000	36,000	
	7.照明器具引掛シーリング		台	1		500	
	8.照明器具ペンダント		台	1			支給品
	9.照明器具スポットライト		台	12	6,300	75,600	
⋮	⋮	⋮	⋮	⋮	⋮	⋮	⋮

同様に、品番と個数が記されているので正しいものが計上されているかを確認しましょう。

(7)給排水衛生設備工事

給排水衛生設備工事には、給水設備工事、給湯設備工事、排水設備工事、衛生機器設備工事などの項目があります。特に、衛生機器設備工事では、希望の器具の品番が記載されているか、数量が正しく計上されているかを確認してください。

(8)空調換気設備工事

空調換気設備工事には、エアコンなどの空調工事と、換気扇や給気口などの換気工事があります。他の設備工事同様に、エアコンは機種が正しく必要な部屋数が揃っているか、換気扇の数は図面と合っているかを確認します。

このほか、建築本体工事の科目には雑工事があります。雑工事とは、既成品の収納家具や床下収納、表札やポスト、物干しパイプなど、どの工事に仕分けするか判断のつかない場合に列記する小さな工事のことです。

2・検討結果

工事費見積り比較表を見ると、建築工事の小計はB社のほうが約150万円高くなっています。また、外構植栽工事の合計金額は、A社とB社で約33万円の差があります。施工範囲が広いわけではないので、工事の内容に差があるとのではないかと考えられます。

A社とB社の見積り金額の差は、税抜きで50万円とそれほど大きくありませんでした。A社は今までに何度か施工を依頼した実績があることに対して、B社は初めての見積りだったため、設計事務所の意図をよく理解しているA社のほうが安かったのではないかと建て主に報告をしました。結果、今までの施工実績があり、見積り金額も安いA社に決まりました。

設計事務所と施工会社の仕事の実績が、そのまま見積り金額に反映される傾向があります。それは、設計事務所の仕事の仕方をよく理解している施工会社のほうは余分な費用を計上しないでよいため、合計金額が抑えられやすいということです。

3・まとめ

どの見積り書でも、特に注目すべきポイントは、①正しい仕様であるか、②単価は妥当か、③数量は適切であるかの3点です。念入りに確認のうえ、わからないことがあれば遠慮なく質問しましょう。ただし、見積り金額は、今までの仕事の実績や経験の他、図面の読み込みや理解によっても異なる場合があります。気になる点は、打合せをして調整するとよいでしょう。

また、見積り作業は、限られた時間の中で各職人がそれぞれに算出した金額を、工務店が取りまとめて作られます。悪気はなくとも書き間違いや計算違いが生じることもあります。そのため、「間違いは起こるもの」と心積りしておいて、必要があれば冷静に訂正を求めることが大切です。

Construction

現場着工!
いよいよ「かたち」に
なっていく

あなたの夢のイメージが
現実空間にすこしずつ姿を現してきます。
でも、いかに美しいディテールにもとづいた
デザインをしても
すべては施工現場で決まります。
たくさんの職人たちの技と気力が
最後のカタチをつくりあげるからです。
夢のカタチを実現するために
現場に行きましょう。

Construction Site

工事現場の流れ

設計図で見積りの確認も済み施工業者も決まり、さあ、いよいよ現場がはじまります。
でも、ここでホッとしていてはいけません。新しい家ができていく過程では、思いもよらない問題が起こるものです。

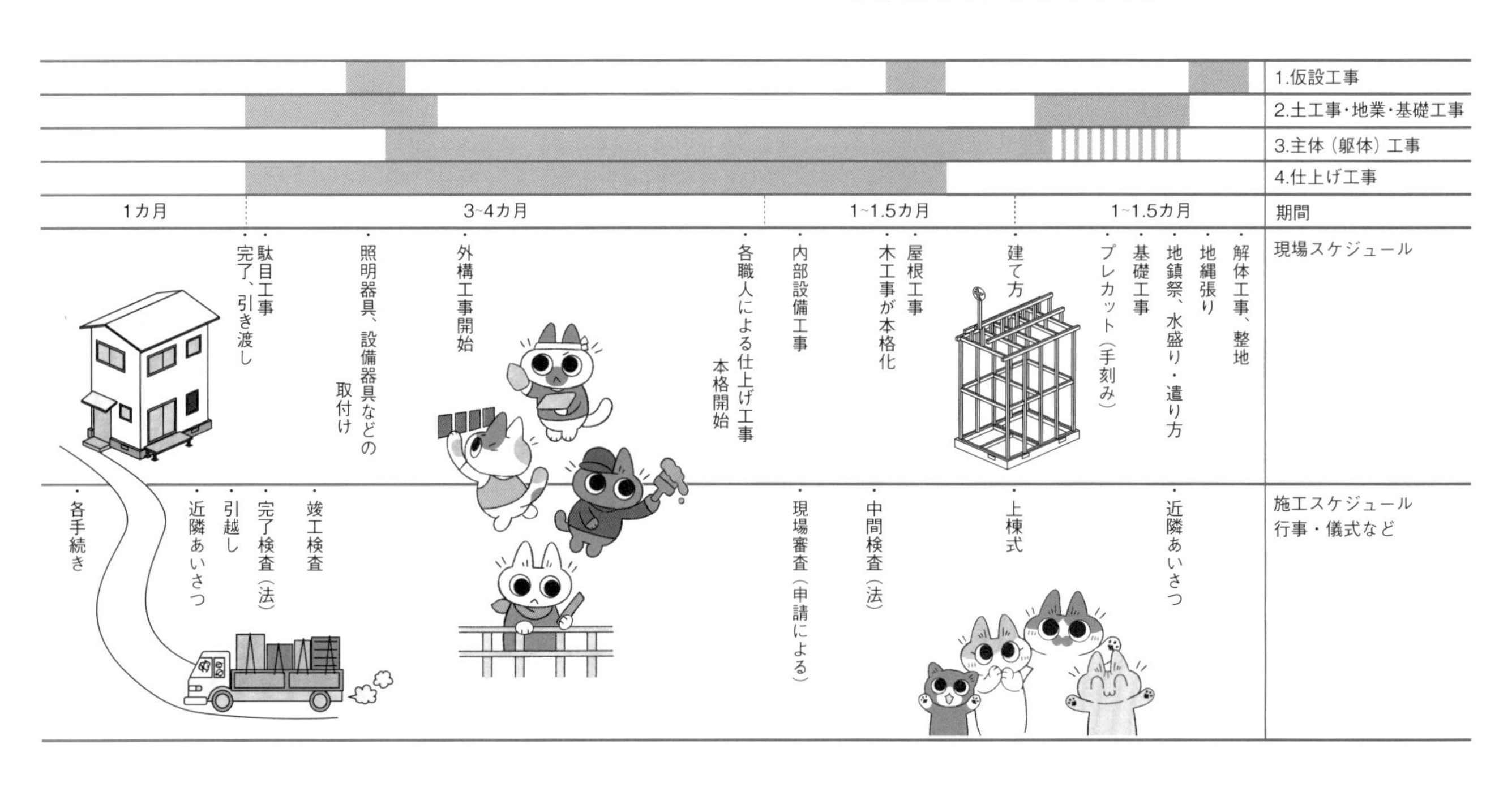

住宅の工事現場では、はじめてのことばかりでつい専門家にたよりがちです。でも、将来そこに住む本人が、傍観者になっているようでは本当に望む住まいは実現しません。できるだけ現場へ足を運び、自分自身の目で家ができあがる過程を確かめたいものです。そのためにも、まずは工事現場の大まかな流れを知ることが大切です。

1・更地に新築か、建替えか

当たり前のことですが、家を建てる敷地は、既存の建物や障害物など、何もない平らな地面でなければいけません。敷地をこうした状態に整えることを更地にするといい、「新しい敷地に家を建てる」場合は、この作業はすでにすんでいるはずです。

「建替え」の場合は注意が必要です。はじめに古い家を壊す**解体工事**を行います。この解体工事は、建て主と解体業者との事前の打ち合わせが大切です。特に残しておきたいものや、新しい家でそのまま使いたいものがある場合は、一時保管場所を確保しておく必要もあります。家を建てる業者と解体業者が別の場合などは、お互いの作業工程の調整が大切です（**表1**）。また、規模によっては建築リサイクル法による分別解体・再資源化が義務づけられますから注意しましょう。

「建替え」では工事中の「仮住まい」の場所を探したり、引越しも工事の前と後の2回必要になってきます。仮住まいで使うものと、新しい家に引っ越してから開けるものを分けるなど、荷造りも工夫して、できるだけ無駄のないよう心がけましょう。

2・工事の大まかな流れ

家を建てる前に、まず工事が無事完了することを願って、神主に敷地のお祓いをしてもらいます。これを**地鎮祭**といい、建て主はもちろん、設計者や施工者など工事関係者もいっしょに参加します。こうした行事は午前中が多いので、午後に建物の位置や大きさ、高さの基準を確認するための作業である**地縄張り**、**水盛り・遣り方**を行ったりします。建て主も立ち会ったほうがよい作業なので、三者が集まるこのときを利用すれば1回ですみます。あわせて**近隣への挨拶**もしておくとよいでしょう。

次に家を建てる部分の地盤を強固なものにする作業に入ります。基礎がのる部分の土をほって、その底に小さく砕いた石（砕石）を敷き並べ、地盤を突き固める**砕石地業**などを行います。また、鉄筋コンクリート造の建物や地盤が悪い場合は、杭を打つこともあります。

そして、いよいよ建物本体の工事です。家が沈んだり、傾かないようにするためには、上部建物の重みを偏りなく直接地盤に伝えることが必要です。その役割を担う大切な部分をつくるのが**基礎工事**です。

基礎は、直接地面に接して湿度の高い環境にさらされ、かつ強度が要求されるので、

Construction

5 現場着工！いよいよ「かたち」になっていく

解体工事に伴う打合わせのいろいろ

木造の建物でも鉄筋コンクリートでつくります。この基礎の上に建物の構造（骨組）部分をつくるのが**躯体工事**です。内容や工期に一番ちがいがでる部分ですが、それは木造軸組構法やツーバイフォー工法、ログハウス、鉄筋コンクリート造、鉄骨造など、建物は目的や予算にあわせて、さまざまな材料や工法でつくられるからです。

木造の現場では、家の骨組をつくる**建て方**からはじまります。主に大工が手がける工程です。この後には**上棟式**を行って、工事の無事を祈り、関係者をねぎらいます。

骨組ができたら、次は**下地工事**です。最終的には見えなくなる部分ですが、この工事の間に電気や給排水などの**配線・配管工事**が入ります。また、必要に応じて役所の**中間検査**や申請による**現場審査**などもあります。最後は室内や外部の**仕上げ工事**で、住む上で私たちが最もよく目にし、各部屋の趣きや建物の外観を決定する工程です。職人の数が一番多い部分で、その調整は現場責任者である現場監督や棟梁の重要な仕事です。

最後に役所の**完了検査**とは別に、工事がしっかり終わっているかのチェックをします。これを**竣工検査**といいますが、この検査には建て主も立ち会います。竣工検査を受けて必要な手直しをすることを**駄目工事**（**駄目直し**）といいます。これで現場の工事は完了し、施工者からカギを受け取って、建物の**引き渡し**の手続きをします。実はここではじめてその家が建て主のものになるのです。こうして新しい家への**引越し**となります。

3・引越しにあたって

近隣への挨拶、役所や学校への届出、ガス・水道・電気などの手配、転居届など、引越しまでの間にしておくことは山ほどあります。荷造りばかりに時間をとられて、当日あわてることがないように、できることからすませておきましょう。そのためにも、現場の状況を把握しておくことは大切です。引越しの雑用に気をとられて、肝心の現場を忘れないようにしましょう。

4・外構も同時に

外構工事は予算の都合上後回しになりがちですが、家の工事といっしょに進められれば施工上のムダが少なくなり、コストダウンにつながります。特に庭に木や花を植えようと思っても、下に配管がとおっていたりすると大変です。計画だけでも同時に考えておいたほうが無難でしょう。

5・工期の目安

着工から完成までにかかる期間は、工法や工事の規模・業者など、さまざまな条件によって異なってきますが、木造軸組構法では、だいたい5〜7カ月が目安です。

昔は工期に無理のないよう家づくりが進められていました。材料は、秋から冬にかけて近くの山で伐採し、壁は春から秋にかけて塗るなど「切り旬」「塗り旬」がありました。木材の乾燥なども必要な時間をとって乾燥させ、家を建てました。現代ではそんな悠長なことをいってはいられないかもしれませんが、せっかく建てた家を無理なく長持ちさせるためには、大切なことです。工期は短く短くとなりがちですが、何十年と長く住み続けていく家を建てるのですから、ほんの1〜2カ月を惜しんで、あとで後悔するのは残念なことです。それぞれの現場における適切な工期で進めたいものです。

表1 「建替え」の注意点

項目	注意点
解体工事	■「手壊し」か「機械壊し」かで予算や時間がちがってくる（壊す家の規模や構造および残したい建具や樹木などがあるかどうかなど） ■残したいものがある場合は、その一時保管場所の確保と、その責任者が誰かをはっきりしておく ■解体業者が新しい家の施工業者と同じ業者かどうか（ちがう場合は、お互いの工程についての打ち合わせが大切）
引越し	■工事の前と後の2回（荷造りに工夫） ■仮住まいの確保
手続き	■解体除去届を役所へ提出 ■建物滅失登記（法務局） ■借地の場合は地主の承諾書が必要 ■壊す家と同じ（またはそれ以上の）規模や構造で、新しい家が建てられるかどうか、法的規制の変更の有無を確認 ■規模によっては建築リサイクル法の申請が必要

工法・構造と現場

住宅の工事現場の流れを工法、構造別に紹介します。基礎工事や仕上げ工程は、大きな違いがないので、ここでは建物の骨組にあたる躯体工事を中心にみてみましょう。

耐力壁

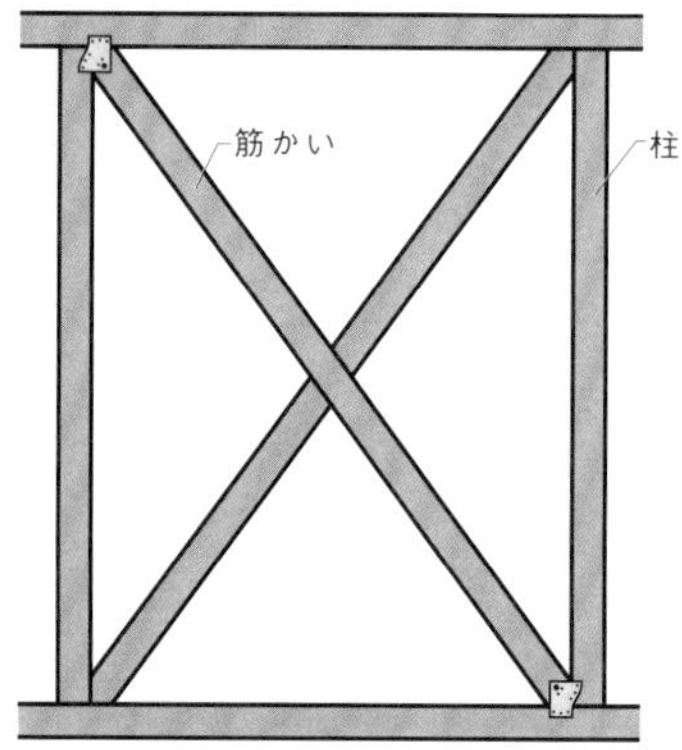

建て方で架構を組み上げてから、後日、筋かいを入れる

木造軸組構法（筋かいの場合）

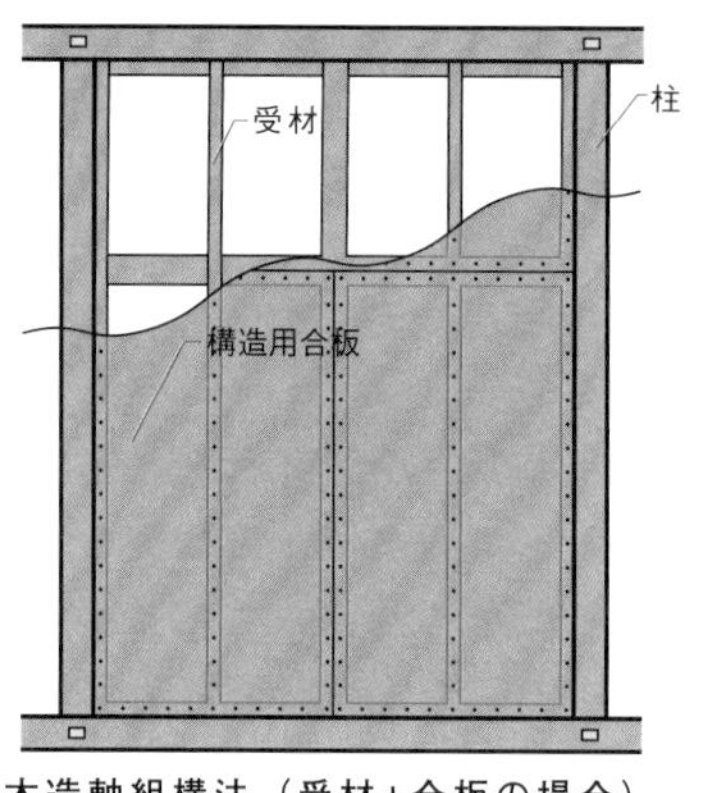

筋かいと同じく建て方が終ってから、合板の受け材を入れて、構造用合板を張り付ける

木造軸組構法（受材+合板の場合）

木造軸組構法の骨組

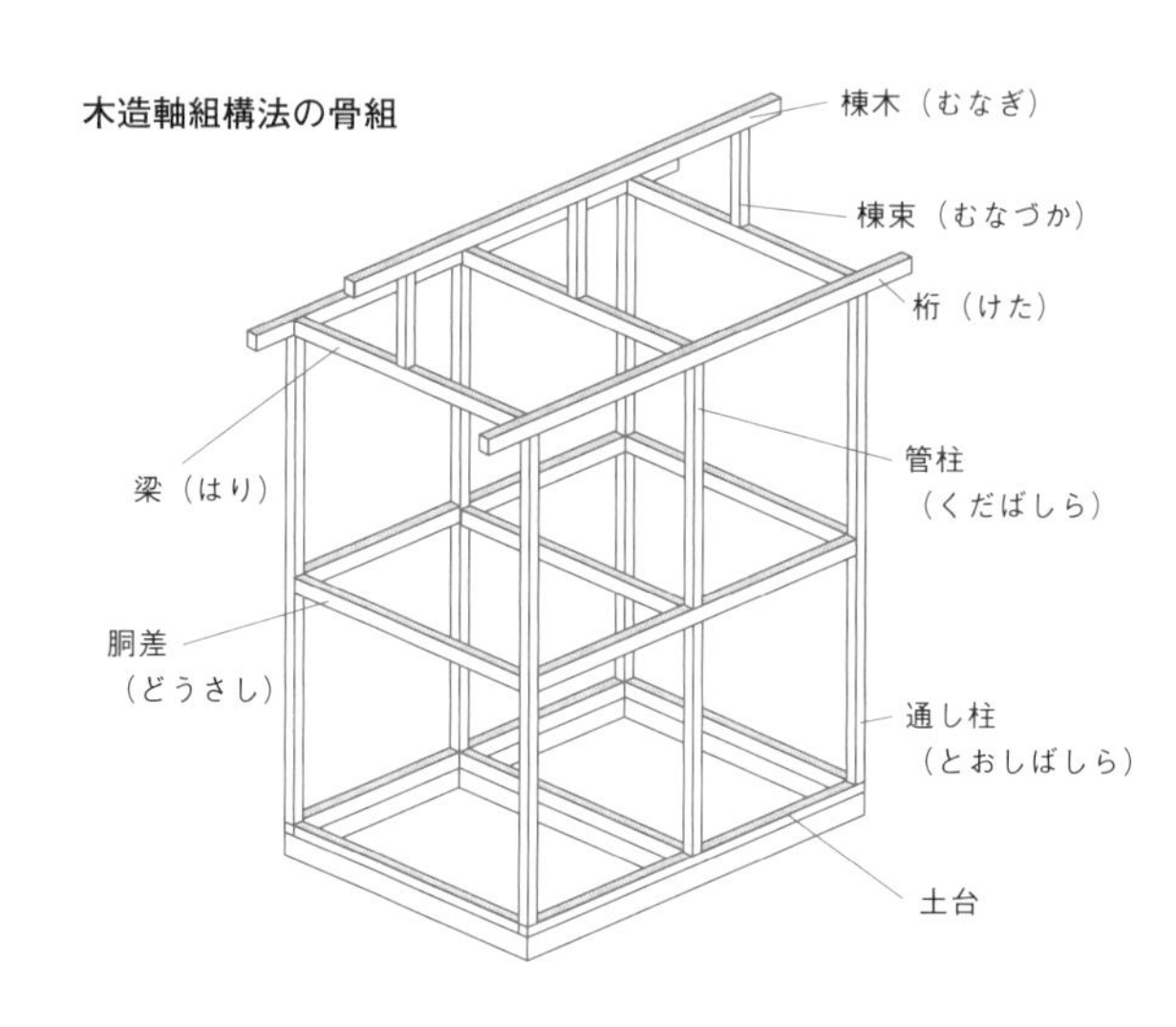

貫
柱
構造用合板

建て方のときいっしょに貫を通して架構の一体として組み上げ、構造用合板を張る場合は後日、施工する

伝統系（通し貫+合板の場合）

木造軸組構法の現場

木造軸組構法は、柱や梁、土台などを組み合わせた**骨組**（**架構**ともいいます）が基本で、この骨組に壁などをつけていきます。この構法が増築しやすいと言われるのはこのためです。

現場ではまず、基礎コンクリートの上に土台を据えつけていきます。次に柱を立て、梁をわたし、小屋を組んで最後に棟木を乗せたらできあがりです。この工程を**建て方**といい、1～2日程度かけて行われます。こう書くとあっという間に終わってしまうように感じますが、実はこの日のために現場とは別の場所で木材の加工が進められています。木材の加工にはプレカットという機械による加工と、大工の手による手刻みがあります。大半はプレカットによる加工ですが、機械ではできない細かな加工や複雑な加工は手刻みにより事前に準備が進められます。これらの作業は、だいたい1～1.5カ月程度かけます。現場の基礎工事などと同時進行で進められていて、建て方の前日にそれらの加工材料が現場へ搬入されてきます。

骨組が完成したら屋根工事がはじまり、次いで外部の窓や外壁の下地工事へと進みます。屋根工事を最初にするのは、現場での各作業が天候に左右されずにスムーズに進められるようにするためです。

続いて床や壁、天井などの下地部分の工事となりますが、最終的に仕上げで隠れてしまう電気の配線工事や水道の配管工事などが途中に入ってきます。その後、階段やドアなどの枠をつくる内部造作工事へと続きます。この工程が終わると大工仕事はほぼ終了で、仕上げの各職人へバトンタッチして家が完成します。

完成までの工期の目安は、5～7カ月程度です。

軸組構法と一口に言っても…

ツーバイフォーやプレファブなど、比較的新しい外来の工法の登場によって、それまで日本にあった木造住宅のつくり方を、

木造軸組構法の現場の流れ（一例）

期間	工事工程（現場）
1～1.5カ月目	・地縄張り ・水盛り・遣り方 ・基礎工事 （プレカット手刻み） ・足場設置 ・木材搬入 ・建て方、上棟式
2～3カ月目	・屋根工事 ・木工事が本格化 ・外部サッシ取付け ・断熱材 ・内部配管工事 ・内部配線工事
4～7カ月目	・各職人による仕上げ工事本格開始 ・内部造作 ・塗装工事 ・足場解体 ・タイル工事 ・内装工事 ・内部建具工事 ・家具工事 ・カーペット、畳敷込み ・照明器具、設備器具などの設置 ・竣工検査、駄目工事 ・完了

〔プレカット〕機械による木材の加工

〔建て方の手順〕

①建て方前の基礎

②建て方本格化—柱立て

③建て方中盤—棟木まで完成

④建て方中盤—小屋組

⑤建て方後の屋根工事

ひっくるめて在来工法と呼ぶようになりました。在来工法は、柱や梁など軸材により建物の基本部分をつくるので軸組構法という種類になり、柱を主体にした開放的な空間をつくることが可能です。

最近では、これまで在来工法と呼んでいたものを木造軸組構法と呼び、木造軸組構法と伝統構法の2つに分けて扱うことも多いようです。この2つのちがいを**耐力壁**のつくり方などのちがいからみてみましょう。耐力壁は、地震や風などの水平力から建物を守るためにバランスよく配置されます。

(1) 木造軸組構法

柱と土台・梁で囲まれた四角のなかに、筋かいという斜めの材を入れます。最近では同じ四角のなかに小さい木で受け材をつくり、構造用合板などを張りつける方法もあります。これらの構法は、補強金物や釘などを多く使っています。筋かいや合板は建て方が終わってから取りつけます。

(2) 伝統構法

伝統構法は、できるだけ釘を使わずに木材を接合する、**木組**でつくられます。この木組の柱同士を、3～4段の**貫**という横木でつなぐのが代表的なつくり方です。貫はその名のとおり柱を貫くので、建て方のときにいっしょに組んでいきます。耐力壁として扱われるために、貫を下地に構造用合板などを張りつけたりします。また最近では、昔からのつくり方の土壁なども耐力壁としての性能を見直されはじめています。

ツーバイフォーの仕組み

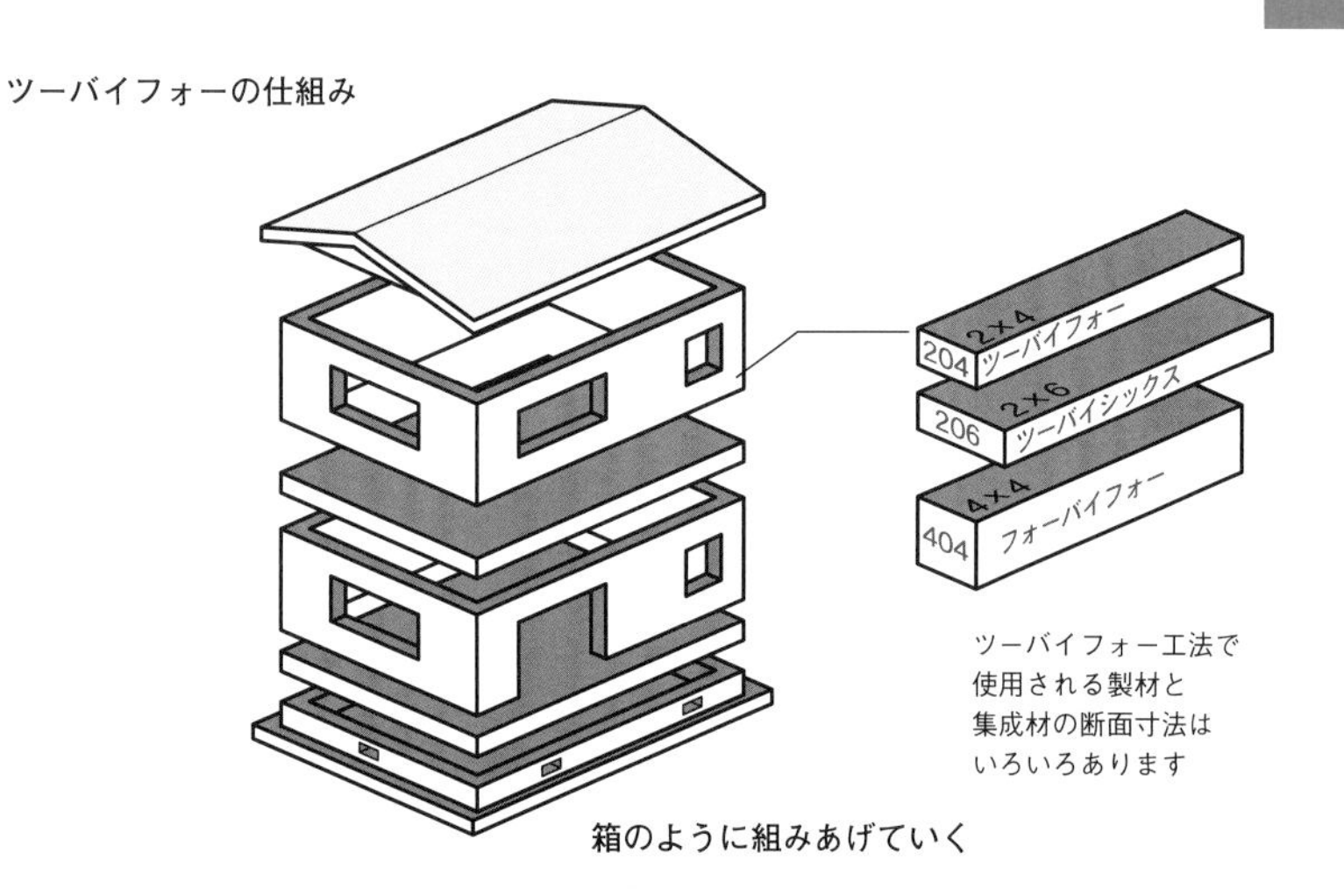

1階の壁枠組。外壁を建て起こす　1階の床張り。床構造用合板を釘打ち　基礎ができあがった状態

外壁の建て起こし

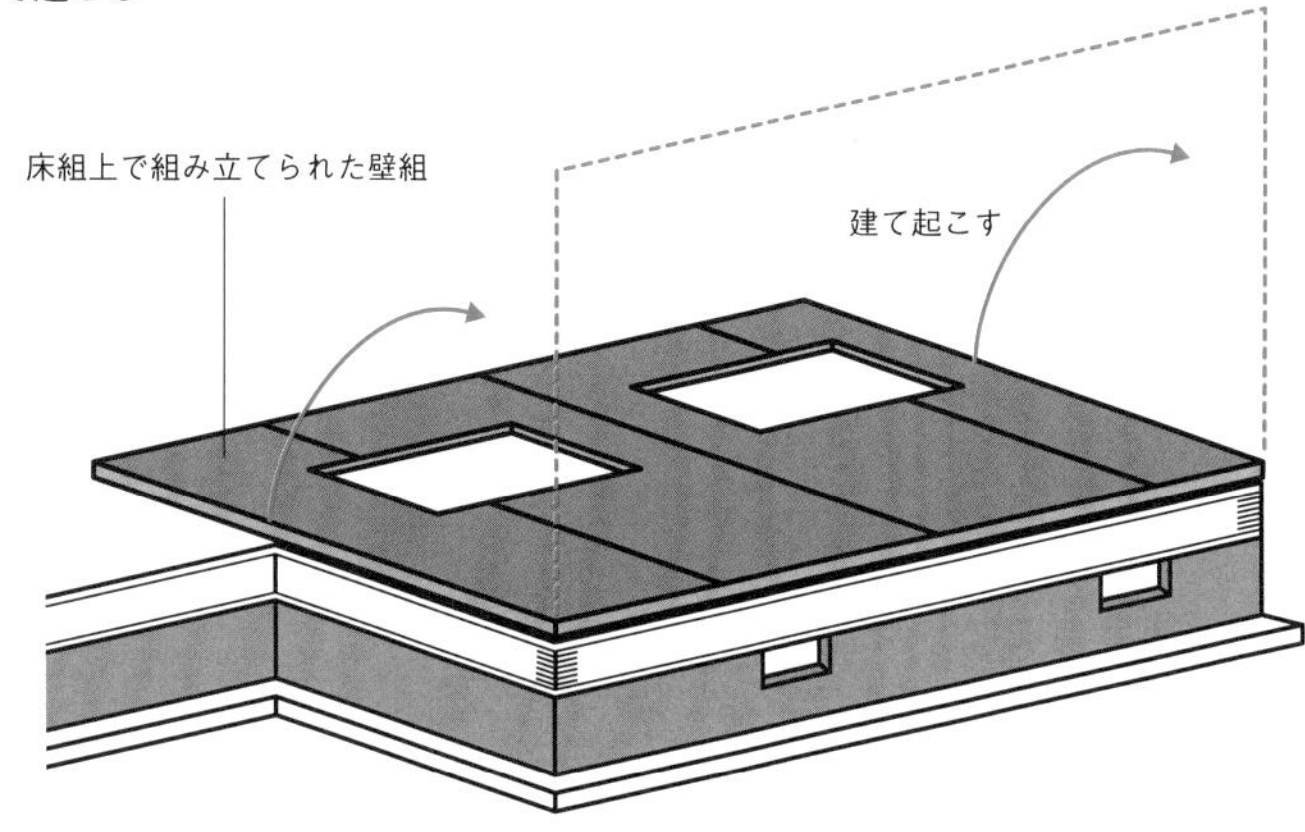

ツーバイフォーの現場

ツーバイフォーは、基準部材の公称断面が2インチ×4インチであることから名づけられました。つまり、ツーバイフォーは材料の名前で、北米ではウッド・フレイム・コンストラクションと呼ばれています。日本での法律上の名称は、枠組壁工法です。日本名が表しているように、枠をつくり、それに合板などの面材を張って壁をつくります。

現場では、基礎工事のあとに軸組構法と同じように土台の据えつけからはじめます。次いで1階床の枠組をつくり、面材を張りつけてパネル状にします。この床面が次の作業「壁枠組（壁体パネル）をつくる」ための作業台になり、同時に原寸（実際の寸法）の製図台としても使われます。この工法が合理的で工期も比較的短くてすむ理由です。

また、壁枠組を建て起こしていく順序も、同じように合理的に考えられており、外周壁から内壁の壁枠組、大きい壁から小さい壁と順序よく進めていきます。こうして1階を組み立てたら、2階も同じように組み立てていきます。最後に小屋組を完成させ、構造体ができあがります。

構造体ができたら屋根工事や外部の建具の取りつけに入ります。次に天井下地、内壁の石膏ボードの張りつけと続き、造作工

ツーバイフォーの現場の流れ（一例）

期間	1カ月目	2〜3カ月目	3〜4カ月目
工事工程（現場）	・地縄張り ・水盛り・遣り方 ・基礎工事 ・土台据付け ・1階床枠組 ・1階壁建て起こし ・2階床枠組 ・2階壁建て起こし ・小屋組	・上棟式 ・屋根工事 ・外部サッシ取付け ・内部配管工事 ・内部配線工事 ・断熱材 ・内壁石こうボード張り ・内部造作 ・塗装工事	・内・外装工事 ・内部建具工事 ・家具工事 ・敷物工事（カーペットなど） ・照明器具、設備器具などの設置 ・竣工検査、駄目工事 ・完了

2階の壁枠組。1階と同様に外壁を建て起こす
小屋組が完成したところ
屋根ルーフィングを張り終わったところ

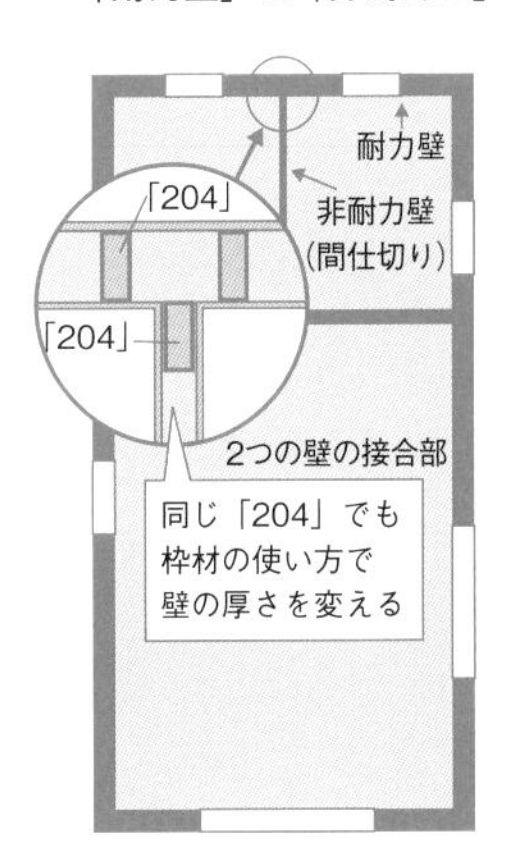

「耐力壁」と「非耐力壁」

2×4は「釘打ち工法」
釘の打ち方にも決まりがある

事や内・外装の仕上げで建物が完成します。

隠れる配線や配管などは、ボードを張りつける前に施工しますが、パネルの枠材に穴を空けたり、欠き込みを入れたりして構造体をいじめることになりますから、それぞれに合った補強を施していきます。

この工法は、間取りの変更が容易でない反面、壁がバランスよく配置されるようになっているのが特徴です。ただし、壁もつくり方によって違いがあり、すべてが耐力壁というわけではなく、部屋を仕切るためだけの非耐力壁（間仕切り壁）もあります。

また、構造部材の組み立てがすべて釘や金物によって緊結されていて、別名「釘打ち工法」といわれるほどです。釘の種類や数、打ち方など細かく規定されており、釘1本といえどもまちがいのないよう、入念な施工が大切です。

この工法は、前述のように現場での大工の加工作業は徹底して省力化されています。また構造体も仕上げですべて隠れるため、施工にあまり手間がかからず、熟練した技能を必要としません。こうしたことから現場での生産性が高く、工期は2・5〜4カ月と他の工法と比べると短くできます。

ただし、構造体ができあがるまでは、部材は風雨にさらされたままの状態ですから、天候に左右されがちです。ちゃんと養生している現場もありますが、そうでない場合は現場の責任者に確認してみましょう。

ログハウスの現場

丸太（ログ「log」）材などを横に積み上げて壁をつくる構法を**丸太組構法**といい、一般には「ログハウス」と呼ばれています。もともとはデンマークや北欧で古くから発達した構法で、丸太の断熱性を利用した寒冷地の住宅です。

丸太組構法の基礎工事は、原則として木造軸組構法とほとんど同じ工程です。この基礎工事と並行して丸太材の加工が作業場で進められ、準備ができたら現場へ輸送されてきます。輸送車は、大型トラックやコンテナ車になりますから、現場までのアクセス経路をあらかじめ確認しておくことが大切です。

材料が搬入されたらログの建て方に入ります。丸太材などを直角に交互にかみ合わせて横積みにしていきます。壁面を組み上げたあとで床をつくる方法もありますが、1階の床をある程度つくってから壁をつくるほうが、安全性・作業性からみて有利です。建て方と同時に電気の配線工事を行います。そして、ベランダ工事やログ塗装工事をしてから、床組や造作工事、内装の雑工事や設備工事など、一般の建築工事に入ります。

この構法は、日本では正倉院の校倉造りで知られるように、主に倉庫の構法として利用されてきました。このことからわかるように、この構法は室内の湿度調整にすぐれています。それは木材の乾燥・収縮の性質をうまく利用しているからですが、住宅としては弱点になります。壁全体が収縮しますから、窓や扉の上部に収縮に対応したすき間を前もって設けるなど、施工上適切な措置が必要です。ちょっとした手抜きで、住みはじめてからドアが開かないなどの問題がでてしまいます。

実際、1軒のログハウスができるまでには、敷地の選定段階から十分な時間をとる必要があり、現場の工程だけでとらえることは難しいといえます。丸太の加工工程も重要で、国内で加工するか、カナダやアメリカで加工を依頼し輸入するかでも大きく違ってきます。したがって、全体の工期の目安は、3～10カ月と広範です。

ログハウスの建て方①　壁～小屋組

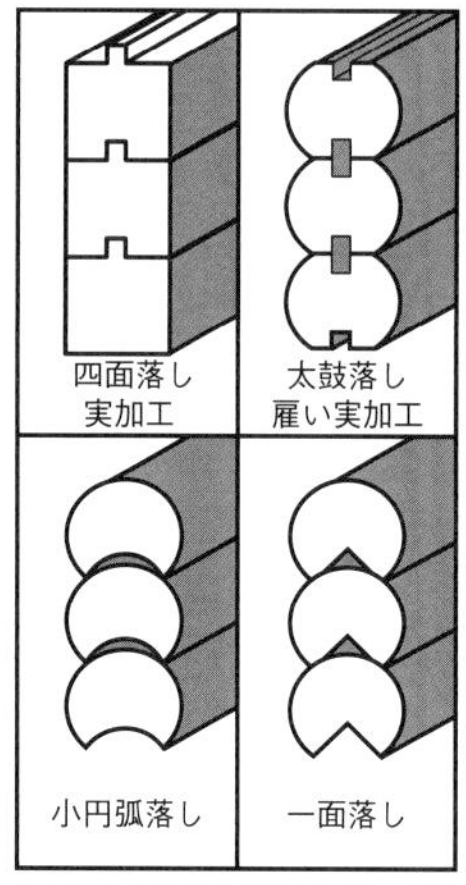

ログ上下部材の取合の一例

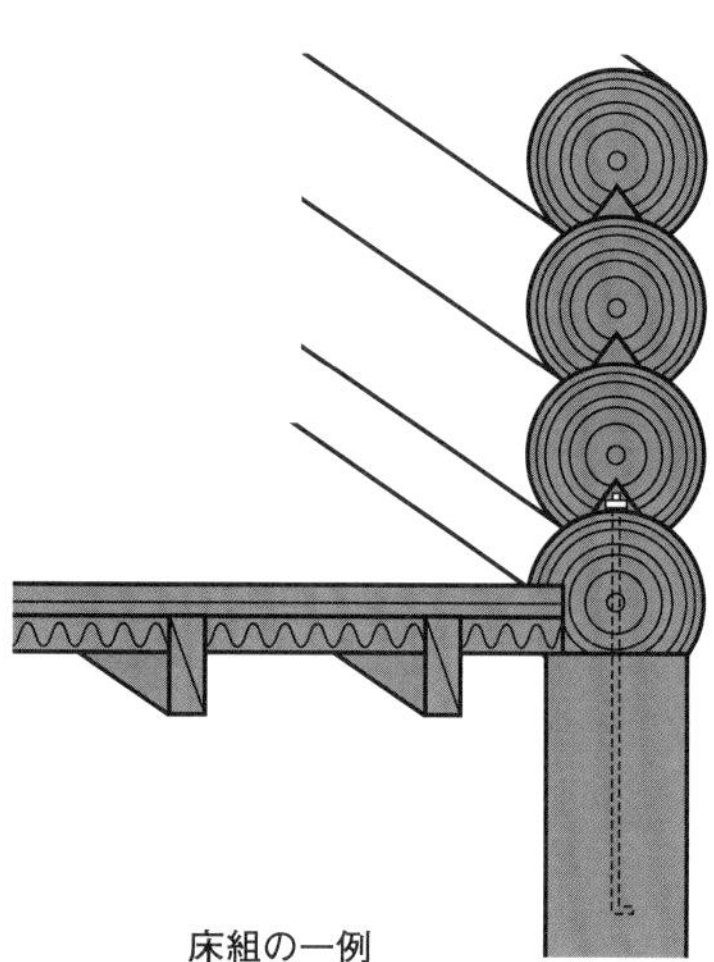

床組の一例

丸太組構法の現場の流れ（一例）

期間	1カ月目	2カ月目	3カ月目
工事工程（現場）	・基礎工事 （・ログの加工は別の場所で） ・木材搬入 ・土台据付け ・ログ建て方 ・床組み	・内部配管工事 ・内部配線工事 ・小屋組 ・ログ塗装工事 ・屋根工事 ・外部サッシ取付け ・断熱材 ・内部造作 ・内装工事	・内部建具工事 ・家具工事 ・照明器具、設備器具などの設置 ・竣工検査、駄目工事 ・完了

材料の搬入経路のチェック

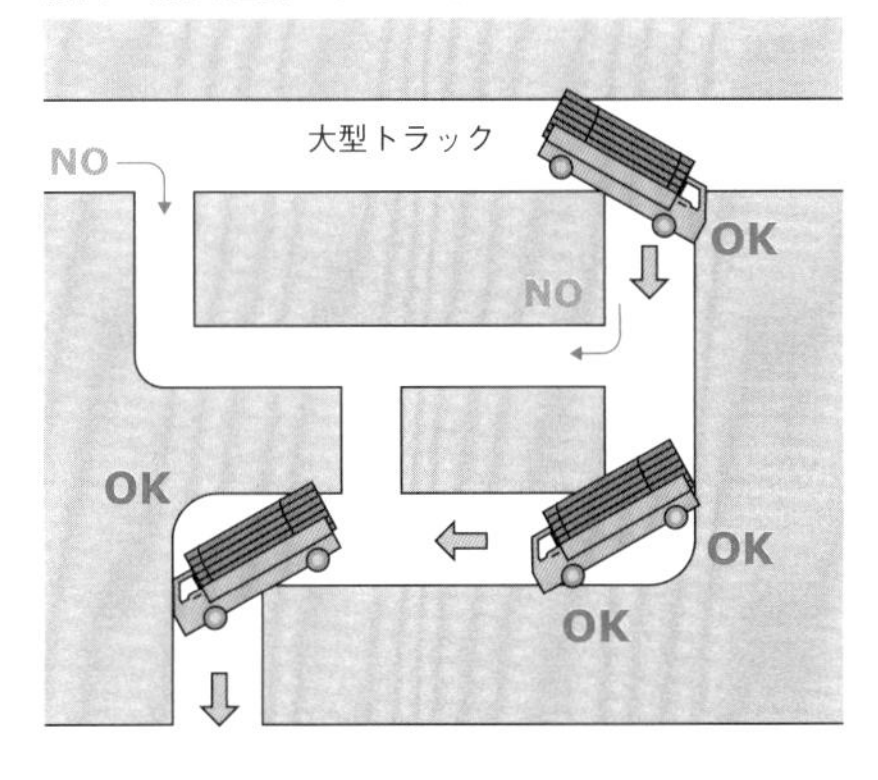

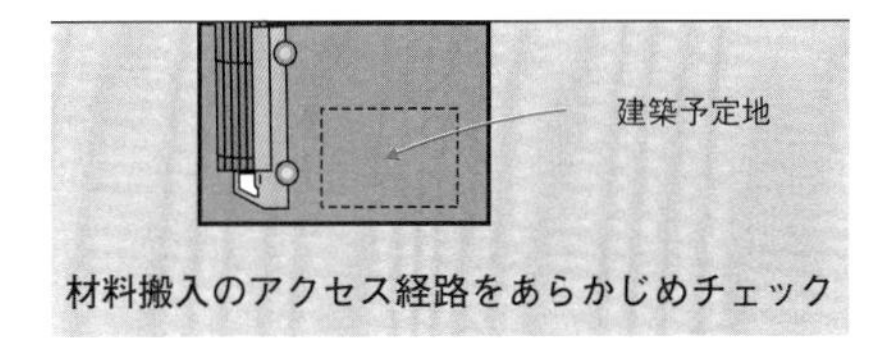

材料搬入のアクセス経路をあらかじめチェック

ログハウスの建て方② 小屋組の完成～塗装～完了

丸太材の収縮と対応

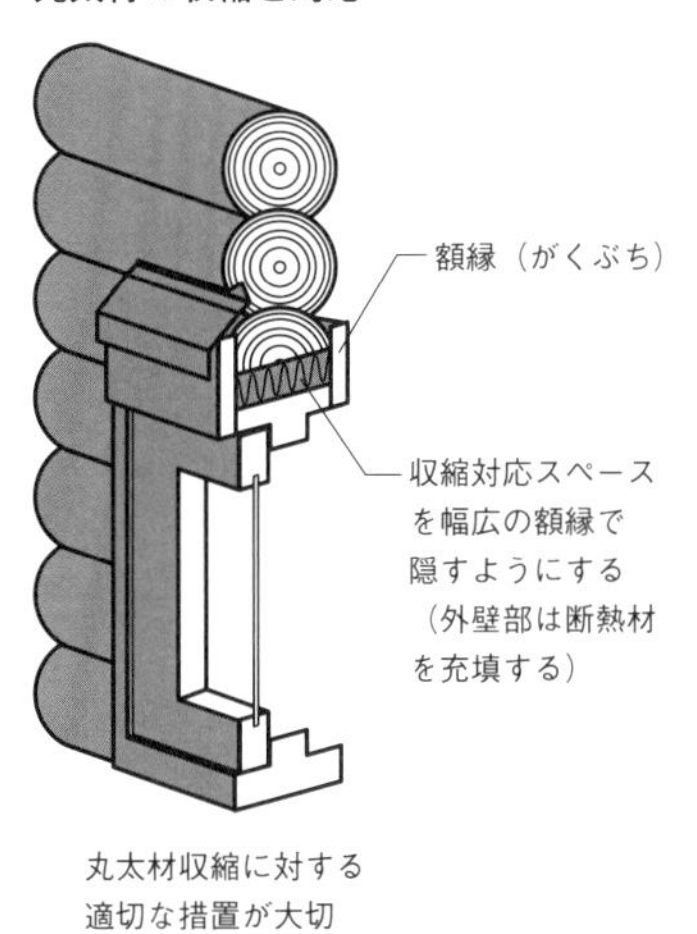

丸太材収縮に対する
適切な措置が大切

丸太材の搬入経路による日程の違い

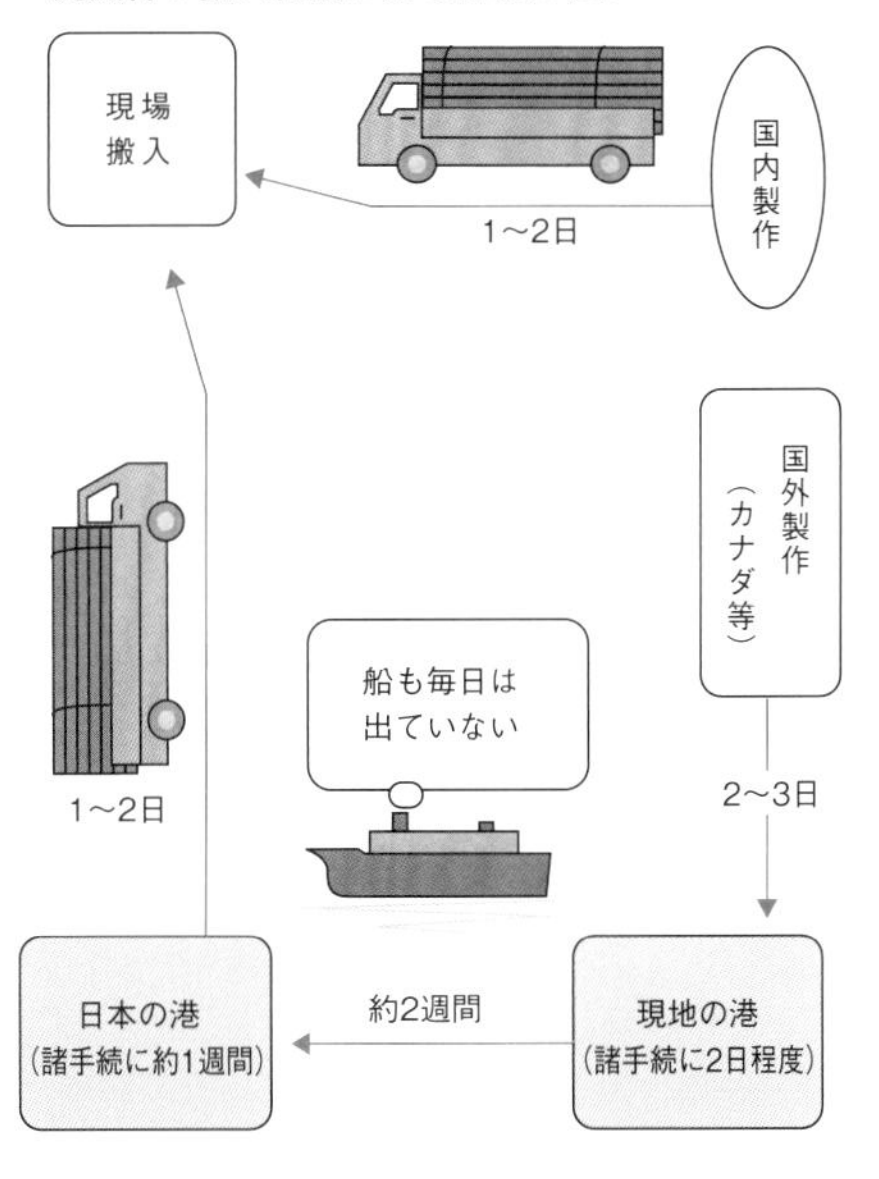

外側型枠の建て込み

コーナー部の型枠

壁の配筋

内側型枠の建て込み

RC造の住宅に多い壁式構造

配筋工事での配管工事

鉄筋コンクリート造の現場

鉄筋コンクリート造（RC造）による一般的な住宅は、自重が大きく、木造建築よりもしっかりした基礎が必要です。

躯体工事は、柱・梁・壁・床などの鉄筋を細かく組み上げ、その周りに組み立てた型枠のなかに、コンクリートを流し込みます。この一連の作業は、各階ごとに進められます。

最初に用意するのは、型枠と鉄筋です。まずはコンクリートを入れる器をつくる**型枠工事**（かたわく）で、外側の型枠を建てていきます。次に、コンクリートの壁のなかに入る鉄筋を組みますが、これを**配筋工事**（はいきん）といいます。併行して配線や配管などの設備工事も入ります。

これらの工事が終了したら、蓋をするように、今度は内側の型枠を建てて、その後に上階のスラブ（コンクリートの床のこと）や梁の型枠を設置します。鉄筋の太さや設置する間隔、鉄筋からコンクリート表面までの寸法（かぶり厚さといいます）など、設計図どおりに施工します。組み立てた型枠は、流し込んだコンクリートの重さに負けないよう、所定の部材で一定の位置にしっかり固定させるようにします。また、コンクリートの流し込みが終わるまで、その精度を確保することも重要です。

次は、型枠内にコンクリートを流し込む

鉄筋コンクリート造の現場の流れ（一例）

期間	1カ月目	2カ月目	3〜4カ月目	4〜5カ月目	5〜7カ月目	7〜8カ月目
工事工程（現場）	・地縄張り ・水盛り・遣り方 ・杭工事 ・基礎工事	・給排水工事 ・1階土間コンクリート打設 ・足場設置 ・1階柱、壁、2階床下梁の型枠組立て	・1階壁の配筋 ・配線工事 ・2階床の配筋・型枠 ・1階壁コンクリート打設 ・2階躯体鉄筋コンクリート工事、1階と同じようにくりかえし	・屋上も同じ ・外部サッシ取付け ・防水工事 ・断熱工事 ・内部木工事	・足場解体 ・内部建具工事 ・家具工事 ・内部仕上げ ・電気工事 ・照明器具、設備器具などの設置	・竣工検査、駄目工事 ・完了

型枠の脱型

コンクリート打設前の配筋検査

コンクリート打設の様子

コンクリートの品質検査

壁部分のコンクリート打設

コンクリート打設です。ミキサー車で運ばれてきたコンクリートはポンプ車に移され、建物の所定の場所までホースをのばし、職人が所定の位置に打設します。打設後は、コンクリートが必要な強度をもって固まるまで、そのまま型枠を取り付けておきます。その時間は、コンクリートの種類や季節（温度）によって違います。

　コンクリートの打設前には、型枠と鉄筋の施工精度のチェックや、コンクリートの品質も所定の試験で確認します。強度や耐久性とのバランスで、配合や条件が定められていますから、この確認は重要です。

　また、コンクリート打設での施工のよし悪しは、建物の寿命に大きな影響を与えます。施工がよくないと、ひび割れによる雨水の浸入を助長し、コンクリートの強度を弱くしたり、内部の鉄筋を錆びさせ、鉄筋の腐食を招いてしまいます。きちんと施工するためには、天候の影響の検討や、コンクリートの固まるまでの時間（養生期間といいます）を適切にとることが大切です。

　階段や地下室をつくる場合は、建物の躯体と一体でつくることが多くあります。階段は複雑な形のため、配筋やコンクリートの流し込みなど、施工が難しいものです。また地下室などは、地下水の影響などに対して手段を講じる必要があります。

　続いて防水や断熱の工事、内外装工事と順次施工して、建物が完成していきます。全体の工期の目安は7〜8カ月程度です。

鉄骨の骨組。工事完成後は木造と見分けがつけにくい

鉄骨工場での柱と梁の接合部の溶接作業

柱と梁の接合部一体化した柱材が完成

鉄骨の製品検査の様子

柱脚部の配筋工事

基礎工事の杭工事

鉄骨造の現場

鉄骨造（S造）は、低層から高層までさまざまな用途、規模の建物に用いられます。柱や梁などを接合して組み上げていくという点では、木造の軸組構法に似ています。材料も、鉄骨工場であらかじめ加工してから現場に搬入します。鉄骨材料は、専門家の構造強度計算などによって形状や寸法が定められ、所定の方法で接合し組み上げて製作されます。搬入前には鉄骨工場でこれらの材料が設計図どおりであるかチェックします。特に柱と梁は、**溶接**（ようせつ）という方法で材料同士をつないでおり、その施工性の良否は、とても重要な部分です。

一方、現場では基礎工事が行われています。木造と同じく鉄筋コンクリート造ですが、上に建つ家の重量を支えるため、基礎の下には杭を打つこともあります。柱の脚元との接合部は、地震などで大きな力がかかるため、柱と一体化させるよう所定の方法で基礎をつくります。それぞれの工程で、設計図どおりに施工されているかチェックしながら進めます。コンクリートを流し込んだ後は、十分な期間をかけてしっかり固まるのを待ちます。

基礎工事が終了したら、建て方に入ります。あらかじめ組み立てられて運ばれてきた柱は、基礎に接合します。基礎から立った柱に梁をセットしてつなぎ、順次鉄骨が組み上がっていきます。現場における柱と梁の接合は、主に**ボルト接合**です。一般的

Construction

5 現場着工！いよいよ「かたち」になっていく

鉄骨造の現場の流れ（一例）

期間	1カ月目	2〜3カ月目	4〜7カ月目
工事工程（現場）	・地縄張り ・水盛り・遣り方 ・基礎工事 ・ベースコンクリート工事（工場で、原寸図作成の上、部材作成） ・給排水工事 ・足場設置	・鉄骨部材搬入 ・鉄骨建て方 ・ボルト本締め ・2階床コンクリート工事 ・屋根工事 ・設備工事 ・外部サッシ取付け ・内部木工事	・外壁工事 ・配線工事 ・内部造作 ・内装工事 ・足場解体 ・内部建具工事 ・内部塗装 ・内部仕上げ ・照明器具、設備器具などの設置 ・竣工検査 ・完了

建て方の開始。柱を建てる

梁を柱につなげる

階段部分の建て込み

建て方1日目の完了

下げ振りを使い柱をまっすぐに直す

高力ボルト一次締めの様子

高力ボルト本締めの様子

な住宅の規模では、ほぼ1日で建物は立ち上がりますが、各パーツの接合部は仮締めしてある状態です。翌日以降に柱や梁の歪みを直し、ボルトの本締めなどを行います。最終的にはこの**本締め**（ほんじめ）で所定の検査をし、柱脚と基礎の接合の施工精度などを確認し完成です。

建て方終了後は、屋根工事を早く終わらせることが多くあります。状況にもよりますが、できるだけ雨を避けて、現場での工事をしやすくするためです。次いで造作や電気・設備、内外装などの各工事に入ります。床や階段の材料や工法、内外装の下地などいろいろで、仕上げとの納まりが難しいのも鉄骨造の特徴です。どの工程でも、細心の注意が必要です。

また、鉄骨造では揺れやたわみが起こりやすく水の浸入が心配ですから、屋根工事では漏水対策が大切です。加えて、本来鉄骨は火災時に温度が上昇することによって、強度が落ちたり変形しやすい材料なので、必要に応じた耐火被覆の施工を行います。錆にも弱く、塗装による適度な防錆処理も必要です。

現場での全体の工期は5〜7カ月程度と、鉄筋コンクリート造と比べて短いのですが、むしろ鉄骨製作図の作成やその承認、使用材料の入手など、準備段階ともいうべき工程にかかってくる時間が、全体の工期に大きく影響することがあります。

Wood Skeleton

木造軸組住宅の工事の流れ

木造軸組構法について、各工程の作業を詳しく紹介しながら、工事の流れを追っていきましょう。現場によって、いろいろちがいはありますが、工事の基本は同じです。

1・工事の事前作業

更地の状態の敷地で、一番はじめにする作業は、これから建てる家の大きさや位置などを確認することです。設計図と照らし合わせながら、建物の全体の大きさや内部（1階）の主な部屋割を、縄やビニールひもなどで張りわたして、建物の形を直接地面に落とします。この作業を**地縄張り**といいます。

建て主も立ち会って、建物の大きさや隣地からの距離など、直に確かめておくと安心です。この段階では、隣の家との関係がよくわかるので、新しい家の窓が隣の家のどのあたりにくるのか、冷暖房の室外機の排気方向が隣に迷惑をかけない位置かどうかなど、住んでからの住み心地や近所付き合いにも関係してくることが確認できます。

地縄張りが終わったら、敷地の基準となる高さを決めます。敷地は、一見水平に見えても、実際には東西南北に高低差がありますから、基準の高さを決めて印をつけます。

この印を**ベンチマーク（BM）**といい、次の工程の基準になります。

建物の高さの基準、水平面を決め、建物の柱や壁の中心（建物の基礎の中心）を出していきます。

地縄張りでできた建物外周の外側に、水杭といわれる木材を打ち込み、これに平たい板を水平に釘打ちします。この板は水貫といい建物の基礎の高さをBMから割り出した上で、その位置を定め、建物の高さの基準とします。この板に建物の柱や壁などの中心の印をつけていきます。

これらの作業を**水盛り・遣り方**といいます。

これらは、次の作業で印を写したあとは、撤去してなくなってしまう一時的な仮設物で、ここまでの作業は、工事費の見積書にある仮設工事にあたります。

水貫
水糸
地縄
筋かい貫
水杭

2・建物の足元をつくる作業

（1）地業―基礎を埋める穴を掘る

事前作業が終わると、建物の足元となる基礎をつくる作業に入りますが、その前に基礎を載せる部分の地盤をがっちり固めなければなりません。

水盛り・遣り方で出された基準線に従って基礎が載る部分の地盤を掘っていきます。これを**根切り**といい基礎の形によって掘り方が違ってきます。木造住宅の基礎は、断面が逆T字型の「布基礎」や「ベタ基礎」が一般的ですが（84頁）、フーチングといわれる底盤の幅より、少し広めに掘り下げ

木造軸組構法の工程①（一例）

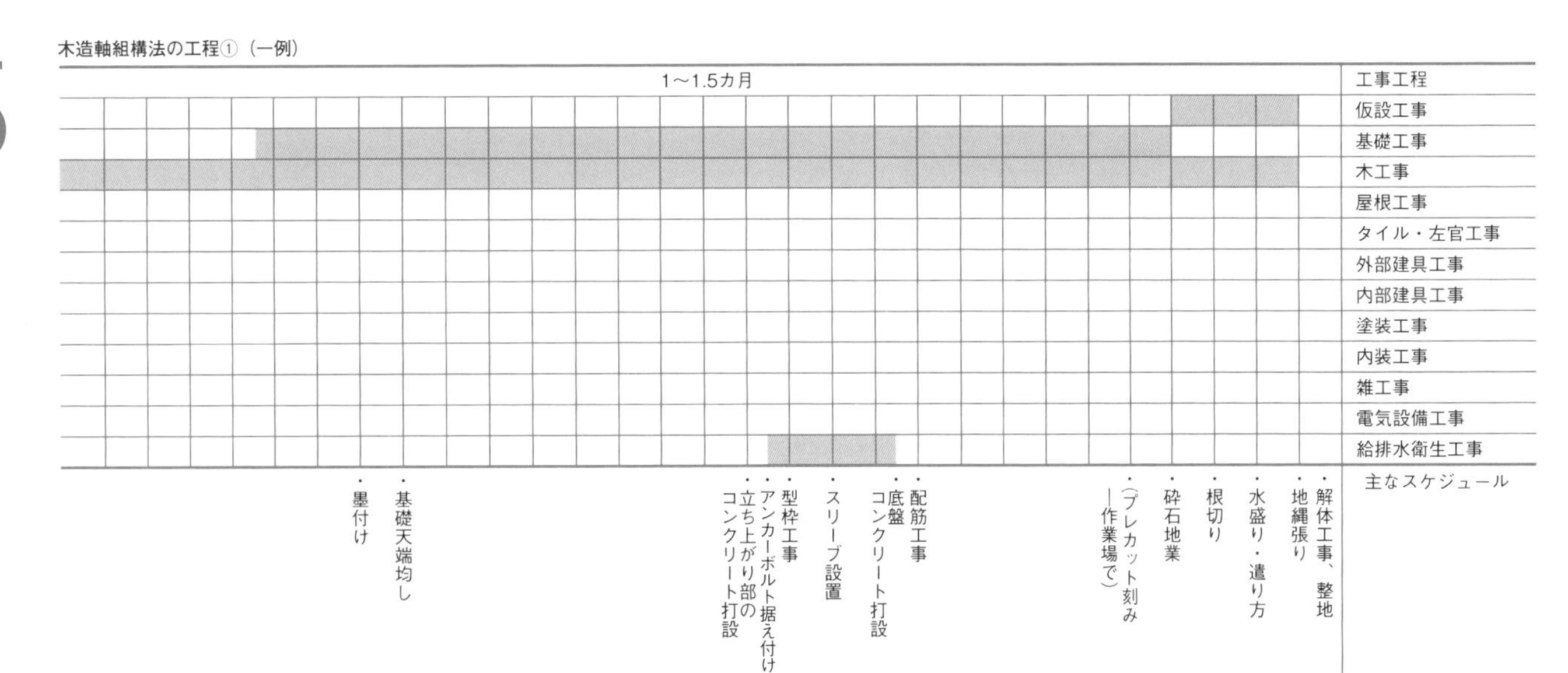

※　屋根：スレート葺き、外壁：サイディング張り、耐力壁は筋かいによる

ベタ基礎

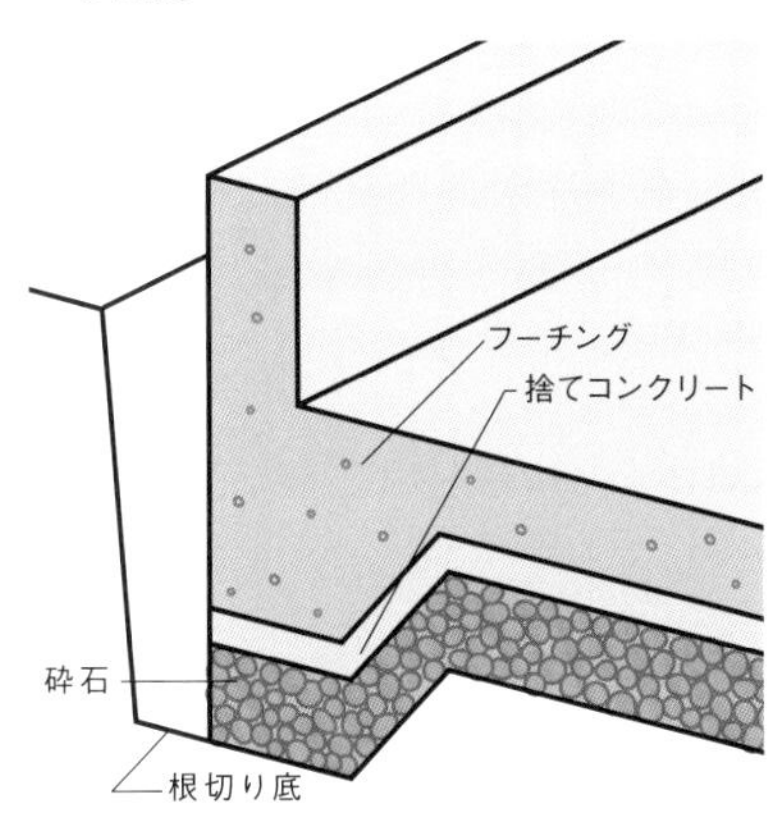

ベタ基礎の底板を打ち終えたところ

ていきます。その底面、根切り底を十分に突き固めたら、細かく砕いてできた砕石などを均一に敷き並べ、ランマーという機械で突き固めて平らにします。

こうした作業を地業といい、特にこの場合は**砕石地業**といいます。この上に捨てコンクリートを平らに打ち、基礎の位置や幅などの線を印す墨出しという作業をします。

(2) 基礎をつくる

いよいよ建物の基礎に入ります。がっちりと強度のある鉄筋コンクリート造の基礎が前提で、まず墨出しの線に従って、鉄筋を組む**配筋工事**、基礎の形に型枠を組む**型枠工事**を行います。

型枠の建て込みが終わると、そこにコンクリートを流し込む**コンクリート打設**へと移りますが、これらの作業の途中で、人通口の部分や、ガス・水道などの配管に必要な穴（**スリーブ設置**）の部分には、補強用の鉄筋を組んでおきます。あとから穴を空けてせっかく組んだ鉄筋を切断することがないようにするためです。このほかにも基礎と建物とを緊結するための金物である**アンカーボルト**を据えつけたり、土台を水平に据えつけられるように、基礎の上面を水平にする**天端均し**をしたり、硬化を待って型枠材を外したあと、土台を据えつけるための**墨付け**をしたりします。

これらの作業を**基礎工事**といいます。

基礎の配筋と補強

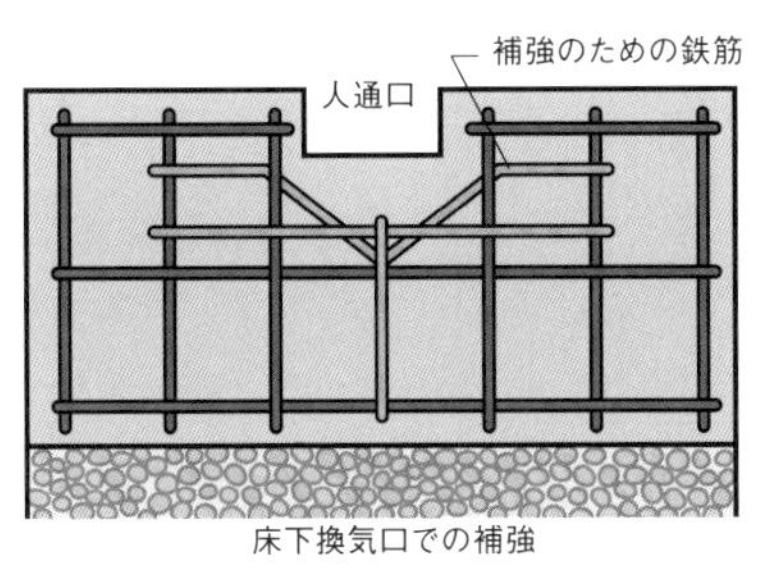

床下換気口での補強

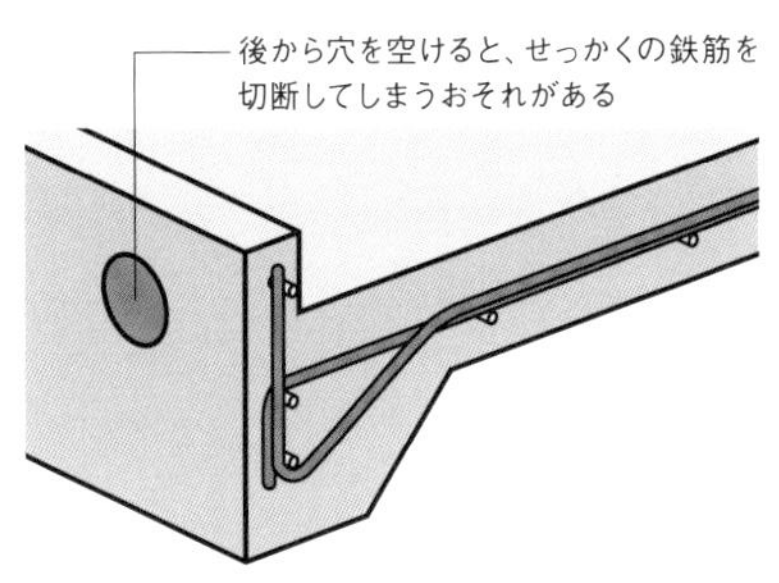

後からの穴空けによる「スリーブ設置」の危険性

3・建物の骨組をつくる

基礎ができたら家の骨組を組み立てる**建て方**に入りますが、この作業は1~2日程度で終わります。それは現場で鳶が基礎工事を進めている間に、別の場所でプレカットや**刻み**という木材の加工を前もって行っているからです。

刻み加工に先立ち、棟梁による墨付け作業が行われます。墨付けは、切る、削るなど工作のための線や記号を、木材に付ける作業ですが、経験と感性がその仕上がりを大きく左右します。

建て方の手順を考えたうえで、適材適所の仕口を決めたり、どの方向に捩れやすいかなど木材の癖をよんだり、家が完成したあとも、そのまま見えてしまう骨組の部材は見栄えを考えたりと、総合した知識や知恵が必要な作業だからです。

プレカットや刻み作業は1~1・5カ月程度かかります。準備が整ったら現場へ**木材を搬入**し、建て方に入ります。

最初は土台の据えつけです。基礎工事で入れたアンカーボルトに、土台を落とし込んで締めつけ、基礎に固定します。次いで柱を立て、梁をわたし、最後に小屋を組んで家の骨組が完成します。

貫を入れる場合は、この時点で柱を通して入れていきます。また1、2階を貫く通し柱のように長いものや、大きな断面の梁、上で組みやすいように途中まで組んだ小屋組などは、クレーンで吊り上げて、材料を下から上に移動させます。必要なところには補強用の金物を取りつけます。ただし、骨組の完成といっても、この段階ではまだ歪みがありますから、**歪み直し**のための仮筋かいを入れておきます。

この工程での大工同士の掛け合いや、木を打つ音など、家の骨組が建ちあがっていく様子は、自分の家ができるということを改めて実感させ、ワクワクさせてくれるでしょう。

4・作業場所を確保して下地作業に入る

骨組ができあがると、最初に**屋根工事**を行います。これは天候に左右されずに、内部工事ができるようにするためです。少しでも早く工事を進めるため、屋根下地の垂木や野地板などの取り付けは、建て方の大工も手伝っていっしょに作業しているようです。

断熱や防水工事を施したら、瓦や金属などで屋根を仕上げます。できればこの防水工事のときなどに現場へ行って、施工状況を確認すると安心です。

壁に筋かいを入れる場合は、その取りつけもこの頃ですから、配置や方向などは一度確認しておくとよいでしょう。

続いて間柱や胴縁など、外壁の下地材の取り付けや、建物を保護するための防水シートの張り付けなど、**外壁工事**と**外部サッシの取り付け**になります。

歪み直しのための仮筋かい

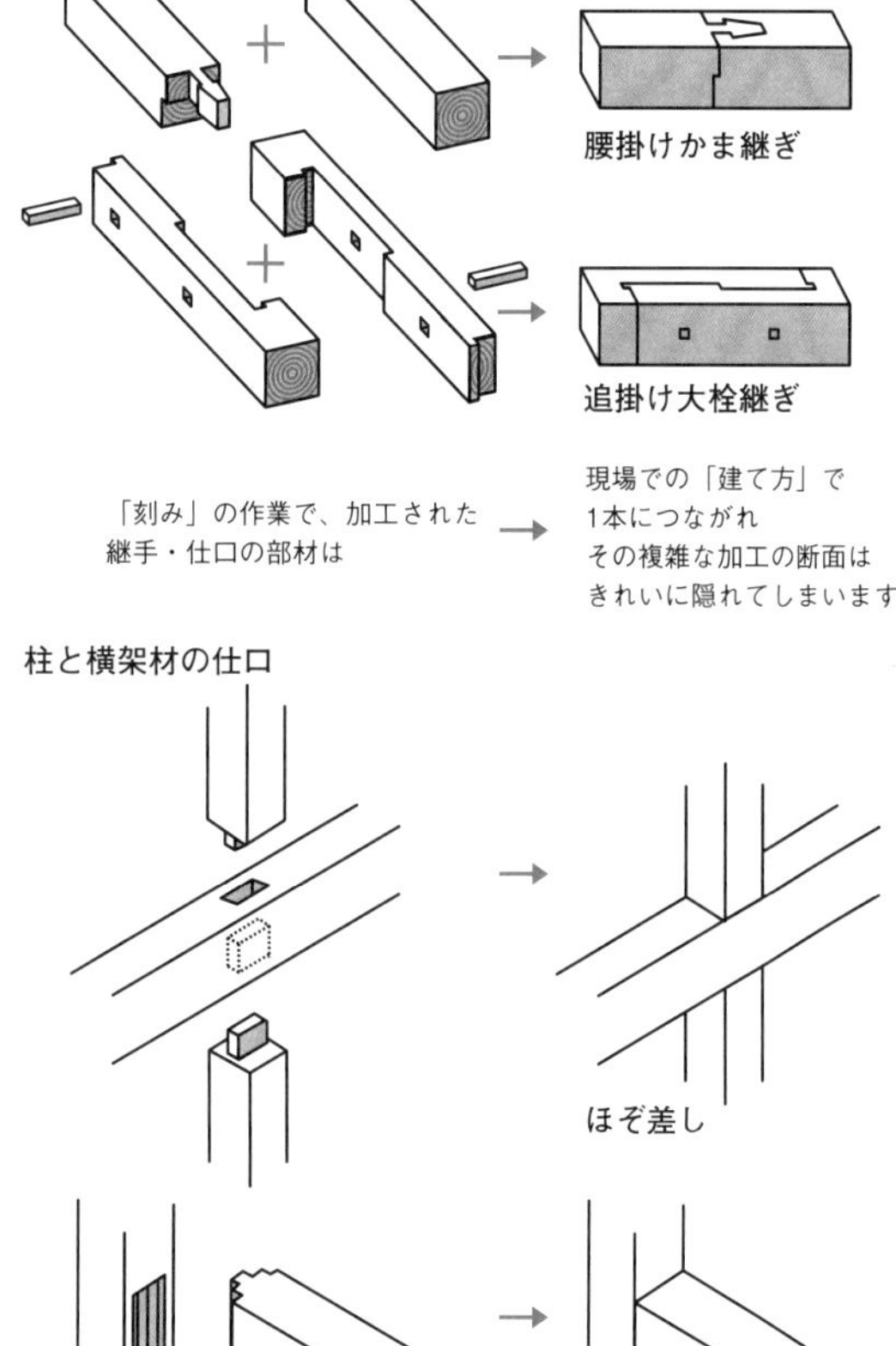

Construction

5 現場着工！いよいよ「かたち」になっていく

木造軸組構法の工程②（一例）

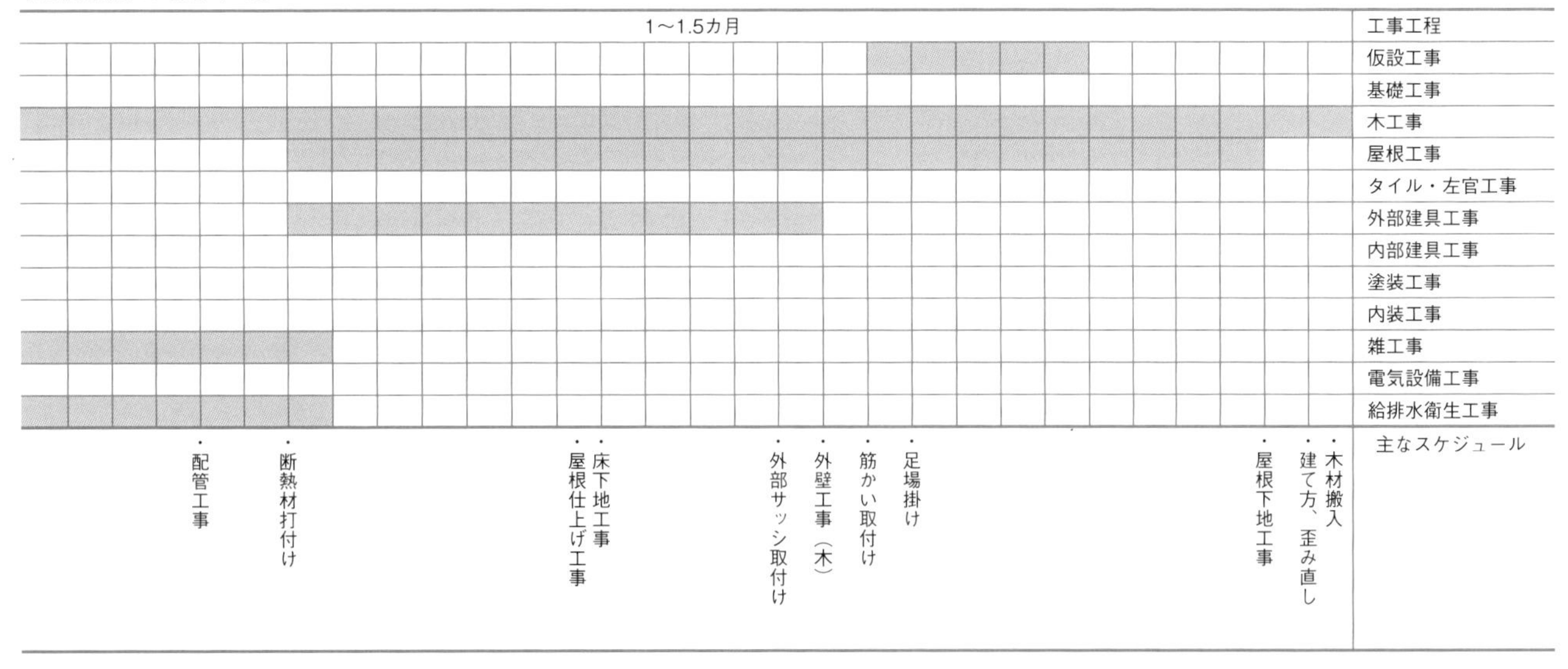

床組（根太レス）

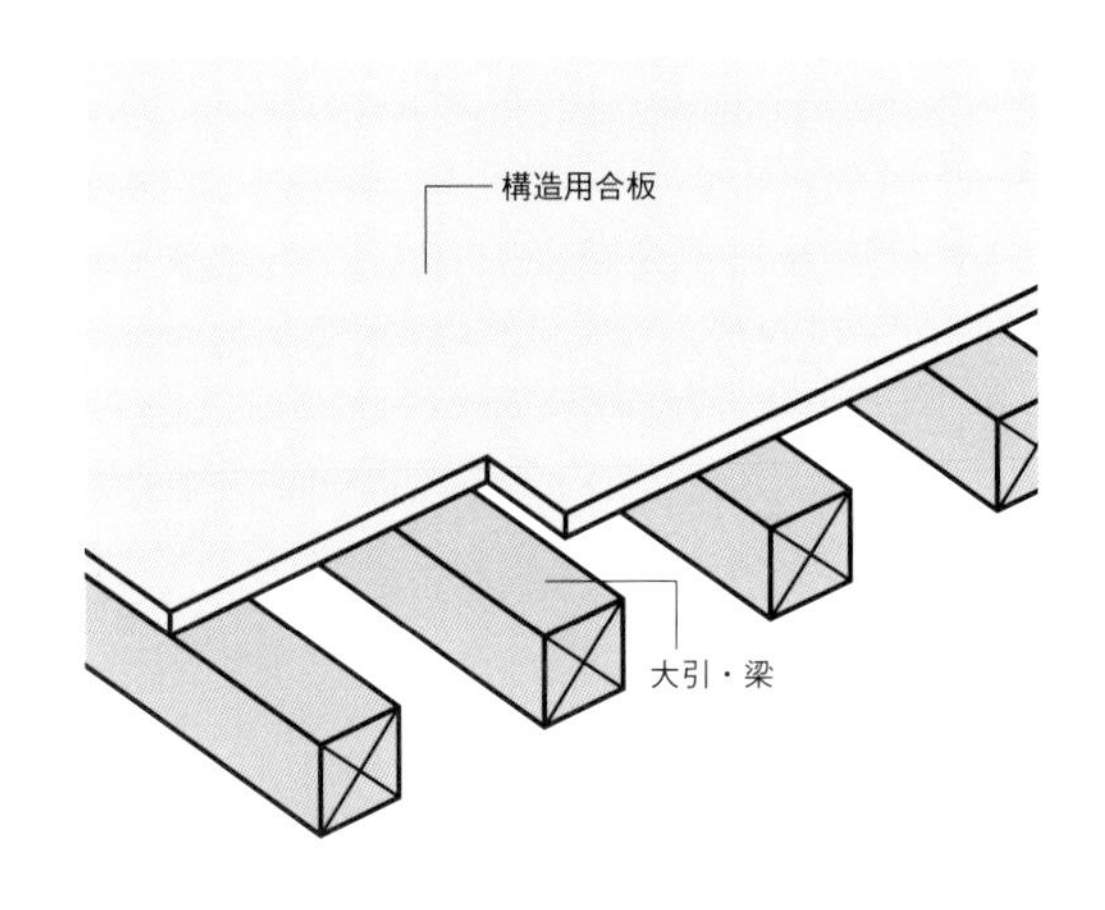

根太を置かず、大引や梁の上に24㎜以上の厚みのある構造用合板を直接張る工法

歪み直し

大壁で隠れる部分に仮筋かいを打ち付けるようにする

床組（根太組み）

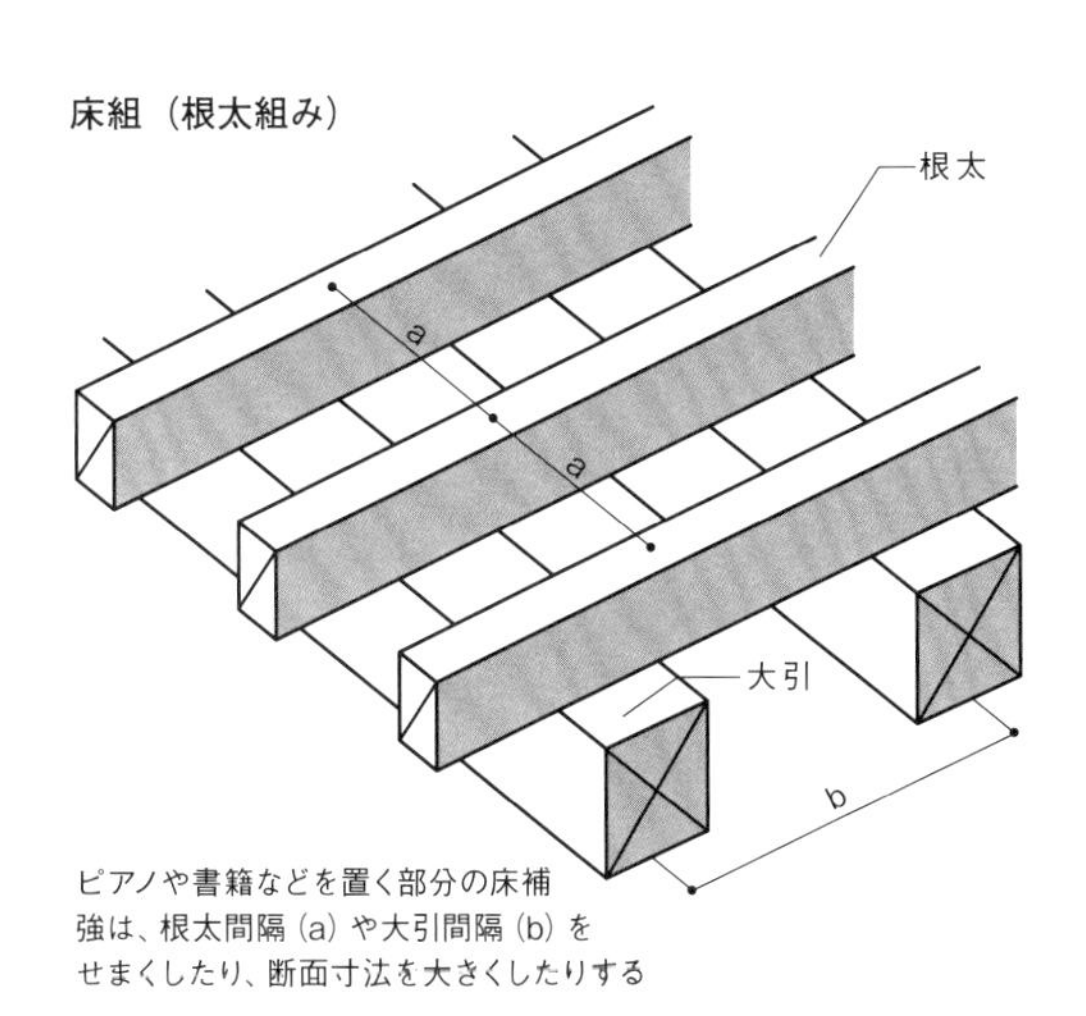

ピアノや書籍などを置く部分の床補強は、根太間隔（a）や大引間隔（b）をせまくしたり、断面寸法を大きくしたりする

これで家の基本となる骨組、屋根、壁ができあがり、内部の工事も天候に左右されずにできます。またカギを掛けられるようになり防犯上も安全です。ただし、突然現場へ行っても、カギが開いていなければ中に入れないので、現場へ行くときには事前に連絡してから行くようにしましょう。

内部では**床下地の工事**に入ります。床束（ゆかづか）で大引（おおびき）を支え、その上に根太（ねだ）を敷き並べます。畳やフローリングなど床の仕上げによる他、ピアノや書籍などの重いものを置く場合など、下地材の間隔や断面寸法がちがいます。特に気になるような場合は、図面と照らしあわせて確認しておくと安心でしょう。

外壁や床の断熱工事もこの頃です。

Wood Skeleton

配線工事

壁の断熱工事

5・仕上げの前に 配管・配線工事

床の下地工事と同時に、給排水やガスなど、床下の**配管工事**も進められています。台所のシンクやトイレの便器などの機器は、工事の最後に設置しますが、それぞれの配管位置は機器によって違うので、使用機器はこの時点でほぼ決定となります。

また、浴室がユニットバスの場合などはその据えつけもメーカー側によってこの時期に行われます。したがって、そうした衛生機器などの品番の最終確認が必要な場合は、工事に間に合うよう事前にしておくことが必要です。

木工事自体も壁や天井など少しずつ下地の作業が進んでいますから、ボード張りなどの施工に入るため、現場には材料が搬入されてきています。

照明やコンセント、スイッチなどの電気の**配線工事**、またアンテナや電話、インターフォンなどの**弱電工事**やLAN工事も同時に進められています。一度現場へ足を運んで、数や位置などを確認しておきましょう。

ここでの確認は2つの方向から行います。1つは配線工事が打合わせどおりに施工されているかどうか、図面を見ながらチェックすることです。もう1つは、建て主側として、コンセントやテレビ、電話などの位置や数について、設計の打合わせ段階で、伝え忘れていることがなかったかどうかを確認することです。

ボードなどで壁をふさいでから気づいたのでは、それをはがしてもう一度施工することになってしまうため、時間も材料も二度手間です。場合によっては、追加工事になってしまいますから注意しましょう。

6・大工工事も そろそろ最終段階

木工事では、下地工事ももうすぐ終わりそろそろ階段や手すりの設置、各部屋の入口の枠や敷居・鴨居、造り付けの棚や押入など、細かな造作や取りつけなどの作業に入っています。また、壁と床とが接する部分の幅木や畳寄せ、天井と壁とが接する廻り縁などを取りつけたりと、だんだん仕上げの最終段階へ向けて、大工工事は終わりに近づいていきます。

建て主にとっては、こうした**造作工事**や**雑工事**の段階で、ようやく部屋ごとのつくりが見えてきて、現場のなかを歩きながら新しい家での生活が想像しやすくなります。

実際、下地工事の段階では、何度現場へ行ってもあまり進んでいるようには見えずに、物足りなく感じるかもしれません。だからといって気軽に現場の柱や材料を触るのはやめましょう。手は意外と汚れているものです。手の油がついてシミになっては困りますから、軍手をもっていくなどの気づかいも必要です。

コンセントやスイッチの確認①

ボードが張られる前に、コンセントなどの位置や数を確認しておきましょう

Construction

5

現場着工！いよいよ「かたち」になっていく

木造軸組構法の工程③（一例）

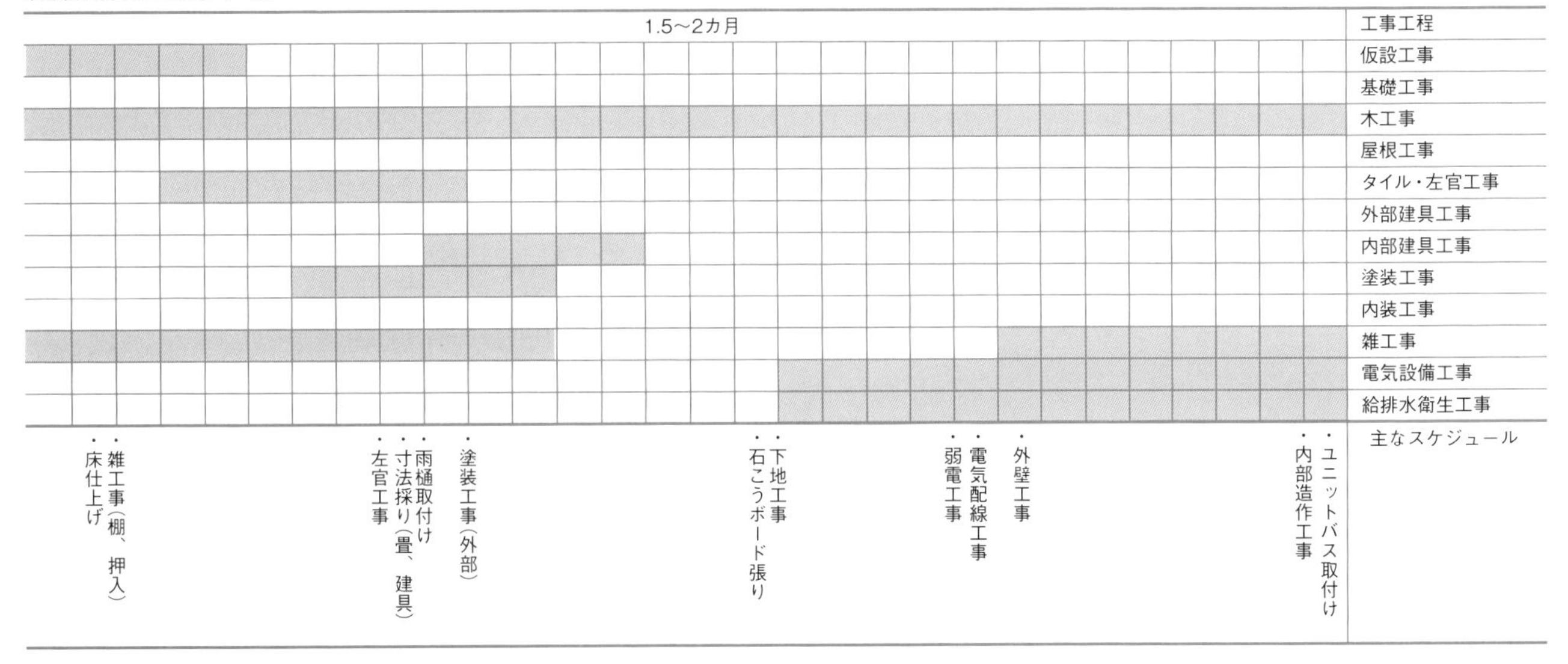

窓枠の設置

コンセントやスイッチの確認②

必要なコンセントやスイッチは、仕上げの前に確認しましょう

現場監督の現場の段取り

各職人の手配は、先を見こして進められる

さて、こうした大工の作業が進められているなかでも、少しずつ畳や建具の職人なども現場に入ってくるようになります。建物の完成に合わせて、畳や建具をちゃんと入れられるように、それぞれの職人が自分たちの作業場で、加工を今からはじめられるように、必要な寸法を測るための**寸法採り**をするからです。

こうした段取りの連絡は、現場監督が現場の大工工事の進み具合を見て、各職人にしておきます。

大工工事も最終段階に入り、フローリング張りなどの**床仕上げ**もはじまります。職人の出入りも多くなりますから、できたところから養生（ようじょう）シートなどを張って、傷や汚れなどがつかないように保護しておきます。

7・仕上げ工事で職人がいっぱい

これまでは主に大工による工事でしたが、そろそろ最後の**仕上げ工事**が本格化し、各職人の出入りも多くなってきます。

外部では**外壁工事の仕上げ**もはじまります。モルタルかサイディングかなどによって職人もちがいます。また、木部などの**塗装工事や雨樋(あまどい)取付け**なども入ります。

こうした作業は、場所によって外部の足場が外れてからでは、施工ができなくなってしまいます。そのため、**足場を外す**タイミングは、施工の進み具合を見ながら現場監督が、鳶の頭と連絡を取り合い、切りのいいところで外していきます。

屋根など高い部分を自分でもチェックしたい場合は、足場を外す前にお願いしましょう。ただしヘルメットを借りて現場監督といっしょに登るなど、安全にはくれぐれも注意してください。

内部の仕上げ工事では、左官工事、塗装工事、内装工事、タイル工事、家具工事、建具の建て入れなど、複数の職人がいっしょに作業するようになります。各職人の手順の前後を考慮して、現場へ入る順番を考えたり、職種の相性を考慮したりと、手配と段取りをするうえで現場監督は大変です。1人の職人の予定が変更になると、ほかの職人の工程にも響いてしまい、段取りすべてが狂うことになりかねません。

ですからこの時期の工期は、ほかの工程よりも少し余裕をもって組んでおき、完成予定に間に合うように調整しています。

そろそろ引越しや子どもの転校など、建て主側も自分たちの予定を組まなければならないときですから、厳しいぎりぎりのスケジュールを立てて、家の完成が遅れてはその予定も狂ってしまって大変です。

外壁の左官工事

現場の職人

こんな現場はありえませんが…

足場があるうちに施す作業

木造軸組構法の工程④（一例）

1.5〜2カ月

工事工程
仮設工事
基礎工事
木工事
屋根工事
タイル・左官工事
外部建具工事
内部建具工事
塗装工事
内装工事
雑工事
電気設備工事
給排水衛生工事

主なスケジュール

- 内部仕上げ工事本格化
- 衛生器具の設置
- 照明器具取付け
- ガス、空調工事
- クリーニング
- 竣工検査
- 駄目工事開始
- 完成
- 引き渡し

工程の組み方

天井クロス張り仕上げ

8・完成前にもう一度チェックして引き渡し

衛生機器などの設置や**照明器具の取付け**など、工事の途中で設置しておいた配管や配線とつなげます。また「カーペットの敷き込み」や「畳の敷き込み」、「建具や襖（ふすま）の建て付け」なども終わり、いよいよ工事の完成です。すべての工事が終了したら、建て主に引き渡しができるよう**クリーニング**の業者も入ってきます。

ただし、引き渡しの前に一度、仕上げの内容をチェックする**竣工検査**を行います。ここでは建て主も参加して施工者、設計者の三者が立ち会い、仕上げの施工状態や設備機器、照明などの確認と操作方法についての説明を受けるなどします。

その結果、見つかった直しや追加の工事（**駄目工事**といいます）が終わったら、もう一度その施工がちゃんとされているか確認します。これで本当の完成です。

全体工期には、この駄目工事のための期間として、あらかじめ1〜2週間ほどみておくのが一般的です。

工事がすべて完了すると、施工者からカギといっしょに引き渡しの書類一式を受け取ります。これでその建物の**引き渡し**が完了したことになり、ようやく家が建て主のものになります。

さて、いよいよ新しい家への**引越し**ですが、これで終わりではありません。これからは、その家で長く快適にみんなが暮らしていけるよう**家の手入れ**や**メンテナンス**について、ちゃんと考えることが大切です。

自分でできることもあれば、内容によっては予算が必要になることもあります。165頁の表を参考にしながら新しい家の維持管理についても考えてみましょう。

Event

建て主も参加する行事

最近では、現場の儀式や行事を簡略化したり、省略したりすることが多いようです。しかし、工事の節目ふしめで行われる儀式や行事にいっしょに参加して、家ができていく過程を家族みんなで味わいたいものです。

近隣挨拶

1．工事前の挨拶は施工者といっしょに

現場がはじまる前までに、近所への挨拶を忘れないようにしましょう。挨拶は施工者といっしょにまわり、工事の日程などの説明をしながら、騒音などにより迷惑をかけることを事前に伝えておきます。これからの近所付き合いをよくするためということもありますが、現場の職人と近所の人たちとの関係をよくしておくためにも大切なことです。

上棟の日程など、工事の説明をする

建て主が工事責任者を紹介

現場は朝が早いので、早朝から音がうるさいことなどをお詫びする

現場が動いている数カ月、実際に近所の人と接する機会が多いのは現場の人たちです。最初に挨拶をして顔見知りになっておくことで、つまらないトラブルを避けることができます。また、依頼先が設計事務所のときは、設計者もいっしょにまわってもらうのもよいでしょう。

2．ちょっとした手みやげを

挨拶のときには、タオルや菓子折、佃煮の詰め合わせなど、ちょっとした手みやげをもっていきます。表書きはのし紙に「御挨拶」と書きます。

「向う3軒、両隣」あとは、どうしようかしら

3．挨拶の範囲は施工者と相談

挨拶する範囲は、お隣だけとは限りません。現場の交通状況などによっては、少し先まで挨拶しておいたほうがよい場合があります。

特に上棟（じょうとう）のときなどは、大工や手伝いの人などで人数が多くなり、加えて材料の搬出入などで車の出入りが激しくなります。また、道路にクレーン車を置いて作業する現場の場合は、交通規制が必要になることも考えられます。工事中は普段より車の往来が激しくなるので、通勤や通学に支障が出ないよう配慮が大切です。

こうしたことを考慮して、挨拶する範囲やタイミングなど、施工者といっしょに地図を見ながら相談して決めたほうがよいでしょう。

4．新居での挨拶は夫婦そろって

今までお世話になった近所の人たちへは、引越しの2～3日前までに挨拶をすませます。タオルなどの簡単な品物をもっていくのが慣例で、お隣の人などに新しい住所などを伝えておくとよいでしょう。

引越してからの挨拶は、当日か翌日にはすませます。一戸建ての場合は、お向かいの3軒と両隣程度でよいとされていますが、工事中特に迷惑をかけたようなお宅へも挨拶をしておいたほうがよいでしょう。

「御挨拶」と書いたのし紙をつけた簡単な品物を持参するのが一般的で、既婚者の場合は夫婦そろって2人で出向くのが原則です。やむを得ない場合は仕方ありませんが、できるだけ2人で行ってご近所との顔つなぎをしておくことも大切です。

コラム―設計変更

設計変更と現場の工程

変更したい内容	設計段階		工事段階					備考
	基本設計	実施設計	基礎	架構組立	屋根	下地	仕上げ	
間取りや面積などの変更	←→	◀▶						・構造の変更を伴うような変更は難しい
外装材の変更	←→	←→	◀▶					・下地の変更を伴うような変更は難しい
内装材の変更	←→	←→	◀▶	◀▶	◀▶			・下地の変更を伴うような変更は難しい
コンセントやスイッチの変更	←→	←→	←→	←→	◀▶			・下地工事段階で確認しておくことが大切
設備器具の変更	←→	←→	←→	←→	◀▶	◀▶		・配管や性能の変更を伴うような変更は難しい
照明器具の変更	←→	←→	←→	←→	◀▶	◀▶		・配線工事の変更を伴うような変更は難しい
備考		◀▶ 見積り・確認申請	◀▶ 構造材加工	◀▶ 材料や職人の手配は、その都度行う	◀▶	◀▶	◀▶	・材料や職人の手配は現場より早く進んでいる

※　現場によって異なることも多いので、目安として使用ください（←→変更の可能性がある、◀▶変更は現場に相談の上で）

設計変更・仕様変更

設計や仕様の変更は、「設計中」と「施工中」の2つに分けられます。

設計中の変更は、施工者の見積りと折り合わないというのが一番多いパターンです。見積調整という段階で、予算に応じて、いくつか変更がでてくるのは仕方ないとしても、ついでだからと他にも変更を依頼して構造の変更を伴ったり、何度も変更を繰り返したりすると、設計期間の延長や見積りをはじめから取り直したりと、工事がなかなかはじめられなくなってしまいます。打合せの段階で、自分たちの要望をしっかりと伝えるようにしましょう。家族みんなの考えを整理して伝えることが大切です。

やっかいなのは、施工中の変更です。工期がのびたり、工事費が増加したり、また無理な変更のしわ寄せが施工に及び、建物の品質を落としてしまいかねないなど、いろいろな問題が生じます。設計変更の申請が必要になる場合もあります。

なぜこのようなことになるのでしょうか。原因の1つは平面的な設計図を立体的に理解することがなかなか難しく、工事が始まってから、やっと具体的なことが気になり出し、変更したくなってしまうのです。

しかし、ちょっとしたことのように思えても、構造に絡んでいたりすると、変更は難しくなります。変更をあきらめるか、別の方法を考えるか、対策が必要になってきます。また、現場の状況も考えなければなりません。いずれにしても、変更には専門的な知識が必要です。変更を思い立ったらまずは相談してみましょう。

段取りと変更

現場では「段取り八分（はちぶ）」という言葉があります。段取りとは工事作業が円滑に進むように、先の工程を見越して材料の調達や職人の手配などを前もって行うことをいいます。よい棟梁（とうりょう）、よい現場監督ほど、この段取りが上手ですから、現場では手戻りも少なくスムーズに作業が進みます。したがって、現場は建て主が考えているより、はるかに先に進んでいることがあるのです。

安易な工事中の変更は、こうした段取りを狂わせることになり、工期の遅延や工事費の増額につながってしまいます。変更してほしいところが出てきたら、まだ大丈夫と自分で判断せずに、なるべく早くそのことを依頼先に伝えるようにしましょう。

変更は図面や見積りをとってから

変更を依頼するときは、現場で気づいても、職人に直接伝えてはいけません。まずは現場責任者や設計者（工事監理者）に伝えましょう。そして図面を作成してもらい、見積りをとり、変更による工事費の増減や工期の延長などについて、きちんと確認し、納得してから進めるようにしましょう。

またその記録は、書類でちゃんと残しておくことが大切で、建て主はもちろん施工者、設計者がお互いにもつようにします。この確認を怠ったまま進めて、「何も言わないのだからサービスだろう」などと勝手に解釈しては、トラブルの元になるだけですから、注意しましょう。

変更は、建て主、施工者、設計者、みんなで確認して進めましょう

地鎮祭

地鎮祭とは、文字どおり地の神を鎮めるという意味があり、またこれからの工事の安全を祈願するための儀式で、建築工事に先立って行われ、「地祭り」ともいいます。

住宅の場合は、一般に神式が多いようです。地域の神社に依頼して神主に来ていただき、祓い清めてもらいます。日取りは大安、先勝、友引などの吉日を選んで行いますが、こうしたお祝い事は午前中がよいとされています。

儀式に参加するのは、建て主とその家族、棟梁、鳶、設計者、施工者など、基礎や躯体工事に関係する職人や専門家たちです。祭場は、敷地のほぼ中央に配し、四方に立てた斎竹に注連縄を張りまわし、そのなかに神籬を南向きに安置します。

1・儀式の流れ

正式には、次の3つの儀式からなります。

①刈初めの儀

・鎌をもって草を刈る所作を3度行います。
—設計者

②穿初めの儀

・鍬をもって土を掘る所作を3度行います。
—建て主

・鋤をもって土をすくう所作を3度行います。
—施工者

③鎮物埋納の儀

・神主が鎮物を砂に埋めます。

これはあとで建物の基礎下に埋めます。実際にすべて行うことは少なく、「刈初めの儀と穿初めの儀」、あるいは「穿初めの儀」のみというのが多いようです。

現代の式の流れをみると、神主による「降神の儀」「献饌の儀」「祝詞奏上」などに続いて、上記の「刈初めの儀」と「穿初めの儀」へと移ります。「玉串奉奠」のあと神饌をさげて「昇神の儀」と続き、儀式を終えます。

儀式のあとは「直会」となり「神酒拝戴」し酒肴が振る舞われますが、省略して「神酒拝戴」のみということも多いようです。

地鎮祭の祭壇の例

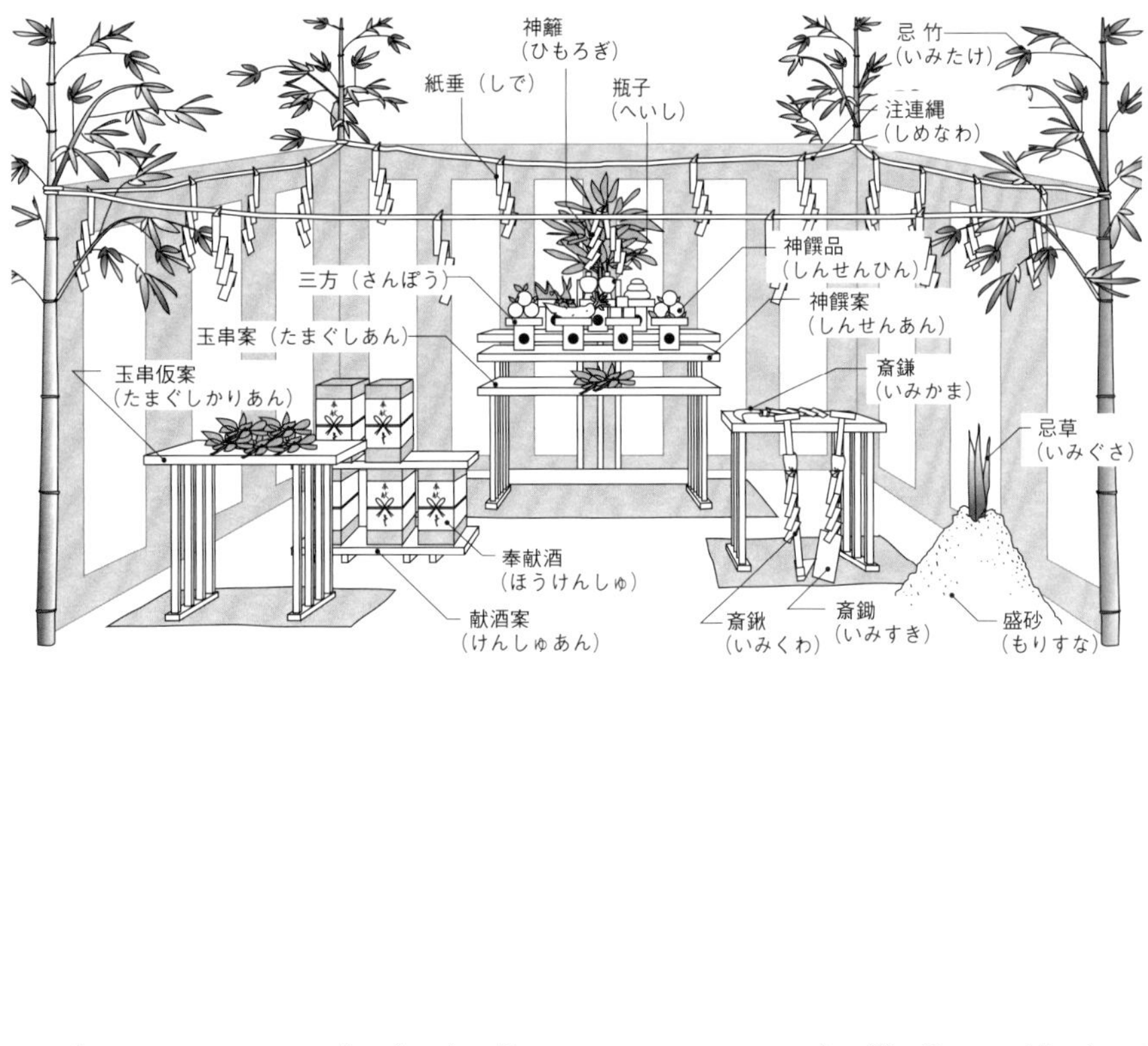

（1）玉串奉奠の作法

玉串を神前に捧げて拝礼することを「玉串奉奠」といいます。ここでその作法について紹介します。

まず名前を呼ばれたら、前に進み神主から玉串を受け取ります。右手の甲を上にして根のほうをもち、左手のひらを上にして葉をもつようにします。胸の高さあたりでもったまま神前に進み軽く一礼をします。玉串を時計回りに3／4回転させたら根を神前に向け、両手で玉串案に供えます。

次に、その場で「2拝2拍手1拝」、つまり深く二礼したあとに拍手を2回し、また深く一礼したら、三歩下がって、もう一度軽く一礼して、右回りで自席に戻ります。

こうした儀式の所作や作法などについては、堅苦しく考える必要はありません。実際にはその場で神主が導いてくれますから、それに従って進めていきましょう。

2・確認しておくこと

地鎮祭までには、境界石や境界杭の位置の確認をすませておくことが大切です。境界石や境界杭が入っていない場合は、ちゃんと測量して正確な位置に杭や石を入れますが、その際には隣家の人にもいっしょに立ち会ってもらいましょう。

3・建て主の準備

神主へのお礼は1～2万円程度を包み、式が終わった後にわたしますが、直接神主に聞いてみるのがよいでしょう。

また、供え物を神主に用意してもらった場合は「御供物料」を、神主が遠方からみえたときなどは「御車代」をお礼とは別にわたすようにします。

棟梁や鳶の頭などへの祝儀を考える場合は1万～1万5千円程度を包み、そのほかの工事関係者には5千円程度が目安のようですが、金額や人数は事前に棟梁に確認しておいたほうが無難です。

わたすタイミングは、式が終わった後まとめてわたし、棟梁から配ってもらうのが一般的のようです。

斎竹や清砂、鍬や鋤、直会の杯など、儀式の準備は施工者にお願いしますが、お神酒や洗米、塩、そして山の幸や海の幸などのお供え物は、建て主側が用意するのが通常です。

こうしたしきたりやお金のこと、神主の手配などいろいろとわからないことが出てくるものです。また地域によるちがいもあります。滞りなく式を行うためにも、前もって施工者などに相談しておきましょう。

神主に	施工者に
紅白花結び または 白無地袋	紅白花結び または 白無地袋
御玉串料	御祝儀
その他 御初穂料・御神饌料など	その他 地鎮祭内祝・内祝など

地鎮祭の儀式の流れ（地域の習慣や神社により異なるので、施工者や神社と前もって打ち合わせましょう）

1 修祓の儀（しゅうふつのぎ）と降神の儀（こうしんのぎ）
軽く頭を下げて、神主のお祓いを受けます

2 献饌の儀（けんせんのぎ）
お神酒（みき）の瓶子（へいし）のふたをとってお供えをした印とし、そのあとでお神酒を盛り土にかけて清めます

3 祝詞奏上（のりとそうじょう）
神主が祝詞を奏上します

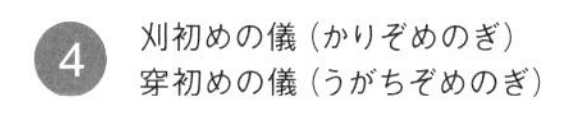

4 刈初めの儀（かりぞめのぎ）
穿初めの儀（うがちぞめのぎ）

鋤入れ

5 玉串奉奠（たまぐしほうてん）
神主から玉串をうけとり、神前に捧げ、二拝二拍手一拝して戻る。建て主、建て主の家族、設計者、施工者の順に行います

6 撤饌（てっせん）
神主が瓶子（へいし）のふたをしめ、祝詞を奏上します

7 神酒拝戴（しんしゅはいたい）
儀式のあと、お酒と酒肴で祝います

いつ、どこで、だれが、
何を建てるか、また
設計者や施工者の名前など
をあらかじめ伝えておくと、
当日、神主は、これらを盛り
込んだ祝詞（のりと）を奏上
（そうじょう）してくれます。

※　簡略化してすませる方法もあるので、何もしないのはちょっとと思うときは、神社に相談してみるのもよいでしょう

上棟式

「上棟式」とは新しい家への祝福とともに、職人たちへのねぎらいと今後の工事の無事完成を祈願する儀式です。建前、棟上げともいいます。

本来は、神主を招いて行う儀式でしたが、現在では棟梁が代理として執り行うのが一般的なようです。地鎮祭と同様に吉日を選んで行います。

最近は車で来る職人がほとんどですから、現場での飲食は少なくなり、簡素化される傾向にあるようです。実際には、参加者に折詰と清酒の小びんなどをわたすことが多くなっています。

上棟式は、建て方の後、棟木をあげるときに行います。棟木は、屋根の一番高いところに取りつける横木のことです。建て方とは、基礎コンクリートに据えつけた土台の上に柱を建て、梁や桁などを載せながら骨組を組み立てていく作業です。家の形が建ちあがっていく様子を実感できる貴重な体験です。

その直後での儀式、上棟式は建て主にとって晴れ舞台といえるでしょう。大工にとっても同じです。気合いを入れて作業していますから、無事建て方が終わってみんなほっとしているところです。そこで祝宴を設け、ねぎらいます。

上棟式の儀式は、棟木に魔除けの飾り物の「幣串」や「弓矢飾り」を立ててはじめます。骨組に板などをわたして祭壇をつくり、野菜や穀物、お神酒や洗米、塩などを供えます。

棟梁が清めの洗米と塩、お神酒を建物の四隅の柱にまきます。建て主や設計者といっしょにまくこともあります。お神酒を全員でいただき、乾杯をして、手締めでしめくくります。

建て主や施工者の氏名などが書かれた「棟札」を用意し、後日棟木などに取りつけたりすることもあります。

建て方　2階部分資材搬入～柱建て～床板張り～2階梁

1・確認しておくこと

建て方のとき、柱や梁などが設計図どおりの位置か、材種や寸法が合っているか、設計者や工事監理者とともに確認します。

図面との食い違いが見つかったときには、その場で直接職人には言わずに、なるべく早く設計者または工事監理者をとおして、施工者に伝えるようにします。

2・建て主の準備

上棟式の祝儀は、神主の代理をつとめる棟梁に地鎮祭より多めの2万円程度を包み、鳶の頭にも同額程度、ほかの工事関係者には5千円程度とするのが目安のようです。

しかし、地鎮祭同様、金額や人数などについては、棟梁にざっくばらんに相談したほうが無難でしょう。わたすタイミングも地鎮祭同様、式の後で棟梁にまとめてわたします。

儀式については、施工者がほとんど用意してくれますから、建て主がもっていくものはお神酒、米、塩と水です。

むしろ建て主側が事前に準備しておくのは、儀式後の宴会の料理やお酒、折詰などで、近くの仕出し屋に手配しておきます。車の人もいますから、お茶やジュースなども用意しておくようにしましょう。

また、建て方では、手伝いの大工などで普段の時より現場の人数が多くなりますか

上棟式の儀式の流れ（地域により異なることがあります）

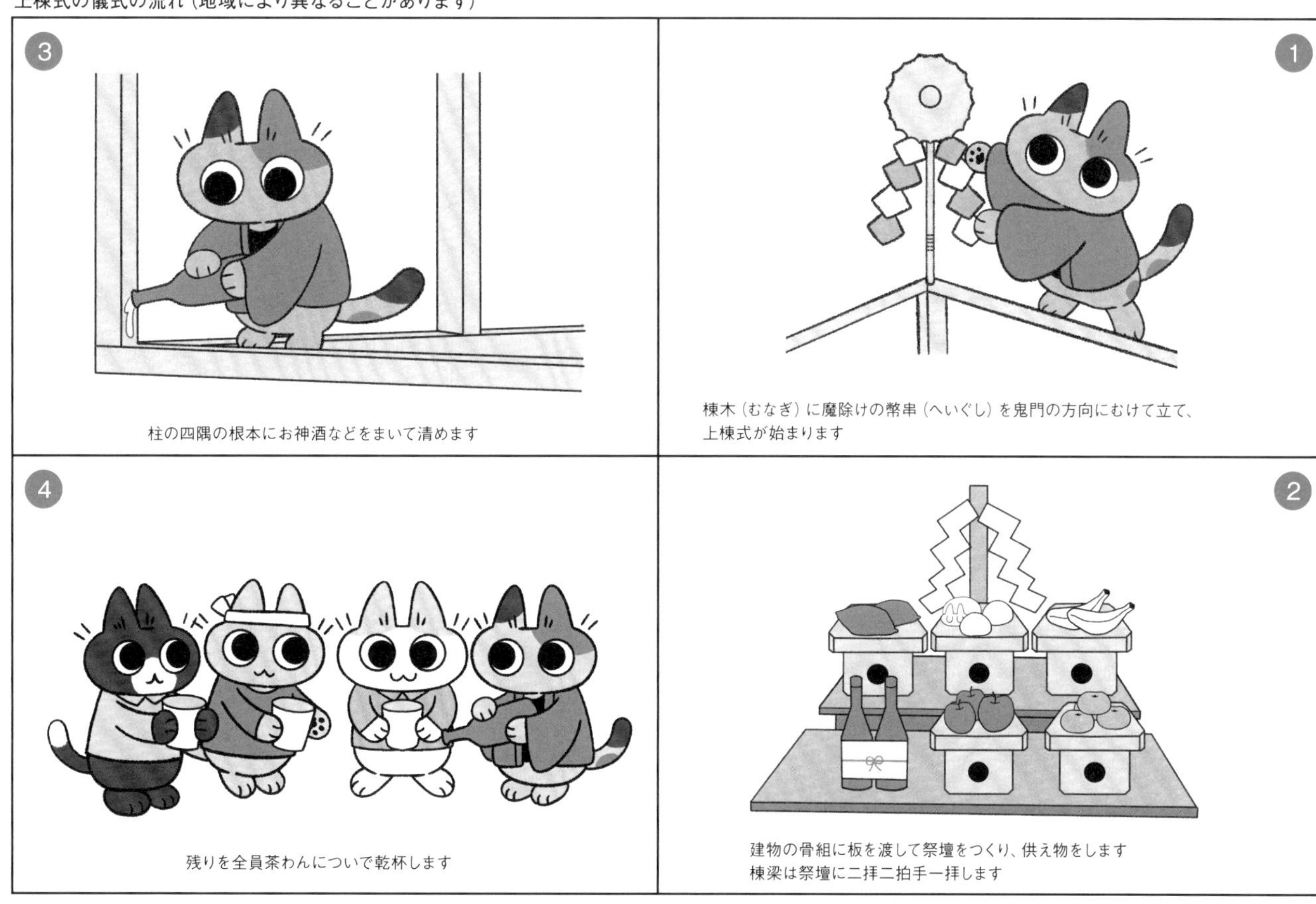

建て方　小屋束～小屋梁～屋根パネル張り

ら、騒音や車で迷惑をかけることになります。近所の人に事前に予定を知らせておくのも忘れないようにしましょう。

3・日曜日は避ける

上棟式の日取りは、できるだけ日曜日は避けましょう。休日の朝早くからの騒音は、工事のはじまり早々から近所の人に、迷惑になることも考えられます。また、本来職人にとっても体を休める日です。仕事のリズムを狂わせないようにする上でも、建主側の配慮が大切です。

紅白の花結び

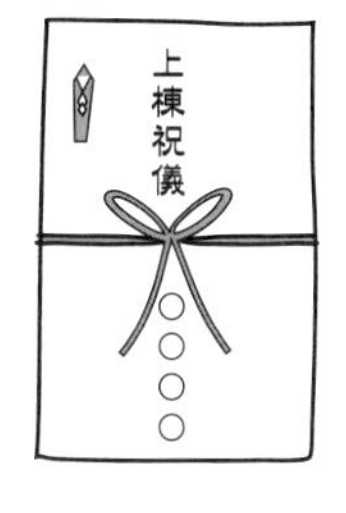

その他
上棟御祝・内祝など

上棟式の宴会

検査と引き渡し

工事中の第三者による検査には、建築基準法にもとづく完了検査や中間検査、フラット35を利用する際の現場検査、住宅性能表示制度を利用した場合の現場検査などがあります。建て主が検査するのが竣工検査です。

工事中の検査

工事中の検査（**表1**）があると「ちゃんと審査してくれる人がいるから大丈夫」と安心しがちです。しかし検査はそれぞれの目的に沿った内容で行われますから、工事が図面通りに施工されているかをみる現場監理とは別のものです。また、いくつかの検査や審査が同時に入ることもありますが、それぞれ別個のものです。

混乱しそうですが、自分の現場に入る検査については「いつ」「何の検査か」、自分が申請した制度については、検査のスケジュールも把握しましょう。「役所任せ」「業者任せ」ではなく建て主本人が「自分の責任で」という意識を持つことが大切です。その検査に立ち会うのもいいでしょう。

■1・建築基準法の中間検査・完了検査

建築確認の申請をした建築物の、工事の途中で行われるのが**中間検査**です。「特定工程」を終えたときに役所などの担当者が現場へ赴きチェックします。検査による**中間検査合格証**の交付を受けて次の「後続工程」の施工へ進みます。この「特定工程」は全国一律ではなく、行政により異なりますので役所など申請するところで確認してみましょう（**表2**）。

工事が完了して建物が完成すると、**完了検査**を受けて**検査済証**が交付されます。建物の引渡し後、「フラット35」や住宅性能評価、表題登記などの手続きに必要となるので大事に保管しておきましょう。

■2・フラット35の現場検査

フラット35の融資手続きで行われる工事中の検査は中間時と竣工時の2回です（**表3**）。1回目は工事着工後定められた工事の途中で検査機関に中間現場検査の申請を行い、合格の通知を受けます。2回目は工事竣工後に改めて検査機関に竣工現場検査の申請を行います。合格すると適合証明書が交付されます。この証明書は、金融機関との間で行う融資の契約時に提出します。

ここでの検査自体は、あくまで「**住宅金融支援機構の技術基準**」にあてはまっているか、資金交付のための出来高に達しているかなどをチェックするもので、目視できる範囲内の検査です。建て主の立場に立って、施工がちゃんとできているかなどのチェックをするものとは異なる点に注意しましょう。

■3・住宅性能表示制度の中間検査・完了検査

住宅性能表示制度（78頁参照）を利用した場合の現場検査は、木造の戸建て住宅では施工段階の3回と完成段階の1回の、計4回が原則です（**図1・表4**）。検査では、設計段階で評価した性能が施工段階で落ちていないかを、評価員が直接現場に立ち入って、時期ごとに必要な個所を確認します。

検査方法は、物の目視や計測が原則ですが、シックハウス対策のように選択項目によっては、ホルムアルデヒド等の化学物質の濃度を測定するものもあります。

評価は数値や等級によって表されますが、項目によっては、一方の性能を高めると別の項目の性能が低くなる「**トレードオフ**」の関係になることがあります。例えば地震時の構造の安定性や暖冷房のエネルギーの効率を高めるには、窓を小さくするのが一般的ですが、採光面では不利になってしまいます。申請する性能については、この組合せをどうするかを選択することになります。ただし、その性能はあくまでも引渡し時点のものです。完成後の経年変化による性能低下は保証できません。

図1　住宅性能表示制度の性能評価の流れ

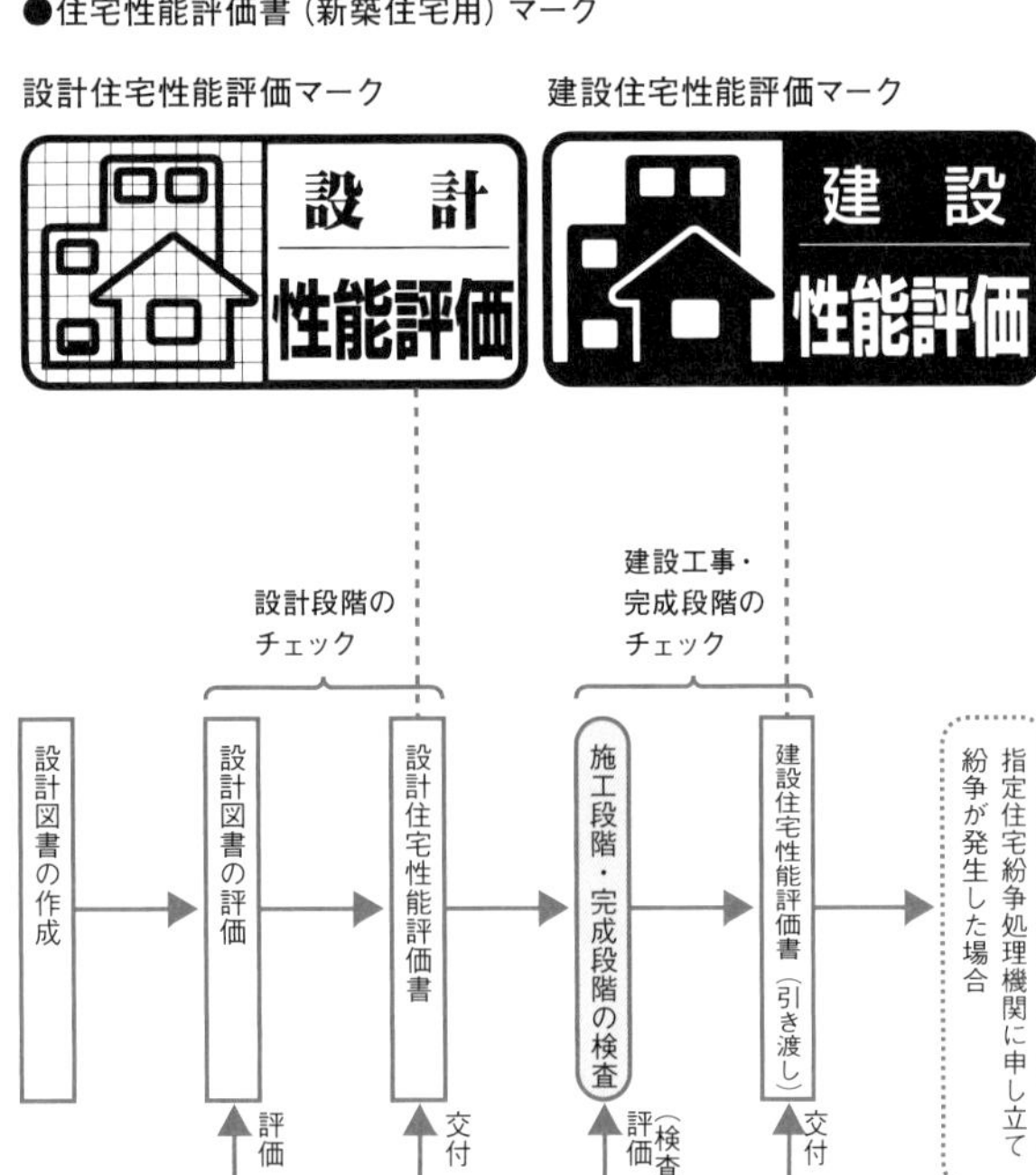

問合わせ：国土交通省住宅局住宅生産課　TEL03-5253-8111
（社）住宅性能評価・表示協会　TEL03-5229-7440

表1　工事中の検査

	■検査の種類	■申請者	■申請先
建築基準法	■中間検査 完了検査	■建築主（建築主からの委任による工事施工者の代行で可）	■建築主事 指定確認検査機関 （確認申請と同じ）
フラット35	■現場検査 （2回）	■同上	■検査機関
住宅性能表示制度	■中間の検査 （3回） 完了の検査	■特に限定なし 建築主　設計事務所 施工会社　等	■登録住宅性能評価機関
住宅瑕疵担保責任保険（※）	■現場検査 （2回）	■住宅建設業者等	■事務機関等

※　「まもりすまい保険」（住宅性能保証制度が法律にもとづく保険制度に変更）の場合

表2　建築基準法の「特定工程」と「後続工程」：木造住宅の場合（東京都の場合）

	■特定工程 （中間検査を受ける工程）	■特定工程後の工程 （中間検査に合格するまで着手が禁止されている工程）
内容	■屋根工事の工程	■壁の外装工事または内装工事
対象となる建築物	■構造にかかわらず、3階建て以上（地階を除く）すべてのもの。ただし、建築基準法7条の3第1項1号で定める工程を含む建築物で、延べ面積10,000㎡以下のものを除く	

※「特定工程」：特定行政庁が、その地方の建築の動向や工事の状況などを考慮して建築物の構造、用途、規模を限定して、その工事の施工中に建築主事が建築基準関係規定に適合しているかどうかを中間検査することが必要なものとして指定するもの（全国一律ではなく、それぞれの特定行政庁が指定し、公示するもの）

※　申請する役所で確認することが大切

表3　「フラット35」の現場検査（木造の場合）

現場検査	■時期	■確認の内容
中間時	■屋根工事が完成した時から外壁の断熱工事が完了した時までの間	■申請された工事内容がフラット35の技術基準に適合しているかどうかを確認
竣工時	■竣工した時	

表4　住宅性能表示制度の各検査の時期と内容（工事中）

現場検査	■時期	■確認の内容
第1回目	■基礎の工程時期	■住宅の根幹を担う基礎工事の工程で（配筋工事の完了時）、主に地盤の状態、基礎構造の施工状況などを確認
第2回目	■屋根の工程時期	■躯体工事完了時で、主に上部の躯体構造の構成、材料、接合方法や劣化軽減のための対策などを確認
第3回目	■内装の工程時期	■内装下地組の工程で（内装下地張り直前の工事の完了時）、主に竣工時に隠れてしまう外壁などの構造、各部の断熱構造などを確認
第4回目	■竣工時	■最終の仕上り状況の確認ができる時期で、主に仕上り寸法、住宅部品や設備機器の設置状況などを確認

表5　住宅瑕疵担保保険責任保険「まもりすまい保険」の場合の検査

現場検査	■時期	■備考
第1回目	■基礎配筋工事完了時	■現場検査時には、申請書に記載された工事監理者または現場検査立会者を立会いが必要
第2回目	■屋根工事完了時	

一戸建住宅の場合：階数が3以下（地下を含む）の木造住宅
問合わせ：住宅保証機構　TEL03-6435-8870

住宅性能表示制度は、共通に定められた方法で性能を客観的に示し、第三者が確認することで、安心して住宅取得できることが目的です。利用するかどうかは任意の制度で、申請も工務店や設計者、住宅取得者のうち誰がしてもかまいません。ただし評価にはある程度のコストと時間がかかり、最終的に住宅を取得する人が負担します。

住宅の性能を表示するための共通のルールは「**日本住宅性能表示基準**」として国土交通大臣および内閣総理大臣が定め、性能表示項目は10に区分されています（162頁**図2**）。建築基準法以上の性能、もしくは基準法にない性能を基準としているので、確認済証の交付後に設計の評価、完了検査後の完了検査合格証の交付後に最終的な施工の評価という仕組みになっています。

性能評価の方法は「評価方法基準」として国土交通大臣が定め、それによって客観的な評価を実施する第三者の機関を**登録住宅性能評価機関**として、国土交通大臣が指定しています（料金はこれらの機関が独自に決めます）。結果は設計図書の段階の評価結果をまとめた**設計住宅性能評価書**と施工段階と完成段階の検査を経て評価結果をまとめた**建設住宅性能評価書**として交付し、それぞれ国土交通省で定められた標章（マーク）が表示されます。

設計性能評価書は、請負契約書に添付すると、その内容を請負側が保証したことになります（施工者から評価書を渡されることによっても、同じ法的効力が発生します）。設計と建設の評価（数値）が同じなら問題ありませんが、万一住宅取得者と工務店などの間に紛争が生じた場合には、弁護士や建築の専門家が紛争の処理にあたる**指定住宅紛争処理機関**を利用することで、少ない負担で迅速かつ円滑な解決に役立てることができるようになっています。

4・住宅瑕疵担保保険等の現場審査

新築住宅の引き渡しにおいては、**住宅事業者**に瑕疵担保責任のための保険または供託が義務付けられています。これは、「**住宅瑕疵担保履行法**」によるもので、保険の加入には、基本的には着工前の申込み、工事中の現場検査が必要です。

申込み先は、国土交通省から指定された保険法人で、保険料などの内容は一律ではありません。新築する建物の構法などと照し合わせ、住宅事業者と相談するとよいでしょう。

現場検査については「**まもりすまい保険**」（住宅保証機構）を例にあげると、戸建住宅（階数が3以下）の場合、基礎配筋工事終了時と、屋根防水工事完了時の2回です（**表5**）。専門の検査員が、機構の定める設計施工基準を守っているかどうかを見ます。合格した住宅には保証書が発行され万が一の修補費用は保険でサポートされる制度です。

図2　住宅性能表示制度の10の区分

1.構造の安定に関すること　★
ここでの評価：「地震や風などの力が加わった時の建物の全体の強さ」について
評価方法：壁量、壁の配置のつりあい、etc.

2.火災時の安全に関すること
ここでの評価：「火災の早期発見のしやすさ」や「建物の燃えにくさ」などについて
評価方法：感知警報装置の設置や延焼のおそれのある部分の耐火時間etc.

3.劣化の軽減に関すること　★
ここでの評価：「木材の腐朽など、建物の劣化を軽減するための対策の手厚さ」について
評価方法：防腐・防蟻措置、床下・小屋裏の換気etc.

4.維持管理への配慮に関すること　★
ここでの評価：「給排水管とガス管等の日常における点検・清掃・修繕のしやすさ」について
評価方法：地中埋設管の配管方法や点検口の設置etc.

5.温熱環境・エネルギー消費量に関すること　★
ここでの評価：住宅の断熱・気密化などによる「省エネルギーの程度」について
評価方法：躯体・開口部の断熱etc.

6.空気環境に関すること
ここでの評価：シックハウス対策について内装材のホルムアルデヒド対策や換気対策について
評価方法：ホルムアルデヒドに関する建材の使用量、換気設備etc.室内空気中の化学物質の濃度等（選択制）

7.光・視環境に関すること
ここでの評価：「居室の日照や採光を得る開口部の面積と位置」について
評価方法：居室の床面に対する開口部の面積の割合

8.音環境について
ここでの評価：居室のサッシなどによる「外部からの騒音の遮音の程度」
評価方法：サッシなどの遮音等級

9.高齢者等への配慮について
ここでの評価：加齢などで身体機能が低下したときの住宅内の移動のしやすさや安全性、介助のしやすさなどの「バリアフリーの程度」について
評価方法：部屋の配置、通路・出入口の幅、段差の解消etc.

10.防犯に関すること
ここでの評価：外部開口部（ドアや窓など）の「侵入防止対策」について
評価方法：防犯上有効な建物部品や雨戸等の設置

※必須／選択項目が平成27年4月から見直されます（★の4分野が必須になります）

5・各種検査の一部省略

それぞれの検査は、条件を満たしていれば一緒に受けることで一部省略でき、検査料も安くなることがあります。

住宅性能表示制度を利用した新築住宅で、提示された条件を満たす住宅性能評価書を取得したり、住宅瑕疵担保保険の現場検査、または建築基準法の中間検査を実施する場合は、フラット35での中間現場検査などを省略することができます（**図3**）。

また、住宅瑕疵担保責任保険の保険に係る現場検査も、住宅性能表示制度の建設住宅性能評価を活用することで、一部項目に関して行うだけで済むことがあります。条件や省略内容については、申請する検査機関や保険法人などに確認してみましょう。

図3　現場検査の省略例（フラット35の物件検査の流れ）

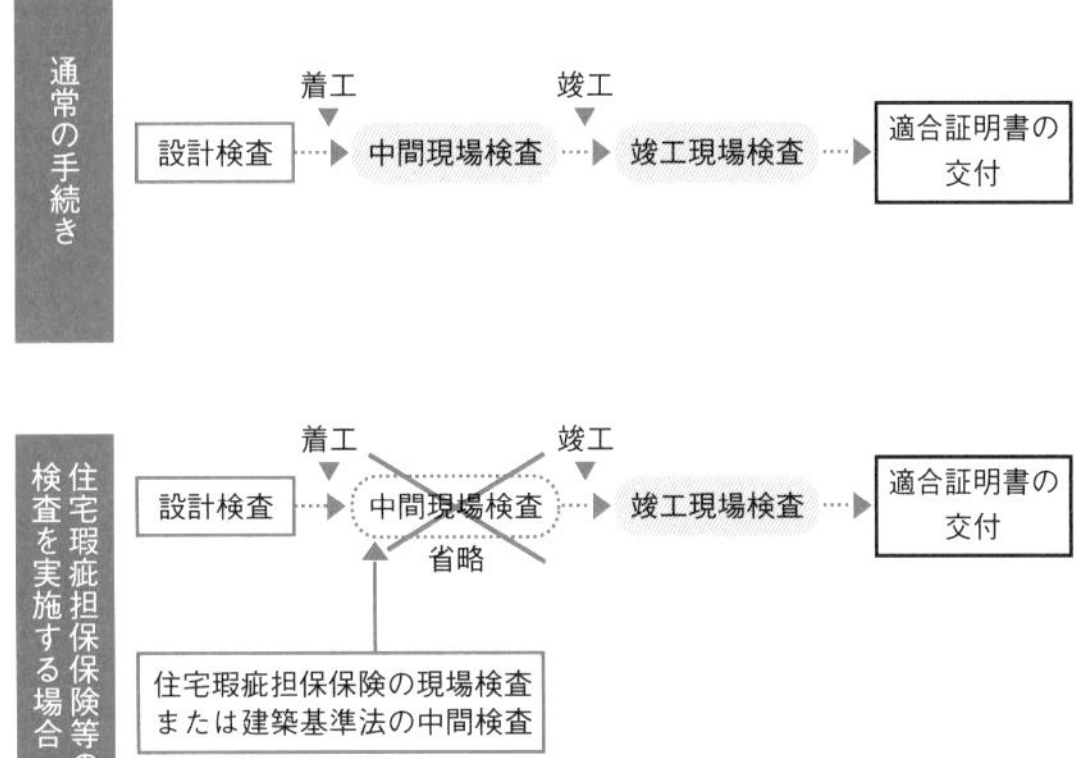

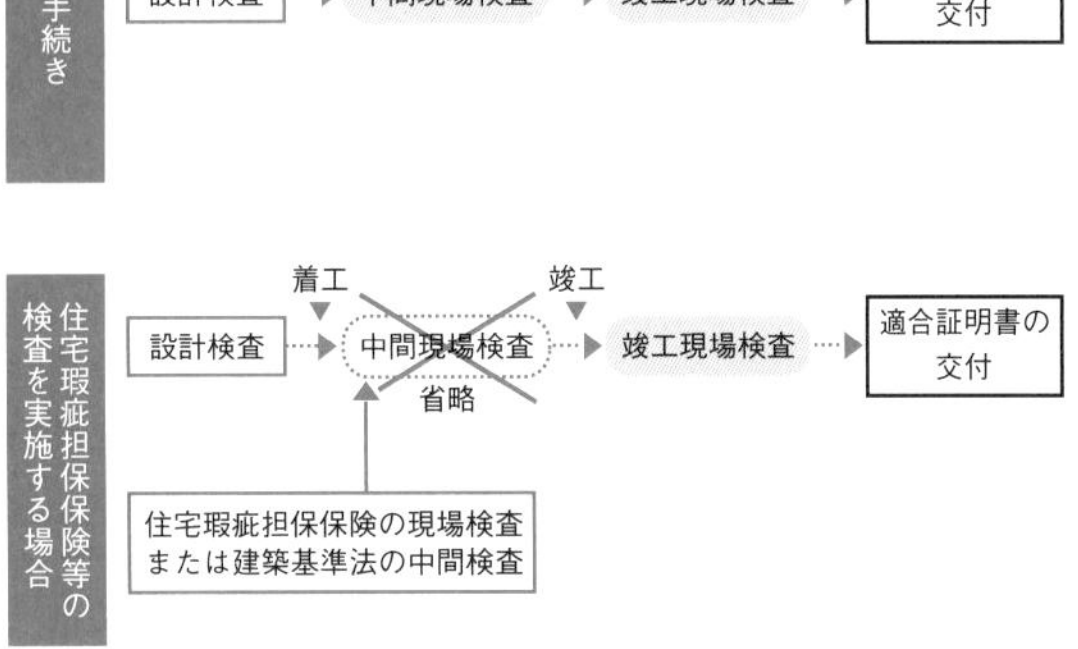

竣工検査・引き渡し

工事が完成し、施工者から建て主に建物が引き渡されるとき、その建物が図面や打ち合わせどおりに完成しているかどうかを確認する必要があります。これを**竣工検査**といいます。

検査は建て主、施工者、設計者（工事監理者）などの立ち会いのもとで行います。

検査日を何時にするか施工者と前もって打ち合わせ、十分時間をかけて検査できるよう昼間の明るい時間帯に設定しましょう。

ただし、この検査は壁の内部などの隠れて見えなくなってしまう部分のチェックは工事中にすでに行われていることが大前提ですから、目で見える表面的な仕上げの施工や建具類の開閉状況、設備機器の点検や操作指導などが中心です。

検査をして手直しの必要がでてきた個所

引き渡し
書類一式です

竣工引き渡し書類
- 引き渡し書
- 確認申請副本
- 確認検査済証
- 鍵引き渡し書（鍵リスト表）
- 下請業者一覧表
- 保証書
- 完成写真

etc.

については、必ず文書で確認し、引き渡しまでに工事をすませておきます。この手直しのことを駄目工事（駄目直し）といい、引き渡し前に、もう一度最終確認します。

1・引き渡しのタイミング

引き渡しは、駄目工事が終了して、最終確認がきちんとすんでから、カギなどを渡してもらうようにしましょう。急ぐからといって、駄目工事が終了する前にカギをもらい、引越してしまったあとでは、責任の所在が建て主側にあるのか、施工者側にあるのか曖昧（あいまい）になってしまいます。

あとで壁の傷や汚れなどに気づいて補修をお願いしても、誰がつけたかはっきりしないため、その部分についての手直しの要求を強くできなくなってしまうことがあります。引越し早々に後悔してしまうことになりますから注意しましょう。

2・引き渡し後の手続き

建物の引き渡しを受け、引越しする際に電気やガス・水道など、生活上の手続きのほかに、登記の手続きがいくつかあります。

まずは1カ月以内に**表示登記**の手続きをします。続いて**保存登記**を行い、そこで**登記済証（権利証）**の交付を受ける必要があります。さらに公庫など融資を受ける場合は、**抵当権設定登記**が必要になってきます。いずれも専門的な知識が必要ですから、その手続きは、土地家屋調査士（表示登記）や司法書士（保存登記、抵当権設定登記）などに依頼することがほとんどです。

3・竣工図を控えておく

引越してから最初の1～2カ月はあっという間ですが、そのうち住まいに対する関心が薄れてしまいがちです。しかし、家づくりは新しい家に住んだその日からはじまると考えてよいでしょう。そこで、今後のメンテナンスのためにも、やはり図面が必要です。この図面を**竣工図**といいます。

竣工図とは、施工中の設計変更や仕様変更の内容を設計図書に記録し直したものをいい、新しい家の完成状態の図面です。この図面は今後の定期点検や補給のもとになり、その記録を図面上に書き留めておくことで次のメンテナンスの参考にもなります。

設計図
外壁の仕上げ、一部変更して下さい
居間のマドをはき出しに変更して下さい
玄関の引き違い戸をドアに変更して下さい
ヌレ縁追加して下さい
いろいろ変更でちゃったなぁー！
竣工図

竣工図をもらうことはまだ一般的なことではないようですが、契約の時点で確認するか工事完成後などに相談してみましょう

竣工検査でのチェックポイント

- 建物の内外の清掃、後片づけ、整理状況
- 仕上げの汚れやムラなどのチェック
- クロスのはがれやタイルの目地などのチェック
- 建具の開閉具合などのチェック
- 雨戸の扱いやすさや壁との取り合い状況のチェック
- 照明、スイッチなどの点検
- 排水マスのフタを開け排水状態をチェック
- ガスの出の状況や安全点検など
- エアコンなどの運転状況や性能などの確認
- インターホンや電話などの操作性などの確認
- 水の出や排水状況のチェック
- リモコンなどの操作の説明

コラム―現場チェックの方法

工事の流れと現場チェック

工事工程		現場立会いの主なチェックポイント
地縄張り、地鎮祭	◎	・敷地の境界線を確認し、その印の境界杭の位置も確認する ・敷地境界と建物との間隔を図面どおりでいいか確認する ・隣の家と新築する家との位置関係を確認する
基礎工事	△	・基礎の寸法を確認する ・鉄筋の配筋やアンカーボルト、換気口の位置などを確認する
建て方、上棟式	◎	・柱や梁などの材料の寸法や材種などを確認する
屋根工事完了	○	・筋かいの位置（耐力壁の位置）など耐風・耐震の構造を確認する ・屋根の防水工事の様子を確認する ・土台や柱などの防腐·防蟻処理状況を確認する
外部建具取付け	◎	・スイッチやコンセントの数や位置などが図面どおりか、数が適当かどうかを確認する ・給水栓やガス栓などの数や位置が図面どおりかを確認する ・窓の位置や高さを確認する ・断熱材（床、外壁、天井）の施工状況を確認する
木工事完了～仕上げ工事	○	・建具の開き勝手を確認する ・造り付けの棚や家具を確認する ・現状での工事の仕上り具合を住んだつもりで確認する ・台所、浴室、洗面所などの設備機器などを確認する
竣工検査	◎	・建物内外の清掃、後片づけや整理の様子を確認する ・内外装で壁・外部建具の塗装ムラや傷、汚れやクロスのはがれなどを確認する ・建具の開閉動作がスムーズかどうかを確認する ・設備機器等の作動状況やキッチン・トイレや浴室などの排水や水の流れを確認する

◎：ぜひ立ち会いましょう
○：できるだけ立ち会いましょう
△：できれば立ち会いましょう

・現場では材料の入手や職人の手配などの都合で、工程に変更が出ることがあります。立ち会いは前もって連絡をとって確認してから行きましょう
・作業工程は現場によって違うので、少し早めに予定を聞いておくほうが無難です
・わからないことは説明を受けるなどしましょう

建て主はしょせん素人、見てもよくわからないのだから、現場へ行ってもしかたないなど思っていませんか。構造や施工方法など、専門性が強いものは別にして、使い勝手や安全性などの「居住性能」については、建て主自らが確認しておいたほうがよい場合もあります。

また、現場の様子を見るだけでも、その仕事の善し悪しがわかります。職人の道具の置き方や後片づけの様子、安全への配慮などです。こうしたことにルーズな現場はよい現場とはいえません。

それを自分の目で確かめてみるということも大切です。

現場の立会い

さて、ではその専門性の強いものについてはどうしたらよいのでしょうか。建て主自らがきちんとチェックできればよいのですが、実際には専門知識のないものにとっては容易なことではありません。

建築基準法では「建築主は建築士である工事監理者を定めなければならない」として、建て主に代わって、設計図どおりに工事がきちんとできているかどうか、現場をチェックする仕組みをとるようになっています。

施工者側の立場ではない「第三者」の工事監理者であれば検査する目も厳しくなります。また、チェックの内容によっては、建て主がいっしょにその場に立ち会うようにしましょう。

立ち会いたいけれども、現場へ行けないという場合や直に確かめることができない場合は、施工者に対して工事写真などの資料の提示を求めるようにします。いずれの場合も、わからない部分については納得がいくまで説明を受け、疑問が残らないようにしましょう。

現場チェックを怠ったことによって生じるトラブルは、結局建て主側にはね返ります。

現場へ行く服装

工事現場は抜かれた釘が落ちていたり、突起物があったり、とても危険なところです。現場へ行くときには、底の厚い靴をはいて、動きやすく、体を防護するような服装で行きましょう。ヘルメットは現場で借りて、怪我には十分注意するようにしましょう。

窓口は1つ

現場で気づいたことや工事の変更などは、現場で直接職人に言うのは避けましょう。

では、誰に伝えればいいのでしょう。

設計者や施工者など現場によって違いますが、連絡の行き違いや内容の誤認を避けるためにも、窓口を1つにすることが大切です。誰を通して打合わせや連絡をすればよいか

住まいのメンテナンスの計画表（概要）

		点検時期の目安	更新・取替え検討の目安
屋外部分		主な点検項目	
基礎	布基礎 ベタ基礎　etc.	5〜6年ごとが目安	
		・ひどい割れや蟻道がないかどうか ・不同沈下や床下換気の不良についても確認する	
外壁	モルタル サイディング 金属板 金属サイディング etc.	サイディングは3〜4年ごと、 それ以外は2〜3年ごとが目安	15〜20年位で全面補修を検討
		・汚れや色褪せ、色落ちがないかどうか ・モルタルの割れや金属板の錆や変形・緩みの状況を確認 ・シーリングの劣化の状況を確認	
屋根	瓦葺き アスファルトシングル葺き 金属板葺き etc.	瓦葺きは5〜6年ごと アスファルトシングル葺きは4〜6年ごと金属板は2〜3年ごとが目安	瓦葺きは20〜30年位 アスファルトシングル葺きは15〜30年位 金属板は10〜15年位で全面葺替えを検討
		・瓦の割れやずれがないかどうか ・アスファルトシングル葺きの色褪せや色落ち、ずれや割れおよび錆などがないかどうか ・金属板の色褪せや色落ちがないかどうか、錆や浮きが生じていないか	
屋内部分			
土台、床組		4〜5年ごとが目安	土台以外は20〜30年位で全面取替えを検討
		・腐朽や錆、蟻害が生じていないか、また床の沈みやたわみの状況はどうか	
上記以外	・柱、梁 ・壁（室内側） ・天井、小屋組 ・階段　etc.	10〜15年ごとが目安	
		・腐朽や破損、蟻害の状況はどうか ・雨漏りや目地の破断、床の沈み・天井のたわみなどが生じていないか	
設備部分			
設備	・給排水管、トラップ ・ユニットバス ・ガス管、給湯器 ・換気、電気設備 etc.	1年ごとが目安 （ただし水漏れなどは直ちに補修、 パッキン交換は3〜5年が目安）	10〜20年位で器具や配管などの 全面取替えを検討
		・水漏れやパッキンの異常、悪臭・詰まりの状況はどうか ・器具の異常や作動不良などがないかどうか	

を、現場がはじまる前にきちんと確認しておきましょう。その内容や結果については、文書として記録して、建て主・施工者・設計者それぞれが保管しておきます。

工事監理と工事管理

「コウジカンリ」には2つありますが、その内容は全く違います。その違いをここで確認しておきましょう。

1つは「工事監理」で、建て主の立場に立って現場をチェックし、設計図どおりに施工が行われているかどうかの確認を行うことをいいます。また、中間検査や完了検査での申請書では、その中に工事監理の状況の報告を記載しなければならないことになっています。建築士に工事監理を依頼し、その内容を報告してもらう必要があります。

もう1つは「工事管理」。これは施工者の立場から、工事が適切になされているかどうかなどをチェックすることをいいます。

住んだ後のチェックも大切

せっかく建てた新しい家ですから、そこで快適に長く住み続けたいものです。しかし、何もしないできれいな状態がずっと続くわけではありません。

住みはじめてから時間が経つにつれて、否応なしにさまざまなところに汚れやいたみ、故障が生じてきます。気づいたら少しでも早く適切な処置をすることが大切ですが、初期の段階で発見できれば比較的簡単な手入れで十分な効果をあげることができ、費用的にも助かります。

そのためには、そのことを見越して建物の各部あるいは設備機器など、それぞれに応じた定期的なチェックをしておくことが大切です。台風などの臨時の補修などは別にして、定期点検することで手入れにかかる予算をあらかじめ考えておけますから、突然の出費で困るということも避けられます。

また、業者に依頼するような補修なども気づいたときにその都度お願いするよりもまとめて一度にお願いすることで効率的で経済的にも助かります。住んでいる場所によっては、塩害や排気ガスなど建物に及ぼす影響は違ってきますが、定期点検の計画を立てるときの目安として表を参考にして下さい。

しかし、メンテナンスの基本は掃除です。毎日の掃除や季節的な大掃除、それはただ家をきれいにするだけでなく、普段気づかなかった傷や汚れなどを発見するきっかけにもなります。自分でできるちょっとした手入れなら早めに対処でき、結果として家を長持ちさせることにつながります。

こうした定期点検の様子や補修についてはその都度メモを取っておきましょう。次のメンテナンスの参考になるとともに、住まいの手入れを考えるよい機会にもなります。

コラム──職人との付き合い方

家は、大工さんだけがつくるものではありません。設計者・施工者はもちろん、建て主もいっしょにつくるもの。契約書をとり交わした途端安心して、あとは「大工さんに任せて、家ができるのを待つのみ！」とただ構えているのでは、誰の家かわからなくなってしまいます。

はじめて出会った大工さんに対する過度の信用は、そもそも不確かなもの。何もしないで、ただ一方的に相手を信じるのがよいこととはいえません。ほんの些細なことが職人さんへの不信感に変わることもあるのです。

建て主もできるだけ現場に足を運んで、一方的でない「相互で築き上げた信頼関係」をつくるように心がけたいものです。

家ができていく過程もしっかり見とどけ、安心して新しい家の生活をはじめられるようにしましょう。

現場の職人さん

1軒の家ができるまでには、たくさんの職人さんがかかわっています。現場に行けば大工さんには必ず会うと思いますが、実は最後まで顔を合わせない職人さんもいっぱいいます。こうした職人たちが力を合わせて1軒の家ができていきます。

建てる人、設計する人、つくる人、みんなが力を合わせて良い家ができる

10時と3時

大工さんたちは、10時と3時に必ず休憩をとっています。お昼も食後は横になって体を休めます。大工さんたちは、こうして体のリズムを整えているのです。

安全を心がけながら、細かい作業を集中してやるのですから、この休憩はとても大切な意味をもっています。

逆に、こうした休憩がとれないような急ぎの現場は、作業の集中力が散漫になり、ケガや落下などの危険を招きかねません。

昔は建て主もこのことを心得ていて、休憩にお茶やお菓子を出す習慣がありました。その名残りは「建て主」と同じ意味で「施主（＝施しをする人）」という言葉が残っていることでもわかります。

といっても、現場が遠かったり、仕事の都合でなかなか足を運べないという事情もあるでしょう。しかし、そうしてあげたいと思う心づかいは大切にしたいものです。

現場の職人さんは、仕事をしているので過度の気づかいは不要です。かえって職人さんに気を遣わせて、仕事の手を止めさせることになってしまいます。それよりも一言「お茶菓子をもってきたので食べて下さい」と気軽に声をかけて、あとは現場を見てまわっていいのです。

時間も休憩に合わせてとか、人数は何人かしらと、変に気遣う必要はありません。そんなことを考えて行かなくなるよりも、自分の都合のつく時間に、現場へ行くという姿勢が大切です。

竣工祝いとこれからのお付き合い

思うような家ができたら、ご苦労様という感謝の気持ちを「竣工祝い」という形で現してもいいでしょう。そこではじめて顔を合わせる職人さんの多さに改めて気づくことになると思います。

家を長持ちさせるということは、何も家そのものの耐久性だけで決まるわけではありません。住んだ後も家に手間をかけること。自分たちでできることもあれば、大工さんたちに直してもらわなければならないものも出てきます。自分たちのライフサイクルが変わって、増改築が必要になることもあるでしょう。

大工さん、職人さんとの付き合いは、住んだあとも長く続くもの、続けたいものです。ここで改めて今後のお付き合いの挨拶を交わせたらいいですね。

Trend

これだけは知っておきたい!住まいのトレンド

住まいは現代社会の縮図です。
現代社会がかかえるさまざまな問題や
その解決の糸口が集約されています。
化学物質汚染、高齢化、環境問題、
家族関係などが
シックハウス、バリアフリー、エコハウス、
多世帯住宅etc.として
住まいのなかに織り込まれています。
トレンドに流されず
トレンドを見すえていきましょう。

Energy-efficient

省エネルギー住宅

地球温暖化やエネルギー資源が世界的に大きな問題となっているなかで、住まいに関しても、省エネルギーや環境への配慮が求められています。ここでは、環境に優しい住まいを実現する方法として、省エネルギーの手法や自然エネルギーの利用法、また「創エネ設備・省エネ設備」の考え方や手法を紹介します。

環境に負荷をかけない住まい

1・風土と住まい

20世紀の前半までは、どの地域の住まいも、その土地の気候風土に合わせてつくられていました。日本の住まいは高温多湿な地域が多く、そのような場所では「夏を旨」とする開放的な住まいがつくられました。蒸し暑さは不快な上、物を腐らせる原因で、建物のも例外ではありません。このような気候条件で、快適かつ耐久性がある住まいとは、厚い屋根と壁、深い庇と開放的な間取りの住まいでした。茅葺き屋根の厚い屋根には断熱性能、土壁も厚く断熱性能と蓄熱性能があります。深い庇は雨を遮り、日射を適度に調整します。そして大きな開口部と開放的な間取りは、風通しがよく湿気がこもらないのです。このように自然と一体化した形態の住まいで生活をしてきました。

一方、夏の湿度が低く、冬の寒さが非常に厳しい欧米や北欧の住まいは、開口部を小さくした密閉型の住まいがつくられました。ものが腐る事の少ないこの気候では、冬の寒さを防ぐことが重要だったのです。暖かさを逃さない為に、壁を厚くして、窓などの開口面積はできるだけ小さくする必要がありました。寒さから身を守る為に自然に対抗する考え方の住まいは、自然を享受する日本の住まいとは対象的なものでした。窓の考え方を例にみても（**図1**）、対照的な考え方であることがよくわかります。

2・時代に伴う住まいの変化

住まいを建てるときは、省エネルギーであること、価格や見た目だけにとらわれず、長持ちさせることや、環境に負荷の少ない素材を利用することを考えましょう。それが生産から廃棄までを総合的に考えた「地球環境に対して省エネルギーな住まい」と言えるのではないでしょうか（**表1**）。

表1　住まいの今と昔　―環境負荷比較―

		昔の家	今の家
住まいの今と昔		昔の家	今の家
つくるとき	環境負荷	・建物の寿命が長く、環境負荷が少ない ・エネルギー負荷はほとんどない	・建て替えサイクルが短く、森林伐採による環境破壊の問題がある ・加工エネルギー負荷、有害物質の発生など環境負荷が大きい
	人体負荷	・家を建てる時に手間と時間がかかる。ほとんどの作業が人力でなされていた	・施工者が材料に含まれる有害化学物質を取り込む危険がある ・施工用機械設備が充実、手間は少なくなっている
使うとき	環境負荷	・熱エネルギーとして火を利用 ・隙間が多く、エネルギーロスは大きかった	・エネルギー使用量が急増し、地球的規模の問題になっている ・エネルギーロスを減らす断熱・気密化が進む
	人体負荷	・冬の寒さは厳しいものがあった	・温かさを得られるようになったが、シックハウス症候群など健康を害する例が増えている
捨てるとき	環境負荷	・自然素材が利用されていて土に還りやすく、有害物質が発生しない ・再利用しやすかった	・材料が非常に複雑で、廃棄やリサイクルが困難 ・有害物質の焼却や埋め立ては環境汚染問題となっている
	人体負荷	・特になし	・材料が複雑な分、リサイクルの手間がかかる ・環境汚染により人体にも害が及ぶ

図1

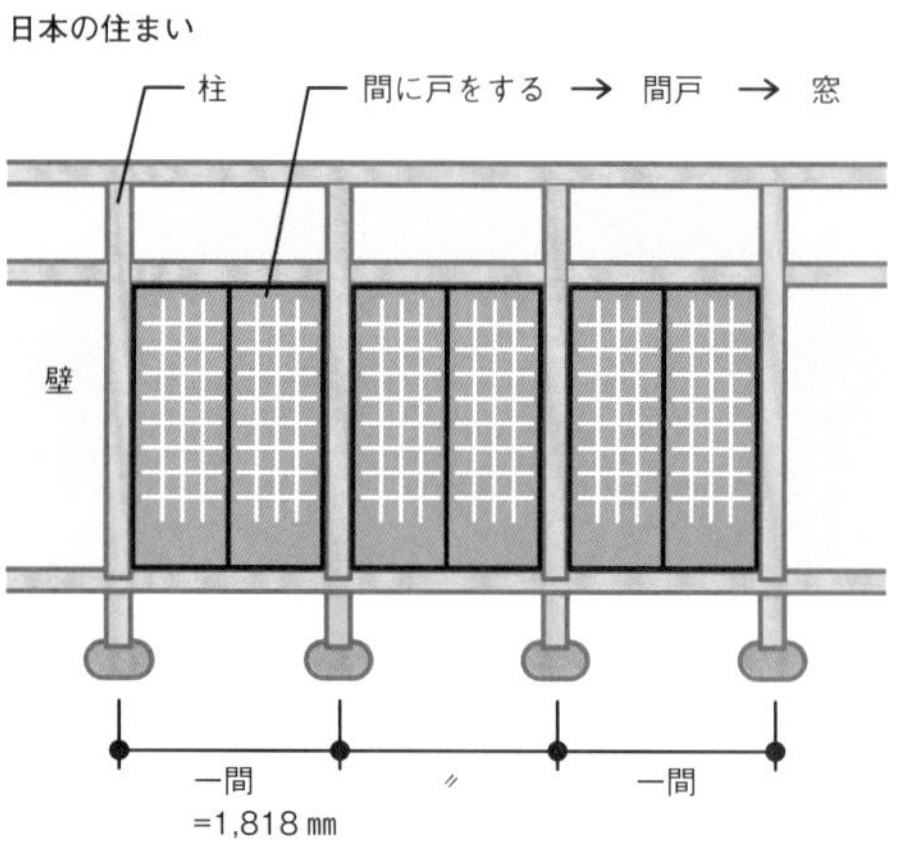

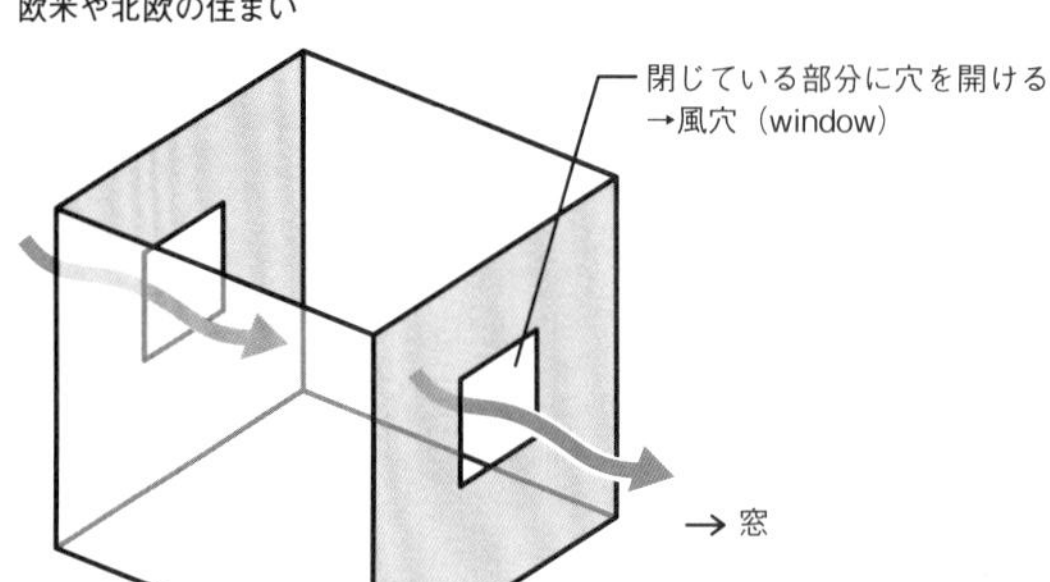

省エネルギー住宅の考え方

省エネルギーの考え方は、建築そのものを工夫する手法（外皮の熱性能基準）と、設備機器を省エネにする手法（一次エネルギー消費量基準）があります。それぞれに分けて見ていきましょう。

1・エネルギーを節約する住まい

(1) 熱の伝わり方

住まいのエネルギーを節約するために、まず熱の伝わり方について少し説明します。熱（＝エネルギー）は温度の高いほうから低いほうへ伝わっていきます。そして、この熱の伝わり方には、対流、伝導、放射（または輻射）の3つの伝わり方があります（図2）。

対流は空気が移動することによって熱が伝わることです。体温より暖かい温度の空気の場合、たとえばドライヤーの風のように熱を受けて暖かく感じ、低い温度の場合、たとえばクーラーの風のように熱を奪ってもらうと涼しく感じます。また、空気の比重は温度が高いほど軽く、低いほど重いので、部屋の中に温度差ができると空気が自然に対流します。

次に伝導ですが、これは熱が物同士を伝わっていく現象です。例えば最初は冷たかったコーヒーカップに熱いコーヒーを入れると、その温度でカップが暖まります。このときは、カップの内側から外側に熱が伝導し、暖かいコーヒーカップになっています。

さらに、このカップが薄い紙コップだったとします。このなかに、とても熱いコーヒーを入れることを想像してみてください。このとき、素手でカップを持つと熱すぎることでしょう。ところが、このカップを発泡スチロールのついているカップに入れたとするとどうでしょう。熱いけれど、持てないほどではなくなると感じるはずです。これは伝導という熱の伝わりを小さくする、断熱という考え方にあてはまります。熱伝導率（熱の伝わりやすさ）の小さい材料をカップに使ったことにより、熱の伝導を抑えているのです。

最後に、放射または輻射と呼ばれる熱の伝わり方です。物には温度があり、その温度に応じて放射熱を出しています。私たちのいる部屋の壁の表面温度が身体より高い場合は、この放射熱が身体に入って熱を受け取ります。逆に温度が低い場合は、身体から熱が出ていく放射熱が増えます。この放射熱は影響が大きく、住まいの快適性を左右する大きな要素となります。

(2) 断熱は省エネルギーの基本

省エネルギー住宅であるための、もっとも基本的な考え方は建物の断熱です。断熱とは、伝導によって伝わってくる一方の熱を他方に伝えにくくすることです。建物を断熱化することで、冬の寒さや夏の暑さを室内に入れにくくし、冷暖房でのエネルギーロスを減らします。

また、断熱化すると天井や壁、床の表面温度が外気温に左右されにくくなるので、放射熱の影響をコントロールしやすくなり、快適になります。断熱が足りなければ外気温が伝わり、人に不快な影響を及ぼします。暑い夏は表面温度が高くなり、エアコンをしていてもなかなか涼しくならず、寒い冬は気温を上げても表面温度が低ければ、放射により身体から体温が奪われて暖かく感じにくいのです。

さらに、床の断熱が足りないと、床表面の温度が壁や天井に比べて低くなります。すると、部屋の中に温度差が生じて空気が動いてしまい、冷気を感じるような対流が生じてしまいます。

このように断熱とは、熱の伝わる伝導を減らすだけでなく、放射や対流による不快な影響を減らすことにもつながります。その結果、住まいで使うエネルギーを減らすことができるのです。

(3) 断熱の方法と部位

建物の断熱は、外皮とよばれる各部位を基準値に合うように断熱化します。外皮とは建物の外部を覆う部分で、屋根（天井）、

図2 熱の伝わり方

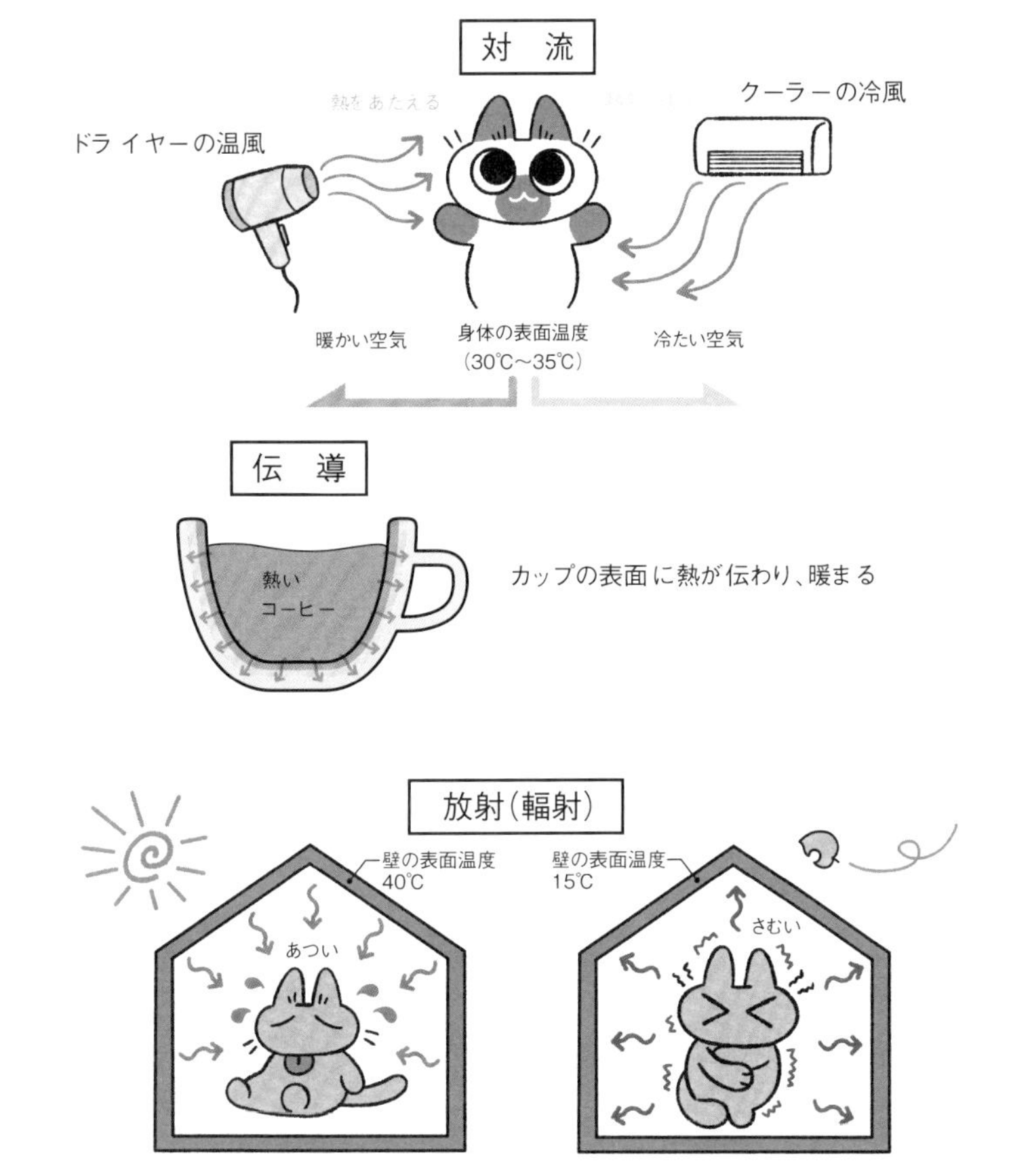

外壁、床（基礎）、開口部などをさします。（図3）この部分の省エネルギー性能の基準を「外皮の熱性能基準」で表します。

主な方法として、屋根または天井、壁、床または基礎の部分には断熱材を設置します。断熱化する部位には断熱材の種類と厚みの基準値があり、建物の工法と住んでいる地域によりその値が設定されています。この基準値は、省エネ法により定められており「旧省エネ基準」（昭和55年）、「新省エネ基準」（平成4年）、「次世代省エネ基準」（平成11年）と、より断熱性能が高くなる基準値へと変化してきました。現在ではさらに細分化された地域区分により断熱の基準値が決まっています。

開口部に関しては、「次世代省エネ基準」の時に、アルミサッシのガラスを複層ガラスや2重サッシにする仕様になってきました。また、夏場に日射が入ると、建物内部が暑くなり、より多くの冷房エネルギーを使用してしまうことから、日射遮蔽という考え方も基準値に反映されました。それぞれの部位の基準値だけでなく、建物外皮全体の省エネルギーの割合を示す基準値へと変化していきました。現在では寒暖差や日射量の差などにより、日本を8つの区域にわけ、それぞれに見合う基準値が設定されています。（図4、表2）

＊U_A（ユーエー）値：外皮平均熱貫流率／値が小さいほど建物の外皮から熱が逃げにくく、省エネルギー性能が高い

＊η_A（イータエー）値：冷房期の日射取得率／値が小さいほど建物内部に入る日射量が少なく、冷房効果が高くなる

そして、平成25年に改正された「平成25年省エネ基準」では、建物の外皮の性能を表す「外皮の熱性能基準」だけでなく、照明器具や冷暖房設備、給湯設備などの設備機器の性能も対象となり、住宅全体で消費するエネルギーの量を総合的に評価できるように、「一次エネルギー消費量基準」の基準値が追加されています。現在の基準内容は平成25年省エネ基準と同じものの、建築物省エネ法と法律名が改正され「平成28年基準」となっています。

「一次エネルギー消費量」とは住まいを使用するときに使われるエネルギーの消費量のうち、暖房設備、冷房設備、機械換気設備、照明設備、給湯設備、そして家電などのエネルギー消費量の合計です。使う設備機器によって省エネルギー性能が異なるため、それらを合計したエネルギー消費量の数値で設備の省エネ度を数値化します。ただし、家電に関しては住まい手によるため、設計時には建物の床面積に応じて数値が与えられます。これが「設計一次エネルギ

図3　断熱化する建物の部位

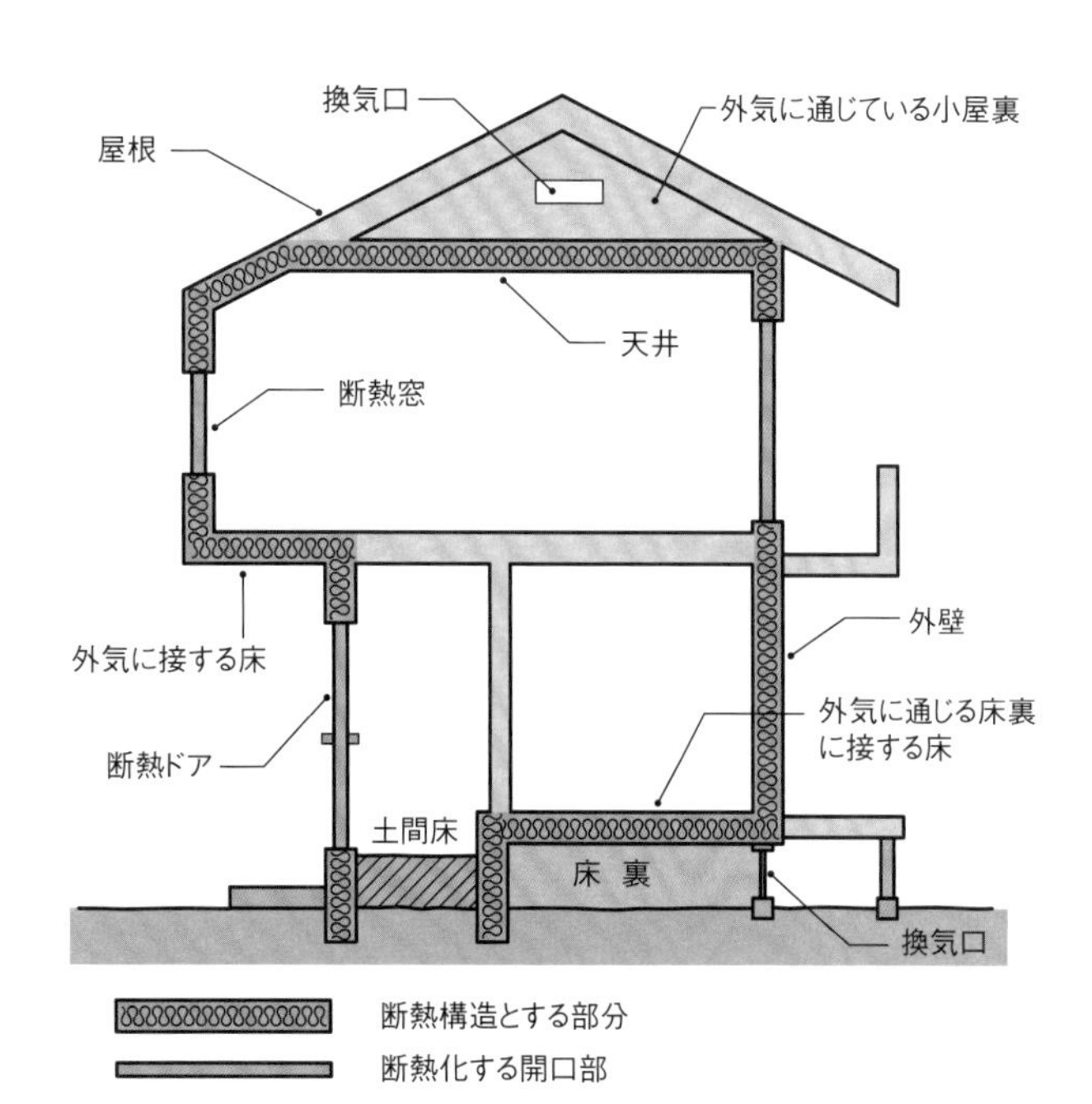

図4

1地域
2地域
3地域
4地域
5地域
6地域
7地域
8地域

表2　外皮性能基準（平成28年省エネ基準）

地域区分	1	2	3	4	5	6	7	8
外皮平均熱貫流率の基準値：UA［W／㎡K］	0.46	0.46	0.56	0.75	0.87	0.87	0.87	—

$$\text{外皮平均熱貫流率}\,U_A = \frac{\text{単位温度差当たりの外皮熱損失量}\,q}{\text{外皮の部位の面積の合計}\,\Sigma A}$$

地域区分	1	2	3	4	5	6	7	8
冷房期の平均日射熱取得率の基準値：η_{AC}［%］	—	—	—	—	3.0	2.8	2.7	3.2

$$\text{冷房期の平均日射熱取得率}\,\eta_{AC} = \frac{\text{単位日射強度当たりの冷房期の日射熱取得量}\,m_C}{\text{外皮の部位の面積の合計}\,\Sigma A} \times 100$$

表3　断熱材の種類と性質

分類	コスト	一般的な断熱材の種類	使用工法	区分（*）	性質
鉱物系	○	住宅用グラスウール（10k）	充填断熱	A-2	透湿性があり防湿層が必要不可欠。コストは安価
		高性能グラスウール（16k）	充填断熱	C	透湿性があり防湿層が必要不可欠。ガラスを主原料とした不燃材料
		住宅用ロックウール（マット）	充填断熱	C	透湿性があり防湿層が必要不可欠。玄武岩または鉄鋼スラグなどを主原料している。耐熱温度はトップクラス
プラスチック系	○～△	押出し法ポリスチレンフォーム（3種）	外張り断熱	E	軽量、耐水性が高く、圧縮力に強い。シロアリに注意が必要
		押出し法ポリスチレンフォーム（1種）	基礎断熱	C	コンクリートとの密着性がよいため、木造住宅では主に基礎部分の断熱に使われる。シロアリの食害を受けやすい
		現場発泡ウレタンフォーム（A種3）	充填断熱	E	建物の各部位に吹き付けるため、すきまなく断熱材を施工しやすい。水を発泡剤としている製品もある
		硬質ウレタンフォーム保湿板（2種2号）	外張り断熱	E	硬質で耐圧力があり、吸水、吸湿、熱伝導率性が小さいメリットがある。シロアリの食害を受けやすい
		フェノールフォーム（1種）	外張り断熱	E	熱伝導率が少なく、断熱性能にすぐれている。経年変化による断熱性能低下が少ない
自然系	△	吹込みセルロースファイバー	充填断熱	C	吹込み、吹付けの工法のため、すきまなく断熱材を施工しやすい。適度に吸放湿性があり、結露が起きにくい

＊エネルギー基準値における断熱材の性能区分

表4　断熱材の熱抵抗の基準

住宅の種類	断熱材の施工法	部位		断熱材の熱抵抗の基準値［㎡・K／W］地域区分 1～2	3	4~7	8
鉄筋コンクリート造等の住宅	内断熱工法	屋根又は天井		3.6	2.7	2.5	1.6
		壁		2.3	1.8	1.1	−
		床	外気に接する部分	3.2	2.6	2.1	−
			その他の部分	2.2	1.8	1.5	−
		土間床等の外周部	外気に接する部分	1.7	1.4	0.8	−
			その他の部分	0.5	0.4	0.2	−
	外断熱工法	屋根又は天井		3.0	2.2	2.0	1.4
		壁		1.8	1.5	0.9	−
		床	外気に接する部分	3.2	2.6	2.1	−
			その他の部分	2.2	1.8	1.5	−
		土間床等の外周部	外気に接する部分	1.7	1.4	0.8	−
			その他の部分	0.5	0.4	0.2	−
木造の住宅	充填断熱工法	屋根又は天井	屋根	6.6	4.6	4.6	4.6
			天井	5.7	4.0	4.0	4.0
		壁		3.3	2.2	2.2	−
		床	外気に接する部分	5.2	5.2	3.3	−
			その他の部分	3.3	3.3	2.2	−
		土間床等の外周部	外気に接する部分	3.5	3.5	1.7	−
			その他の部分	1.2	1.2	0.5	−
枠組壁工法の住宅	充填断熱工法	屋根又は天井	屋根	6.6	4.6	4.6	4.6
			天井	5.7	4.0	4.0	4.0
		壁		3.6	2.3	2.3	−
		床	外気に接する部分	4.2	4.2	3.1	−
			その他の部分	3.1	3.1	2.0	−
		土間床等の外周部	外気に接する部分	3.5	3.5	1.7	−
			その他の部分	1.2	1.2	0.5	−
木造、枠組壁工法又は鉄骨造の住宅	外張り断熱工法又は内張り断熱工法	屋根又は天井		5.7	4.0	4.0	4.0
		壁		2.9	1.7	1.7	−
		床	外気に接する部分	3.8	3.8	2.5	−
			その他の部分	−	−	−	−
		土間床等の外周部	外気に接する部分	3.5	3.5	1.7	−
			その他の部分	1.2	1.2	0.5	−

熱抵抗値（R）
値が大きいほど熱が伝わりにくい
＝
断熱材の厚さ（m）
断熱材の厚さmmをmに換算する
─────
熱伝導率（W/m・K）
断熱材ごとに明示されている

ー消費量」となり、この値が「基準一次エネルギー消費量」を超えていないか、基準値よりどのくらい削減されているかで評価されます。

（4）断熱材の種類と施工方法

断熱材の種類は大きく分けると鉱物系の断熱材とプラスチック系の断熱材に分かれます。また、自然系の断熱材もあります。これらの中で一般的に使われている断熱材を**表3**にまとめてあります。断熱材は熱の伝わりやすさを表す、熱伝導率が小さいものほど、熱を伝えにくくなります。そのため、同じ厚さの断熱材であれば、熱伝導率が小さいほうが、高性能の断熱材といえます。

実際に建物の使われる断熱材は施工する部位により、向き不向きがあります。たとえば天井の上に敷き詰めるような断熱材の場合はお布団のような、繊維状のマットになっているタイプの断熱材か、吹き込み式でふわっと天井に積もらせるタイプのものがいいでしょう。しかし、基礎に断熱材を利用する基礎断熱の場合は、水やシロアリに強いボード状のものが向いています。また、柱の間に断熱する充填断熱構法は、柱の厚さ分の断熱材を入れられますが、柱の外側に隙間なく貼り付ける外張り断熱では、柱の厚さ分の断熱材を張り付けることは難しくなり、比較すると薄い断熱材を施工することになります。

このように、構法や部位により、使われ

図5　結露発生のメカニズム

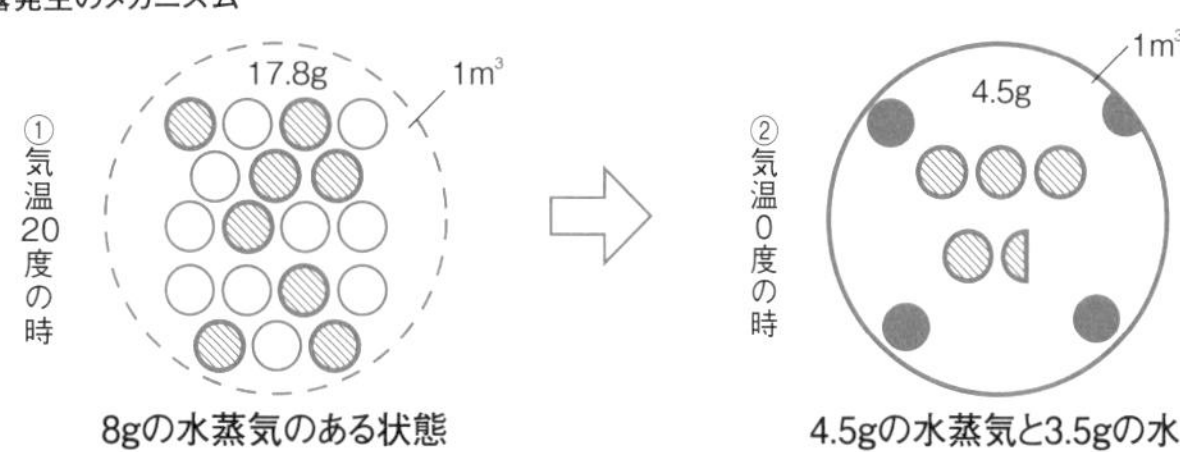

結露は、空気中にある水蒸気が冷たい部分に触るなどして飽和水蒸気量を越えると発生する。気温が低いほうより高いほうが、空気中に水蒸気として存在していられる量が多い。冷たい水を入れたガラスのコップに水滴がつくのはこの結露による
①20℃の時は、1m³に17.8gの水蒸気を含むことができる
②0℃の時は、1m³に4.5gの水蒸気しか含むことができない

○水蒸気を受け入れられる状態
◎水蒸気の状態
●結露により水蒸気から水に変わった状態

写真1　内部結露を起こした土台

図6　断熱工法のちがいによる結露の可能性

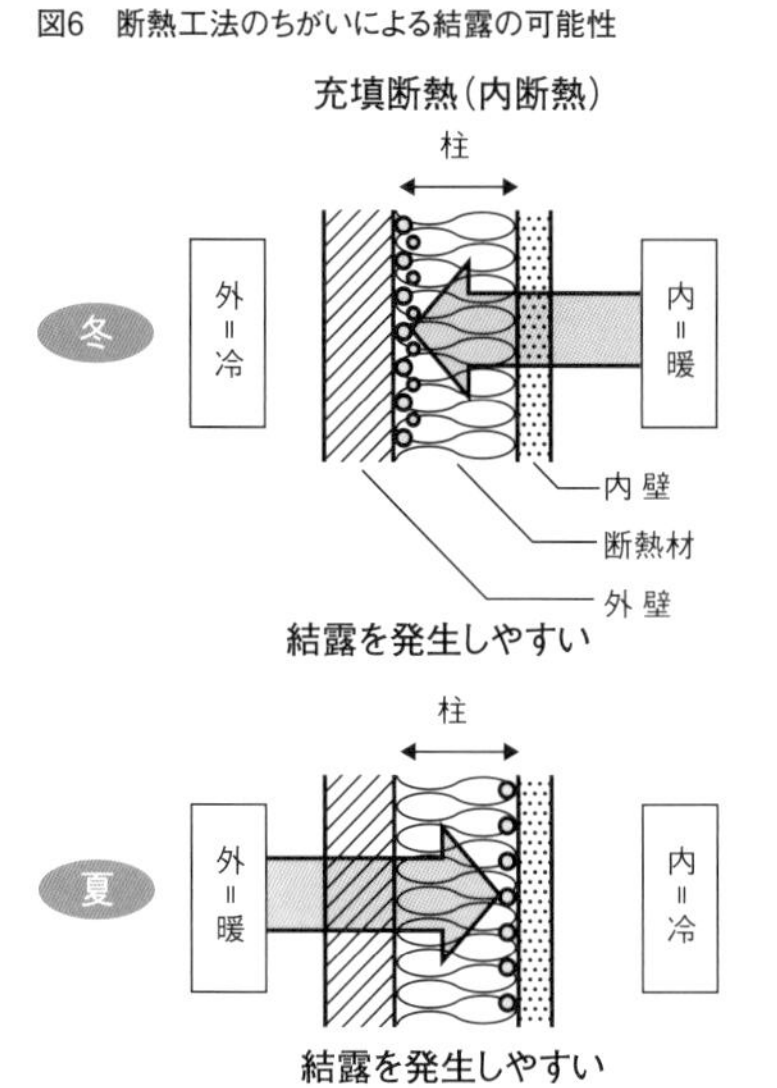

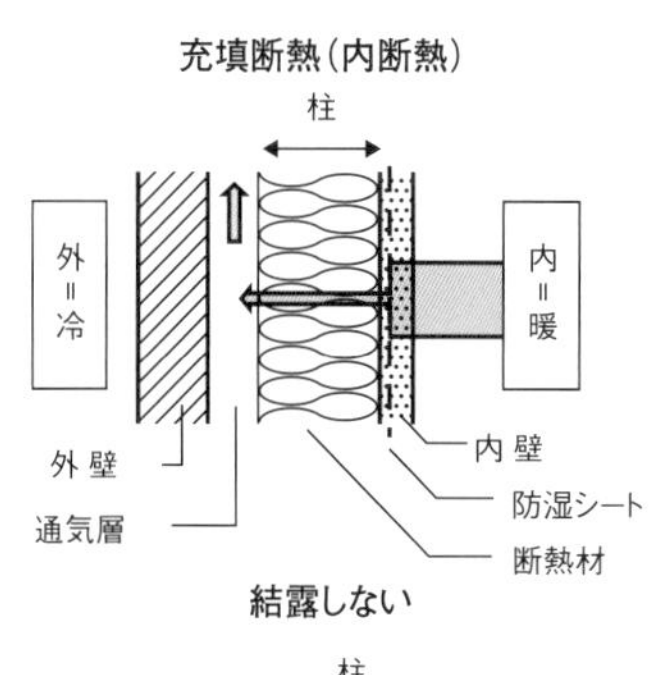

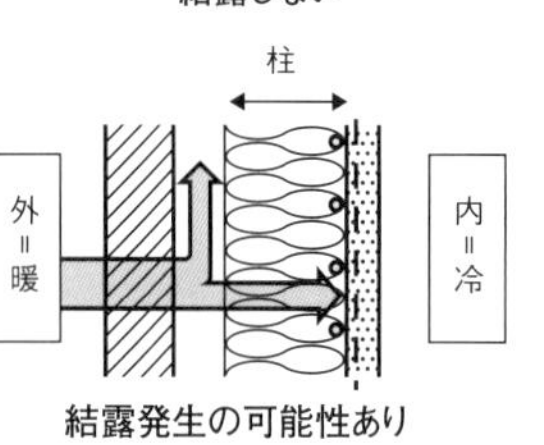

外張り断熱（外断熱）
柱
外壁
内壁
外＝冷
内＝暖
通気層
防湿シート
断熱材
結露しない
柱
外＝暖
内＝冷
結露しない

※充填断熱（内断熱）：柱の間に断熱材を入れる方法、隙間ができやすい
※外張り断熱（外断熱）：柱の外側に断熱材を入れる方法。木造では正確には「外張り断熱」という。隙間ができにくく結露しにくい。熱環境にすぐれているが、壁厚が厚くなる

る断熱材や厚みも違ってくるのです。このため、様々な仕様による断熱性能を確認するために、断熱材の厚さをその断熱材の熱伝導率で割った値が熱抵抗値として、断熱性能の指標となっています。ですから、高性能の断熱材を使っても場合によっては、性能の低い断熱材を厚く使うほうが断熱性能は高くなることもあります。この熱抵抗値は平成28年省エネ基準の断熱材の熱抵抗の基準としても、構造や構法、部位別に基準値が示されています。（表4）

(5) 断熱施工は内部結露に注意

省エネルギー住宅のために断熱化は基本ですが、断熱化により建物の内部と外部の温度差が大きくなり、壁の中や天井裏などの見えない部分に発生する内部結露に注意が必要です。雨漏りと勘違いするような量の結露が発生することもあります。内部結露は表面結露とは異なり、気がつかないうちに断熱材が濡れて垂れ下がり、断熱性能が悪くなったり、木材を腐らせたりと構造的な強度を損ないかねません。また、湿ったことによりシロアリの被害やダニ、カビの発生によるアレルギー問題などを引き起こす可能性もあります。

内部結露の発生を防ぐには、室内の水蒸気量を減らすための機械換気と水蒸気を排出するための、通気層が基本になります。繊維系断熱材を充填断熱構法で使う場合は、水蒸気を通さない防湿層（防湿シートなど）を湿度の高い側に設置する必要があります。たとえば、冬の場合は外部の湿度が内部より低いので、水蒸気は室内側から外側へ移動していきます。ここで水蒸気が冷たい部分に触れると結露が発生してしまいます。このために水蒸気が冷たい部分に触れる前の位置、つまり断熱材の室内側に防湿シートを施工します。かなりの水蒸気は食い止められますが、どうしてもできてしまう隙間などの可能性をふまえて、水蒸気を逃すため、壁や屋根には通気層を、小屋裏には換気口を設けるようにして空気が流れるように計画します。

夏の場合は気温が非常に高くなり、内外の気温差が大きくなると冬の結露とは逆に外部から内部に水蒸気が侵入し、同じように内部結露が発生する危険性が増えます。対策としては、通気層は必須で、それでも入ってきてしまう水蒸気は冬の防湿層のところ留まらないように、冬は水蒸気を通さず、夏は通す特殊な性能のある防湿シートを選ぶなどの工夫ができるとよいでしょう。（写真1、図5、6）

(6) 省エネの開口部とは

窓はアルミサッシが主流ですが、ガラス部分とアルミ枠部分に分けて考えられます。ガラス部分を1枚のガラスから2枚にして内部に乾燥空気やアルゴンガスを封入

したペア（複層）ガラスにすれば、断熱性能が向上します。同じようにガラスを3枚にしたトリプルガラスもあります。また、枠は通常のアルミ枠だと熱が伝わりやすいので、アルミ枠の間に熱を通しにくい素材を入れたり、枠自体を樹脂にしたりした断熱サッシがあります。玄関ドアも同様に断熱仕様の断熱ドアがあります。

注意しておきたいのは、ガラスです。ガラスは日射を通すので、夏場は日射が入ると断熱性能の高くなった住まいは入った熱を逃しにくくなり、暑くなってしまいます。このため、夏場は日射を入れない工夫が必要になります。逆に冬場は日射を取り込めば建物は温まり暖房の必要性が少なくなります。

このために、可能であれば建物に庇を設けます。南向きに庇を設けると、太陽高度の高い夏場は日射を入れずに、太陽高度の低くなる冬場は日射が入ることになります。庇を設けることが難しい時は、窓の外側にブラインドやすだれを設ける方法や、夏場は葉が茂り、冬は葉が落ちる落葉樹を利用する方法もあります。これは東西方向にも効果があります。東西方向は日射が横からくるので、逆に庇はあまり効果がありません。（図7、写真2、3、4）

また、省エネに関係するガラスの種類には普通のガラスの他に、Low-E（ロー・エミシビティー）ガラスという低放射ガラスがあります。材質は薄い金属の幕でガラス面にコーティングされていて、熱を跳ね返す性質が付加されています。さらに、このLow-Eガラスには外からの日射を跳ね返す遮熱タイプと内部の熱を室内に跳ね返し、熱を逃さなくする断熱タイプがあります。南側に庇や外付けブラインドを設置できるのであれば、南側は断熱ガラス、東西は遮熱ガラスを設置すると良いでしょう。（図8）

図7　庇による日射のコントロール

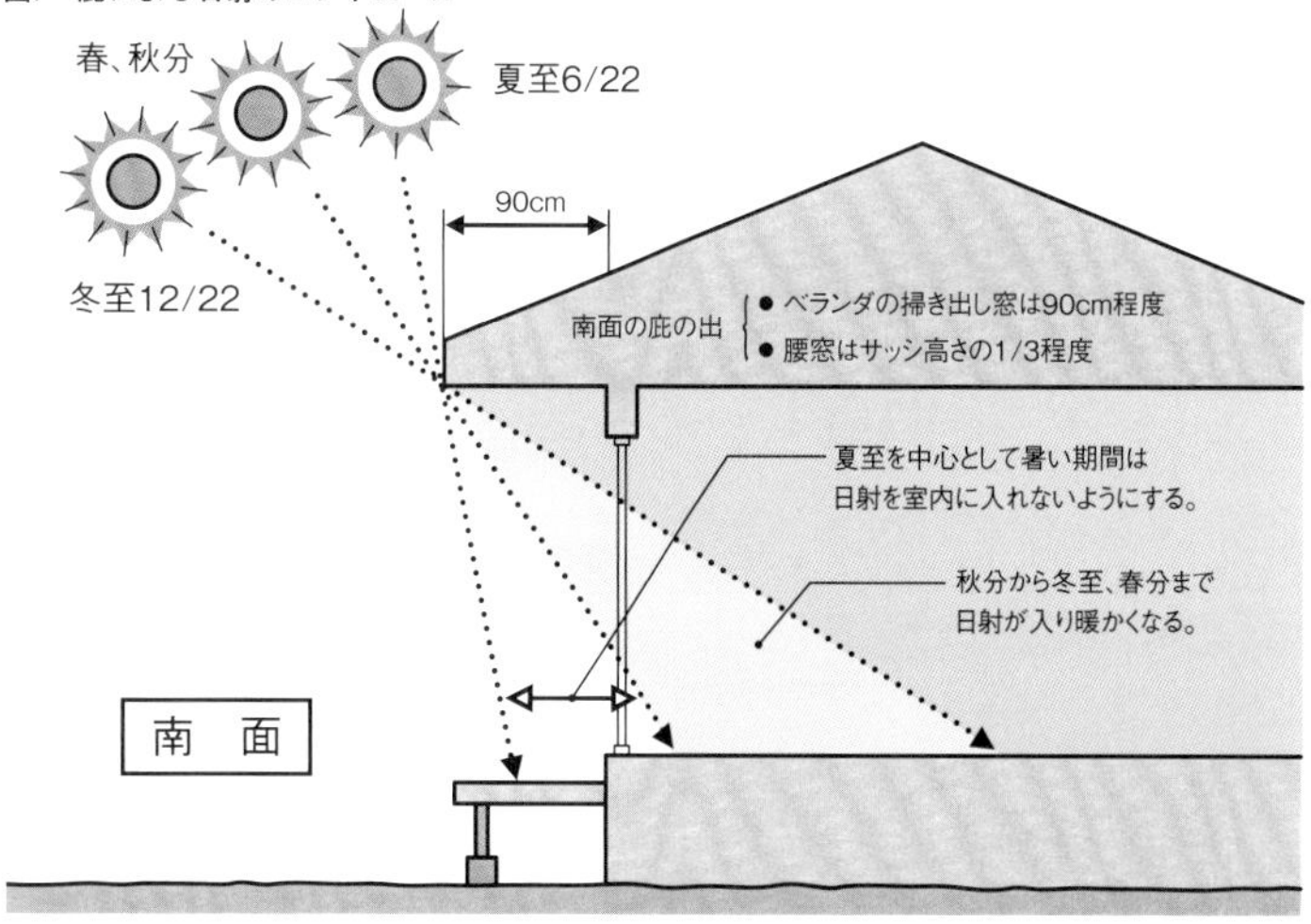

春、秋分
夏至6/22
冬至12/22
90cm
南面の庇の出
● ベランダの掃き出し窓は90cm程度
● 腰窓はサッシ高さの1/3程度
夏至を中心として暑い期間は
日射を室内に入れないようにする。
秋分から冬至、春分まで
日射が入り暖かくなる。
南　面

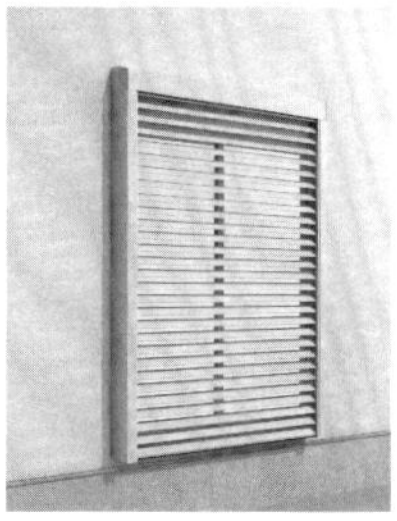

写真4　外付けブラインド
（写真提供：YKKAP）

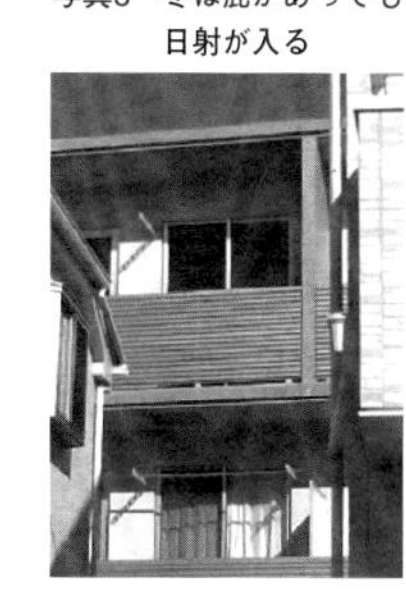

写真3　冬は庇があっても日射が入る

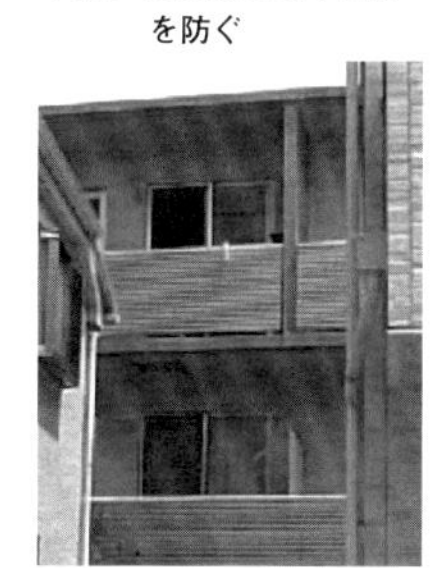

写真2　夏は庇により日射を防ぐ

図8　Low-Eガラスの構成

日差しを
ほどよく
取り入れる
冷気や暖気を
逃しにくい
Low-E 金属膜
（室内側ガラスの中空層側）
日の当たりにくい窓や寒冷地には
断熱タイプ
強い
日差しを
カットする
冷気や暖気を
逃しにくい
Low-E 金属膜
（屋外側ガラスの中空層側）
夏の日差しや西日の気になる窓は
遮断タイプ

（7）自然を利用して快適に

敷地に余裕があれば、樹木を利用して、暑さや寒さを和らげる手法があります。前述したように、南側に落葉樹を、植えて日射をコントロールすれば、夏はガラスを日射が通ることを防ぐだけでなく、屋根や外壁も日陰にして表面温度を下げ、建物内部に熱が伝わる割合を大きく下げることができます。

もし、樹木を植えるスペースがなくても、庇や外付けブラインドで日射をコントロールするほか、建物の1階の床面ちかくの日陰の部分に窓を設け、なるべく反対側で2階の天井付近に窓を設けて、階段などを通し空気の通り道をつくることができれば、風が吹かなくても、高低差により温度差が発生し、空気が吸い上げられて抜けていき、適度な涼しさが得られます。（図9、10）

（8）リフォームで省エネルギー化

●外皮の高断熱化で省エネルギーに（断熱材の高断熱化、窓の高断熱化）

建物の全体や部位、または一部屋などに、省エネ基準値に達するように断熱材を施工し断熱性能を向上させます。日本では徐々に断熱化が進み、一定の断熱性能が備わっている住まいが増えてきました。しかし現在の省エネ基準（平成28年基準）に達している住宅はまだ多くはありません。

現状の住まいの床、壁、天井（屋根）の断熱性能を設計図や目視で専門家に確認し

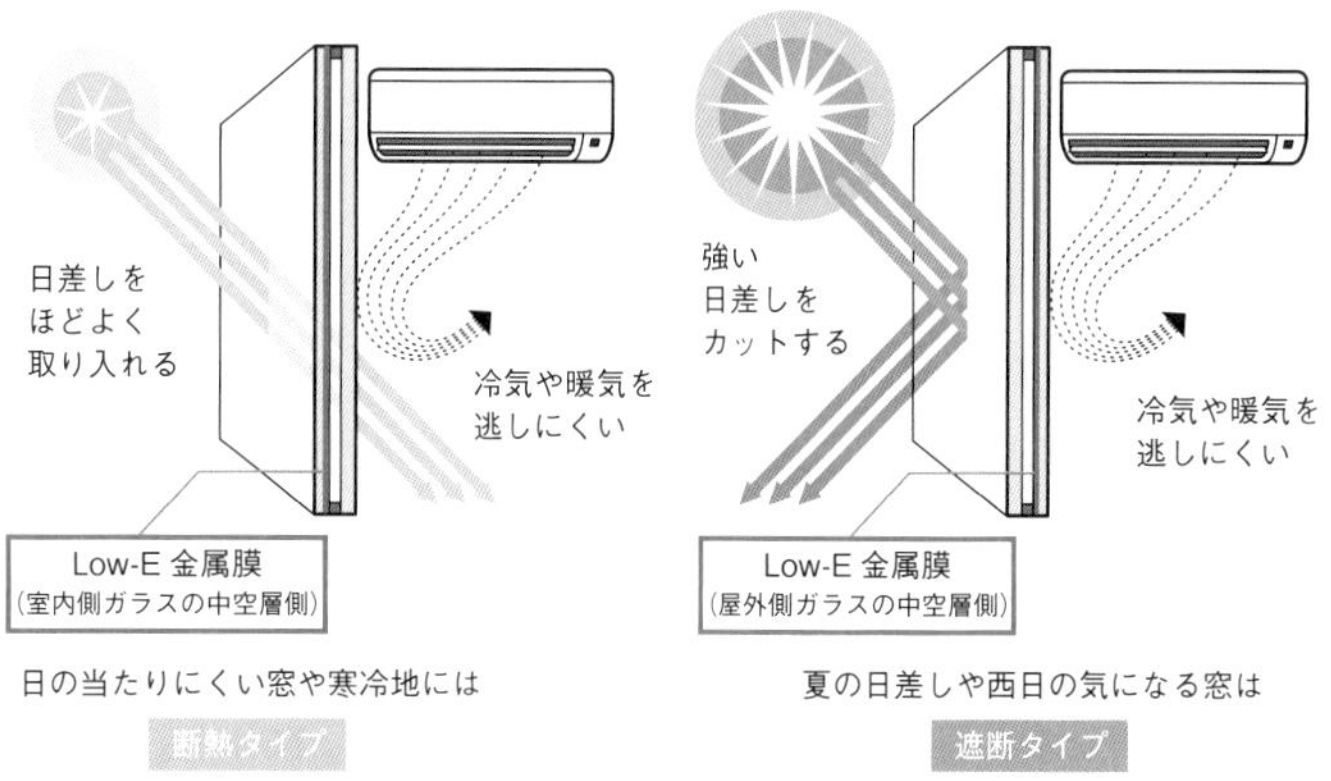

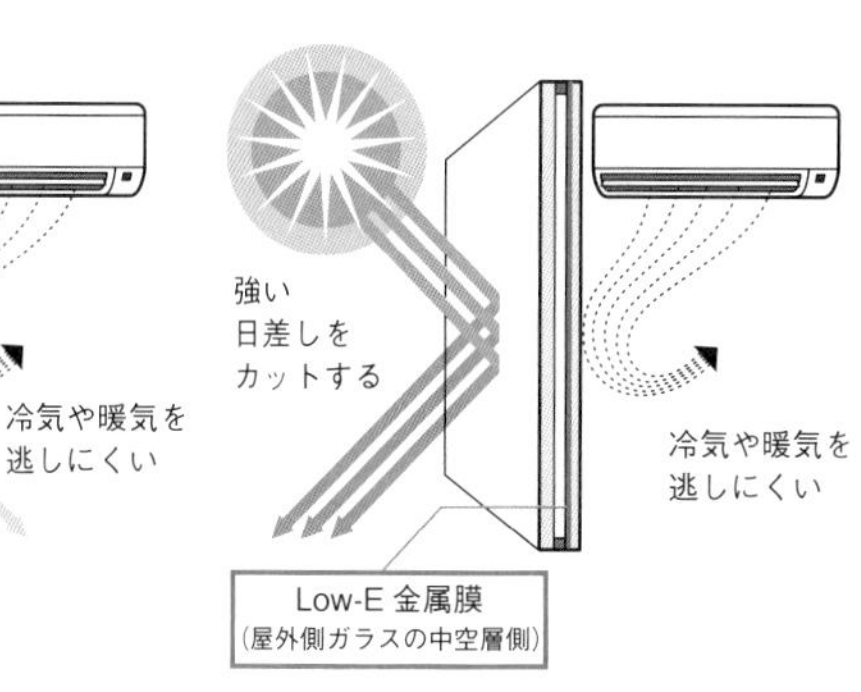

図9　季節に応じた工夫

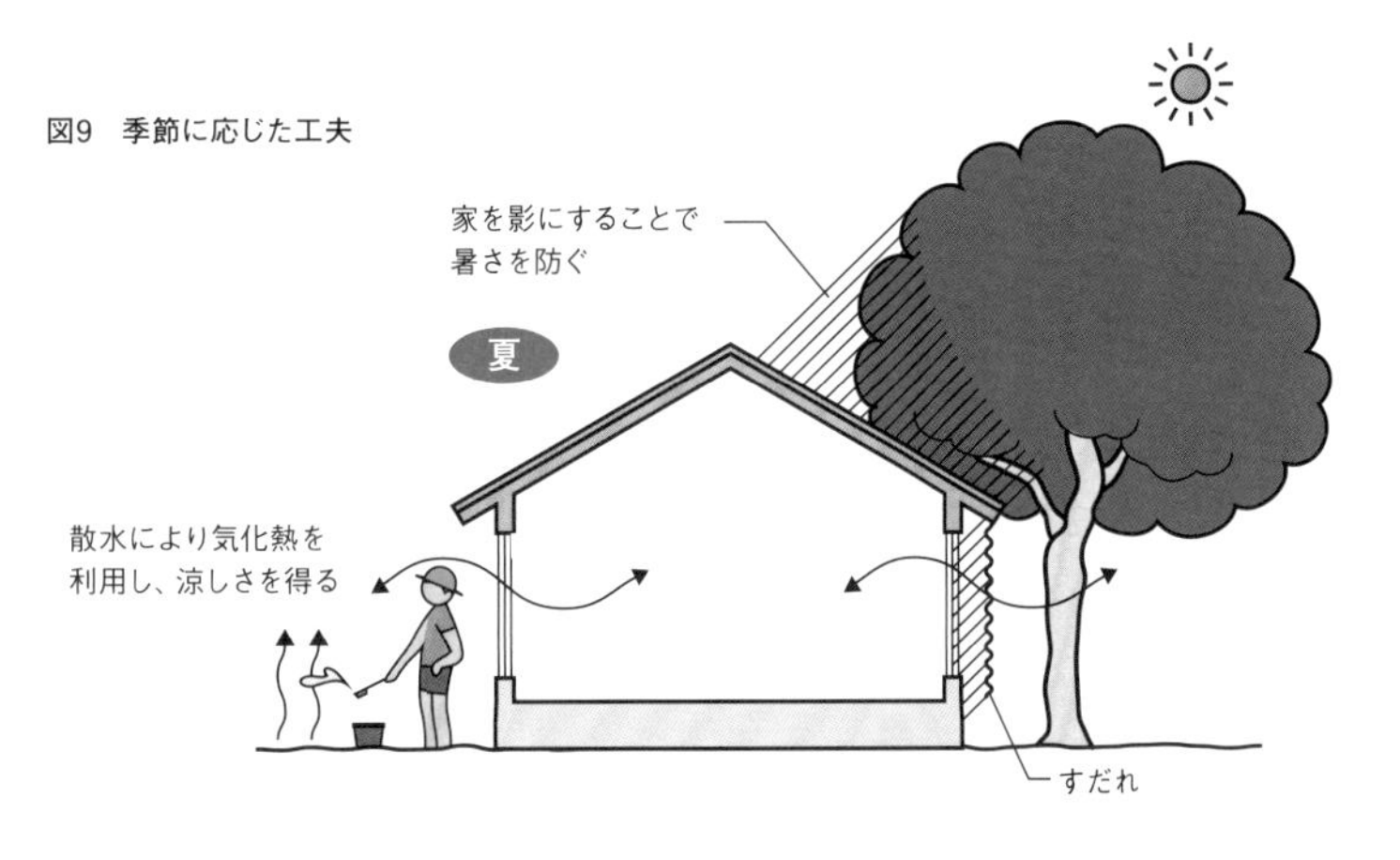

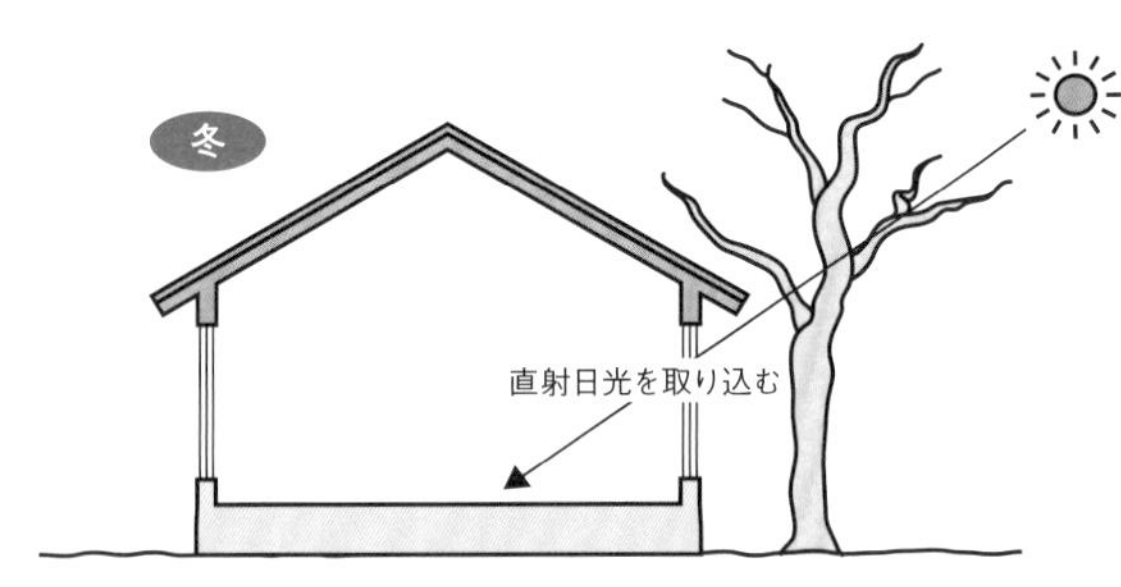

図11　断熱性能

冬の暖房時の熱が開口部から流失する割合58%

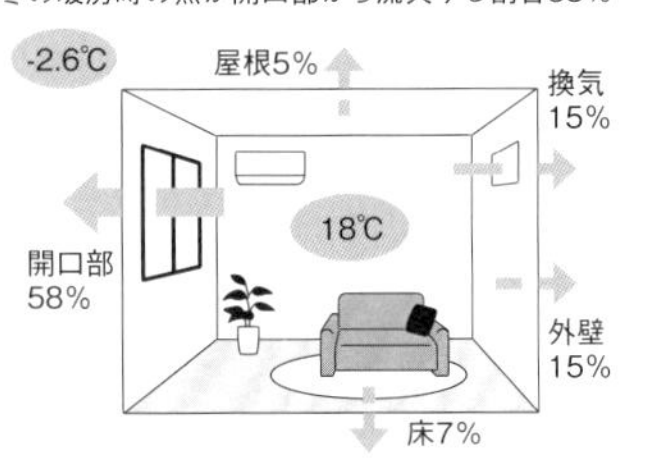

夏の冷房時(昼)に開口部から熱が入る割合73%

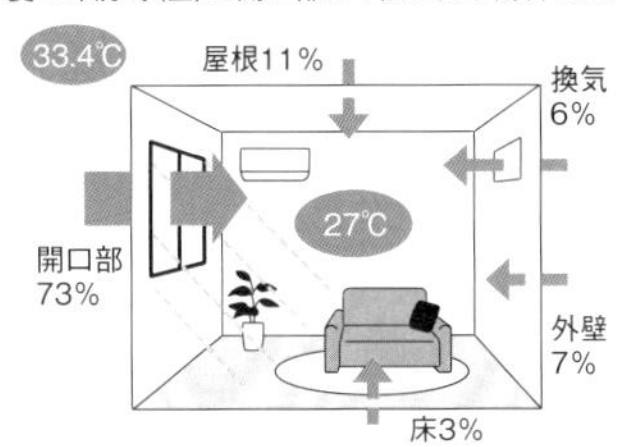

参考：一般社団法人日本建材・住宅設備産業協会
平成11年省エネ基準レベルの断熱性能の住宅での試算例

図10　温度差を利用した通風の促進

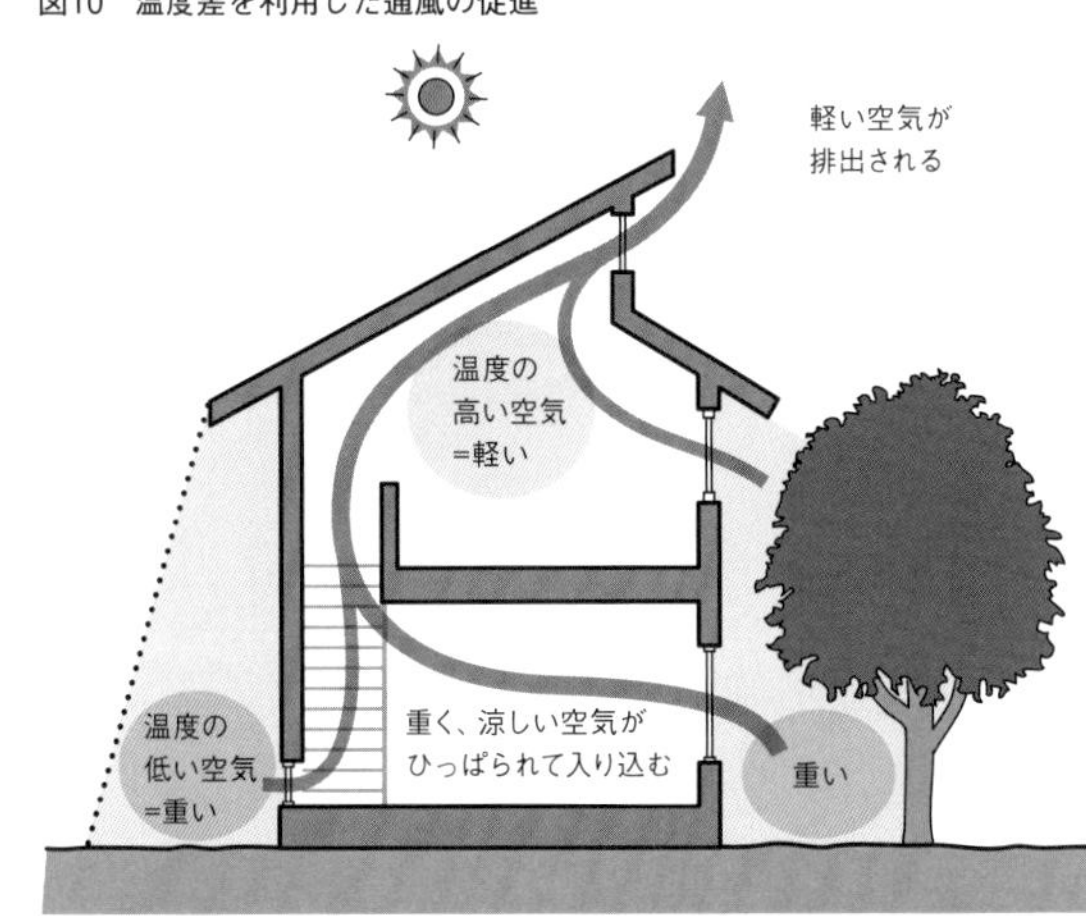

てもらい、基準値に達していない部位があれば、追加で断熱材を施工したり、新たに断熱施工をやり直したりします。他のリフォームと併せて行う場合は、新築と同様な施工方法で高断熱化が可能な場合がありますが、現状の仕上げを壊さずに床下や壁の外部側、天井裏からなど、住みながら断熱施工する方法もあります。1部屋だけのリフォームは、一定の部屋で過ごす時間が長い場合で、コストや工事にかかる時間を少なく抑えたいときに向いています。(図11)

●窓で省エネリフォーム

窓から出入りする熱の割合は大きいため、窓の断熱化は省エネルギー効果がとても高くなります。窓を枠ごと取り替える外壁に影響するような工事、既存の窓枠を利用してその内側に取り付ける方法、既存の窓はそのままに内側に別の窓「内窓」を設置して2重窓にする方法(図12)、ガラスのみをペアガラスなどに交換するような方法もあります。また、日射が入る方向にある窓は、ガラス面を日射が反射するLow-Eガラスや、リフォームシャッターなどを設置し、暑いときは日射を建物内に入れないことが効果的です。

図12　内窓

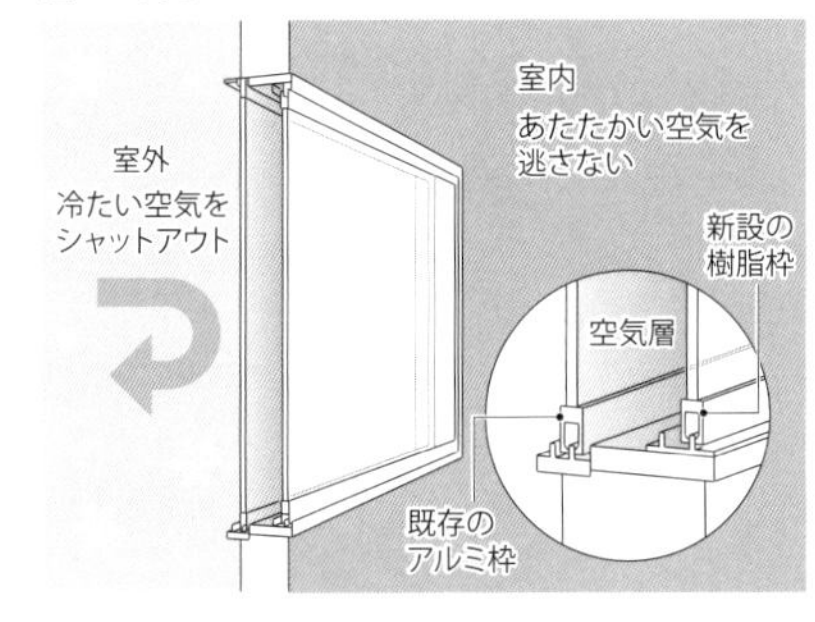

大きい窓や日射が当たりやすい窓は熱の影響も大きくなるので、そのような窓を優先的に交換するとよいでしょう。そのほか、換気からの熱ロスを抑える場合は、第1種換気方式の換気熱交換型換気システムを計画するとよいでしょう(178頁)。

●建物全体で断熱リフォーム

部分的にも断熱化することで快適性や省エネ性能は向上しますが、熱は温度の差があると移動していくため、冬は暖かい部屋から寒い部屋へ、そして外へと熱が逃げていってしまいます。夏も暑い外から侵入してきた熱が、涼しい部屋へと入ってきます。また、水蒸気も湿度の低い方へ移動するので、その途中に冷たい部分があると、結露してしまいます。

温度差があると、対流(169頁)が起きやすくなるので足元が寒くなったり、部屋の上部が暑くなったりと、快適でない空間になりがちです。

このため、建物全体を断熱リフォームできると、省エネだけなく、建物の内部の温度差が少なくなり、住み心地が向上するほか、温度差によるヒートショックの可能性も減り、住む人の健康的な暮らしにつながります。高齢者にとっては温度のバリアフリー化も大切となってきます。

2・創エネ設備と省エネ設備

（1）自然を利用してエネルギーをつくる

●太陽光発電

太陽の光エネルギーを利用し、太陽電池を使って発電する設備です。創出した電気を家庭で使用し、余った分は電力会社に売るという仕組みがあり、電力会社が一定価格で一定期間買い取ることを国が約束する制度で成り立っています。4kWの太陽光発電設備を設置すると、火力発電で1年に使用する石油を2Lペットボトルの役450本分削減される試算になります。

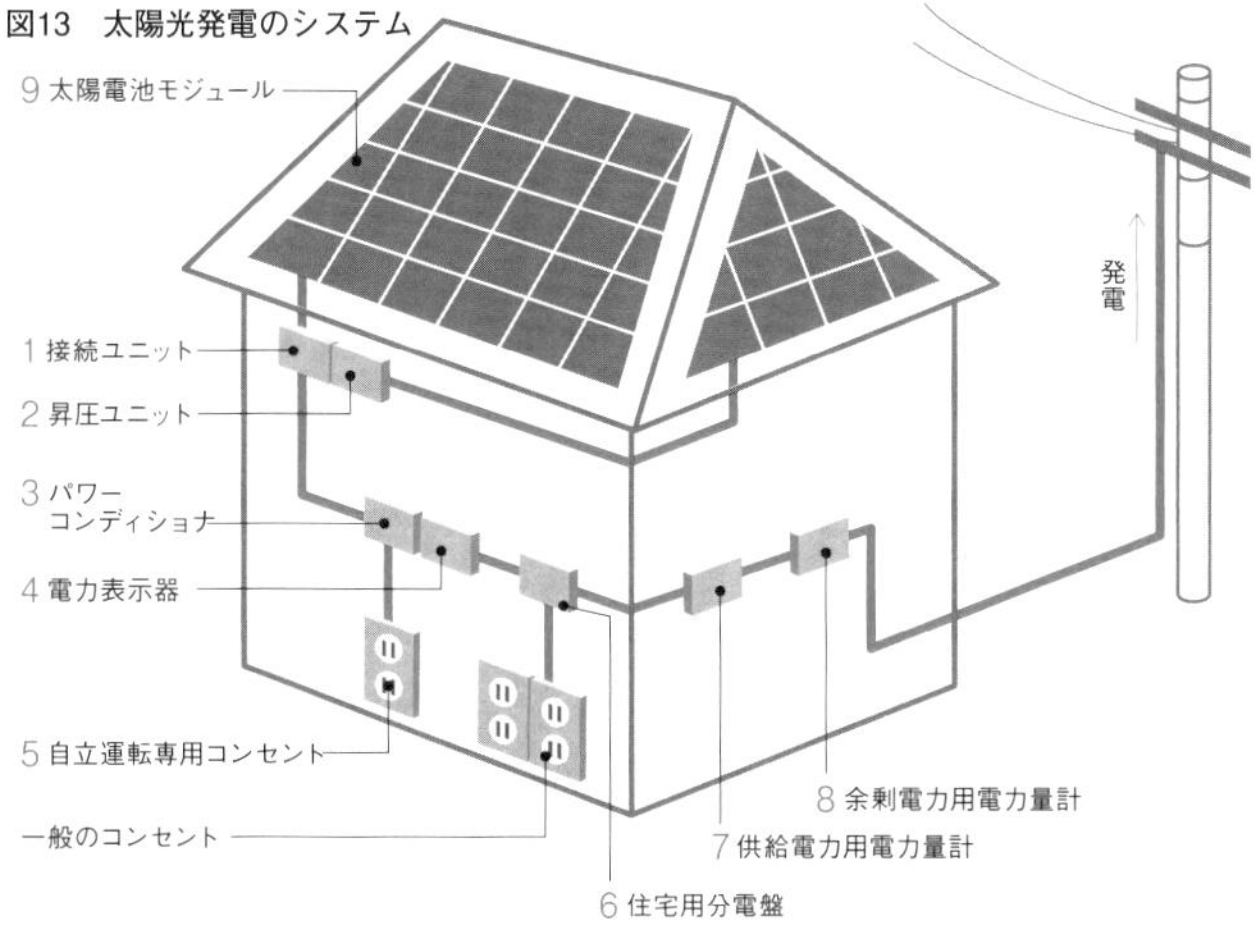

発電を効率的に行うためには、太陽電池モジュールを設置する方位や角度が大切です。南面に30度の角度で設置できると最も効率がよく、日陰ができるなどのマイナス要素がなければ、100%近い発電量が得られます。東西面では約83%、北面では約66%と効率が下がります。新築時に太陽光発電を考えるなら、屋根の南面を大きくし、30度近くなるような建物の計画ができると、有利になります。

また、地域によって発電量の差がありますが、太陽電池は半導体であるため、表面温度が上がりすぎると発電効率が低下します。真夏の炎天下では7%から20%もロスが生じるといわれています。このため、不利と思われがちな寒冷な地域や積雪や雨の影響がある地域でも、年間の日照時間が多い地域での設置は太陽光発電に向いている地域であるといえます。

太陽光発電装置は性能が向上し、設置費用は年々下がっています。たとえば4kWで計算すると2011年には200万円近くかかっていた費用が、現在では半分の100万円前後に下がってきています。

この装置の寿命は20年から30年とされていますが、その間にもメンテナンスは必要で、特にパワーコンディショナの装置を10年程度で交換する必要があり、20万円程度の費用がかかります。

最近では太陽光発電と連動して蓄電させる蓄電池（177頁）や余った電力でお湯を沸かすエコキュート（176頁）が注目されています。夜間や非常時にも利用できるうえ、電力使用時間帯のピーク時をシフトすることもでき、省エネにより貢献できるでしょう。（図13）

図13　太陽光発電のシステム

●エネファーム

ガスに含まれる水素を利用し空気中の酸素と反応させることで電気をつくり出し、発電時に発生する熱を使って同時にお湯もつくるシステムです。このような、2つのエネルギーを同時に生産供給する仕組みをコージェネレーションシステムといいます。このとき、ガスは燃やさずに化学反応でエネルギーをつくるため、家庭のCO_2排出量を年間1トン以上も減らせる大変環境に優しいシステムといえます。

発電した電気エネルギーは、そのまま家庭で利用し、発生した熱でつくられた高温のお湯は適温にされ、貯湯タンクにため

図14　エネファームの仕組み

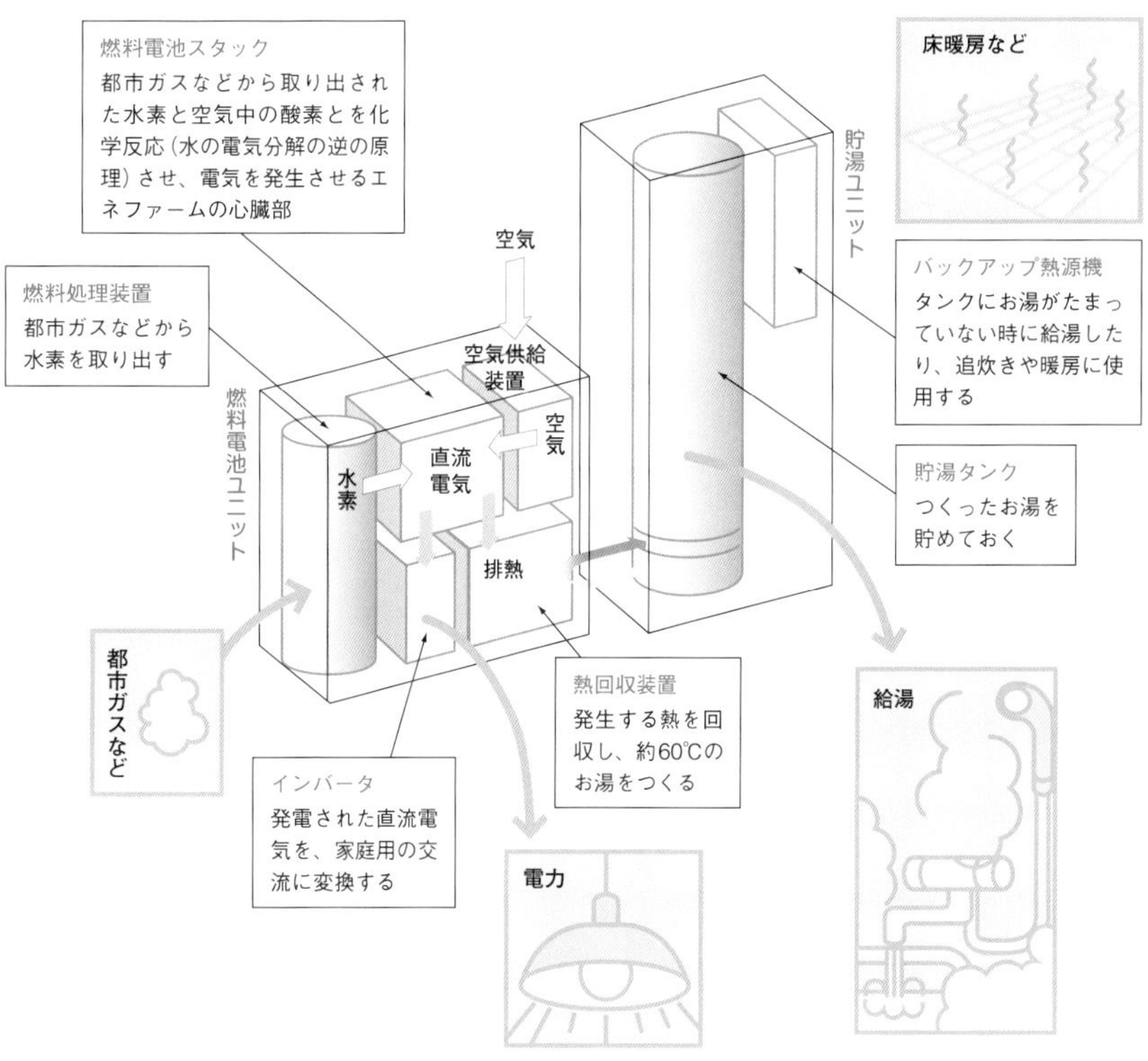

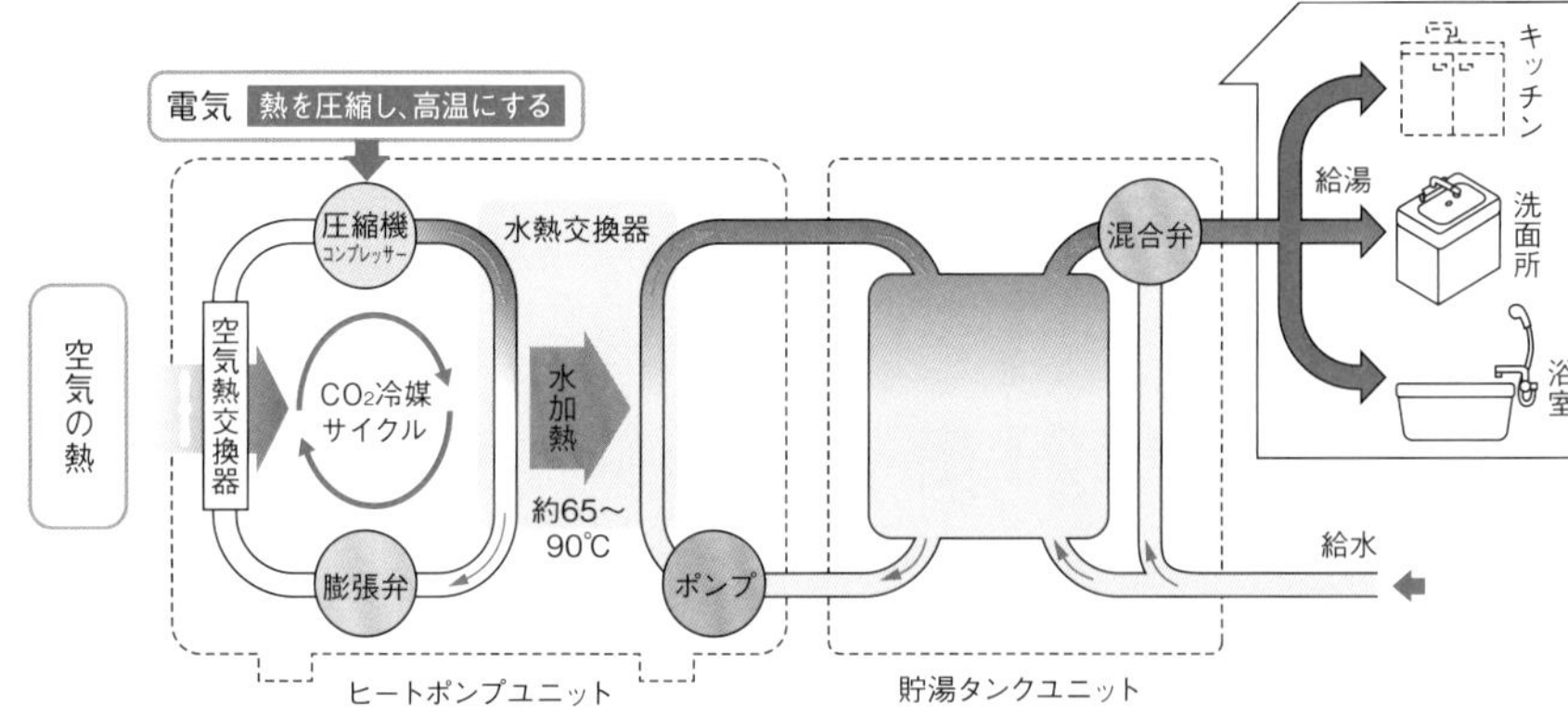

図15　エコキュートのしくみ

れます。もし湯切れをしてもバックアップの給湯器を使ってお湯を供給できるので安心です。また、床暖房などの暖房設備にもお湯を使うこともできます。また、停電時発電機能が付いているタイプのエネファームならば停電時に専用コンセントから電気供給されるため、給湯や暖房だけでなく、数日間は電気も使用することができます。ただし、水道とガスの供給は止まっていないことと、エネファーム自体が発電中であることが条件になります。また、エネファームは売電もできますが、その場合はエネファーム単体ではなく、太陽光発電などの設備と併用した上で、電気系統の工事を別途に行う必要があります。

　エネファームの設置を検討する場合は、十分なスペースと配管や配線経路の検討と分電盤もエネファーム対応のものにする必要があります。また設置コストも発売当初よりはだいぶ下がったものの、200万円程度かかるようです。自治体により、補助金が出る場合もあるので、事前に確認してみましょう。（図14）

（2）効率的にエネルギーを「つくる」「ためる」「みはる」

●エコキュート、エコジョーズ→つくる

　現在日本の家庭では給湯に利用されるエネルギーが多く、給湯の省エネルギー化を考える必要性は非常に大きいといえます。

　「エコキュート」と「エコジョーズ」は発電装置を持たないものの、効率的にお湯をつくることができ、省エネルギー設備として採用率が高まっている設備です。

　エコキュートはヒートポンプユニットで効率的にお湯をつくり、タンクに貯めておくシステムです。（**図15**）

　この設備を効果的に使用するには、省エネルギーモードで運転する（深夜電力でほどほどに湯を沸かし、昼間に足りなければ沸き足す）ことが最も省エネルギーにつながるというデータがあります。深夜電力の時間帯でだけでお湯を沸かす深夜モードでは、逆にタンクいっぱいに湯を沸かして熱ロスが生じてしまうようです。近年、深夜でも電力を使用する機器の増加などにより、深夜電力契約が新たにできなくなったり、深夜電力料金も値上がりしている傾向にあるため、深夜電力を前提とした機器類の選定には注意が必要です。設備の機能をよく理解して正しく使うことで、省エネルギー設備としての性能が発揮されます。エコキュートの設置を考える時は、タンクを設置する場所や夜間のヒートポンプユニット運転時の騒音などへの検討もしておきましょう。

　エコジョーズは一般の給湯器と設置方法や使い方は同じですが、一般の給湯器では捨てていた排気中の熱を回収し、お湯をつくるときにその熱を再利用するという仕組みで、熱効率を90%以上にまで高めた給湯器です。コストも一般の給湯器より数万円割高なだけで、ガス代も節約できるので、大変採用しやすい省エネルギー設備と言えます。

●ヒートポンプ→つくる

　ヒートポンプとは、エアコンや一部の給湯設備に使用されているシステムです。電気エネルギーで空気を圧縮、膨張させることや気体と液体の状態の変化を利用して、熱をつくり出します。その熱を冷媒に乗せ、

図16　ヒートポンプエアコンのイメージ

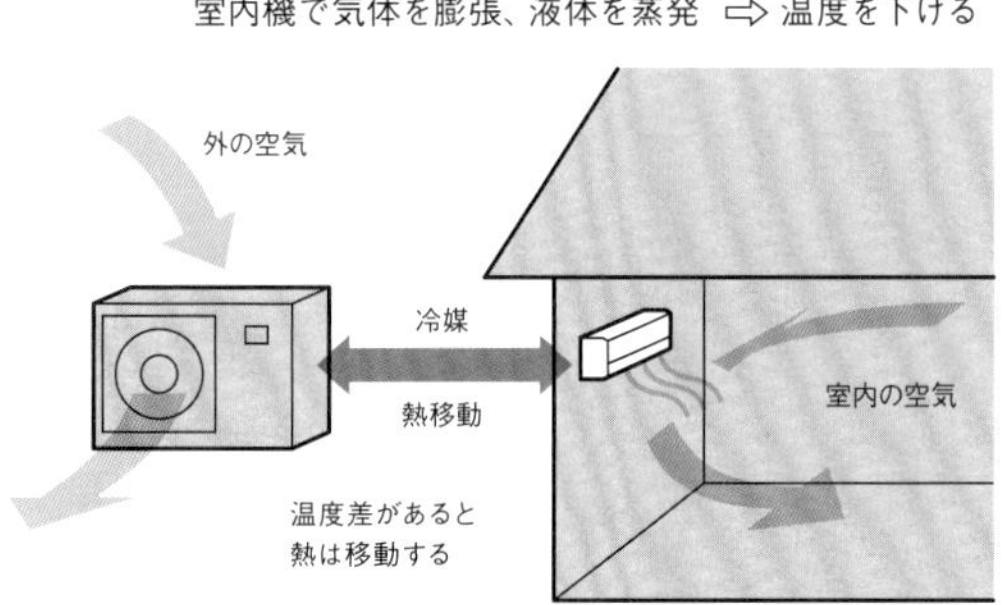

熱を交換するのです（**図16**）。気体が圧縮されると温度が上がり、膨張すると温度が下がります。また液体が気化することで熱が奪われ、気体が液化することで熱が生まれます。少しの電気エネルギーでこれらの熱的性質を利用するシステムを動かし、暖房や冷房の熱源をつくり出しているのです。

　ヒートポンプとは、エアコンや一部の暖房、給湯設備の熱源に使用されているシステムです。電気エネルギーで暖房や冷房の熱源をつくり出しているのです。ヒートポンプは小さな電気エネルギーで大きな熱エネルギーを生み出す、大変エネルギー効率にすぐれたシステムです。

●蓄電装置→ためる

家庭用の蓄電池は電力会社からの電力を直接充電して電力を貯めるタイプと、太陽光発電などの創エネ設備と連携するタイプがあります。直接充電するタイプは、夜間の割安な電力を利用するプランを使うと電気料金を抑えられます。また連携装置（創蓄連携システム）を使えば、日中に発電した電気エネルギーを蓄電池に貯めて夜間に利用したり、電気代の割安な夜間に蓄電し、日中に太陽光で発電した電力は売電に回して電気料金を押さえるなど、より有効な利用が可能になります。

また、蓄電装置は停電などの非常時にも電力を利用することができるので災害に備える設備として大変有効です。蓄電池は蓄電容量が大きいほど長く使え、出力が大きいほど消費電力の大きい機器にも利用できます。発電の作動をしていない状態のエネファームも、蓄電池を併用するにより、動かすことができます。

さらに、太陽光発電と蓄電池のパワーコンディショナを一体化した「パワコン一体型蓄電池」もあります。省スペース性や性能自体も年々高まってきており、パワーコンディショナの買い替え時には選択肢に入れるのもよいでしょう。

蓄電池を検討するなら、置き場所の検討や、繰り返し使える充電回数の確認をしましょう。また使用済みとなった蓄電装置は、安全面や貴重な金属が使われているため、必ず適正に回収、リサイクルする必要があります。まだまだ高価な蓄電池ですが、設置の補助金も受けられる場合があるので、事前に確認してみましょう。ZEH住宅の場合は、蓄電池を設置すると補助金の上乗せもあります。

最近では、電気自動車のバッテリーをそのまま蓄電池として利用できる、車種と設備があります。蓄電容量も大きいので、どのタイプの蓄電装置が使い勝手が合うのかを比較してから、設置するとよいでしょう。（図17）

図17　電気自動車のバッテリーを蓄電装置として使用

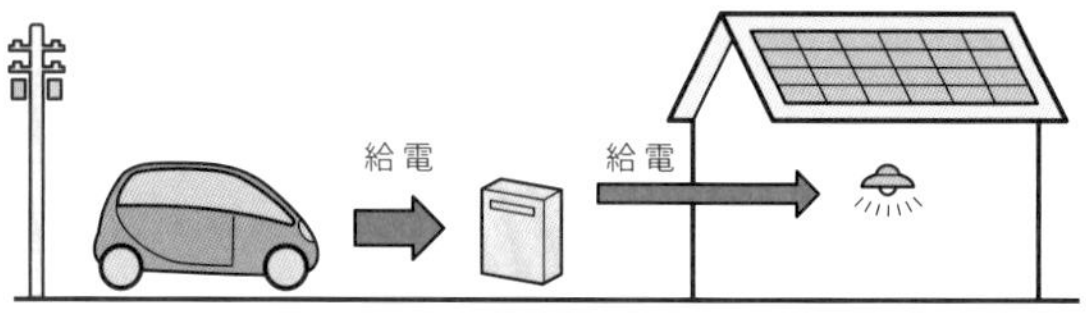

●HEMS（ヘムス）→みはる

HEMSとは「ホーム・エネルギー・マネジメント・システム」の略で、住まいで使われるエネルギーを消費者自らが把握して管理できるシステムです。政府は2030年までにすべての住まいにHEMSを設置することをめざしています。HEMSには主に3つの機能があります。1つ目は、エネルギーの仕様状況をモニターで確認することができる「見える化」です。目で見てエネルギーの使用量が分かると、住まい手が設備のスイッチをこまめに切ったり、深夜電力を積極的に活用したりといった省エネルギーへの貢献度が高まることが、新エネルギー・産業技術開発機構による実証実験でも確認されています。

2つ目は、エアコンや家電製品などスマート家電（エネルギー消費を最適化する仕組みを持った家電）の遠隔制御を行う機能です。電気使用量を確認しながら、自動的に省エネモードで運転を行うことができます。

そして3つ目は、太陽光発電と蓄電池などの創エネ設備を連結させて、最も効率のよい状態で動かす機能です。

「見える化」以外の機能は、今のところメーカーにより異なります。また家電制御については、各メーカーの互換性がほとんどなく、制御できる家電が限られるなどの点で、今後の改善が待たれます。まだ開発途上の仕組みですが、補助金対象の機器もあり、今後の生活全体の省エネルギーに活用されていくと予想されます。

(3) 快適な輻射冷暖房で省エネルギーに

同じような室温でも、上のほうが暖かく足元が寒いと必要以上に高い温度設定にてしまうことや、冷暖房の風が直接あたっていると、不快に感じることもあります。輻射（放射）という熱の伝わり方で部屋の温度をコントロールする冷暖房は、冷風や温風で冷暖房する方法とは異なり、あまり空気が移動しません。このため、設定温度を抑えても快適に過ごすことができるので、上手に使えば省エネルギーな設備ということができます。

輻射（放射）の特徴として、暖まるのに時間がかかるなど、室温をコントロールしにくいので、しっかりと断熱化した住まいにしたうえで、使い方をよく検討する必要があります。ここでは快適かつ省エネルギーな輻射冷暖房設備をみていきましょう。

●輻射床暖房

床暖房は暖房方式として普及していますが、非常に効率的で少ない電気エネルギーで温めるヒートポンプ式や、自ら発電したエネルギーでお湯をつくりだすエネファームなどにすることで、輻射暖房の快適性と省エネと実現できます。ヒートポンプ式の床暖房はヒートポンプユニット単体で暖房できる設備とエネファームやエコキュートと連動する床暖房システムもあります。

●パネル型輻射（放射）冷暖房

ヒートポンプユニットで作った熱エネルギーを、パネルなどに送り、そこからの輻射熱で冷暖房する設備です。この装置は暖房だけでなく、冷房を行うシステムもあります。冷房システムはエアコンのように一般的ではなく、建物の計画時に配置や設備のボリューム、コストなどを含め検討する必要がありますが、除湿効果もあり健康的な冷房を検討したい方には向いています。**（写真5）**

●蓄熱式床下暖房

ヒートポンプで作られた温水などを、床下の蓄熱コンクリートの中に埋め込むシステムで、立ち上がりは時間がかかりますが、建物の床下全体がほんわりと暖かくなる快適な暖房方法です。床暖房と違い、床下全体が温まるので、廊下やトイレなども床の表面温度が下がりません。このシステムも、設計時に断熱やシロアリ対策など入念な計画が必要になります。

（4）トップランナー制度と表示ラベル

住まいの省エネルギー化を図るうえで、家電の節電効率は大変重要なポイントです。機器類のエネルギー消費効率がより向上することを目指し、設けられているのが「トップランナー制度」です。この制度では、将来的に技術開発が進むことを見通して、各製品のなかで最も省エネルギー性能が優れている（トップランナー）製品が今以上の性能に改善されていくことを推進しています。トップランナー制度では、対象品目の省エネ性能の向上を施す為の目標基準が製品ごとに決まっています。現在の対象品目は32種類あり、今後も増えていくと予想されます。

これらの設備がどの程度省エネルギーな設備なのかを一目で分かるように、家電製品に設けられたのが省エネラベルリング制度で、省エネルギー製品を選ぶ目安になります。「省エネルギーラベル」**（写真6）**は２０００年に導入されたラベルで、トップランナー基準を達成しているかを、確認できます。また、省エネルギー性能を星のマークで５段階に表した「統一省エネラベル」**（写真7）**は消費効率のほか、１年間の電気料金なども一目で確認できます。現在は冷蔵庫、テレビ、エアコン、温水洗浄便座、照明器具がこのラベル表示の対象機器になっています。他にも「簡易版統一省エネラベル」**（写真8）**もあり、家電や、温水器など10種類の対象製品に表示されています。これらの家電はこの10年間で以下のように省エネルギー性能が上がってきました。

・冷蔵庫：２００８年より約43％の省エネ（４０１L～４５０Lの例）
・テレビ：２００８年より約48％の省エネ（32V型の例）
・エアコン：２００８年より約４％の省エネ
・温水洗浄便座：２００８年より約33％の省エネ（瞬間式で節電機能を使用した場合）
・照明器具：一般の電球をLED電球にすると同等のあかるさで、85％の省エネ、蛍光灯と比較しても50％の省エネ

（5）換気のロスを減らす

住宅の気密化が進み24時間換気が義務づけられているため、原則として住宅にも機械の換気設備を取り付ける必要があります。住宅で主流な換気システムは給気口を取り付けて自然の空気を入れ、浴室やトイレ、キッチンなどに換気扇を設置して排気するタイプの換気です。この自然給気・機械排気をする換気方式を第３種換気といいます**（図18）**。第1種換気は機械で給気し機械で排気するシステム、第２種換気は機械で給気して自然に排気するシステムをいいます。

換気には室内の汚れた空気や湿気などを外に排出し、新鮮な空気を取り入れる大切な役割があります。しかし、空調をしているときに、外気を取り入れると夏は熱気が、冬は冷気が入ってきてしまい、冷暖房の効率が下がってしまいます。具体的な換気量としては、部屋の体積の半分を1時間で入れ替える必要があります（シックハウス法により、室の容積の０・５回／時の換気量が定められています）。換気の経路や換気扇の排気量など無駄なく計画し、エネルギーロスを減らす必要があります。

また、第1種換気設備には排気から熱を回収室内に取り込む空気に熱移動させる、熱交換型換気システムがあります。一般的に、このシステムは天井裏にダクトを巡らせる配管スペースを確保する必要があり、工事費は割高になります。しかし、最近は壁付け単体で換気をしながら、熱を逃さない熱交換型換気の壁付けタイプも開発されてきました。

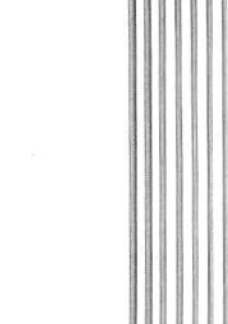
写真5　輻射冷暖房の商品（写真提供：コロナ）

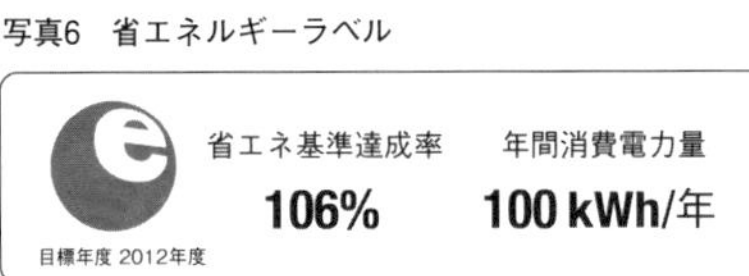

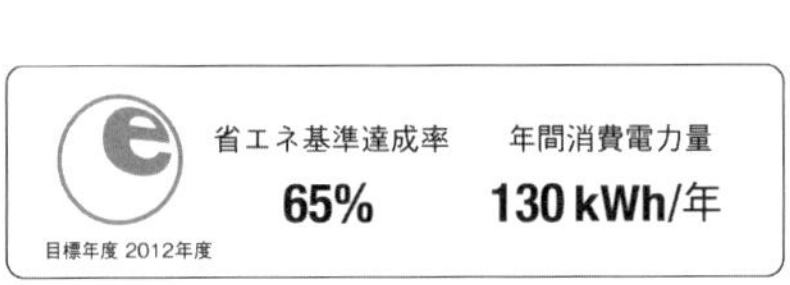

写真6　省エネルギーラベル

写真7　統一省エネラベル

2020年度版
この商品の
省エネ性能は？
省エネ基準達成率 100%以上
目標年度2010年度
省エネ基準達成率 125%
APF 7.3
メーカー名
機種名
この製品を1年間（冷暖房期間中において1日に18時間）使用した場合の目安電気料金
20,800円

写真8　簡易版統一省エネラベル

3・省エネルギー住宅の種類と制度

日本では住宅において「住宅の省エネルギー基準」が定められており、これをベースにさまざまな省エネルギーの基準が設定されています。ここでは基準の種類と、その内容を説明します。

(1) 住宅の省エネルギー住宅の種類

●住宅の省エネルギー基準

昭和55年に省エネ法にて制定された基準で、省エネルギー性能の実現に対する建て主の努力義務として課せられました。何度も法改正を繰り返し、省エネルギーの基準値が強化されていきました。現在は「建築物のエネルギー消費性能の向上に関する法律」（建築物省エネ法）に移行され、平成28年基準となっています。断熱性能や日射の遮蔽性能などの、住宅の外皮性能（170頁）を評価するものでしたが、近年の改正では、住宅全体で使うエネルギー量（＝一次エネルギー、170頁）の評価も加わり、「外皮の性能基準＋一次エネルギー消費量基準」の二面から評価するものとなりました。

この基準は、等級1から等級4まであり、等級4が省エネルギー基準となっていました。しかし、2022年にはさらに厳しい等級5から等級7までが創設されました。また、省エネルギー基準である平成28年基準は、2025年4月より努力義務ではなく、すべての新築住宅に適合が義務付けられる予定となっていることが、国土交通省より発表されています。

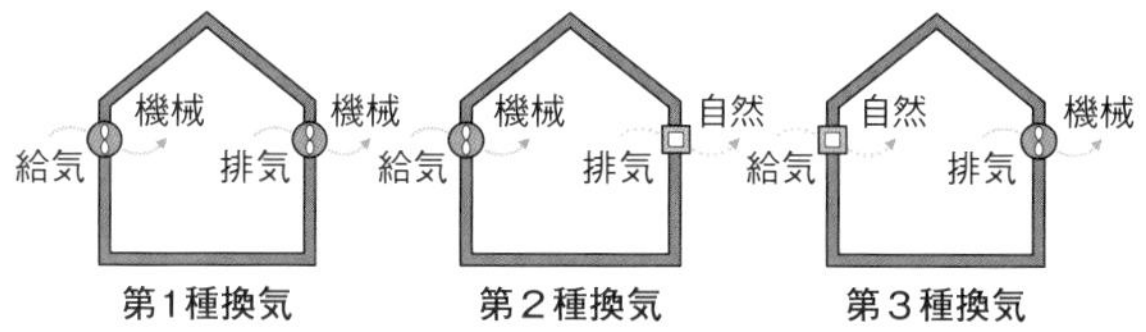

●誘導基準

建築物省エネ法に新たに設けられた基準で、2030年までに引き上げを目指している、さらに高い省エネルギー性能の基準です。省エネルギー基準値より強化した外皮基準とし、かつ、一次エネルギーは20％削減する基準となっています。

●低炭素建築物の認定基準

「都市の低炭素化の促進に関する法律」（エコまち法）に基づき「低炭素建築物新築等計画の認定制度」（低炭素建築物認定制度）が創設されました。

この基準は、住宅の省エネルギー基準値より厳しくした強化外皮基準とし、かつ、一次エネルギーは20％削減する。その上でCO_2の削減に役立つ処置（HEMSの利用、節水対策、木材などの低炭素化に資する材料の利用、ヒートアイランド対策、V2H充放電設備の設置など）を1項目以上採用し、さらに再生可能エネルギー利用設備を設ける必要があります。そして省エネ量＋創エネ量の合計が基準一次エネルギー消費量からの50％以上削減されることが条件となります。

●ZEH基準

ZEH（ゼッチ）とは「Net Zero Energy House」の略称で、外皮の断熱性能は低炭素建築物と同等の強化外皮基準とし、一次エネルギーは20％削減する。その上で、再生エネルギーなどを導入することにより、年間の一次エネルギー消費量の収支をゼロにすることを目指した住宅の基準です。つまり、省エネルギー量＋創エネルギー量の合計が基準一次エネルギー消費量から100％以上削減されることが条件となります。

ZEHはさらに一次エネルギーの基準を厳しくしたZEH+と、太陽光の効率を享受しにくい場所でも取得しやすくなるようにしたNearlyZEHなどがあります。「ZEH水準」という基準もあり、外皮基準と一次エネルギー基準は「ZEH基準」同等ですが、再生エネルギーなどは導入しない基準となります。省エネルギーにかかるコストに配慮した基準となっています。

●HEAT20基準

HEAT20とは「一般財団法人　20年先を見据えた日本の高断熱住宅研究会」の略称。外皮の水準でかなりの省エネ性能を目指した基準です。評価基準も室温を保つ温度の設定となっています。断熱グレード（住宅外皮水準）をG1、G2、G3のレベルで表し、G1でもZEH基準より外皮基準は厳しく、G2ではさらに厳しい基準となっています。G3はZEHの2倍も厳しい基準です。

●住宅トップランナー基準

「住宅の省エネルギー基準」は建て主への努力義務として位置づけられましたが、この基準は建物をつくる側、分譲する側、工事を請け負う側などが対象となる基準です。低炭素建築物の認定基準とほぼ同等の基準で（一次エネルギーにおいて、建売り戸建て住宅は－15％、注文戸建て住宅は－20％、賃貸アパートは－10％）の基準値となっており、年間の住宅供給量が一定数以上の事業者はこの基準値に当てはまるように努力することが義務付けられています。

(2) 省エネルギー性能に関係する制度

●住宅性能表示制度

「住宅の品質確保の促進等に関する法律」（品確法）に基づく制度で、新築住宅の基本構造部分の瑕疵担保責任の期間を「10年間義務化」することや、トラブルを迅速に解決するための「指定住宅紛争処理機関」

図18　換気方式の種別

給気　機械　排気　機械
第1種換気

給気　機械　排気　自然
第2種換気

給気　自然　排気　機械
第3種換気

の整備、そして良質な住宅を安心して取得できるように、住宅の性能をわかりやすく表示する「住宅性能表示制度」の3つで構成されている制度です。

「住宅性能表示制度」は「温熱環境、エネルギー消費量」や「構造の安定」など住まいの性能を、省エネルギーの項目を含む、10種類の項目で評価します（新築住宅の場合）。「温熱環境、エネルギー消費量」の項目の評価は省エネ等級で表されます。この制度を受けると、評価された性能がはっきりとわかり安心できるほか、節税対策、地震保険や住宅ローンに有利に働きます。ただし、取得には費用がかかり、また性能を上げることにより建築にかかるコストもアップします。

表5　断熱性能等級

等級	対策	UA値（東京）	該当基準	該当制度
等級7	熱損失等のより著しい削減のための対策が講じられている	0.26	HEAT20 G3（UA値東京など0.26相当）[＊1]	
等級6	熱損失等の著しい削減のための対策が講じられている	0.46	HEAT20 G2（UA値東京など0.46相当）	
			HEAT20 G1（UA値東京など0.56相当）	
等級5	熱損失等のより大きな削減のための対策が講じられている	0.6	誘導基準：外皮強化基準	LCCM住宅、ZEH［＊2］、長期優良住宅、低炭素住宅基準
等級4	熱損失等の大きな削減のための対策が講じられている	0.87	省エネルギー基準　H28基準（次世代省エネ基準）	
等級3	熱損失等の一定程度の削減のための対策が講じられている	1.54	H4基準（新省エネ基準）	
等級2	熱損失の小さな削減のための対策が講じられている	1.67	S55基準（旧省エネ基準）	
等級1	その他	—	—	

断熱性能等級（外皮）は品確法で定められた省エネ性能の基準で、1から7までの等級があります。
＊1　HEATはUA値などを満たす基準では評価されないが、省エネルギーの目安として該当する基準で表記
＊2　ZEHはNearly ZEH及び、ZEH+を含む

表6　一次エネルギー等級

等級	BEI	該当基準	再生可能エネルギーを加えた数値	該当制度
	0.75以下（－25%）		－100%	ZEH+、LCCM住宅
等級6	0.8以下（－20%）	誘導基準	－100%	ZEH［＊］
			－75%	Nearly ZEH
			－50%	低炭素住宅基準
			－	長期優良住宅
等級5	0.9以下（－10%）		－	－
等級4	1.0以下	省エネルギー基準	－	－
等級3	1.1以下			

具体的には「設計一次エネルギー消費量」÷「基準一次エネルギー消費量」で求められるBEIという数値で等級が決まります。
＊　ZEHは断熱性能等級と一次エネルギー等級のほか、再生可能エネルギー（太陽光などの創エネ設備）を設置する必要がある

●長期優良住宅認定制度

住宅を「つくっては壊す」のではなく、「いいものを作って手入れをして長く大切に使う」ことを目的に作られた国の制度で、その基準の多くは「住宅性能表示制度」の基準に準じており、省エネルギーに関してもの基準項目の1つに含まれています。メリット、デメリットもほぼ住宅性能表示制度と同様です。

●低炭素住宅認定制度

前項の「低炭素建築物認定基準」で触れましたが、この認定制度の目的は、二酸化炭素の排出を抑えるための対策が取られた、地球環境を考えた住まいへの取り組みです。長期優良住宅認定制度と優遇制度などのメリットは似ていますが、認定基準は異なり「省エネルギー性」および「低炭素化のための処置」の基準のみに特化しています。また、低炭素化に資する設備については容積率の特例を受けられます。

●BELS（建築物省エネルギー性能表示制度）

BELS（ベルス）とは、「Building-Housing Energy-efficiency Labeling System」の略称。建物の省エネルギー性能に特化した、評価、表示制度のことで、新築、第三者機関が評価し認定します。一般のユーザーにわかりやすいように、星の数で省エネルギー性能が表示され、省エネ性能を「見える化」しています。

該当建築物の一次エネルギー消費量と省エネ基準値での一次エネルギー消費量を比較することで「BEI」を算出し、この値が1.0以下であれば、法律上の省エネ基準に適合していることになり、数値が小さいほど省エネルギー性能が高いことを示します。省エネ基準レベルは星の数は2つで表され、ZEH基準に達しているものには、BELSのラベルの最高基準の星5つの他、ZEHマークを合わせて表示することもできます。

●性能向上計画認定制度

省エネルギー性能の優れた建築物を認定する制度。認定を取得すると、建物の新築や改築時に建築基準法の容積率の特例（床面積を10%大きくできる）を受けることができます。

●窓の性能表示制度

省エネルギー性能を向上させるため、大きく影響する窓を適切に選択できるよう2011年に施工された制度で、2023年

写真9　BELSラベル

住宅

非住宅

出典：住宅性能評価・表示協会

に新しい制度としてスタートしました。

「断熱性能表示ラベル」は窓から熱が出入りすることを抑え、どれだけ温かさや涼しさを保てるのかを示す指標です。6つの星のマークで表示し、塗りつぶされた星が多いほど、断熱性能の高い窓となります。また「日射熱取得率の表示ラベル」は、冬期に太陽光を室内に取り入れて温かくするか、夏期に太陽熱を遮り室内を涼やかに保つかを示す指標となっており、3つのマークで表示します。

●窓の断熱性能表示制度

前項の表示制度と類似していますが、こちらは窓の断熱性能のみをラベルで表示しています。今までは、「窓ラベル」「サッシラベル」「ガラスラベル」と3つに分かれていたものを一本化し「窓ラベル」として表示します。星の数は4つで、塗りつぶされている数が多いほど、断熱性能の高い窓となります。

(3) 省エネルギー住宅の種類

説明した制度を取り入れた住まいに、ZEH住宅、長期優良住宅、認定低炭素住宅などがありますが、そのほかに「LCCM住宅」や「スマートハウス」と呼ばれる住まいがあります。

●LCCM住宅

建設時、運用時、廃棄時においてできるだけCO2削減に取り組み、さらに太陽光発電などを利用した再生可能エネルギーの創出により、住まいに関わる生涯のCO2の収支をマイナスにする住宅として提案されたもの。

●スマートハウス

蓄電池や太陽光発電などでつくったエネルギーを、コントロールするシステム（HEMSなど）を活用して、エネルギーの見える化や自動制御をする省エネルギー住宅のこと。

(4) 省エネルギー住宅へのリフォーム普及支援

●低利融資：「フラット35S」

民間金融機関と住宅金融支援機構が提携して提供する最長35年の全期間固定金利の住宅ローンです。「フラット35」は、利用条件に省エネルギー性能は含まれていませんが、「フラット35S」は「フラット35」の利用条件を満たしたうえで、省エネルギー性や耐震性などを備えた質の高い住宅を取得する場合に、借入金利を一定期間引き下げる住宅ローン制度です。住宅技術基準のレベルにより、金利Bプラン、金利Aプラン、ZEHと技術基準のレベルが高くなると、金利の引下げ率が高くなり利用期間も長くなります。

金利Bプランは断熱等級の等級4（＝省エネルギー基準）を満たしたうえで一次エネルギー等級を6とするか、断熱等級を5としたうえで一次エネルギー等級は等級4（＝省エネルギー基準）を満たせば利用できます。一方、金利Aプランは誘導基準で外皮強化基準レベルが必要で、長期優良住宅や低炭素住宅が当てはまります。またZEH基準を満たせば、フラット35S ZEHという、最も有利な金利でローンを組むことが可能です。

●減税制度や補助金

省エネルギー住宅の減税制度としては、所得税の控除対象額限度の引き上げや、登録免許税率の引き下げ、不動産取得税の課税標準からの控除額の増額、固定資産税の減税処置期間の延長などがあります。

また、補助金も同様に、エコ設備1つから住宅すべてに対しての補助金までさまざまです。国の各省庁（国土交通省、経済産業省、環境省）や市区町村で年度ごとに、金額や内容が変わります。補助金を受けるためには、計画した省エネルギー住宅の性能がどの補助金が該当するのか、また申請に時間やコストがかかるのか、申請する時期は適切か、補助金の予算はまだ余裕があるかなど、計画当初に確認し、補助金の申請に余裕をもった建築計画を考えましょう。

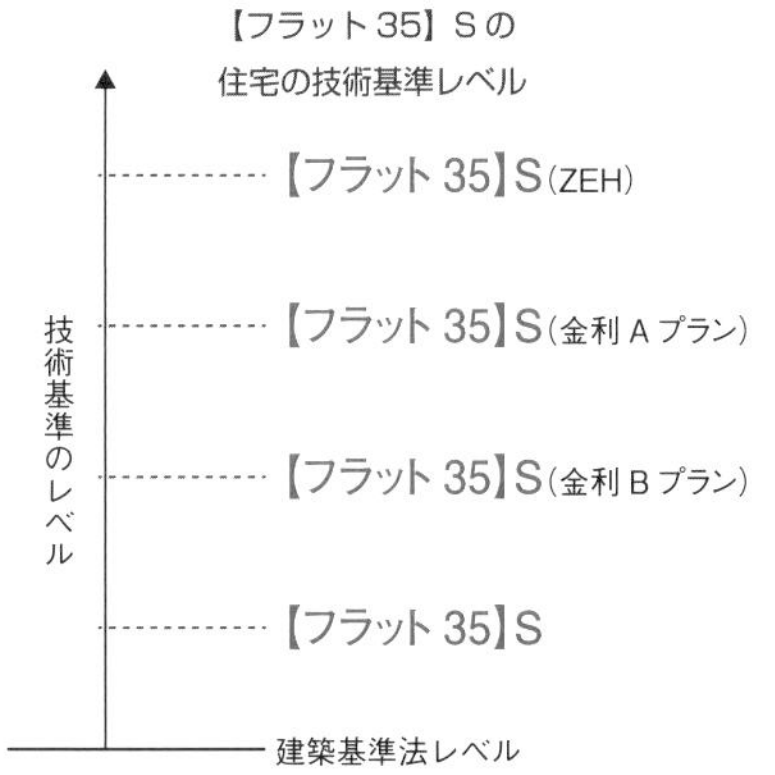

写真10　窓の性能表示制度

（出典：経済産業省）

断熱性能　熱貫流率 1.9W/(m²·K)

日射熱取得率　取得率 0.65

写真11　省エネ建材等級

省エネ建材等級　窓

【フラット35】Sの住宅の技術基準レベル

技術基準のレベル

- 【フラット35】S(ZEH)
- 【フラット35】S(金利Aプラン)
- 【フラット35】S(金利Bプラン)
- 【フラット35】S
- 建築基準法レベル

出典：住宅金融支援機構

金利引下げメニュー	金利引下げ期間	金利引下げ幅
【フラット35】S（ZEH）	当初5年間	年▲0.5%
	6年目から10年目まで	年▲0.25%
【フラット35】S（金利Aプラン）	当初10年間	年▲0.25%
【フラット35】S（金利Bプラン）	当初5年間	

出典：住宅金融支援機構

安心して暮らせる住まい

私たちにとって住まいはなくてはならないものです。しかし住まいによっては、健康を害してしまうケースや、地震や台風などの災害により安全に過ごせないこともあります。ここでは健康で安全に暮らせる、安心な住まいを手に入れるためには、どのようなことに注意したらよいかを解説します。

1・健康住宅

新築住宅への入居や、リフォームをすることをきっかけに体調が悪くなるというケースが出ることがあります。住まいによって起こる、目がチカチカする、喉が痛い、めまいや吐き気、頭痛などの症状を一般にシックハウス症候群と言います。建材などから出る有害な化学物質によって発症しますが、個人差により同じ環境でも、発症してしまう人とそうならない人がいます（図1）。

このような症状が発症するようになった原因の1つは、気密性能が向上した最近の住まいは空気の密閉度が高くなったこと。もう1つは、住まいをつくるときに使われる建材や白蟻の防蟻剤、また住みながら使用する家具やカーペットなどのインテリア、芳香剤、防虫剤や殺虫剤、開放型ストーブ（＊）から発生する一酸化炭素や喫煙の煙から出る汚染物質など様々な化学物質や有害物質が揮発し、気密化が進んだ住まいに滞留するようになりました。

このような状況の中、住まいによって健康を害する報告が増えていきました。このため、2003年にシックハウスの主な原因物質を規制し、住まいの中で揮発した物質を排気するように機械換気を義務付けた「シックハウス法」が建築基準法で定められました。このことにより、徐々にシックハウスによる健康被害の相談件数は減ってはきましたが、再び増加傾向もみられるなど（住宅リフォーム・紛争処理センターの統計による）現在も注意が必要です。

（＊）開放型ストーブ：室内で燃焼するタイプのストーブ（ガスファンヒーター、石油ストーブなど）

1・有害性のある化学物質

シックハウス法で規制されるものや、問題とされている有害な化学物質には、どのようなものがあるのでしょうか?シックハウス法ではシロアリ駆除剤などに使用されていたクロルピリホスの使用禁止、接着剤や塗料でよく使われていたホルムアルデヒドの使用制限、そして有害物質濃度を下げるための24時間連続で動かす機械換気が義務付けられました。

上記の物質も含め**表1**に、日本の住まいでよく使われる材料や薬剤に含まれている物質で、その有害性が問題になっている代表的な化学物質を紹介します。

住まいに使われている化学物質については世界的にも問題になっていますが、日本では、国の省庁などで具体的な物質名や影響量の指針値を出しています。しかし、化学物質は多様な種類があり、まだはっきりとした影響がわかっていない物質も多くあります。

図1　シックハウス症候群発症の個人差

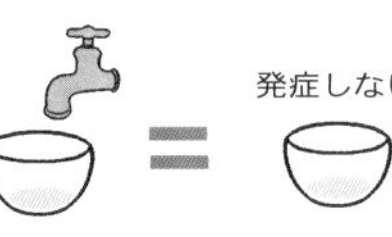

2・化学物質の指針値

住まいの有害化学物質は様々な国で指針値が示されています。日本ではシックハウ

ス法の他にも、問題とされている有害な化学物質についての室内濃度指針値を厚生労働省が示しています。(表2)

化学物質は様々な種類が作り出されており、今後も対象となる有害物質が増えることや、指針値の見直しが行われることも予想されます。また、健康への影響を一つの物質からだけではなく、室内空気中の化学物質の総量で評価するTVOC（=Total VOC）という目標値も参考になります。

住まいの有害物質を測定することもできるので、健康が気になる場合は、(財) 住宅リフォーム・紛争処理支援センターのホームページなどで測定機関を調べることができます。

ただし、これらの指針値はあくまでも判断基準の一つなので居住者の健康被害との関係については、指針値をクリアすれば絶対に安全であるというものではありません。

3・住まいをつくるときの注意ポイント ■

それでは、健康に配慮した住まいを建てるときには、具体的にどのように注意をしたらいいのでしょうか？ここでは住まいの部位別に注意ポイントをみていきましょう。

(1) 床下の注意ポイント

床下は住まいの中でも湿気やすいため、シロアリ対策や腐朽菌が繁殖して木材を腐

表1　代表的な有害化学物質

分類・物質名：WHO分類（注1）		その物質が入っている可能性がある物	左欄の製品が使われている可能性がある材料	人体への影響	備考
ホルムアルデヒド：VVOC（注2） アセトアルデヒド		接着剤の原料 接着剤の防腐剤	集成材、合板、MDF、パーティクルボード、壁紙用接着剤、複合フローリング、その他接着剤が使われている建材、塩化ビニルクロス	・皮膚、目、鼻などの粘膜刺激、ぜんそく、肺活量の減少、気管支炎、アレルギー	・ホルムアルデヒドの厚生労働省ガイドライン値は0.08ppm 以下とされている
溶剤：VOC（注3）	トルエン キシレン エチルベンゼン テトラデカン など	接着剤の溶剤	カーペット・コルクタイルの現場施工用接着剤	・中枢神経作用、倦怠感、吐き気、知覚異常、皮膚・目への刺激 ・肝臓や腎臓への影響	・総称で、VOC といわれることが多い ・有機溶剤系塗料とは、油性ペイント、油性ラッカー、油性ニス、ワックスなどをいう
		塗料の溶剤	有機溶剤系塗料、合成樹脂塗料、塩化ビニルクロス、塩化ビニルシートなど		
家庭内農薬類： VOC、SVOC（注4）、POM（注5）など	有機リン系： クロルピリホス ダイアジノン ホキシム フェニトロチオン フェンチオン など ピレスロイド系： ペルメトリン など カーバメート系： フェノブカルブ パラジクロロベンゼン	防蟻剤 防虫剤 防カビ剤 殺菌剤	シロアリ対策用薬剤（土壌処理、床下に散布、土台に塗布）集成材、合板、MDF、パーティクルボード、畳、複合フローリング、カーペット、カーテン、有機溶剤系塗料、塩化ビニルクロスなど	・有機リン系＝免疫力の低下、ホルモン異常、生理不順、目の障害、自律神経失調症状、ノイローゼやうつ病など ・ピレスロイド系＝嘔吐、下痢、頭痛、耳鳴り、眠気など ・カーバメート系＝倦怠感、頭痛、めまい、吐き気、縮瞳など ・パラジクロロベンゼンは、マウス実験では発ガン性の報告もある	・有機リン系の防蟻材であるクロルピリホスについては日本シロアリ対策協会が使用自粛としてきたが、'03年に施行されたシックハウス法により使用禁止となった ・カーバメート系の薬剤やクレオソートも有害性が高いと言われており、使用しないほうがよい ・ペルメトリンは環境ホルモンの疑いがあるといわれている ・防腐、防カビ剤の物質名の多くは明らかにされていない
		木材保存剤	木材（現場塗布）		
可塑剤： SVOC、POM など	フタル酸エステル類： フタル酸ジ-2-エチルヘキシル フタル酸ジ-n-ブチル など 有機リン系： リン酸トリクレシル リン酸トリブチル など	可塑剤	塩化ビニルクロス・塩化ビニルシート・塩化ビニルタイルの接着剤（エポキシ系、酢酸ビニルエマルション、ノンホルム系など） 塗料（有機溶剤系、合成樹脂エマルション、低臭型 NAD アクリル樹脂など）	・フタル酸エステル類＝目、皮膚への刺激 ・有機リン系＝嘔吐、腹痛、神経毒性	・可塑剤は樹脂の柔軟性を出すために使われる ・フタル酸エステル類は環境ホルモンの疑いがあるといわれている ・よく使用されている略称 フタル酸ジ-2-エチルヘキシル=DEHP/DOP フタル酸ジ-n-ブチル=DBP リン酸トリクレシル=TCP リン酸トリブチル=TBP
樹脂モノマー：	塩化ビニル（モノマー） 酢酸ビニル（モノマー） スチレン（モノマー） MDI など	樹脂原料の単体	塩化ビニルクロス、有機溶剤系塗料、樹脂系塗料、接着剤、カーペット、畳（樹脂ボード床）、樹脂が添加されている左官材、発泡系断熱材など	・肝臓、皮膚障害 ・塩化ビニルモノマー、スチレンモノマーは発ガン性の可能性があるといわれている	
難燃剤：	有機リン系： トリクレジルホスフェート ハロゲン系： 塩化パラフィン など	難燃剤	塩化ビニルシート、ビニルクロス、紙クロス、布クロス、カーペット、カーテン、畳（樹脂ボード床）、難燃合板、発泡系断熱材など		・難燃剤については、物質名や安全性に関するデータがほとんど明らかにされていない

優先取組物質：下線を引いた物質は、健康住宅研究会（平成8年に当時の建設省、通産省業者、厚生省、林野庁がシックハウス対策のため、共同で研究会を設置）で取り上げられた3物質と3薬剤の優先取組物質を表す

（注1）：世界保健機構（略称 WHO）による有機性室内空気汚染物質の沸点に応じた分類。化学物質を沸点により分類したもので、毒性による分類ではない

（注2）：超揮発性有機化合物（略称 VVOC）
（注3）：揮発性有機化合物（略称 VOC）
（注4）：半揮発性有機化合物（略称 SVOC）
（注5）：粒子状物質（略称 POM）
―― 注1の WHO による4分類

（注6）：発ガン性に関しては、IARC（国際ガン研究機関）の発ガン性評価を参考にした

らせないために薬剤が使用されます。この薬剤のうち、クロルピリホスという有機リン系の化合物は、有害性が高いために住宅に使用されることはすでに禁止されました。他にも使用される様々な薬剤は有害性があるものの、規制されていない物質も多くあります。

まずは薬剤に頼ることを極力減らす、建築的な対応をいくつか紹介します。基本的な考え方としては床下を乾燥させ、腐朽菌やシロアリが好まない環境をつくることがよいでしょう。

1）防湿コンクリートを施工したり、べた基礎にして地面からの湿気を抑える

2）基礎の立ち上がりの高さを高くする。地盤面から40センチ以上の立ち上がりが望ましい。

3）床に充填断熱をする場合は、基礎と土台の間に基礎パッキン材という隙間換気ができる部材を設置するなど、床下の空気が流れるように計画する。（基礎断熱の場合は、床下が室内環境となるため、換気はしない。ただし施工直後はコンクリートより湿気がでるので、開閉できる換気口を作るか、換気扇を設置して換気可能な状態にすることが望ましい）

4）土台など床下付近にある木材をシロアリに強い樹種を選択する。一般的に使われる土台の中で、防腐、防蟻性のある材種はヒバ、ヒノキ、スギなどの芯材。辺材の白太とよばれる幹の周辺部分は、ほとんど効果がなく、芯材である幹の中心

図2　床下の現状と対策

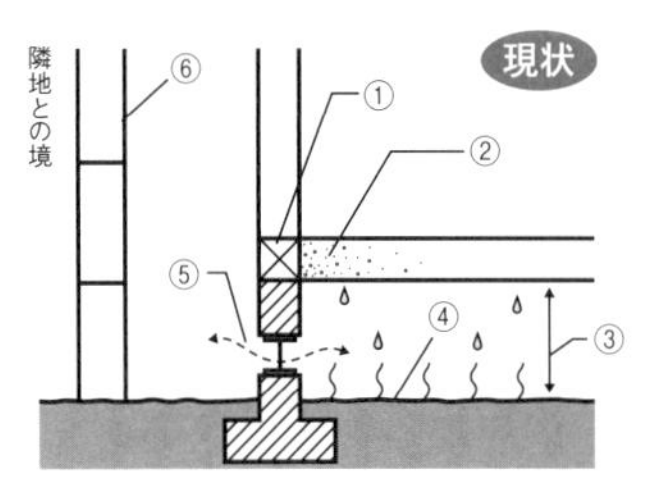

①シロアリに対して弱い材を薬剤処理して使用
②腐朽菌やシロアリの被害は北側の水まわりに多い
③床下が低い
④地面からの水蒸気も床下の湿度を高くする
⑤換気量が少なく、空気がよどんでいる
⑥隣地境界と近く、ブロック塀などで風の流れが止まり、床下に風が流れにくい

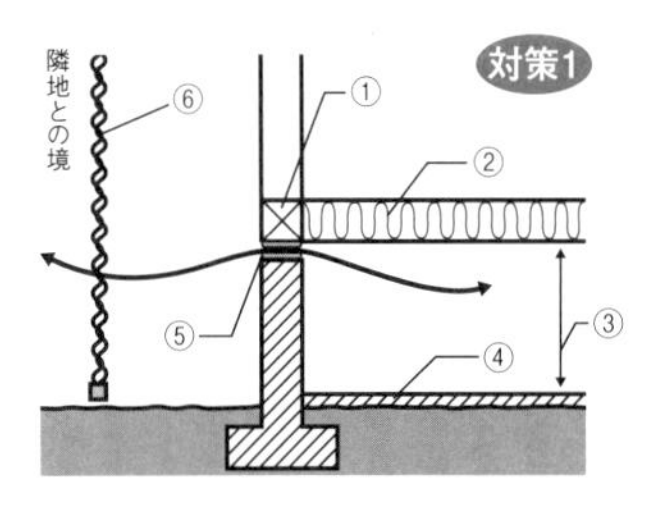

床下は外部空間と同じ扱い
床に断熱材を入れる場合は、床下の風通しをよくし、乾燥状態を保つようにする

①シロアリに対して強い材を使用。有害薬剤処理はしない
②乾燥した環境に置かれると、腐朽菌やシロアリに強い
③床下が高い
④防湿コンクリートまたはベタ基礎を施し、地面からの水蒸気を抑える
⑤基礎パッキンは通風量が多くバランスもよい
⑥隣地境界が近い場合は障害物を設けず、風通しを妨げないフェンスなどにするとよい

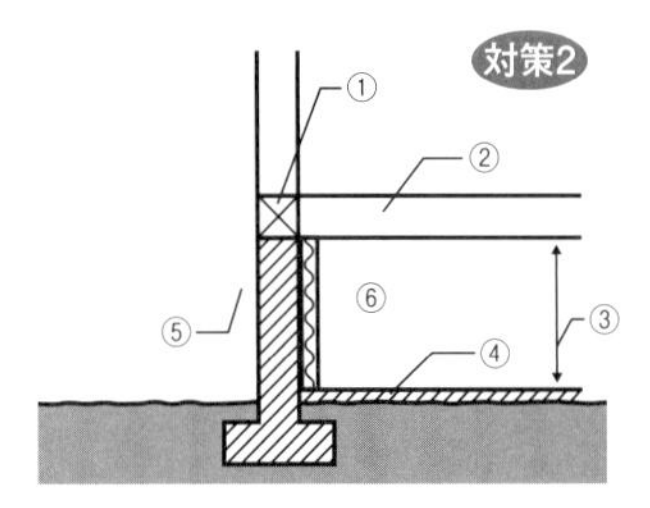

床下は室内空間と同じ扱い
基礎断熱をする場合は、床下は気密性を高め、乾燥状態を保つようにする

①シロアリに対して強い材を使用。有害薬剤処理はしない
②乾燥した環境に置かれると、腐朽菌やシロアリに強い
③床下が高い
④防湿コンクリートまたはベタ基礎を施し、地面からの水蒸気を抑える
⑤内断熱を施し気密化する。ただし断熱材もシロアリ対して強いものを使用する
⑥床下は室内環境に近くなる

表2　室内濃度指針値（厚生労働省）

揮発性有機化合物	■毒性指標	■室内濃度指針値
ホルムアルデヒド（☆、◎）	■ヒト暴露における鼻咽頭粘膜への刺激	■100μg/㎥（0.08ppm）
トルエン（◎）	■ヒト暴露における神経行動機能および生殖発生への影響	■260μg/㎥（0.07ppm）
キシレン（◎）	■妊娠ラット暴露における出生児の中枢神経発達への影響	■200μg/㎥（0.05ppm）
パラジクロロベンゼン	■ビーグル犬暴露における肝臓および腎臓などへの影響	■240μg/㎥（0.04ppm）
エチルベンゼン（◎）	■マウスおよびラット暴露における肝臓および腎臓への影響	■3,800μg/㎥（0.88ppm）
スチレン（◎）	■ラット暴露における脳や肝臓への影響	■220μg/㎥（0.05ppm）
クロルピリホス（☆）	■母ラット暴露における新生児の神経発達への影響および新生児脳への形態学的影響	■1μg/㎥（0.07ppb）ただし小児の場合は0.1μg/㎥（0.007ppb）
フタル酸ジ-n-ブチル	■母ラット暴露における新生児の生殖器の構造異常などの影響	■17μmg/㎥(1.5ppb)
テトラデカン	■C8-C16混合物のラット経口暴露における肝臓への影響	■330μg/㎥（0.04ppm）
フタル酸ジ-2-エチルヘキシル	■ラット経口暴露における精巣への病理組織学的影響	■100μg/㎥（6.3ppb）
ダイアジノン	■ラット吸入暴露における血漿及び赤血球コリンエステラーゼ活性への影響	■0.29μg/㎥（0.02ppb）
アセトアルデヒド	■ラットの経気道暴露における鼻腔嗅覚上皮への影響	■48μg/㎥（0.03ppm）
フェノブカルブ	■ラットの経口暴露におけるコリンエステラーゼ活性などへの影響	■33μg/㎥（3.8ppb）
総揮発性有機化合物量（TVOC）	■国内の室内VOC実態調査の結果から、合理的に達成可能な限り低い範囲で決定	■暫定目標値 400μg/㎥（0.4ppb）

☆は建築基準法の規制対象物質、◎は住宅性能表示制度で濃度を測定できる物質
※ppm＝100万分の1、ppb＝10億分の1
※μg＝1gの100万分の1
※両単位の換算は25℃の場合による
※アンダーラインは2019年に基準値の改定があった物質

部の色の濃い部分は、腐敗やシロアリに強い部位である。逆にベイツガなどは防腐、防蟻性が低く、薬剤に頼らざるを得ないと言える。（図2）

また、化学物質の入った薬剤を使用せずにシロアリの被害を防ぐ天然系の防蟻剤や、揮発はせずに木材を食した時に効果を発揮するホウ酸系の薬剤もあります。（表3）ただし、天然系の薬剤でも、アレルギー反応などを起こす人もいるので、事前に確認してみましょう。

シロアリは以前から日本に被害をもたらせていた、ヤマトシロアリやイエシロアリの他、輸入木材に 忍び込んで日本に入ってきたアメリカカンザイシロアリなど、様々な種類が存在しています。このうちアメリカカンザイシロアリは床下だけではなく、小屋裏などからも侵入する、いままでの対策では防ぎきれない性質のシロアリで、被害のある地域では家全体を防蟻処理するなどの対策も必要になってきます。（図3）

(2) 木材の注意ポイント

構造用に使われる柱や梁などは無垢材のものも多いのですが、集成材という木材を圧着して仕上げた構造材も使われています。また、合板やパーティクルボード、MDFなど木材を加工して接着剤を使って仕上げたボード状の建材も多用されています。これらに使用されている接着剤には注意が必要です。

これらに使用される物質のうち、シックハウス法で制限された物質はホルムアルデヒドで、接着剤や防腐剤で使用されています。ホルムアルデヒドは大変揮発性が高く、その発散の程度により、使用制限や使用禁止の対策が取られています。建材では☆のマークの数で、発散量による規格が統一されて、F☆☆☆☆と4つの星がついているものは、発散量が少ない建材で使用制限はありません。このマークは木材以外にも、塗料や仕上げのクロス、複合フローリング（無垢材ではなく、合板などを張り合わせたフローリング）や断熱材など、シックハウス法の対象となっている建材には、表示されています。

使用する集成材や合板などの木材は極力F☆☆☆☆のマークがあるものを選択します。また、水性高分子イソシアネート系接着剤はホルムアルデヒドが使われていないので、より安全だと言えます。（表4、写真1）

(3) 塗料、仕上げ材と接着剤、断熱材の注意ポイント

これらの建材からは、ホルムアルデヒドの他、VOCと言われる揮発性有機化合物が含まれているものや樹脂モノマーなど表1に記載されている物質に注意が必要です。特に室内側に使用する建材は意識するとよいでしょう。

塗料には見た目の美しさの他に、耐久性の向上や汚れを防止することを目的として使われますが、塗料にはトルエンやキシレ

図3　住まいに被害をもたらすシロアリ

日本に22種類ほど存在している。
住まいに害を与えるのは主に下記の3種

････ヤマトシロアリ
････ヤマトシロアリおよびイエシロアリ
････アメリカカンザイシロアリ

シロアリ

ヤマトシロアリ
頭部
北海道の一部を除き全国的に分布している。乾燥に弱く水を運ぶ能力がないので湿った土中にいる。4月から10月、特に梅雨時の加害が多い。主に建物の下部に被害を与える

イエシロアリ
頭部
関東以西に分布している。蟻道をつくり、水のある所へつなげて水を運ぶことができるので、材に湿気を与えながら加害する。建物全体に被害を与える。特に温暖地域は注意が必要

アメリカカンザイシロアリ

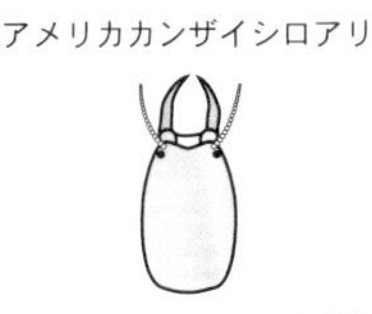

頭部：ヤマトシロアリと類似
輸入建材や家具により日本国内に入ってきた外来種。他の2種とは異なり水分を必要としない。特別に巣や蟻道をつくることなく、乾燥した木材や家具を害し、乾いた砂粒状の糞を排出する

表3　床下の具体的対策

床下の補助的対策	ヒバオイル	■ヒバの木から抽出した油で、虫に対する忌避効果がある。ただし、ヒバアレルギー体質の人もいるので注意が必要 ■危険は少ないが、有害性も指摘されており、天然系薬剤だから絶対安全とはいえない。原液は強いので必ず希釈して用いる
	木酢液	■虫に対する忌避効果があるといわれている
	月桃抽出液	■沖縄の植物「月桃」から採った油。実験で一定の効果が認められる
	食塩水	■濃い食塩水を塗る。江戸時代のシロアリ対策として行われていた
	ホウ酸系防虫剤	■ホウ酸塩を使った防虫剤で、カビ、菌類、害虫、シロアリなどから木材を保護する

ンを始め多くのVOCが含まれているものがあります。油性塗料は極力使用せずに、**表5**にあるような健康に配慮した塗料を選択することをお勧めします。

仕上げ材は多種多様になりますが、主なもので壁や天井はビニールクロス、床には複合ローリング、クッションフロアと呼ばれるビニールシート、カーペットや畳などが一般的です。この他に前述した塗料や左官仕上げ、紙や布などのクロス仕上げもあります。この中で注意したいのは塩化ビニルを使用したビニールクロスやシート類で、VOCの他、多くの化学物質が含まれています。**表6**を参考に何を選択すると、より健康に配慮した住まいになるのか、検討してみましょう。

また、仕上げ材の多くは接着剤を使って貼り付けます。住宅でよく使われる接着剤は**表7**に表示してあります。F☆☆☆☆の表示があるホルムアルデヒドの発散量が少ないものを使用しているのはもちろんのこと、VOCやモノマー類、防カビ剤なども注意できると、よりよいでしょう。

断熱材は、室内には露出してこないので、比較的影響は少ないと言えますが、ホルムアルデヒドやモノマー類、難燃剤が含まれているものもあり、自然系の断熱材を使用すればより安全側だと言えます。また、ウレタン系の断熱材は燃焼時には青酸ガスという猛毒なガスが発生するので要注意です。（**表8**）

断熱材は内部結露が発生しないように施工しないと、結露の水分によりダニやカビが発生し、それらによるアレルギー症状で健康を害することもあるので、施工方法にも注意が必要です。

(4) リフォーム時の注意ポイント

住まいをリフォームする時も前項を参考にすれば、健康に配慮した住まいとなります。確認申請が不要なリフォームでも、シックハウス法と同じような配慮がされているかは設計士や工務店に確認してみましょう。またリフォームの工事の時は一時的に有害な化学物質の発散が高まることがあるため、換気を促進し、工事中は家から外出するなど気をつけるとよいでしょう。（図4）

化学物質が気になる場合は、すでに建っている住まいでも、それらを減らす処置方法があります。方法としては、有害物質を閉じ込める、吸着させる、そして換気により有害物質を含む空気の汚染濃度を下げる、というやり方があります。**表9**に具体的な方法を紹介しています。

もう一つ気をつけておく必要があるのが、リフォームして解体する建材にアスベストが含まれるかどうかです。アスベストは不燃性能や保温を必要とする建材に含まれていました。肺がんや中皮腫などが発症する物質であることがわかり、現在では使用が禁止されました。1995年から一部の種類のアスベストが使用禁止に、2006年には実質全面禁止に、完全に製造されなくなったのは2012年です。これらの年代より以前に作られている建物にはアスベスト含有建材を使用している可能性があります。

特に注意が必要なのは鉄骨造の建物で、不燃材として鉄骨に吹き付けてられていることがあります。また、木造住宅では屋根や一部の壁や天井、床ではビニルタイルなどに使われている可能性があります。ただし、板状になっているものは、割れたりしないかぎり、アスベストは飛散しません。リフォームを考えるときは、年代的にアスベストが含まれる可能性がある場合、リフ

表4　建築材料の区分

JIS、JAS表示	■建築基準法の区分	■内装仕上げの制限
F☆☆☆☆	■建築基準法の規制対象外	■制限なし
F☆☆☆	■第3種ホルムアルデヒド発散建築材料	■使用面積を制限
F☆☆	■第2種ホルムアルデヒド発散建築材料	■使用面積を制限
F☆	■第1種ホルムアルデヒド発散建築材料	■使用禁止

写真1　合板におけるF☆☆☆☆の表示例

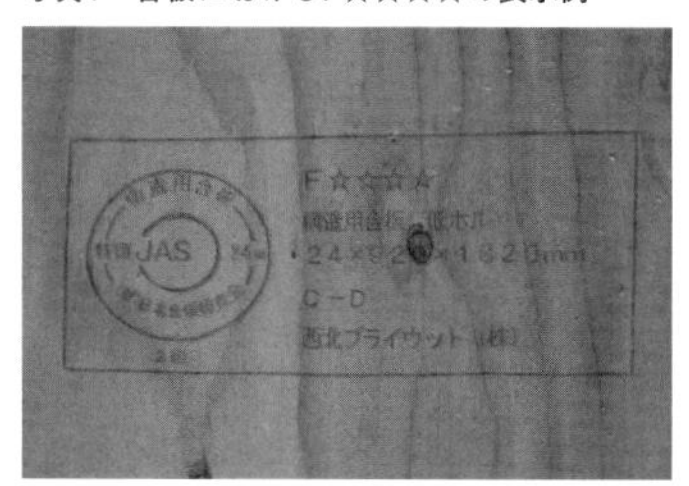

表5　住宅によく使われる建材と健康に配慮した建材　ー内装用塗料ー

住宅によく使われる建材	
有機溶剤系（塩化ビニル、アクリルなど非常に種類が多い）	■いわゆる油性塗料で、油を溶かす有機溶剤が不可欠 ■トルエン、キシレンを始め、非常に多くの有害物質が含まれ、VOC が揮発する

健康に配慮した建材	
合成樹脂エマルション	■水を溶剤としているので有機溶剤系と比較すると安全性は高いが、添加剤や樹脂モノマーに注意が必要
低臭型 NAD アクリル樹脂	■室内化学物質汚染対応塗料として開発された ■ホルムアルデヒド、トルエン、キシレンは未使用
自然系塗料	■天然素材でつくられた塗料で、安全性が高い
伝統塗料	■漆、柿渋、蜜ろうなど日本には伝統的な天然塗料がある ■漆などにかぶれる体質の人は注意が必要

表6　住宅によく使われる建材と健康に配慮した建材　－仕上げ材－

住宅によく使われる建材	
塩化ビニルクロス	■可塑剤、安定剤に含まれる重金属、溶剤のVOCなどが特に問題となる ■そのほか防虫・防蟻剤以外の問題となっている化学物質がすべて含まれている
左官材料	■調合済みの塗り壁材料や吹き付け材料の中には、合成樹脂や防カビ剤の含まれるものがあり、それらの添加剤に注意が必要
複合フローリング(F☆☆☆☆以外)	■接着剤に含まれるホルムアルデヒドやVOC、防虫剤の問題がある
カーペット	■同上 ■特にVOCの問題が大きい
畳(わら床、スチレンフォーム床)	■畳表は、防カビ防ダニ処理と着色剤の問題がある ■畳床については、わら床の場合は防虫処理の問題、スチレンフォーム床は樹脂モノマーなどの問題がある
ビニルシートビニルタイル	■塩化ビニルクロスと同様に、多くの有害物質が含まれる

健康に配慮した建材	
アクリル系クロス オレフィン系クロス	■塩化ビニルクロスの代替品としてつくられたもので、可塑剤、重金属、有機リン系化合物を含まない
紙クロス 布クロス	■素材に問題は少ないが、防カビ剤などに注意は必要 ■和紙を貼るのもよい方法である
左官材料	■生石灰クリームや珪藻土が注目されている ■ただし、珪藻土にはそれ自体で固まる性質はなく、添加剤を使用するので、その成分に注意が必要
伝統的左官材料	■土壁、漆喰、じゅらく土などで、合成樹脂系添加物などが入っていないもの
単層フローリング	■無垢板なので接着剤が使われていない ■施工のために接着剤を使う場合は注意が必要
複合フローリング(F☆☆☆☆)	■ホルムアルデヒドの発散量が少ない
コルクタイル	■素材の問題は少ないが、コルクを固める接着剤のホルムアルデヒドやVOCについては注意が必要
畳(炭化コルク床、木炭床など)	■炭化コルクには接着剤や防虫剤は使用されていない ■木炭床や吸着作用を持たせた床などさまざまだが、添加剤の確認は必要 ■畳表が無農薬のものもある
天然リノリウム	■亜麻という植物が主原料で、自然素材だけを用いて製造される

表7　住宅によく使われる建材と健康に配慮した建材　－施工用接着剤－

住宅によく使われる建材	
酢酸ビニルエマルション	■いわゆる木工用ボンドのこと ■可塑剤と酢酸ビニルモノマーに問題がある ■ホルムアルデヒドが含まれる可能性はほとんどない
イソシアネート系(ポリウレタン系)	■合板やパネル、タイルなどの接着に使われている ■イソシアネートモノマーとVOCに問題がある
エポキシ系	■強力な接着剤 ■多くの添加剤が含まれており、特に硬化剤のアミン類は有害性が高い
合成ゴムラテックス系	■床材やタイルの接着に幅広く使われている ■VOC、樹脂モノマーなどの問題がある
アクリル酸エステルエマルション系	■ビニル床やカーペットの接着に使われている ■VOCやアクリルモノマーが問題

健康に配慮した建材	
ノンホルム系	■ホルムアルデヒドを含まない ■ただし、添加剤、特に防腐剤や防カビ剤が含まれているものもあるので注意が必要
自然素材系	■自然素材もしくは安全性の高い物質のみが使用されている ■施工性はあまりよくない

表8　住宅によく使われる建材と健康に配慮した建材　－断熱材－

住宅によく使われる建材	
グラスウール ロックウール	■吸湿性が高いので結露対策に特に注意する
ポリウレタン系 ポリスチレン系	■発泡剤、難燃剤、原料の樹脂モノマーに問題がある ■ポリウレタン系は燃焼時に青酸ガスが発生する
ポリエチレン系	■発泡剤、難燃剤の問題がある ■樹脂モノマーの問題性は低い

健康に配慮した建材	
ウール	■羊毛を原材料としている ■吸湿性が高いので結露対策に特に注意する
炭化コルク	■コルクを高温加圧してつくられたボード状のもので、接着剤は使われていない
亜麻草繊維	■麻の繊維を原料としている ■吸放湿性が高く、比較的湿度に強い
セルロースファイバー	■古紙などを綿状にしたものをいう ■接着剤が含まれている場合は注意が必要。その種類を確認する

表9　具体的な応急処置方法

換気		■最も確実に汚染濃度を低減させる方法。継続的に換気扇を回し、こまめに窓を開けて空気を入れ換える。高濃度の汚染の場合はもちろんだが、F☆☆☆合板などが使われている場合にも換気は必要。気密が高ければ高いほど、換気は意識して行う
ベイクアウト		■揮発性物質は温度が高いほど揮発が活発になることを利用して、室温を上げて揮発を促し、強制的に化学物質を吐き出させる方法。入居前など、人がいない状態で行う。ただし、あくまでも「低減」させる方法の一つであり、過信してはいけない
表面処理	セラックニス	■セラック貝殻虫が分泌する成分を、アルコール系の溶剤で塗料化したニス。有害物質の揮発をおさえる効果があり、合板やフローリングに塗布できる
	特殊塗料	■ホルムアルデヒドを吸着させたり、中和させる塗料がメーカーから販売されている。塩化ビニルクロスにも塗布できる
吸着剤	有害物質低減シート	■炭を入れて吸着させるものや、薬品で中和させるものがある。戸棚や押入などの密閉空間に使用するとより効果がある
	木炭 活性炭	■炭の吸着作用により、汚染の低減効果がある。ただし、製品による性能の差が大きく、設置量が少ないと効果をあまり期待できない

ォーム計画時にアスベスト含有建材があるかを確認し、撤去する場合は飛散しない方法で、通常の解体とは別に処理する必要があります。解体が始まってから見つかると、追加費用だけでなく、人体に有害な物質を吸い込む危険性があり、注意が必要です。(図5)

(5)暮らし方のポイントと24時間換気

暮らしの中で、有害物質を出さないためにはなにに気をつけたらよいのでしょうか。1つ目は開放型ストーブを使用しないということです。開放型ストーブとは石油ストーブやガスファンヒーターなどで、ストーブの中で火が燃焼し、その排気が室内に放出されるタイプのものです。燃焼空気には、二酸化炭素のほか、一酸化炭素や水蒸気が含まれます。一酸化炭素は頭痛や吐き気を引き起こすだけでなく、濃度が濃くなると最悪の場合は死に至る危険性もあります。また大量の水蒸気は結露の原因になり、建物を腐らせたり、カビやダニのアレルゲンの発生を助長させます。また、喫煙もさまざまな有害物質が長時間滞留することになるので、必ず換気で排出できる状況にしておきます。

2つ目は空調をエアコンや輻射暖房を使用している場合は、空気が乾燥します。このために、適度な湿度を保つように加湿器などを設置し、湿度が50％程度になるように心がけましょう。湿度が低すぎると結露の発生は防げますが、風邪をひきやすくなったり、皮膚が乾燥してトラブルが生じたりと健康を害す可能性が高まります。

そして大変重要なのが、換気をすることです。シックハウス法では24時間の換気が義務付けられたので、近年の住まいには必ず24時間換気という機械換気扇が設置されています。住宅での換気設備の種類は、給気と排気を両方機械で行う第1種換気システムと、給気は給気口から自然に取り入れる自然換気で排気のみをキッチンやトイレ、バスなどの水まわりなどから換気扇により排気する第3種換気システムの2通りが一般的です。ちなみに第2種換気は病院やクリーンルームなど特殊な施設で使われます。

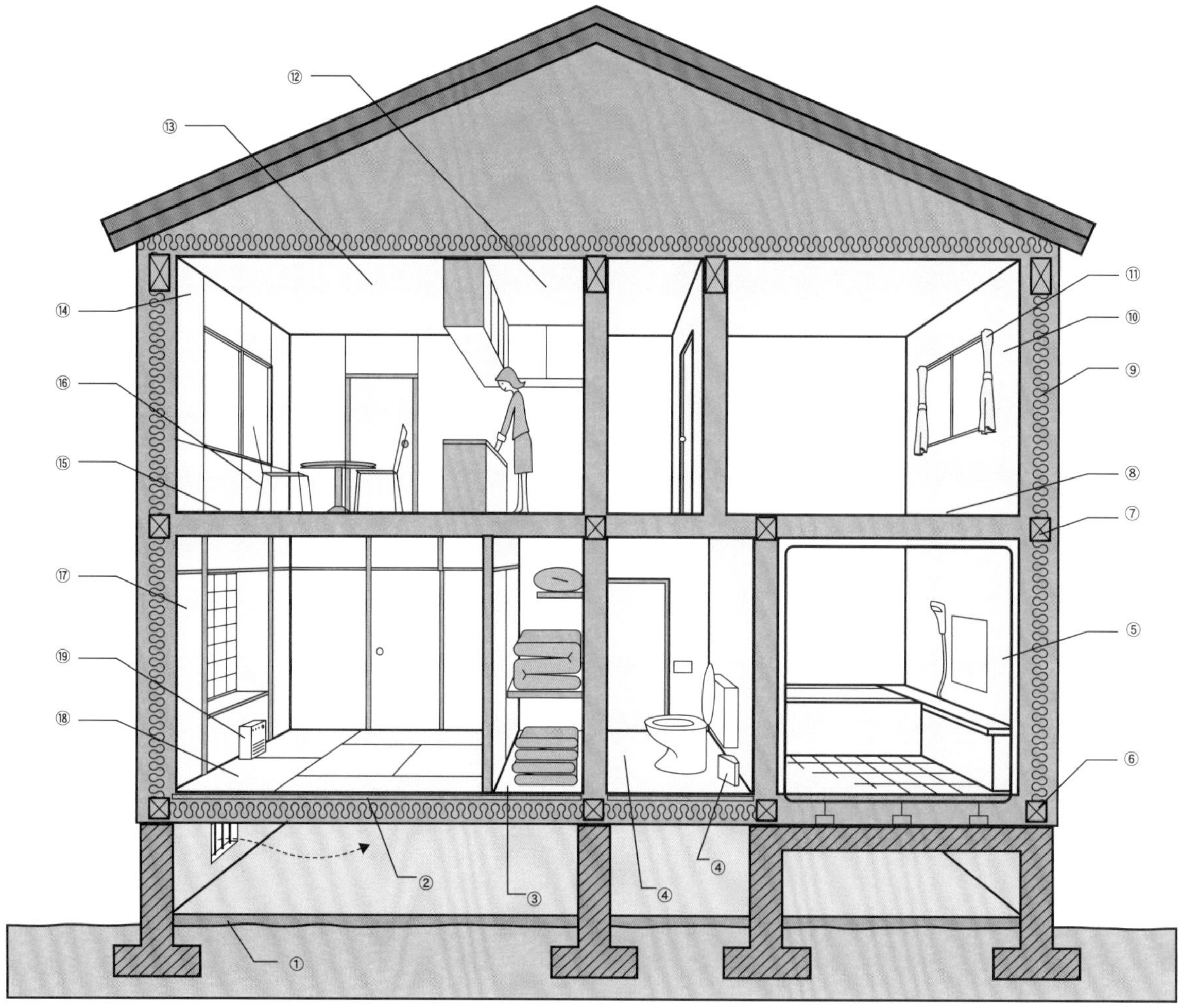

図4　住まいの有害化学物質に関する注意点

①A：土壌処理剤に注意
②C：下地合板のホルムアルデヒドに注意
③C：押入などの収納は下地材が現れているので、ホルムアルデヒドなどの揮発があると直接に影響する。換気量が少ないので特に注意が必要
④G：トイレなどの狭い空間は化学物質濃度が高くなりがちなので注意する。芳香剤や消臭剤、除菌剤などは有害化学物質を含んでいるものが多い
⑤G：新しいユニットバスは特に換気に注意し、常時換気を心がける
⑥B：土台に塗布される防蟻剤は有害性の高いものが多いので注意が必要
⑦B：構造材が集成材の場合は接着剤にも注意する
⑧E：フローリングは素材に使われている接着剤のほか、施工時に使われる接着剤にも注意が必要
⑨D：断熱材は有害化学物質のほか、施工方法による結露対策にも気をつける。結露はカビやダニの発生を助長する
⑩E：塩化ビニルクロスには多くの有害化学物質が含まれている。施工時の接着剤も注意する
⑪G：カーテンは、難燃剤や防カビ剤などの添加剤加工をされているものが多くあるので注意する
⑫E：台所などのビニルクロスは通常の有害物質のほか、難燃剤が添加されている可能性が高いので注意する
⑬E：天井が塩化ビニルクロスの場合、有害化学物質のほか、施工時の接着剤にも注意する。化粧ボード類の場合はアスベスト含有建材の可能性もある
⑭F：有機溶剤系の塗料はVOCの影響に注意する
⑮G：カーペットは面積が大きく影響も大きい。難燃剤や防カビ剤の添加剤に注意する
⑯G：家具の接着剤や塗料などに含まれているホルムアルデヒドやVOCの影響に注意する
⑰E：左官材料にも添加剤が含まれているものがあり注意が必要
⑱E：畳の防虫処理剤に注意する
⑲G：燃焼空気を直接屋外に排出しない開放型のストーブは、室内に有害化学物質や水蒸気を放出させ、悪影響をもたらす

※A～Gは住まいの部位を表す
A：床下　B：構造材
C：下地材　D：断熱材
E：仕上げ材　F：塗料
G：その他

このうち第3種換気は設置コストも抑えられるため、多くの住宅に採用されていますが、注意したいのは、給気口を塞がないことと、24時間換気設備のスイッチを切らないことです。空気の流れは入口と出口、どちらが欠けても滞ってしまいます。寒いから給気口を閉めたり、スイッチを切ってしまうと、人の健康を害すだけでなく、建物の寿命も縮めかねません。

機械換気設備は、1年に一度は給気口や換気扇のホコリを取り除き、フィルターなどが目詰まりしないように、気をつけます。

暑さ寒さに対し快適な暮らしを得ることのできる住まいで、健康に暮らすために、換気にも配慮してすごしましょう。

2・安全住宅

いつかは起こる大きな地震や、異常気象による台風や洪水などの被害に対し、どのように配慮をすれば安心は住まいが手に入るのかを考えてみましょう。

地震に備える

(1) 耐震の基準値とは

日本は地震の多い国です。そのため、国が示す耐震の基準値も大きな地震が起きると、より被害の出にくい厳しい基準へと変わってきました。建築基準法に基づく基準は、1981年（昭和56年）6月以降の基準で新耐震基準といわれています。それ以前は旧耐震基準といい、耐震の強さは、震度5程度の地震で建物が倒壊しないことが求められていました。新耐震基準では数百年に一度発生する大地震（震度6強から7の地震）に対し建物が倒壊せず、震度5程度の揺れに対して建物が損傷しないことを目的にしています。また、建物内の人命を守ることも主眼に置かれています。

また2000年（平成12年）6月以降は、地耐力（地盤の強さ）に応じた基礎の構造を規定することや、構造材の接合部に適切な金物の設置すること、耐力壁のバランスを考慮した構造計画などを義務づけた「接合部の使用等の明確化」が2000年基準として改定され、現在の基準になっています。強い耐力壁を作っても、揺れにより接合部が外れてしまったり、耐力壁のバランスが悪く一部の壁に強い地震力がかかりすぎることなどを考慮しています。

国土交通省による近年の地震被害の報告書によると、旧耐震基準の建物では大破や倒壊が多く、新耐震基準となってから2000年までの建物は大破や倒壊が比較して約40％に、さらに2000年基準以降の建物は13％にまで減りました。（図6）

(2) 地震に強い住まいをつくる

これから家を建てる場合は、現在の新耐震基準値に沿うように計画がされるので、数百年に一度の大地震がきても建物は倒壊せずに、人命を守るという基準のもとに計

図5　目で見るアスベスト建材-国土交通省-

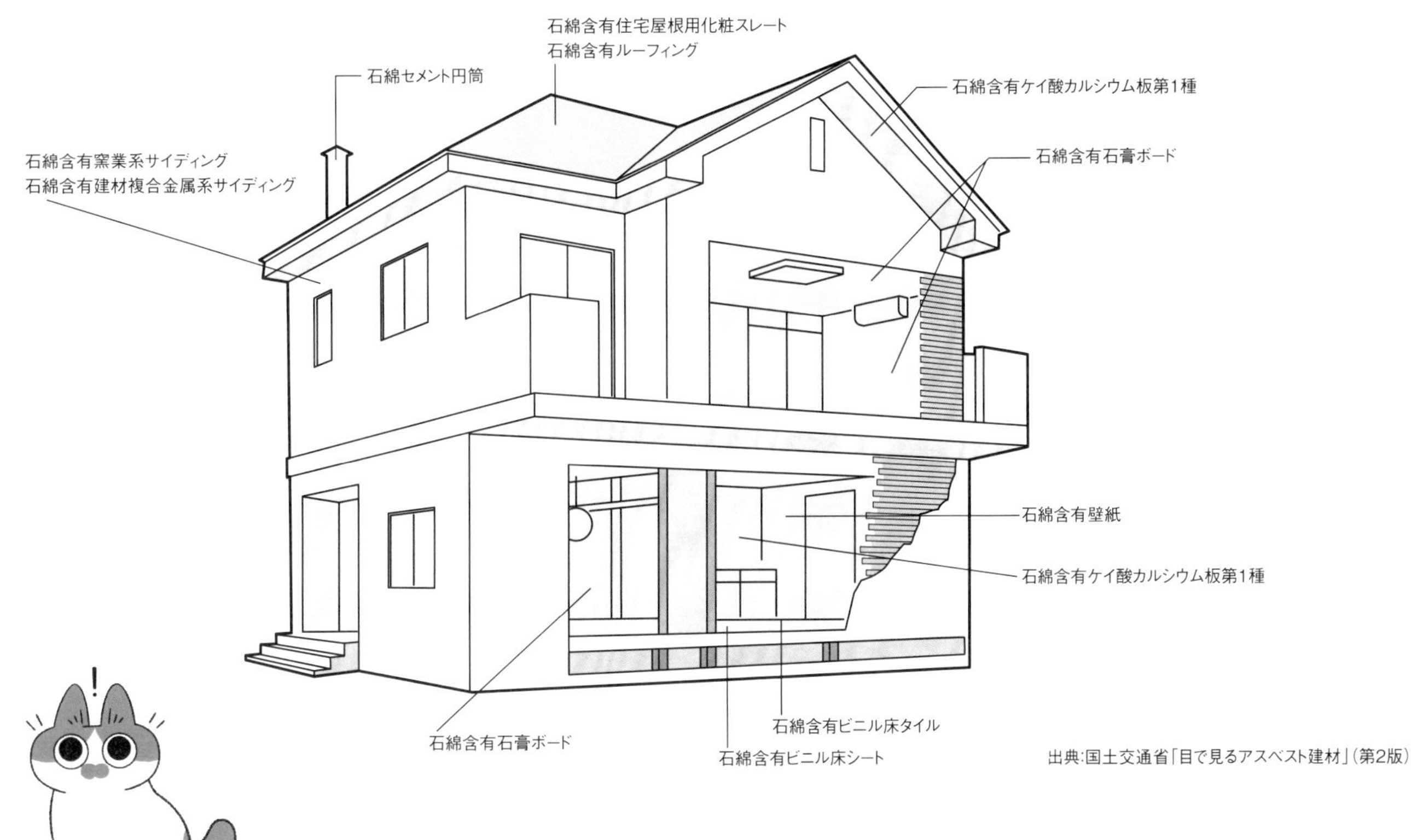

出典:国土交通省「目で見るアスベスト建材」（第2版）

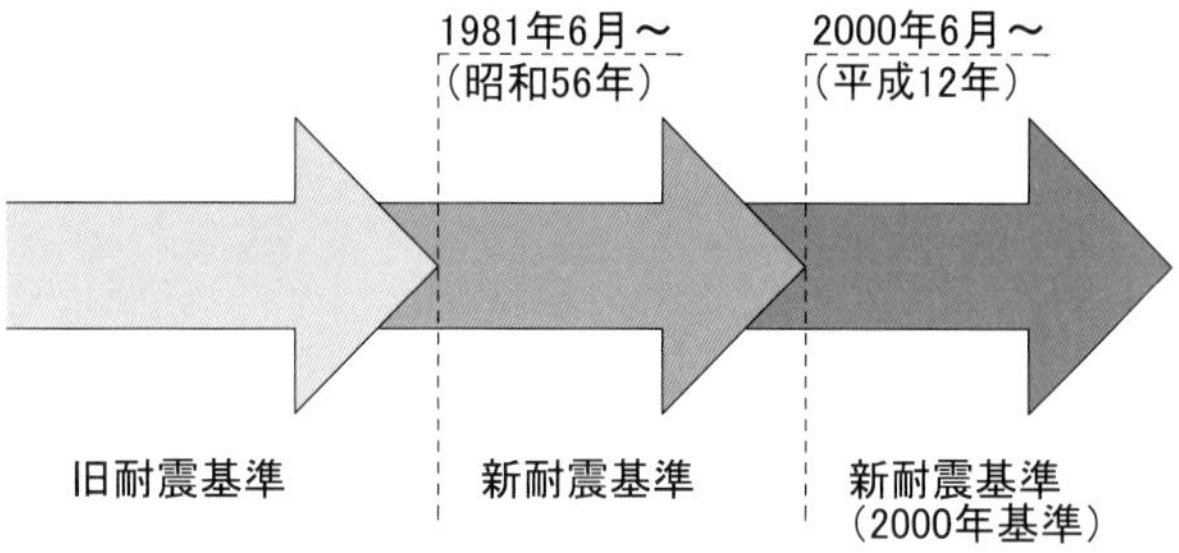

画されています。ただ、この基準は建物の被害が出ないということではありません。つまり、つぶれはしないが、傾いたりひび割れたりしてしまう可能性はあり、大地震を受けた後はメンテナンスが必要になる可能性が高い、といえます。

　さらに強い住まいにするなら耐震の基準値をより高くなるように計画します。2000年には住宅の品質確保の促進等に関する法律「住宅性能表示制度」もでき、そのなかで耐震性能は等級1・2・3で具体的に表示されることになりました。等級1は建築基準法の基準値に匹敵するもの、2は基準値の1・25倍、3は1・5倍の耐力に相当します。これは単に筋交いや構造用合板で作る耐力壁の箇所を1・25倍や1．5倍にする単純なものではありません。実際は等級3だと2階建住宅の1階部分で基準値の2倍以上の耐力壁を設置する必要があり、建物の南部分に大きな開口部を作ることが難しい場合もあるなど、設計の計画を大きく左右します。

図6　耐震基準の変遷

1981年6月～（昭和56年）
2000年6月～（平成12年）
旧耐震基準
新耐震基準
新耐震基準（2000年基準）

　より高い基準値にすると、さまざまな優遇措置が受けられるメリットもあります。地震保険料や住宅ローンの金利、贈与税の特例などがあります。また、長期優良住宅の認定を受けると補助金の対象になることもできます。ただし、いずれも期間や様々な条件を満たすことが必要になるので事前に確認してみましょう。

　また、上記は耐震という地震力を受ける力を強くするという建物の考え方ですが、さらに制震や免震という考え方もあります。制震は建物の揺れを吸収する免震装置を用いるもので、特に2階などの上の階の揺れを吸収する効果があります。揺れが軽減されれば、建物の被害も減り、安全性は増します。制震装置にはいくつかの種類があり、地震に対する効果以外の価格や、メンテナンスの必要性、劣化なども念頭に置き検討しましょう。

　そのほか、免震という免震装置を用いて建物の揺れを受け流すという工法もありますが、コストも高く住宅ではあまり一般的ではありません。

　このような方法で耐震性能を高めることも可能ですが、基本的なこととして、建物が建つ場所の地盤がいいこと、家の形状が上下重なって比較的単純であることは、基準値や制震装置以外にも地震に強い住まいをつくるための重要な要素です。

表10　耐震診断による結果の例

A案

階	方向	壁の耐力Qw (kN)	剛性率低減係数Fs	偏心・床低減係数Fe	保有する耐力edQu (kN)	必要耐力Qr (kN)	評点	判定
2	X	15.539	1.000	1.000	15.539	25.829	0.601	倒壊する可能性が高い
	Y	18.724	1.000	1.000	18.724		0.724	倒壊する可能性がある
1	X	22.548	1.000	0.907	20.440	48.779	0.419	倒壊する可能性が高い
	Y	24.718	1.000	1.000	24.718		0.506	倒壊する可能性が高い

B案

階	方向	壁の耐力Qw (kN)	剛性率低減係数Fs	偏心・床低減係数Fe	保有する耐力edQu (kN)	必要耐力Qr (kN)	評点	判定
2	X	31.420	1.000	1.000	31.420	25.829	1.216	一応倒壊しない
	Y	39.585	1.000	1.000	39.585		1.532	倒壊しない
1	X	59.360	1.000	1.000	59.360	48.779	1.216	一応倒壊しない
	Y	57.196	1.000	1.000	57.196		1.172	一応倒壊しない

上部構造評点（保有する耐力／必要耐力）	判定
1.5以上	倒壊しない
1.0以上～1.5未満	一応倒壊しない
0.7以上～1.0未満	倒壊する可能性がある
0.7未満	倒壊する可能性が高い

（3）地震に強い住まいにリフォームする

　現在の住まいが、建てた当時の耐震基準を満たしていたとしても、基準値の改定により、現在の基準に当てはめると耐震不足となっていたり、劣化により建築当初の耐力がなくなっていることも少なくありません。特に、雨漏りや内部結露、シロアリ被害などがあると、この可能性は高まります。ただし、建物を新しく建てなおさなくても、現在の不足を補うように計画した耐震リフォームをすれば、耐震性能を向上させ地震に強い住まいにすることが可能です。

　耐震リフォームを考えるなら、まずは耐震診断を行います。市区町村では耐震診断や耐震リフォームに補助金を出しているところも多く、リフォームを依頼する会社や役所に確認してみましょう。

　一般診断法は耐震補強が必要か否かを判断する診断方法で、比較的簡易な調査で行います。明らかに耐震性能が低い木造住宅では、費用を2重にかけずに、一般診断を省くこともあります。

　精密診断では実際に床下や天井裏を確認し、詳細な部分まで見た上で診断するので、正確な耐震性能がわかります。診断結果をもとに現在の基準値に近づけたり、基準値以上にする耐震設計をし、耐震工事を行います。（表10）

表11　耐震診断の種類と方法

耐震診断を評価する方法	対象	診断の制度	診断のやり方
誰でもできるわが家の耐震診断	一般	B	ホームページ上でセルフチェック
一般診断法	専門家（建築士・建築関係者）	A	図面と外観、室内、点検口から床下や小屋裏を覗き見える範囲で確認
精密診断法	専門家（建築士）	AAA	上記のほか、床下と天井裏に入り、既存の構造を確認

　このほか自分でも大まかに確認できるセルフチェックの方法が「誰にでもできるわが家の耐震診断」として日本建築防災協会のホームページに掲載されています。（表11）

（4）地震に備える暮らし方のポイント

　地震負傷者の30～50％は家具類の転倒や落下、移動が原因といわれています。日常の生活の中で、このような地震による被害を減らすためには何に気をつけたらよいのでしょうか。

　まずは家具の転倒や移動を防止します。置いてある家具は大きな揺れが起きると部屋の中を飛ぶ凶器になってしまいます。新築時には、なるべく造り付けの家具にして、割れ物などを入れる収納は扉が地震時にはロックされる耐震ラッチを設置したり、引き戸にする工夫をします。部屋に置いてある家具は極力転倒や移動がしにくくなるように、壁にL型金具でネジ止めをすると効果的です。このときなるべくL字が下向きになるように設置します。金具で固定するのが難しい場合は粘着マットやストッパー、突っ張り棒を設置し、キャスター付きの家具はロックをします。この時、ストッパーは家具の前下部に、突っ張り棒は家具の後側（壁側）に設置します。キャスターが4角にある場合は、対角線上にあるキャスターをロックすると、より効果的です。

　また、収納のしかたも上には軽いものを、下には重いものを収納し、重心を下げ安定させるように心がけます。（図7）

　次に避難経路の確保を考えてみましょう。玄関などの出口までに、転倒する家具がないように、また引出しが飛び出してしまい経路を塞ぐことも考えられるので、位置や向きを工夫します。玄関まわりも傘やゴルフバックなど、なにげなく置いてあるものが倒れてこないように収納しておき、スムーズに避難できるように考えておきましょう。

　また、ガラスの飛散防止も重要で、ガラスが割れて怪我をするだけではなく、避難経路に散乱することで、安全にすばやく避難することが妨げられます。飛散防止にはガラスに飛散防止フィルムを貼ることが有効で、地震の揺れでガラスが割れても、飛散しないため、怪我をする危険性を減らすことができます。

　単純に、常に窓ガラスにはレースのカーテンを閉めておくことも、安全側の対策といえます。

図7　転倒、移動防止グッズの効果的な設置方法

キャスター付き家具の例

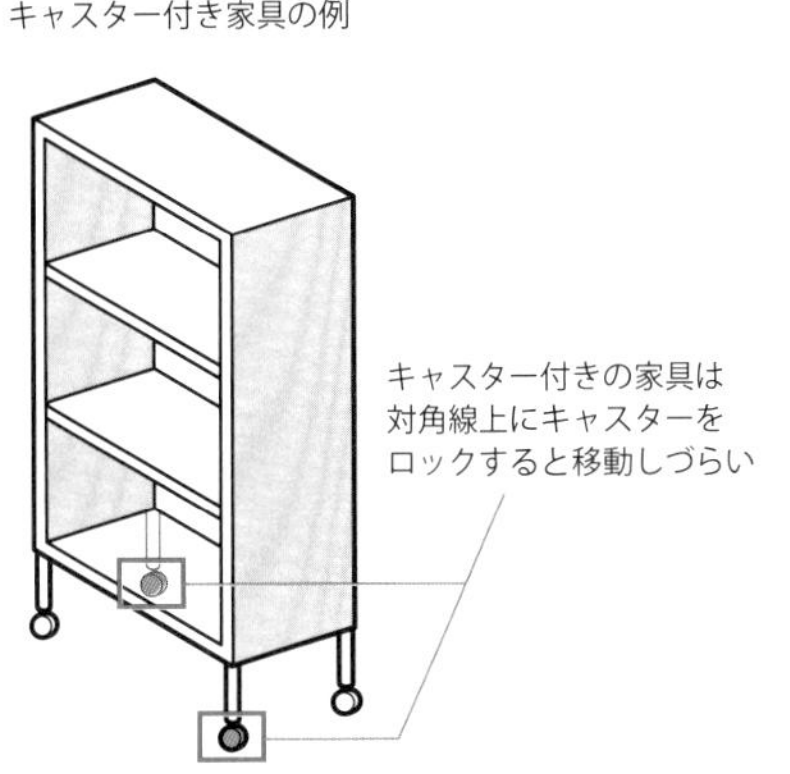

突っ張り棒＋ストッパーの例

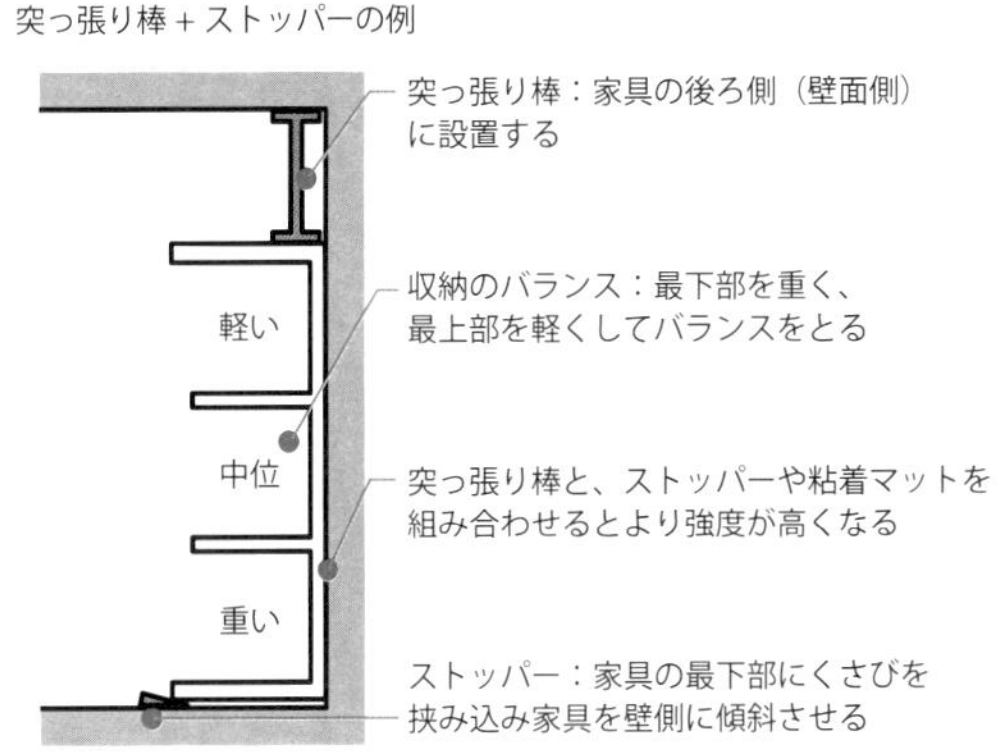

Barrier-free

バリアフリー住宅

バリアフリーとは、高齢者や障害をもつ人の「バリア＝不自由」を解消し、自分の力で生活できるようにしようという考え方です。ここでは高齢者にとって安全で快適な「バリアフリー住宅」を実現するためのポイントを解説します。

バリアフリーの進め方

1・「自然な老い」を把握する

まずは「自然な老い」の症状とそれに伴うバリアを把握しましょう。

「自然な老い」の症状は、身体機能・感覚機能・生理機能・心理特性・生活構造の5つの面でさまざまな症状が見られます（**表1**）。

人が五感で感じ取る情報の約80%を「視

表1　老化現象と建築設計上の配慮

	老化現象	設計上の配慮
身体機能	■全体的に虚弱である ■身体寸法が全体的に小さくなっている ■転びやすく、しかも骨折しやすい ■足腰が弱っている。歩幅が狭くなる ■足を上げる力が衰えてくる ■上肢・指先の力が衰えてくる ■敏捷性が乏しくなってくる ■持久力がない ■骨格、筋力が低下する ■歯も弱くなり消化機能が落ちる ■関節の曲げ伸ばしが困難になる ■動作には個人差があり、それが顕著になる	■安全への配慮 ■車いすの使用を考慮 ■緊急通報装置の設置や扉の形状への配慮 ■手すりや昇降機等の設置 ■負担のかかる和式便器は避ける ■利用者の人体寸法を考慮した納まり寸法の再検討（棚、スイッチ、台所など）、動作上の必要寸法の再検討 ■段差の除去（スロープ化等） ■滑りにくい床仕上げ ■階段の踏面、蹴上げの寸法を考慮 ■居室を庭や外部に面した位置に配慮 ■水栓、スイッチ、把手の形状を考慮 ■身体機能・障害の程度を考慮した設計
感覚機能	■視力が弱っているので照明が必要。しかしまぶしさは苦手である ■聴力が衰えてくる（特に高い音が聞き取りにくくなる） ■嗅覚が衰えてくる ■温冷熱の感覚が鈍い ■触覚が衰えてくる ■皮膚が乾燥しやすくなる	■照度の確保 ■住宅家内の明るさの均一性への配慮 ■照明方法の工夫 ■暖色系の室内空間とする ■空間認識しやすい色彩計画 ■住宅の遮音性能の向上 ■玄関ベル音を大きくする ■電話の音を大きくする ■オープンな間取りとし、視覚により聴覚の補助をしやすくする ■ガス漏れ、換気への配慮 ■床暖房をはじめとする暖房計画 ■室温の均一化 ■外気温との差を考慮 ■室内の湿度（50%を目安）を考慮
生理機能	■中枢神経が衰え、睡眠時間が概して短く、目を覚ましやすい ■排泄回数が多い ■生理機能は総合的に低下する ■食べ物の嗜好が変わる ■シミ、白斑点が現れる ■中毒症状が早く起こりやすい ■酸欠状態に耐えられなくなる ■呼吸器系疾患が起きやすい	■専用寝室の確保 ■寝室の防音性能、避光性能の向上 ■便所を寝室の近くに配置 ■冷暖房、換気、日照、通風への配慮 ■紫外線をカットする工夫 ■部屋の広さに応じた空気補給量の確保 ■暖房期の加湿への配慮
心理特性	■過去への愛着が強い ■新しいものへの適応に時間がかかる。例えば生活様式を変えることや、住み替えがなかなか難しい ■思考の柔軟性がなくなってくる ■感情のコントロールがしにくくなる ■興味が身近なものに限られてくる ■生き物や自然への関心が高まる	■高さ等を配慮した大きな収納部の確保 ■飾り棚などへの配慮 ■改造時に思い出になる材料、品物をうまく建築に組み込む ■外部空間との連続性を重視
生活構造	■入浴回数が減る ■余暇時間が多く、住宅内滞在時間が長い ■過去とのつながりを大切にする ■近隣交流が拡大しにくい	■浴室を寝室の近くに配置 ■換気、日照への配慮 ■接客への配慮 ■屋外へ出やすい住宅構造の確保

出典：住宅リフォームに関する調査研究委員会「要介護高齢者のための住宅リフォーム」（社会福祉法人　全国社会福祉協議会）

力」が占めています。個人差はありますが、「視力」は、40歳代から老眼の症状が表れはじめます。50歳代には水晶体が濁り、黄変化することで白内障が進み、それが進行しすぎると手術が必要な場合もあります。この過程で、20歳代と同じように明るさを感じるには、40歳代で1・5倍、50歳代では2・0倍もの明るさが必要です。「聴力」についても同様に、40歳代から症状が現れる人がいます。

いざ、自分の身体機能の衰えを目の当たりにすると、多くの人は、精神的なショックを受けますが、「可能な限り自分の力で生活を続けたい」と意欲がわくようです。その意欲を保ち、自分の力で快適な生活を送り続けるために、「自然な老い」に対応したプランが必要になります。

2・バリアフリー住宅を計画する

■住まい全体＋部屋別のポイント

ここからは、**図1**の住宅を参考に、自立した生活を送りやすいバリアフリー住宅のポイントを見ていきましょう。

全室共通のチェックポイントをあげています。ただし、病気や、介護保険を受けている人が家族にいる場合は、福祉・医療の専門家や設計者に相談しましょう。利用者の体格や健康状態に合わせた適切なプランを考えてくれます。

（1）全室共通ポイント

バリアフリー住宅を計画する際、一番大切なのは、高齢者が生活をする次の部屋

・玄関　・寝室
・ダイニング　・リビング
・キッチン　・洗面／脱衣室
・浴室　・トイレ

をできる限り同一階に配置することです。

すべて同一階に配置することが無理な場合は、使用頻度の高いトイレを、寝室と同一階に配置します。それ以外の部屋への移動は、将来に備え、手すりの配置、階段昇降機やホームエレベーターなどの設備（194頁）を設置できる十分なスペースを見込んでおきましょう。

また、全室に共通するポイントは

・段差を解消する
・床面をすべりにくい材料にする
・手すりを付ける（または、手すり取り付け下地を付けておく）
・室内での移動方法や動線に合わせたスペースを考える
・冷暖房や換気設備を適切に設置し、部屋と部屋との温度差を少なくする
・まぶしすぎず、十分な明るさが得られる照明器具を設置する
・色使いを工夫して、段差をわかりやすく、室内は明るく感じるようにする
・非常時に備えた避難口を用意する
・火災警報器を設置する（設置個所確認）

があげられます。

図1　自立した生活を送りやすいポイント

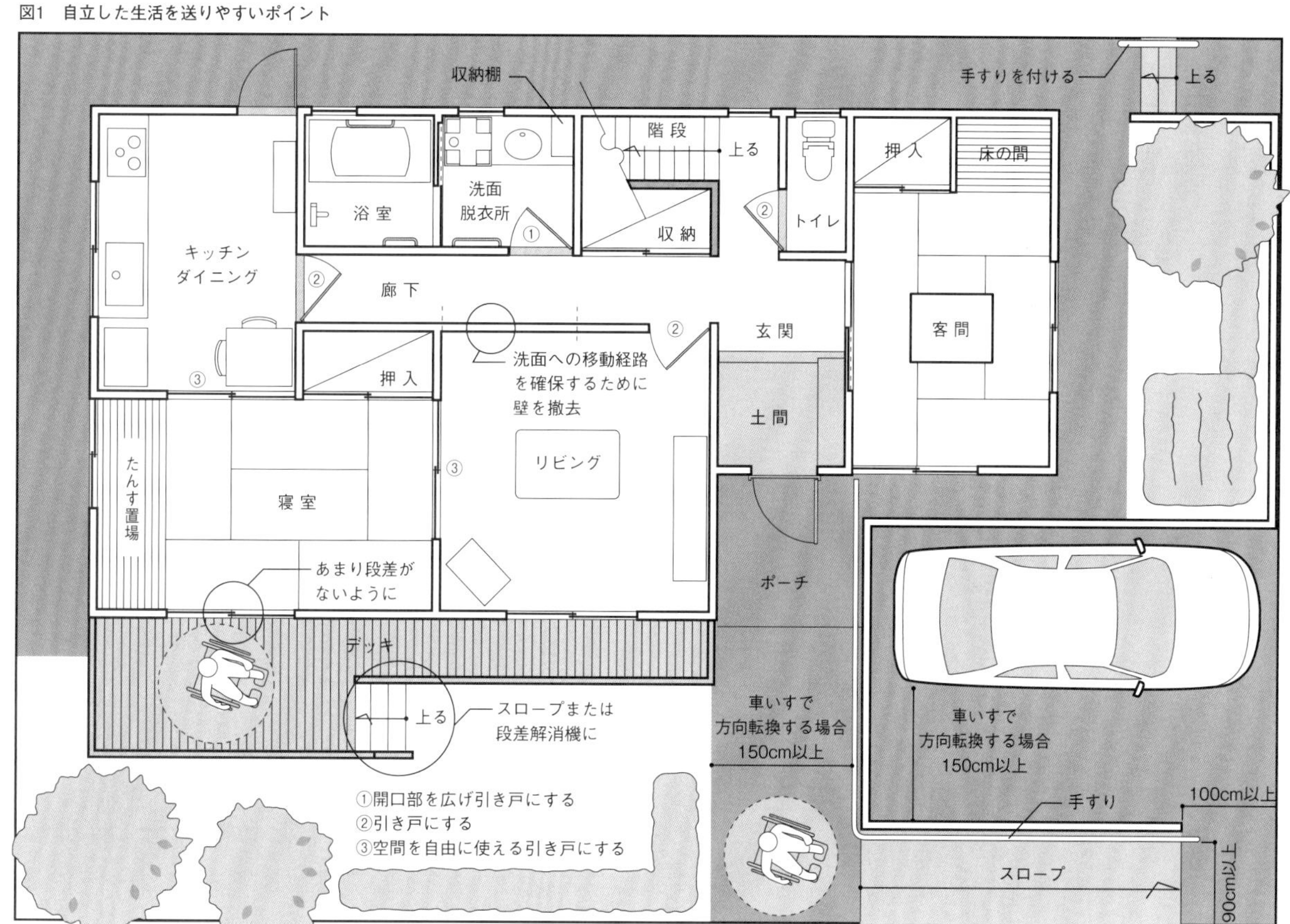

●段差

高齢者が生活するなかで一番の問題点は段差です。高齢者が生活する部屋と廊下は、できる限り段差のない構造（図2①）にしましょう。ただし、機能や使い勝手などから、次の個所では、性能表示に基準が設けられています（等級3。201頁表2）。

・玄関の出入り口（図2②）
・玄関の上がり框（図13・15）
・勝手口やはき出し窓の上がり框
・畳コーナー（一定の基準あり）

和室と洋室の段差や開き戸下枠の戸当たりのような小さな段差でも、高齢者はつまずき、骨折などの大けがにつながることもあります。車いすも通りにくく、介助者の負担にもなります。これは、床を上げたり段差解消用部材を取り付けることで解決できます（図3）。上がり框など必要な段差には、照明でわかりやすくするとよいでしょう。

カーペットのめくれやしわでもつまずくことがあります。部屋中に敷きつめるか、すべり止めを付けるなどの工夫が必要です。

●開口部

開口幅の有効寸法は、一般的な室内用車いすの幅が70㎝以下なので、75㎝以上を必要とします（図4）。

引き戸や引込み戸は、少ない上体の動作で開閉でき、開き戸よりも操作がしやすいといえます（図5）。引き手は、大きめで指の掛かりやすいもの、または、つかみやすく操作しやすい棒状のもの（図6）を選ぶとよいでしょう。

開き戸の取っ手は、操作が簡単で軽い力で開閉できるレバーハンドル（図6）がお勧めです。

●手すり

手すりの取付けは、段差を解消するのと同じくらい高齢者の生活では重要です。

室内を移動するための手すりを取り付ける場合、高さの目安は直立で腕をおろしている姿勢の手首の位置で、床から75㎝程度の高さです。ただし、これはあくまでも基準で、利用者の身長で高さは変わります。また将来、身体状況によっては変更もありえるので、下地の幅は広くしておくとよいでしょう（図7）。太さや形状も用途によって違いますから（図8・9）、実際に握ってみましょう。手すりの端部は、衣服の引っかかりによる転倒を防ぐため、壁側か下側に曲げましょう（図10）。

バルコニーや屋外に面した窓などの手すりは、転倒を防止するために、安全上必要な高さが建築基準法と性能表示に定められています。また、手すり子の内法寸法は11㎝以下がよいでしょう。

図2　性能表示で示される段差の種類

①段差のない構造

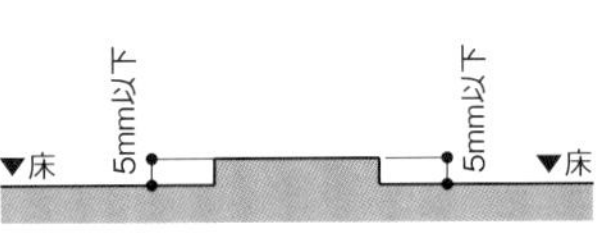

②玄関の出入口の段差（性能表示 等級3）

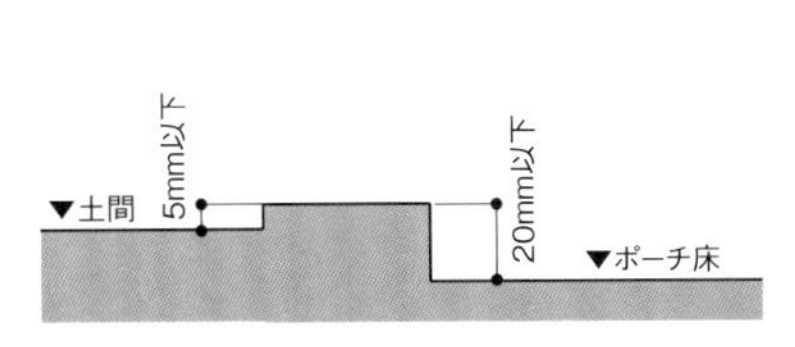

③浴室の段差（性能表示 等級3）

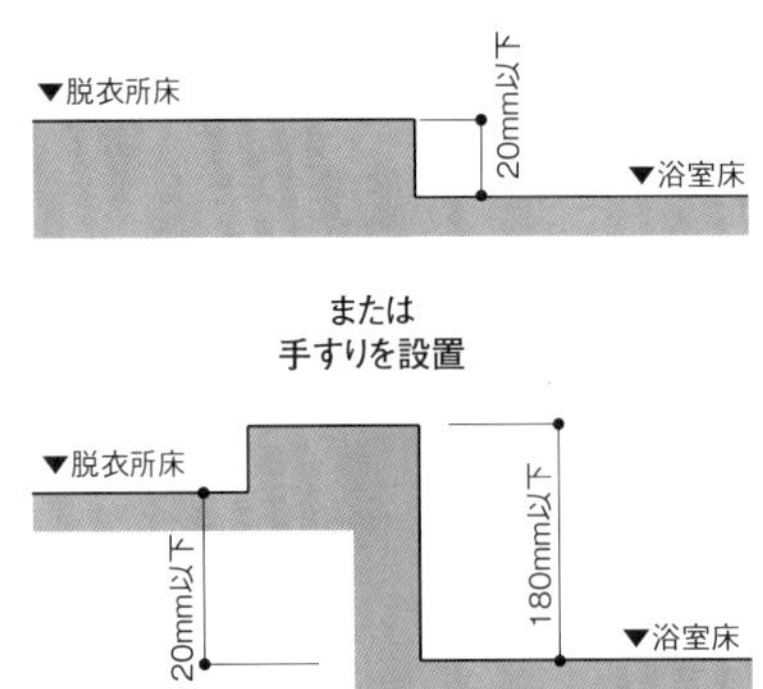

図3　段差の解消例

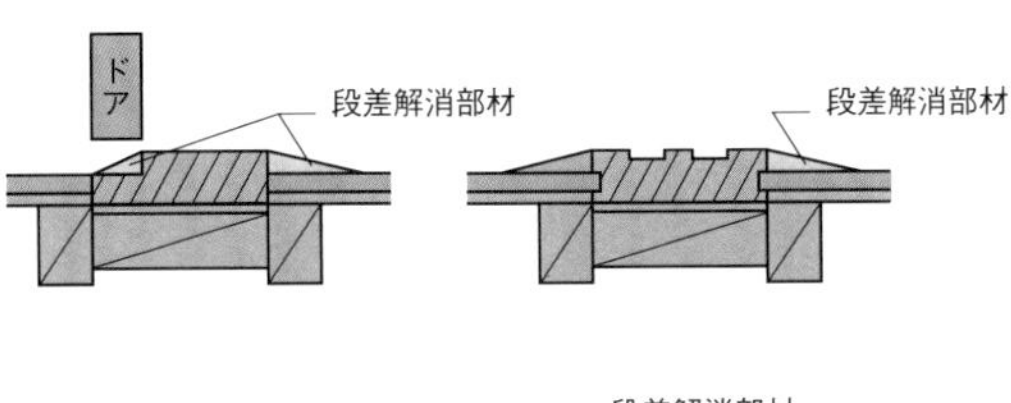

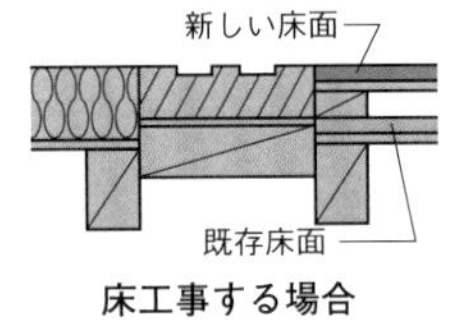

図4　建具の種類による有効開口寸法

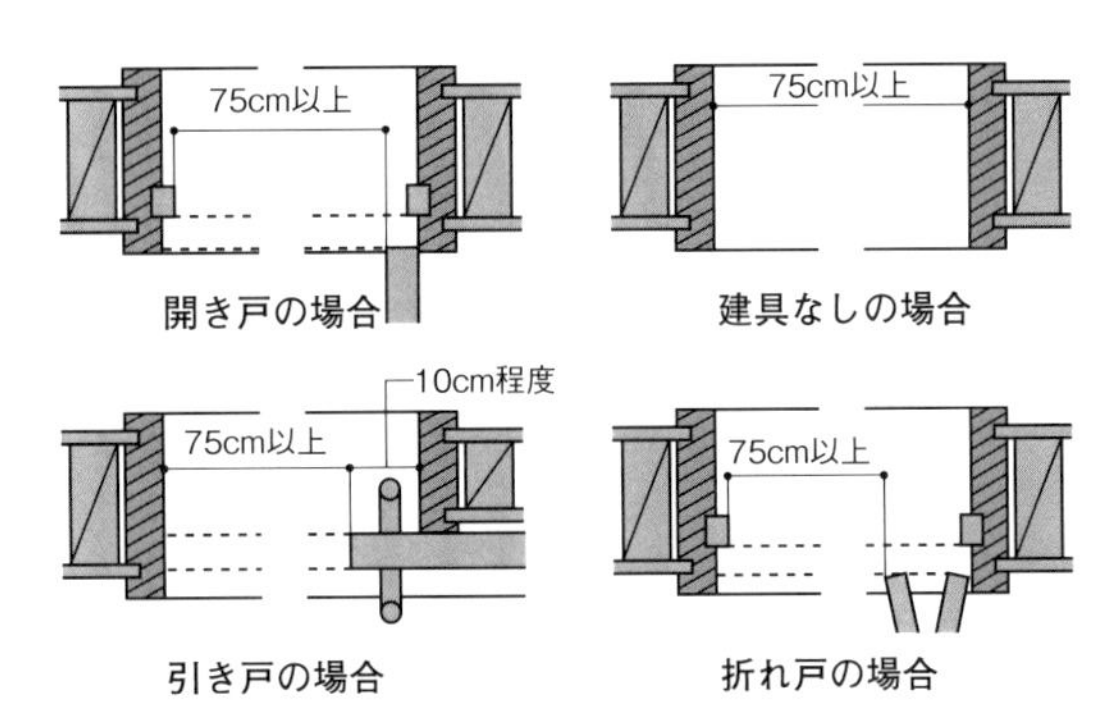

※　浴室の有効開口寸法は60cm以上

図5　引き戸と開き戸の開閉の違い

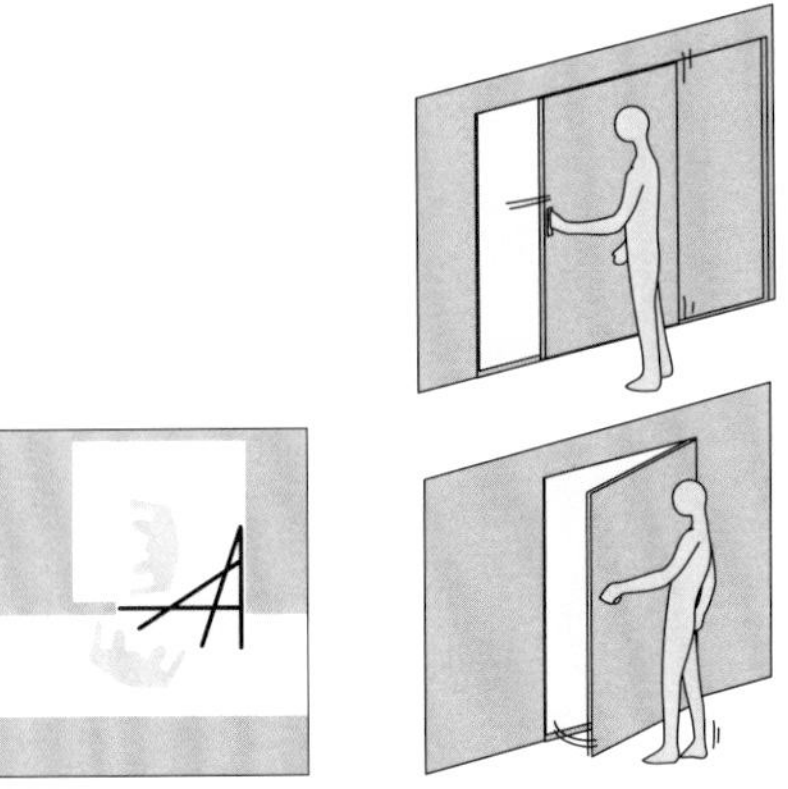

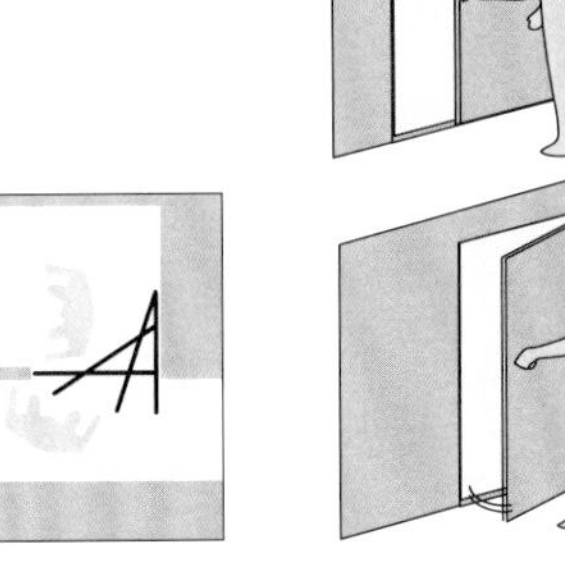

図8 手すりの太さ

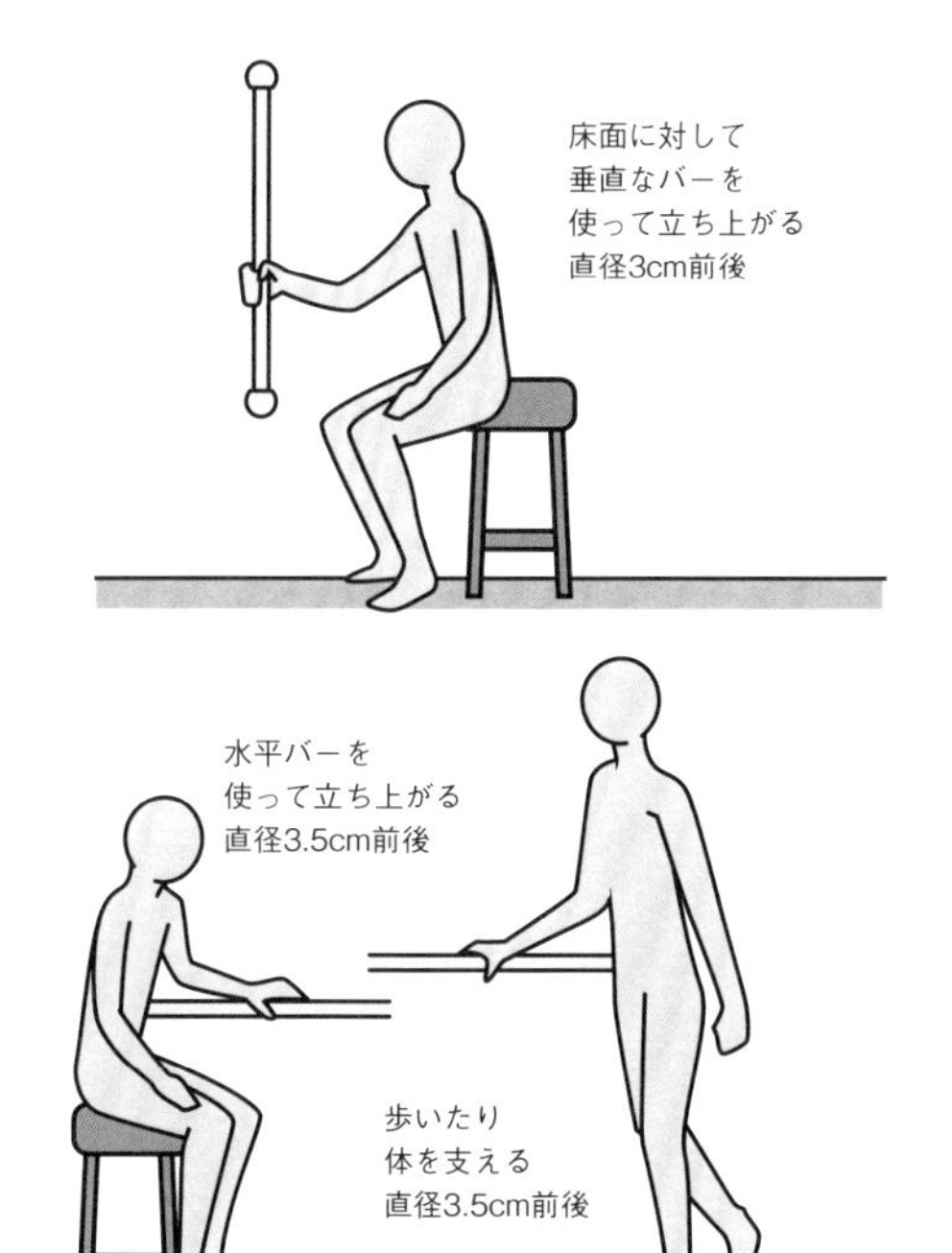

図7 手すりの取り付け位置（室内）

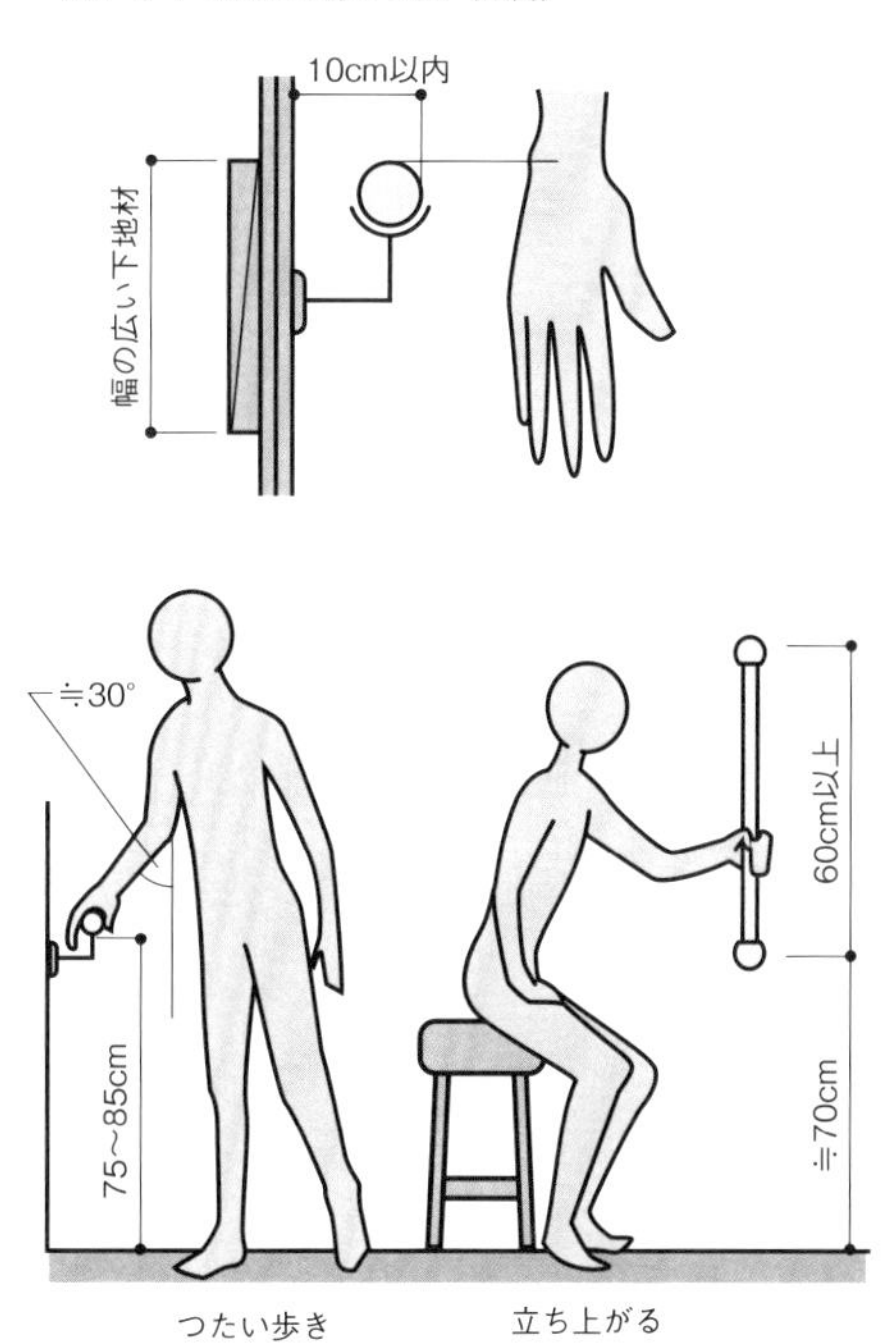

図6 使いやすい引き手と取手

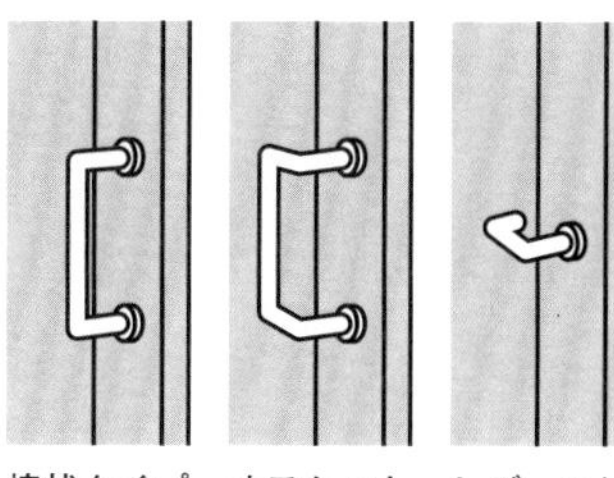

棒状タイプの引き手　オフセットタイプの引き手　レバーハンドル

図9 手すりの型

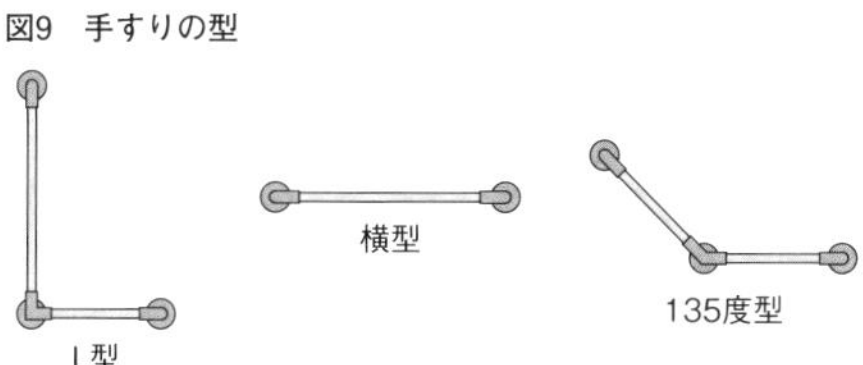
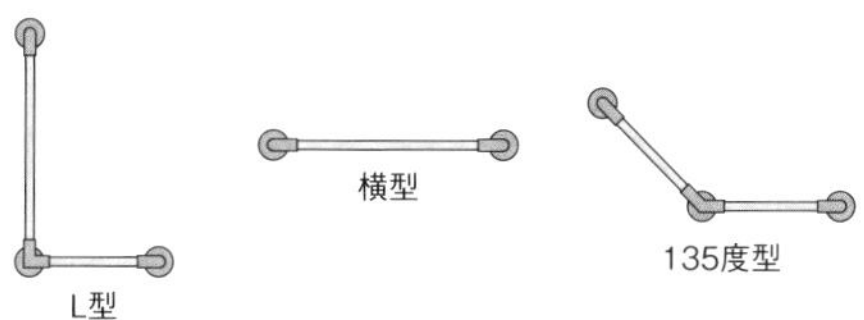

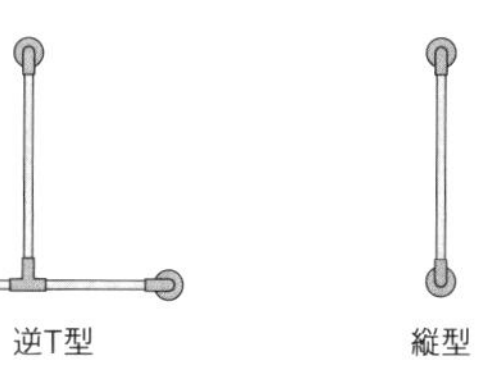
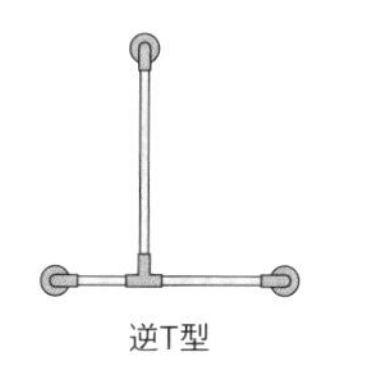

図10 安全な手すりの端部

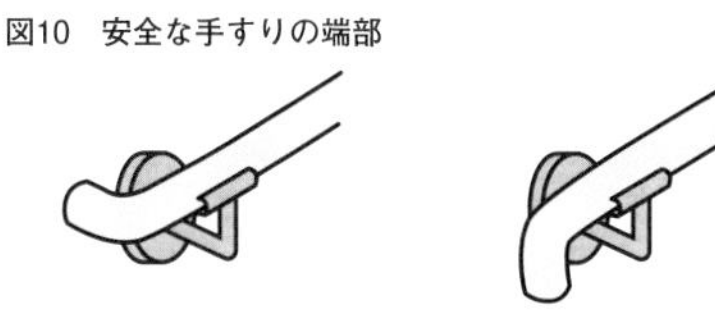
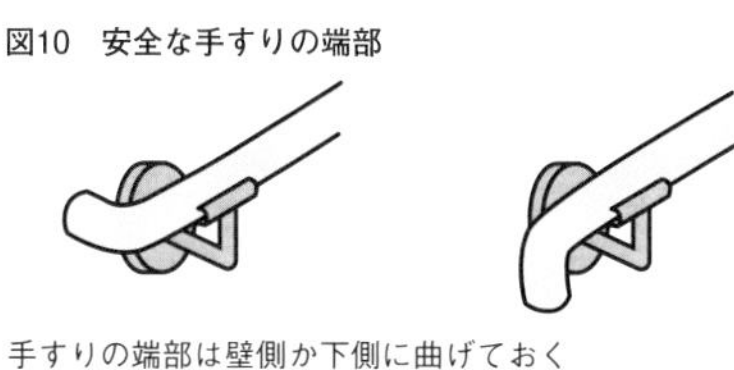

手すりの端部は壁側か下側に曲げておく

●照明／スイッチ／コンセント

加齢に伴い視力が弱ってくる分、明るさが必要になります。照明は、洗面台や食事用のテーブル、便所などの一部を除いて、均一な明るさがよいといわれていますが、まぶしいものは禁物です。用途に合わせて機能を選んでみましょう（**写真1・2**）。

足元灯
廊下や階段などにつけ、柔らかい明るさの光で足元を照らす

懐中電灯付き足元灯
普段は足元灯として使用、停電時は取り外して懐中電灯として使うことができる

自動点滅ライト
温度の変化や周囲が暗くなることにより点灯する機能をもつ

スイッチは、照明器具や換気扇など操作する器具の用途や使用場所に合わせて、使いやすいものを選ぶとよいでしょう（**写真3・4**）。

ワイドスイッチ
操作面が広く、手先の細かい操作が不要で押しやすい

消し遅れスイッチ
オフにしてから一定時間作動し、その後自動的に停止する

ライト付きスイッチ
パイロットランプ付きで、オフの状態でもスイッチの位置がわかる

調光スイッチ
照明器具の明るさの調節ができる

リビングや寝室などでは、あらかじめコンセントの数を多めにしておきましょう。扇風機など床置きで使用する電気器具には、床用コンセントもお勧めします（**写真5・6・8**）。

マグネット付きコンセント
足を引っかけた時、すぐ外れるので転倒を防ぐ。プラグの抜き差しもしやすい

マルチメディアコンセント
TV／BS／CS／パソコン／電話などの接続口と電源が1カ所に納められたもの

床用コンセント
床に置いて使用する電気器具のコードが邪魔にならない

そのほか、トイレや浴室、寝室に、呼出し用押しボタン（**写真7**）を取り付けられるようにしておきましょう。

写真1
懐中電灯付き足元灯の例

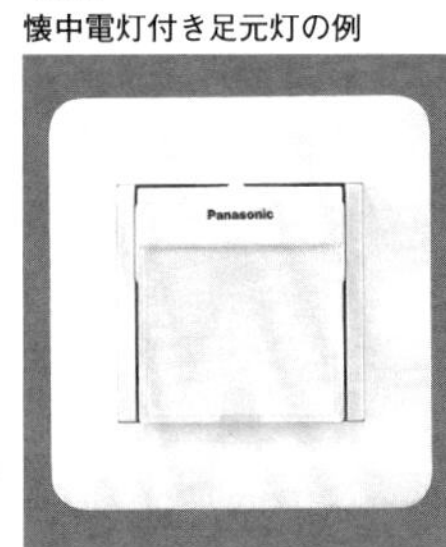
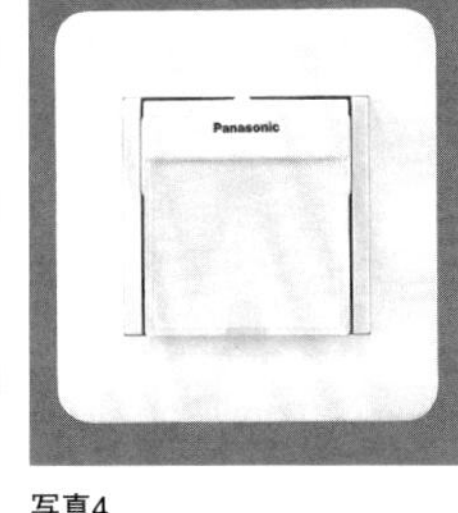

写真2
足元灯の例

写真3
調光スイッチの例

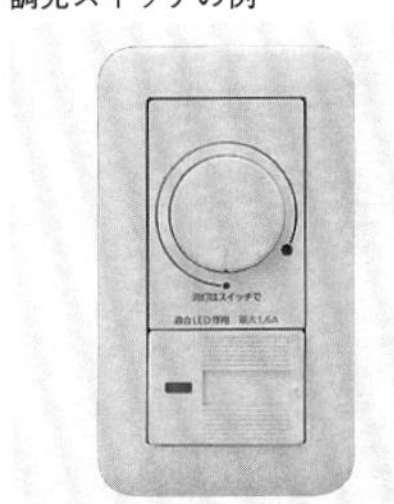

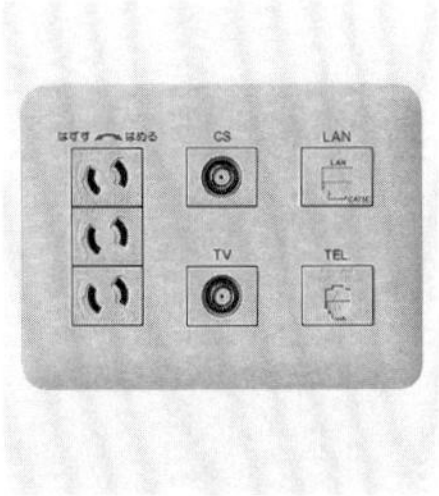

写真4
ワイドスイッチの例

写真5
マルチコンセントの例

写真6
マグネット付きコンセントの例

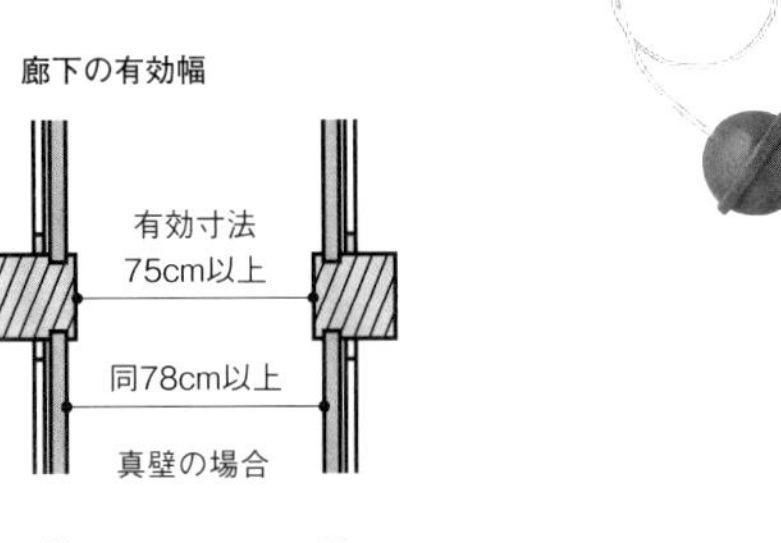

写真7
呼出し用押しボタンの例

写真8
床用コンセントの例

写真提供／パナソニック

図11 エントランスの階段の勾配

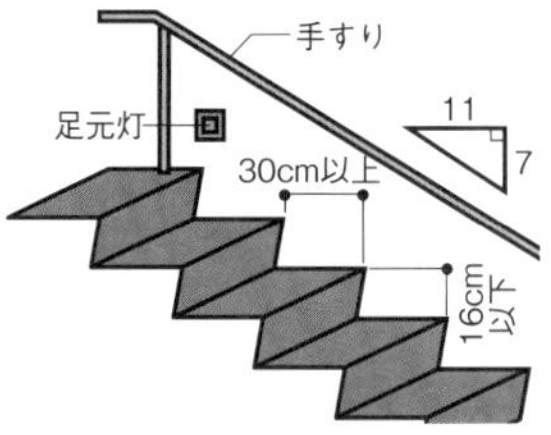

図12 スロープの勾配

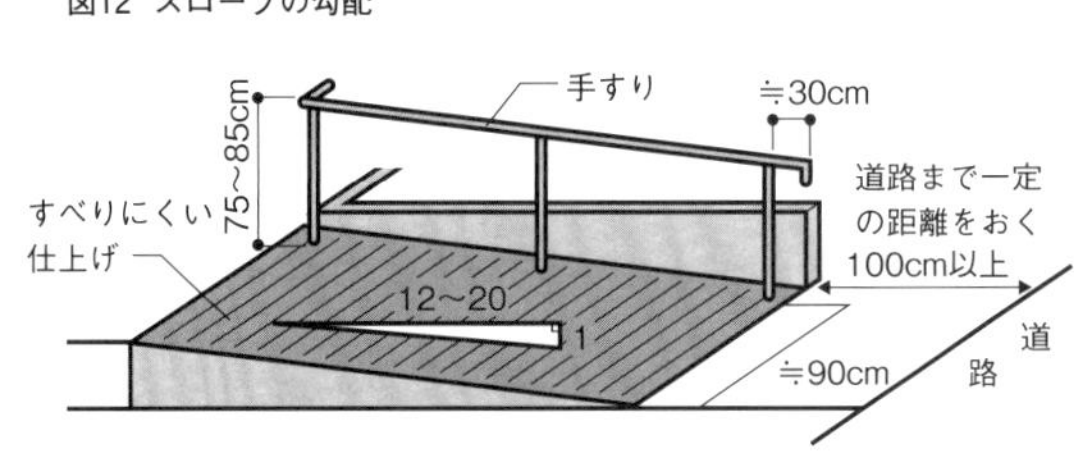

図13 式台の高さ

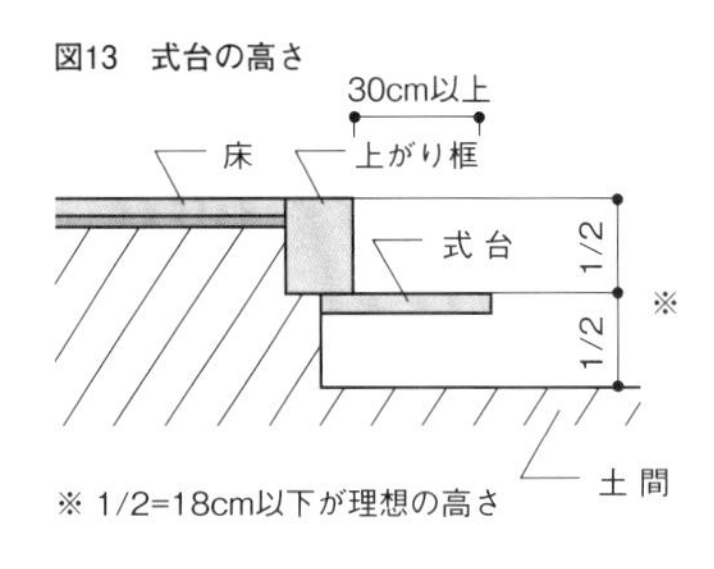

※ 1/2=18cm以下が理想の高さ

図14 廊下の有効幅

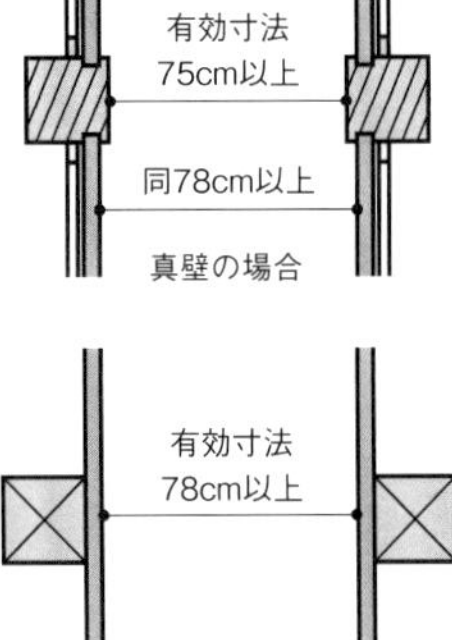

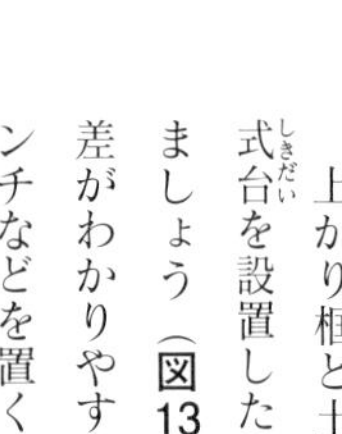

●室内仕上げの色

室内の明るさは、照明器具からだけではなく、「天井は明るく、床は暗く」など室内仕上げの色を工夫することでも得ることができます。黄色や青系の色は、加齢に伴い判断しにくくなります。また、影ができやすい段差では、照明器具の位置とともに配色にも気を配りましょう。

(2) エントランス／ポーチ

エントランスの階段は、勾配を7／11以下とし、足元が影にならないように、外灯の他に足元灯を設置します（**図11**）。スロープを設ける場合は、勾配を1／12～1／15程度にするのが理想です（**図12**）。そして、階段やスロープの幅は、手すりを付けた場合でも90cmを確保し、将来の備えとして段差解消機（**写真9**）の設置スペースを考えておくとよいでしょう。

床面は、雨に濡れても滑りにくい床材にします。タイル貼りの場合は、目地を浅く小さくすると、杖や車いすの車輪がはまるのを防ぐことができます。

また、雨や雪など天気の悪い日のことも考慮して、ポーチの屋根（庇（ひさし））は出しておきましょう。

ここからは、部屋ごとにチェックポイントをあげていきます。

(3) 玄関

玄関のチェックポイントは、

- **・ポーチと土間、上がり框と土間の段差は大きすぎないか**
- **・玄関扉の開口幅は、車いすでも十分通行できる幅か**
- **・足元の段差がわかりやすく、照明で影ができないか**

があげられます。

上がり框と土間の段差が大きい場合は、式台（しきだい）を設置したり手すりを取り付けたりしましょう（**図13**）。足元灯を付けると、段差がわかりやすくなり安心です。さらにベンチなどを置くと、靴の脱ぎ履きが楽になります（**図15**）。

玄関扉については、引き戸がお勧めですが、扉の引き込みスペースのためにある程度の間口が必要となります。開き戸を使用する場合は、扉が90度以上開くものを選び、ゆっくり閉まるように、ドアクローザーを必ず付けましょう。

玄関でも将来の備えとして、段差解消機

（**写真9**）の設置スペースを考えておくとよいでしょう。

(4) 廊下

廊下のチェックポイントは、

- **各部屋との出入口に段差はないか**
- **手すりを付けた場合でも、通行に支障のない幅を確保できるか**
- **足元が暗くないか**

があげられます。

廊下の有効幅は、78㎝は確保したいものです（**図14**）。手すりを付ける場合には、できる限り連続するように設置し、取付け幅として10㎝程度（**図7**）を見込んでおく必要があります。

廊下の幅を広げる工事は大規模で、費用もかかります。将来、車いすが必要になっても行動を制限せずに生活をするには、廊下の幅だけではなく、各部屋を結ぶ開口部との関係が大切になります（**図1①②**）。

(5) 階段

階段のチェックポイントは、

- **勾配が急ではないか**
- **手すりを付けた場合でも、昇降に支障のない幅を確保できるか**
- **段鼻にすべり止めがあるか**
- **階段スペース全体が十分に明るいか**

などがあげられます。

階段に関する注意点は、**図16**のとおりです。回り階段では、足の踏みはずしなどによる屈折部分の事故を防ぐために注意が必要です（**図17**）。勾配は、7／11以下が理想です。

階段は、家庭内の事故が発生しやすい場所です。両側に手すりを設置できるといいのですが、難しい場合は、転落事故の危険度が高い、降りる時の利き手側に連続して設置しましょう。廊下同様、階段の改修または撤去工事は、大変な工事です。2階に寝室がある場合は将来に備え、1階のどこへ寝室を移動するか、また階段昇降機（**写真10**）やホームエレベーターを設置するスペースなどを検討しておきましょう。

(6) 寝室

寝室のチェックポイントには、

- **足元が冷えないか**
- **収納は足りているか**
- **トイレまでの距離が遠くないか**
- **ベッドを使用する場合、広さは十分か**

などがあげられます。（**図18**）

高齢者になると寝室は夜に休むだけではなく、体力的に昼間も休息で利用する時間が増え、「自然な老い」の経過とともにリビングや書斎、収納を兼ねた使い方になることもあります。掃除や換気、布団干しなどの衛生面、避難経路の確保を考えると、南側で戸外に開かれた居室がお勧めですが、他の居室との配置、個人の性格（プライバシー重視かコミュニケーション重視か）、身体状況などもふまえて考えましょう。

また、高齢者は夜間にトイレへ行く回数

写真9　電動式段差解消機の例

写真提供／明電興産

図15　玄関における注意点

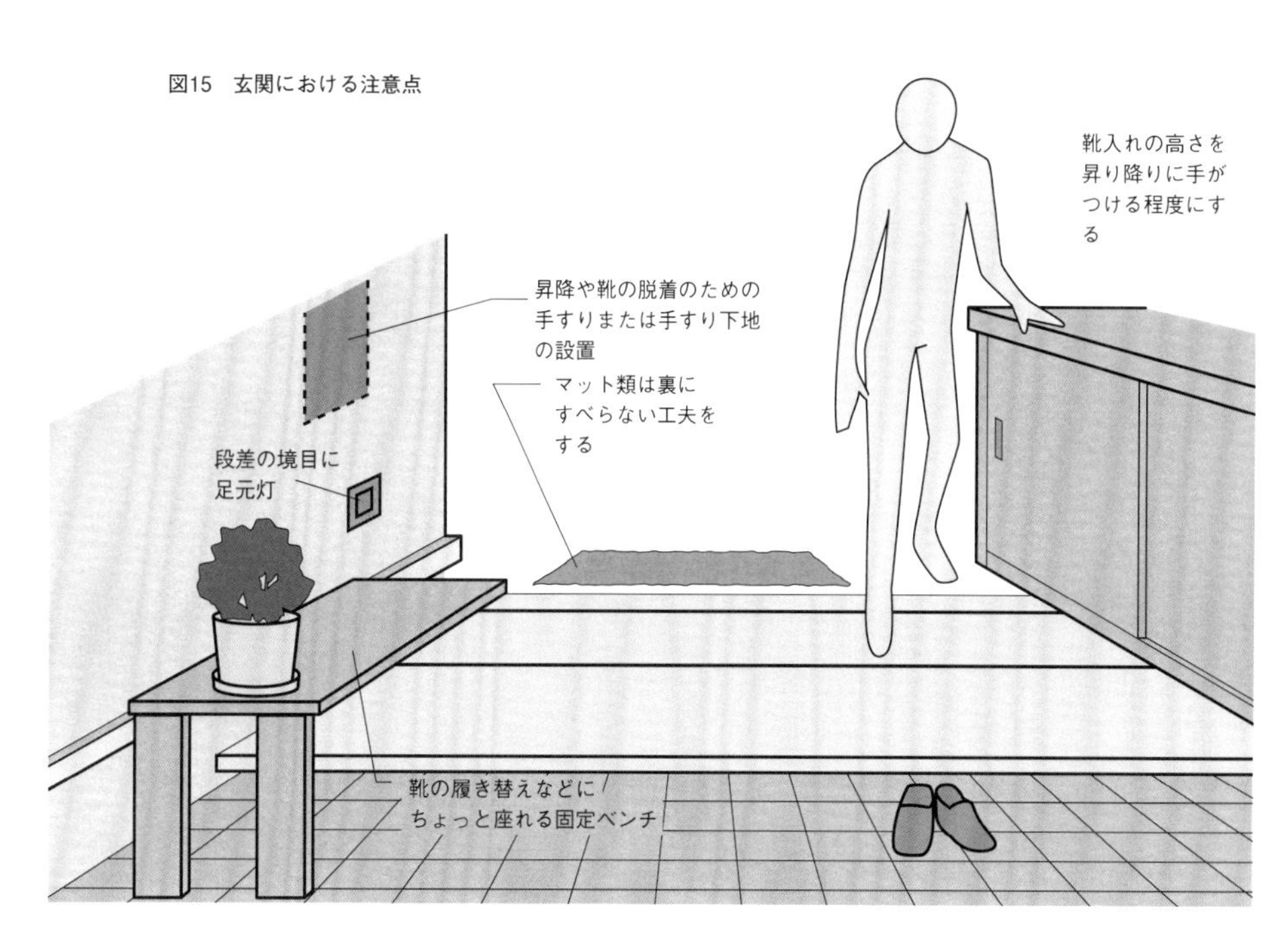

写真10　階段昇降機の例

写真提供／中央エレベーター工業

が増えます。そして当初、居間から離れた場所に寝室を配置しても、身体状況によっては誰かがいる居間の隣へ配置変えをしたほうがよいこともあります。この場合は、間仕切りに引き戸を使うことをお勧めします（**193頁図1**③）。トイレは寝室の隣とすることが理想なので、部屋を移動した場合の動線も考えておくと安心です。また、玄関付近であればホームヘルパーが訪問をしても気を使わずにすむでしょう。

図1を例にあげると、夫婦のうち一人の身体状況に合わせてベッドを使うことになり、「リビング」として使っていた部屋を「寝室」に使い、「寝室」を「リビング」として使います。

寝室の広さは、介助やベッドメーキングのスペースとして、寝具の周囲三方を50㎝程度確保し、ポータブルトイレを置くことも考えておきましょう。性能表示制度の等級3では内法寸法で9㎡以上、等級4と5では12㎡が求められています。

また、横になって過ごす時間が増える高齢者の場合は、照明の光源が直接目に入らないように気を配りましょう。

(7) リビング

リビングのチェックポイントには、

・足元が冷えないか
・収納は足りているか
・トイレまでの距離が遠くないか

などがあげられます。（**図18**）

リビングは1日の大半を過ごす大切な部屋です。家の中で最も日当たりのよい場所に配置し、寝室との動線を検討しましょう。また、掃除や換気をしやすくし、収納は多めに用意したいものです。開口部は、採光と避難口の確保という両方の面から、はき出し窓をお勧めします。

高齢者や車いすの利用者は、自室にこもる時間、テレビを見る時間が増える傾向にあります。日常の立ち居振る舞いがしやすいように、家具の配置や高さなどを検討することも大切です（**図19**）。

(8) キッチン／ダイニング

キッチンおよびダイニングのチェックポイントには、

・足元が冷えないか
・キッチンカウンターの高さは身長にあっていて、作業しやすいか
・室内、特に作業する手元は暗くないか
・換気扇のスイッチに手が届くか
・水栓金具は使いやすいか

などがあげられます。

キッチンに関する注意点は**図20**のとおりです。また、車いすですべての調理が行えるキッチンもあります。

(9) 洗面・脱衣室

洗面・脱衣室のチェックポイントには、

・寒さ対策の暖房器具やカビ対策の換気扇などが取り付けられるか
・衣類の脱着動作を補助する器具があるか
・収納は足りているか

図16　階段における注意点

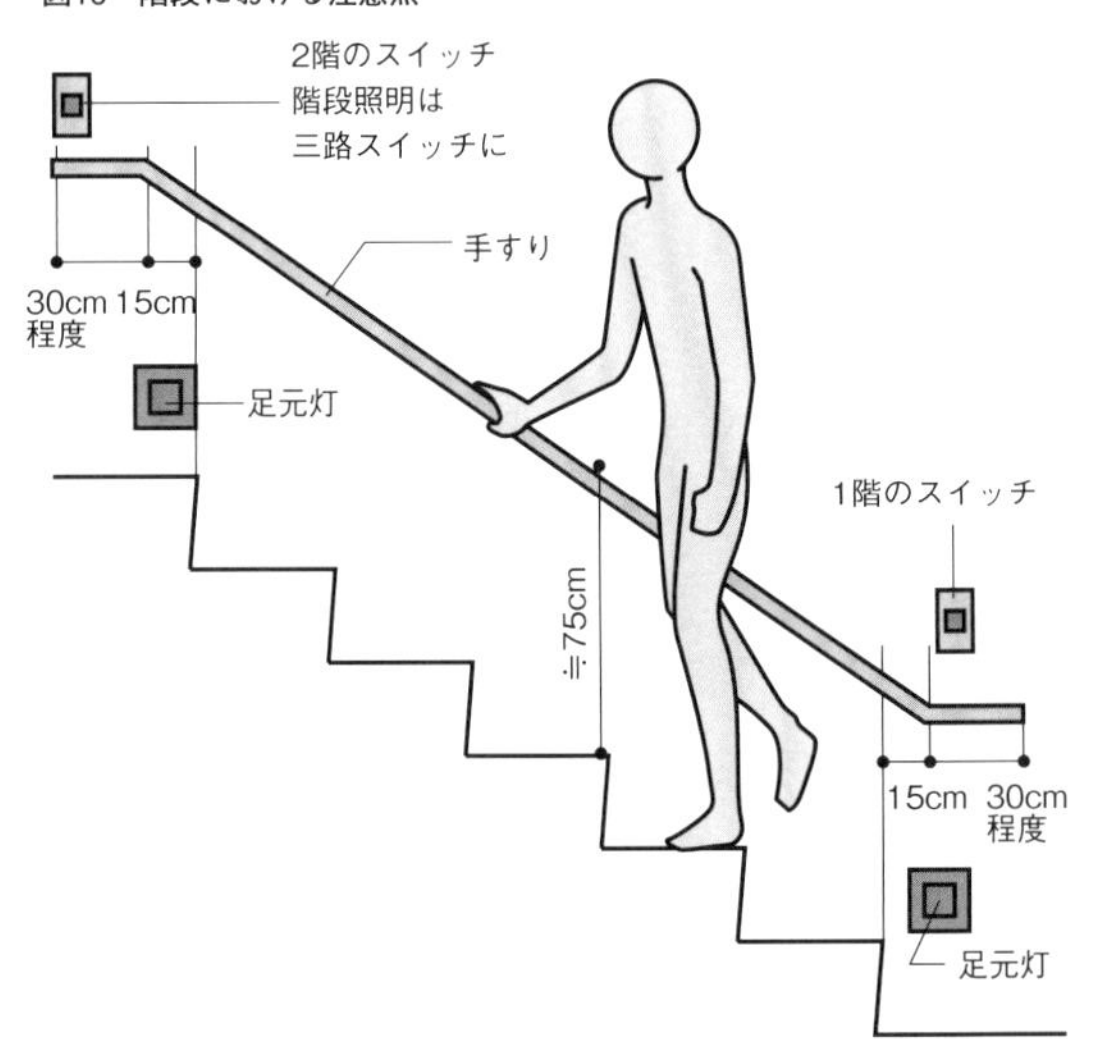

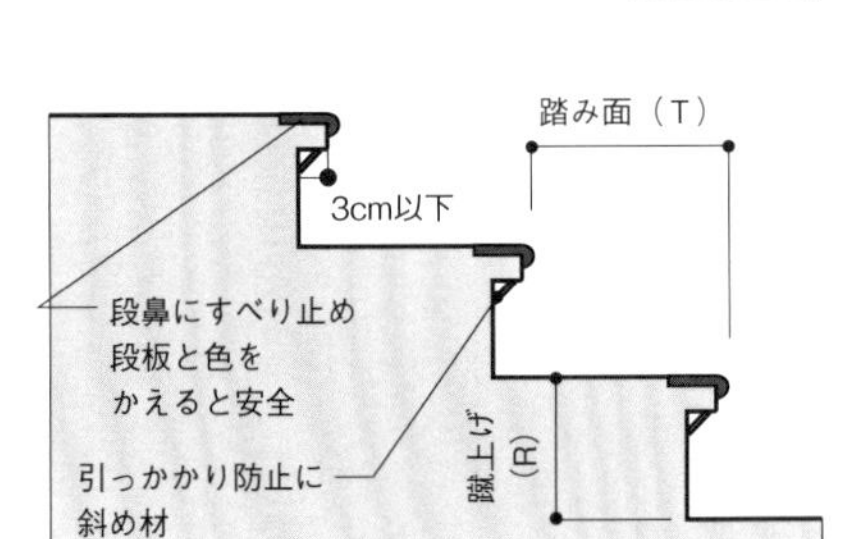

図17　回り階段における注意点

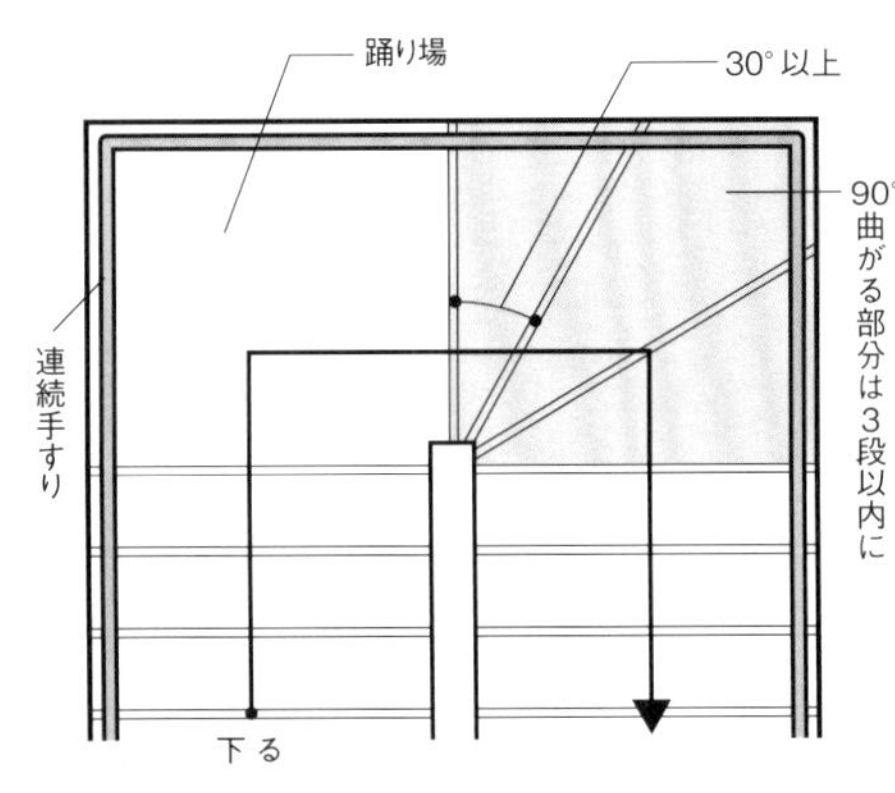

図18　寝室・リビング共通の注意点

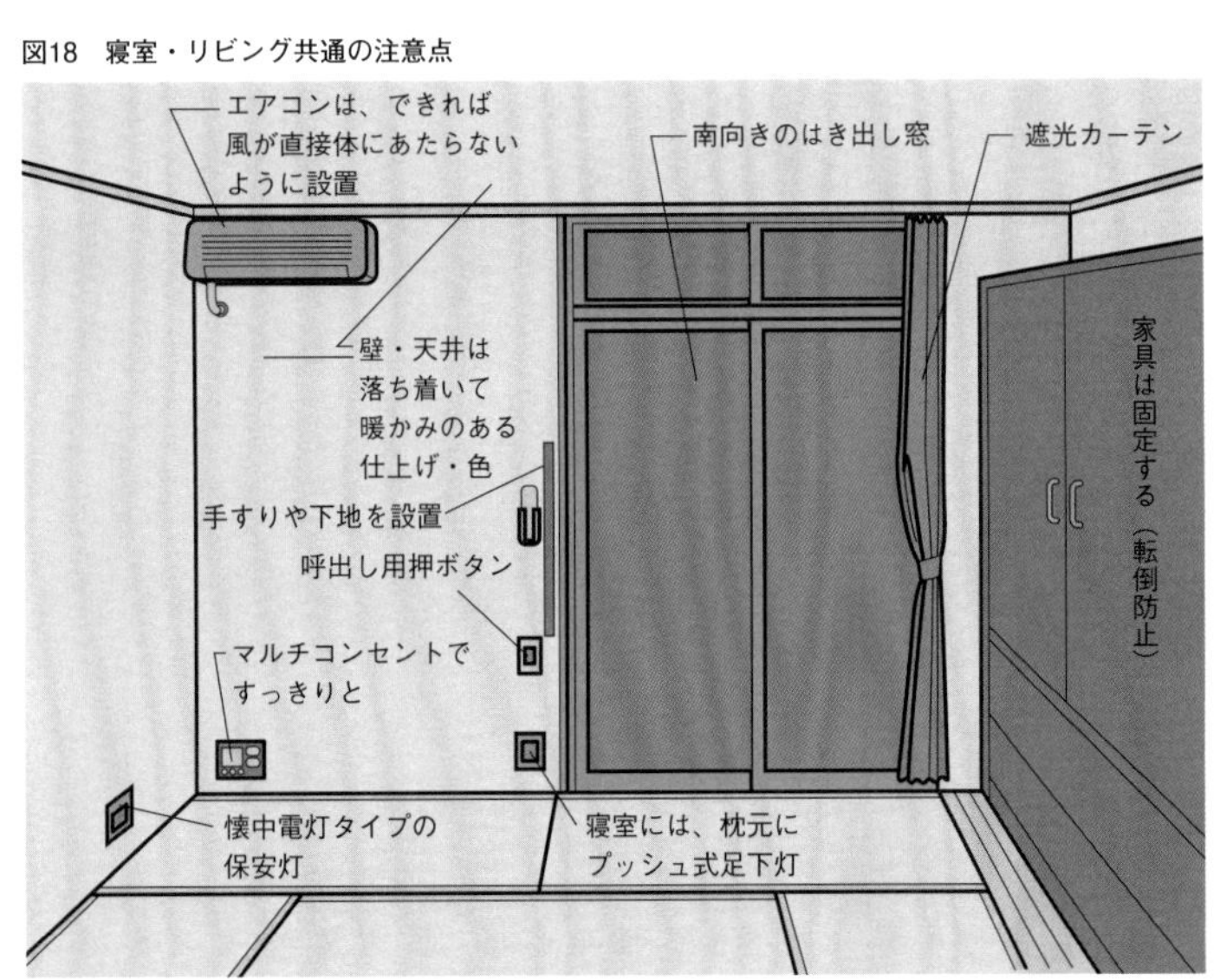

図19　車いすの座面高さと家具との関係

車いすの座面高さ
畳スペース
40cm前後
リビング
寝室

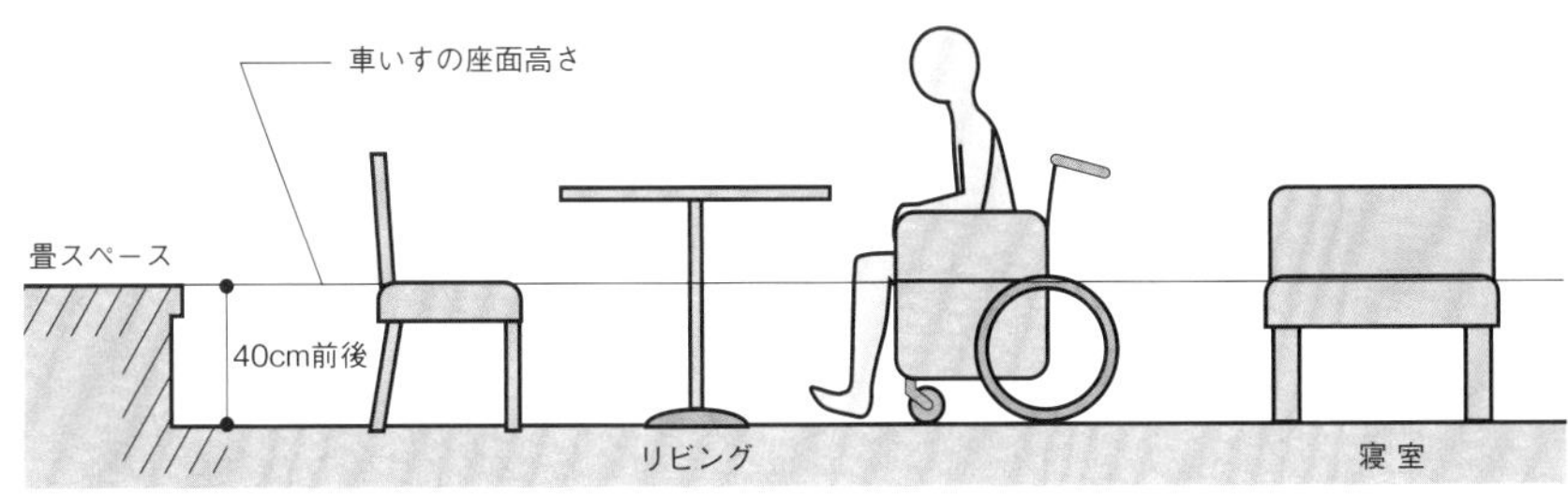

図20　キッチンにおける注意点

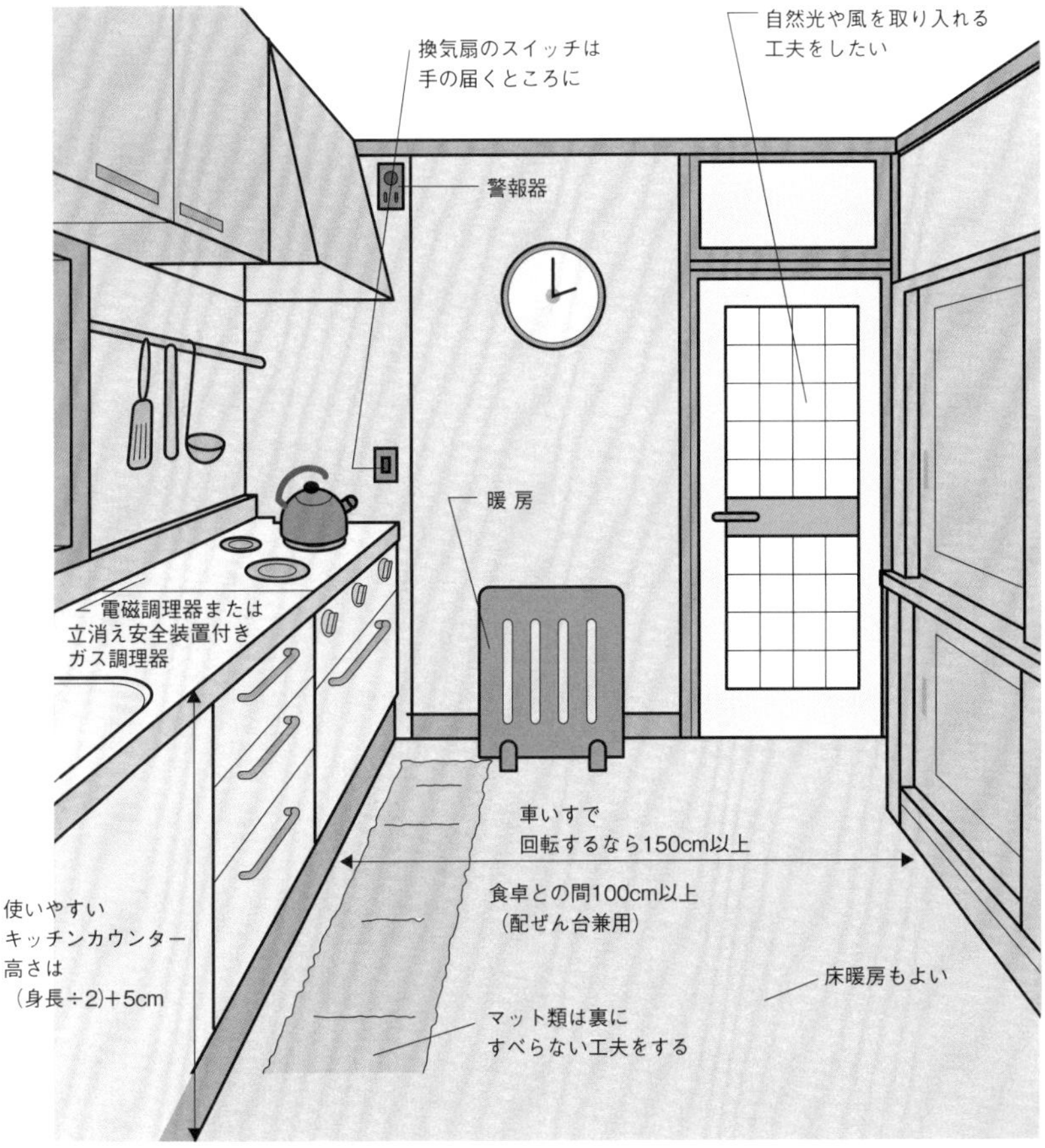

換気扇のスイッチは
手の届くところに
自然光や風を取り入れる
工夫をしたい
警報器
暖房
電磁調理器または
立消え安全装置付き
ガス調理器
車いすで
回転するなら150cm以上
食卓との間100cm以上
（配ぜん台兼用）
使いやすい
キッチンカウンター
高さは
（身長÷2）+5cm
床暖房もよい
マット類は裏に
すべらない工夫をする

図21　洗面・脱衣室における注意点

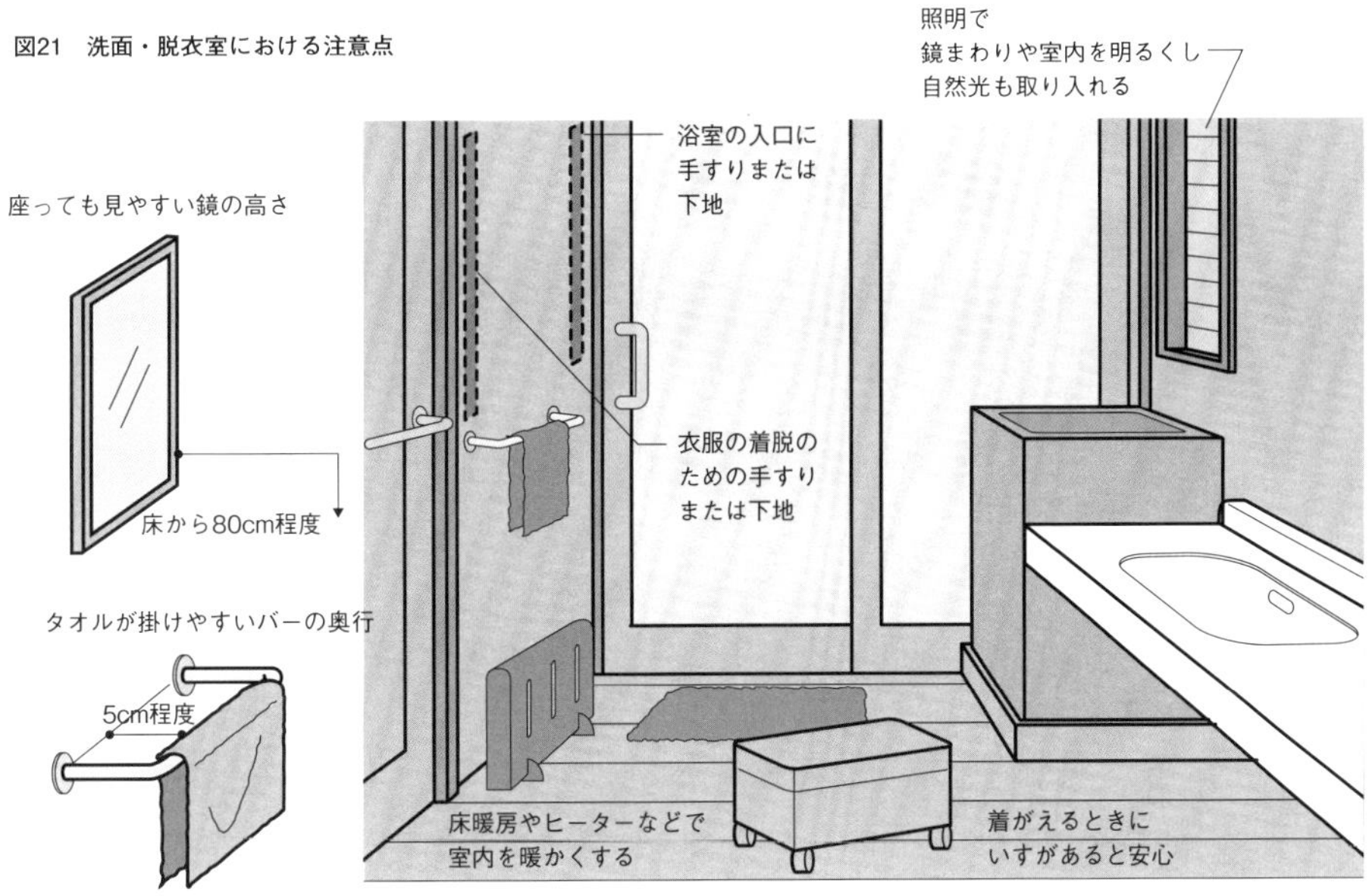

照明で
鏡まわりや室内を明るくし
自然光も取り入れる
浴室の入口に
手すりまたは
下地
座っても見やすい鏡の高さ
衣服の着脱の
ための手すり
または下地
床から80cm程度
タオルが掛けやすいバーの奥行
5cm程度
床暖房やヒーターなどで
室内を暖かくする
着がえるときに
いすがあると安心

・室内、特に鏡周辺の照明は暗くないか
・水栓金具は使いやすいか

などがあげられます。

洗面・脱衣室は、限られた広さのなかで、「身だしなみを整える」「衣類を脱着する」「洗濯機を使う」など動作が多い場所です。衣類や備品の選別・収納がしやすく、明るく機能的な部屋にしましょう（図21）。

トイレの隣であれば介護の時に使いやすく、比較的改修しやすくなります。身体状況によっては、図1の例の距離では、使いづらいかもしれません。

(10) 浴室

浴室のチェックポイントには、

・出入口に段差はないか
・浴槽の大きさや深さ、リム（縁）の高さに無理がないか
・手すりの位置は使いやすいか
・入浴を補助する器具があるか
・寒さ対策の暖房器具や、カビ対策の換気扇などが取り付けられるか
・シャワーなど水栓金具は使いやすく温度調節がしやすいか
・緊急通報用ブザーを取り付けられるか
・錠を外から解錠できるか

などがあげられます。

心身ともにリラックスできる浴室は、実は、高齢者が一番事故をおこしやすい場所です。安全対策を万全に整え、いつまでも快適に楽しめる空間をつくりましょう（図22・23）。

(11) トイレ

トイレのチェックポイントには、

・手すりや収納、紙巻器などの位置が機能

的で使いやすいか
・床面が掃除しやすい材料になっているか
・寒さ対策として暖房器具が設置できるか
・緊急通報用ブザーを取り付けられるか
・錠を外から解錠できるか
などがあげられます。

トイレは小さなスペースながら、一日に何度も利用する部屋です。排泄の自立は、自立した生活を続けることと密接な関係があるので、動作をスムーズに行える配慮が必要です（図25）。動作を補助する器具も豊富なので、不便を感じたら対処しましょう。

機能的な広さは、便器の前面や側面の壁との距離が関係します（図24）。便器の前は50cmでも大丈夫ですが、60cmあれば身支度を整える仕草に余裕がもてます。出入口は、90度の回転で便座に座れる、側面からのアプローチがお勧めです。

図24　理想的なトイレの広さ（側面入口）

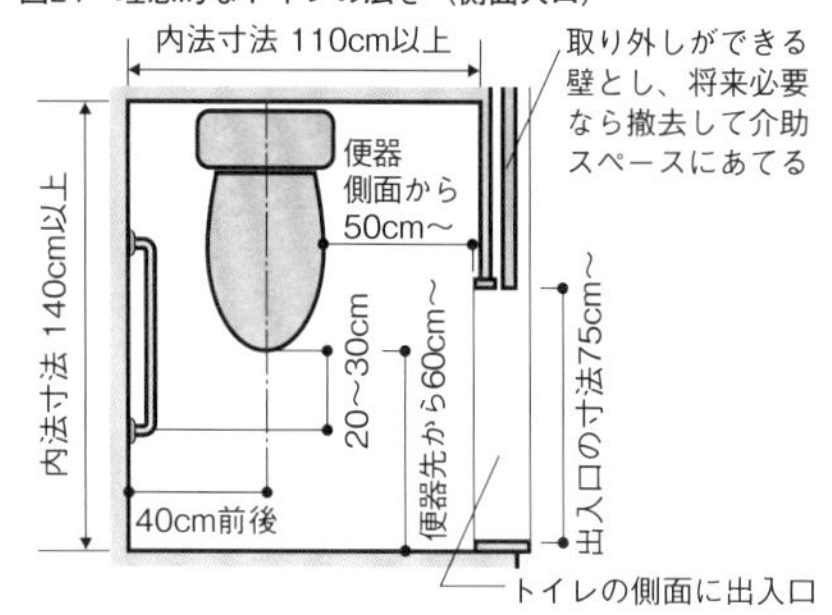

図25　トイレにおける注意点

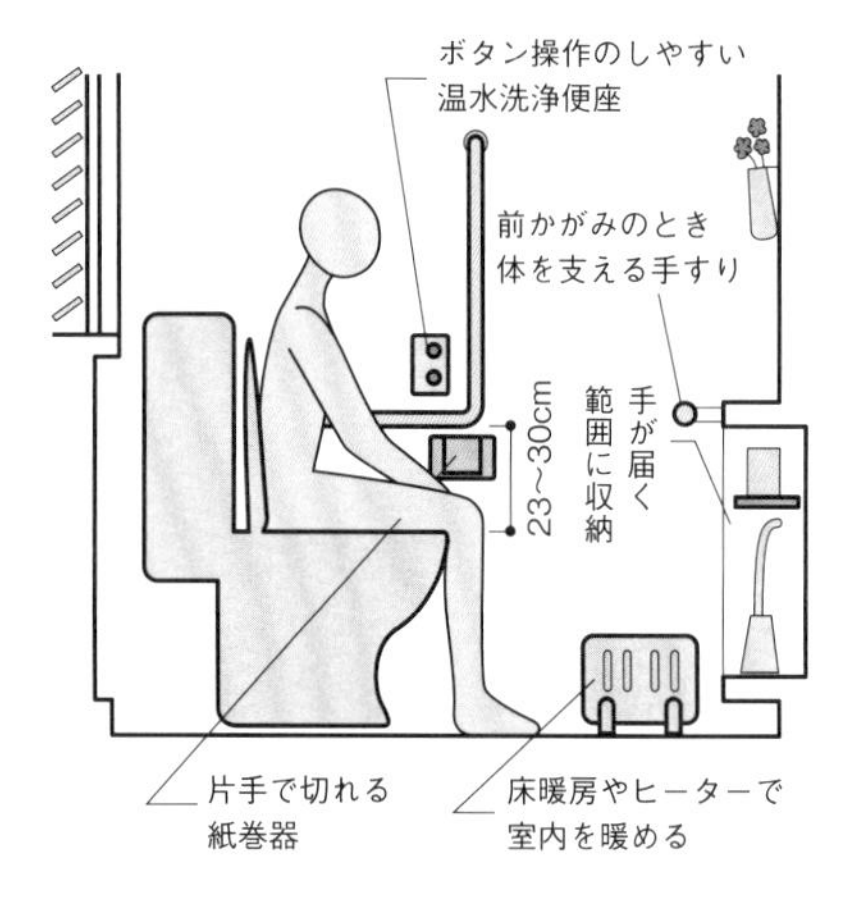

図22　浴室における注意点

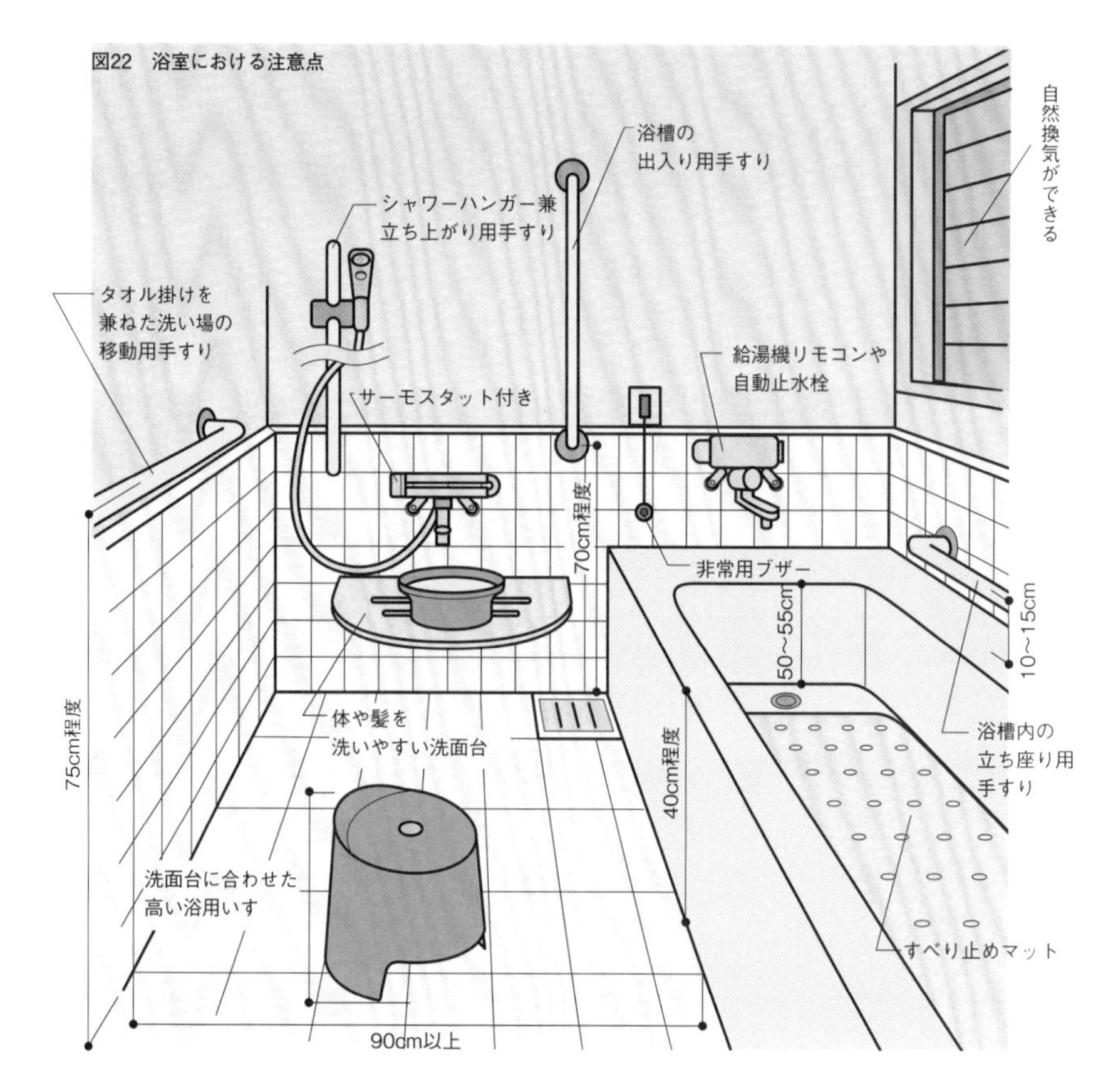

図23　浴室における高さ調節の例

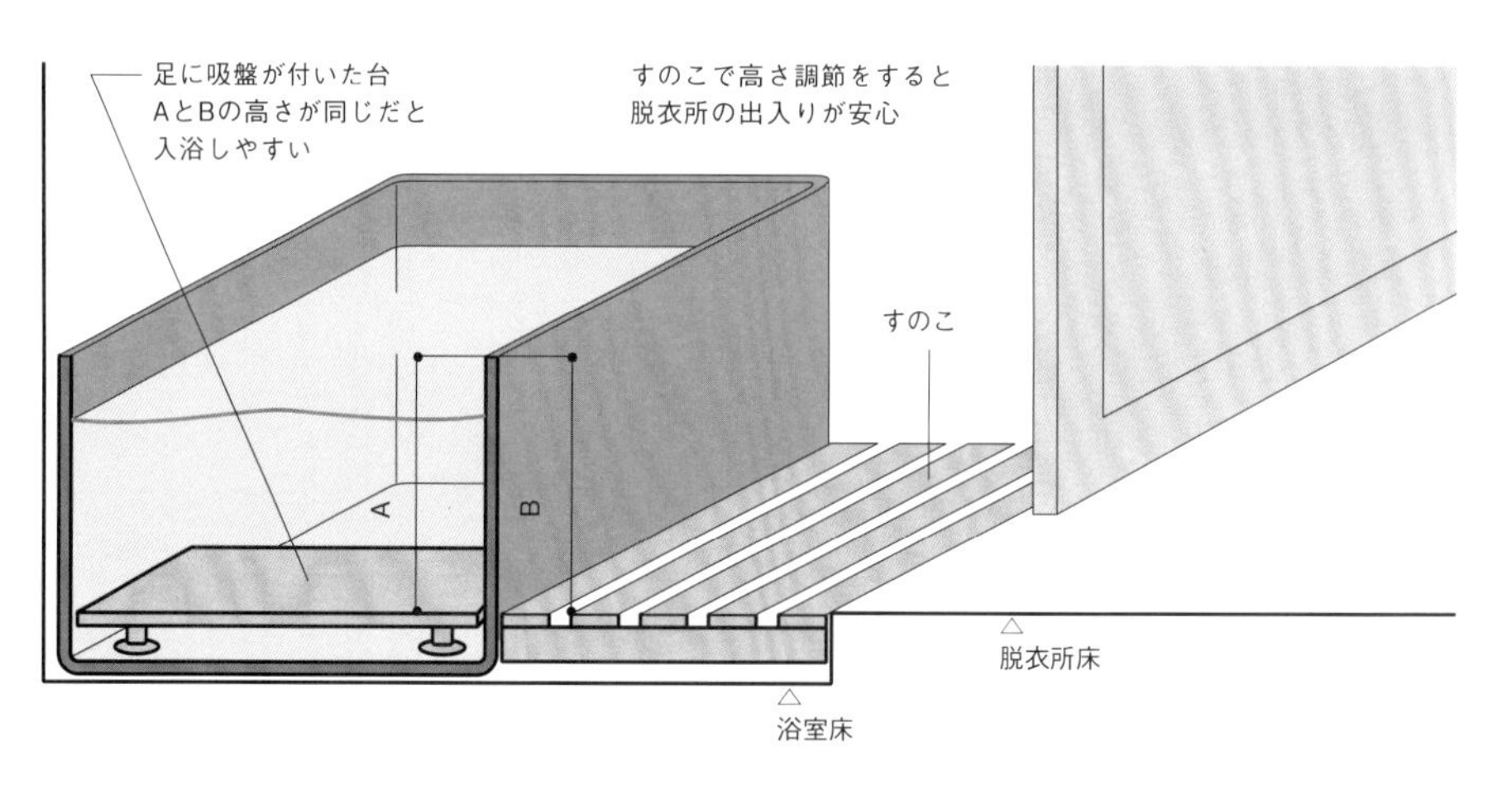

バリアフリーの資金計画

1・ローンを利用する場合

（1）公庫のフラット35を利用する

住宅金融支援機構の「フラット35」（基本仕様）にプラスして、「優良住宅取得支援制度（フラット35S）」の「バリアフリー性能に関する基準」を選択すると、基本仕様よりも当初数年間の融資金利が優遇されます。

「バリアフリー性能に関する基準」は、表2の「高齢者等配慮対策等級（専用部分）」の「等級3」以上に適合していることを意味します。なお、等級3は、表3の工事内容が必要です。

参考として、「優良住宅取得支援制度」は年間予算に限度があり、申し込み期間もあります。予算金額に達する見込みとなった場合は、制度拡充終了日が前倒しされることとなります。利用を考えている方は、最寄りの取り扱い金融機関で確認してください。

（2）自治体の融資を利用する

自治体によっては、改修費用の融資制度や、住宅ローンの利子の一部を補給してくれる制度などがあります。事前に制度の有無や内容を問い合わせてみましょう。

2・ローンを利用しない場合

（1）自己資金

住宅の新築や増改築などの際には、たとえセルフビルドであっても、事前に自治体の福祉課へ足を運ぶことをお勧めします。

自治体が独自に行っている補助制度の有無や、詳しい情報を入手することができます。自治体により対象者や条件が異なりますので、建設地の自治体で確認を。また、設備器具の適切な取り付け位置に関する情報や、バリアフリーに詳しい相談先の情報などが得られることもあります。

表2　住宅性能表示制度・高齢者等配慮対策等級（専用部分）

等級	住戸内における高齢者等への配慮のため必要な対策の程度
等級5	高齢者等が安全に移動すること、介助用車いす使用者が基本的な生活行為を行いやすいように特に配慮した措置
等級4	高齢者等が安全に移動すること、介助用車いす使用者が基本的な生活行為を行いやすいように配慮した措置
等級3	高齢者等が安全に移動すること、介助用車いす使用者が基本的な生活行為を行うための基本的な措置
等級2	高齢者等が安全に移動することに配慮した措置
等級1	建築基準法に定める移動時の安全性を確保する措置

表3　高齢者等配慮対策等級3の内容

1	高齢者等の寝室のある階に便所を配置
2	床は段差のない構造（設定された段差あり）
3	安全に配慮した階段
4	階段、便所、浴室に原則として手すり設置 玄関、脱衣所に手すりまたは下地を準備 転落防止の手すりを設置
5	介助用車いすで通行可能な通路幅員、出入口幅員の確保
6	寝室、便所、浴室の広さ確保

（2）介護保険

65歳以上で、介護保険の要介護認定や要支援認定を受けた人であれば、所得に関係なく誰でも利用できます（**表4**）。住宅改修に対応し、金額的には小規模工事が対象ですが、自己資金と組み合わせたり、自治体によっては他の補助制度との併用が可能な場合があるので、まとまった金額になり、大規模工事に用立てることもできます。

（3）高齢者住宅改造費補助制度

高齢者の自立生活を目的とした住宅の改修を促進するために、都道府県や市町村など、多くの自治体が取り組んでいる制度です（**表5**）。自治体によっては所得制限を設けていたり対象年齢などの条件が加わります。詳しい情報は、自治体の高齢者福祉担当部署に問い合わせてみましょう。

「バリアフリー」関連は、住宅設備などのハード面から、融資や補助制度などのソフト面まで内容の進歩が著しい分野です。さまざまな補助金は、年度毎に異なることも多いので計画段階から確認しておきましょう。

いつまでも自立した生活が送れるように、これらの情報を理解し、判断して取り入れていくようにしましょう。

表4　介護保険住宅改修費の内容

制度の名称	■介護保険住宅改修費の支給
利用対象者	■在宅の要介護者または要支援者
世帯条件	■なし
所得条件	■なし
補助・給付の限度額	■20万円（1割は自己負担）
条件	■合計が20万円以内であれば数回に分けて利用可 ■介護度が3段階以上上がったり、転居して新たに改修が必要な場合、再度利用することができる
給付対象の工事内容	■①家屋内の手すりの設置 ■②床段差の解消 ■③床材の変更 ■④扉の取り替え ■⑤便器の取り替えなど ■⑥付帯して必要となる住宅改修
事前相談窓口 市町村の担当課	■ケアマネージャーまたは介護保険課

※令和6年5月2日時点の内容に基づく

表5　住宅改造費補助制度の例（補助制度の内容は、各市町村で異なる）

制度の名称	■重度身体障害者・障害児住宅改造費補助	■高齢者住宅改造補修費補助
利用対象者	■在宅の上肢（両上肢に４級以上）・下肢・体幹機能障害１・２級（重複可） ■視覚障害１級の障害者・障害児	■在宅の60歳以上の高齢者で日常生活に注意を要する人（所得条件①） ■高齢者の身体等の状況が要介護２以上の人（所得条件②）
世帯条件	■なし	■世帯全員が60歳以上の高齢者世帯
所得条件	■世帯全員の所得税課税額の合算が12万円以下の世帯	■①前年の所得税が非課税の世帯 ■②生計中心者の前年所得税年額が８万円以下の世帯
補助・給付の限度額	■○○万円	■○○万円
条件	■高齢補助と同じ	■支給は一世帯に1回のみ ■全体工事費の1/6は個人負担、5/6が行政負担となり、その金額の上限が○○万円
給付対象の工事内容	■高齢補助と同じ	■①家屋内の手すりの取付 ■②家屋内の段差解消 ■③洋便器等への便器の取替え ■④家屋内の床材の変更 ■⑤浴槽と洗い場の段差解消または高齢者向けユニットバスへの改造 ■⑥引き戸等への取替え ■⑦その他
事前相談窓口市町村の担当課	■社会福祉課	■高齢福祉課
注意点	■この表はあくまで参考例なので、制度の有無や具体的な内容については各自治体の担当課へ相談のこと	

多世帯住宅

「多世帯住宅」とは、いくつかの世帯が1つの屋根の下で共同生活をする住宅のことです。「二世帯住宅」は、その最も一般的な例といえます。それぞれの世帯が感じている住まいへの要望を整理し、暮らしやすい多世帯住宅を建てるための情報を紹介します。

多世帯住宅の考え方

私たちの考え方が成長と共に変化するように、住まいに求める内容も、家族の成長にあわせて変化していきます。加えて、住む人の多い「多世帯住宅」では、住まいに求める内容も多くなるでしょう。

計画段階から「住まいに対する要望は変化するもの」と意識して、家族の将来を考えながら間取りなどを検討しておけば、せっかく建てた家が使いづらくなってしまうという事態を防ぐことができます。

1・多世帯住宅のメリットとデメリット

「多世帯住宅」にするきっかけとしては、経済的な問題や子供の入学などを理由に、子世帯から話を切り出すことが多いようです。親世帯にとっても、将来のことを考えると安心できますし、若い人のフットワークの良さも手伝って、話がトントン拍子に進む傾向にあります。

一般にいわれている多世帯住宅のメリットとデメリットには、融資や税金などの経済的な面と、気持ちの問題など精神的な面の両方が見られます。それぞれのメリットとデメリットを解説しますので、話が進んでしまう前に、自分たちの場合と照らし合わせてみてください。

（1）経済的な面のメリット・デメリット

まずは経済的な面です。これは、

- **土地**
- **建築資金**
- **登記／税金関係**
- **維持費**
- **生活にかかるお金**

という5つの視点からまとめることができます（**表1**）。しかし、初めて家をもつ若い世帯には、なかなかピンとこない内容も多いでしょう。手がかりとして、「二世帯住宅」を例に、「土地」「登記／税金」「融資」の関係をまとめましたので参考にしてください（**表2**）。

二世帯住宅の場合、建物の登記は3タイプ（**表3**）、建物の形は4タイプ（**図3**）あります。税金については、登記の方法により2戸分の減額措置が受けられる場合もあります。1戸当たりの税金の内容については、基本的に、一世帯の住宅を建てる場合と変わりません。

お金に関することは、家を所有している限りずっとついてまわりますし、何かトラブルが起きた時には、他の世帯も責任が問われます。融資を利用する際には、生活のどこにポイントを置き、どのような形態の住まいにするのか、資金は誰がどの程度出すのか（**図1**）、返済はどうするのかなど、

表1　経済的な面のメリット・デメリット

	■メリット	■デメリット
土地	■親がすでに土地を所有している場合、その土地に住宅を建てることで資金を少なくできる【子】	■借地の場合、地主に相談する必要がある
建築資金	■「親子リレーローン」など、金融機関で幅広い資金調達ができる ■共有スペースが多ければ、建築コストは別棟で2棟建てるより安く抑えることができる ■工事のお茶菓子などをはじめ、諸費用にあたるコストは2棟建てるより安く抑えることができる ■住宅資金贈与の特例を使うと、頭金を増やしてローンを減らすことができる【子】	■借りる金額が増やせる反面、返済の負担が増え、返済期間が長くなることもある。しっかりとした将来設計が必要 ■新たなローンは少なからず不安に感じる【親】
登記／税金	■固定資産税などを減額できる（条件有り） ■住宅購入目的の資金贈与については、住宅資金贈与の特例により贈与税が減額される	■他の兄弟とあらかじめ話し合っておかないと、将来、相続（相続税）の問題が生じる可能性もある
維持費	■住まいのメンテナンスや庭の手入れなどにかかる費用を2軒分より安く抑えることができる	■分担を決めておかないと、建物のメンテナンスが遅れがちになる
生活にかかるお金	■共有スペースがあるため、光熱費を2軒分より安く抑えることができる ■ご近所との交際費も同様	■家計の分担を決めておかないと、入居後のトラブルのもとになりやすい ■他の兄弟とあらかじめ話し合っておかないと、将来、親の扶養、介護に必要な費用の分担で問題が生じやすい【子】

【親】：親世帯の考え方　【子】：子世帯の考え方　記載のないものは、親子共通の考え方

表2　二世帯住宅の「形」と「土地」「登記／税金」「融資」の関係

区分	項目							
建物の登記方法と形	土地の登記は誰か	親または子が所有者になっている／なる						
	誰が建築資金を出すのか	親が100%	子が100%	子世帯夫婦で100%		親子で出資している		
	出資者と建物登記の関係	親の単独登記	子（夫または妻）の単独登記	どちらかが単独登記 ※1	夫と妻で共有登記	子の単独登記 ※1	親と子（夫または妻）で共有登記	親と子（夫または妻）で区分登記
	建物の形　玄関1つ　共用タイプ	◎	◎	◎	◎	◎	◎	※
	玄関2つ　上下分離 内階段タイプ	◎	◎	◎	◎	◎	◎	※2 ○
	上下分離 外階段タイプ	◎	◎	◎	◎	◎	◎	※2 ○
	連棟分離 タイプ	◎	◎	◎	◎	◎	◎	※2 ○
	注意点	特になし	建築予定地が親の所有の場合で、子供がその土地を担保に住宅資金を借入する場合、親は担保提供者となる ※1　夫婦、親子それぞれが建築資金（ローン、頭金）を出資している場合、どちらかが単独登記をすると贈与税が発生する				特になし	親だけでなく、兄弟とも登記ができる ※2　表3を参照のこと
融資関係	住宅金融支援機構　フラット35	◎	◎	※3 ○	◎	※3 ○	◎	※4 ○
	民間の金融機関	◎	◎	○	◎	○	◎	（要相談）△
	注意点	ローンを組むには土地（担保）などさまざまな関係があるので、計画段階で金融機関に必ず相談してほしい ※3　単独登記をするには、申請者の建築資金が専有面積の1／2以上を占めること、贈与税も検討する ※4　フラット35の区分登記は固定資産税の条件とは異なり、各戸の行き来ができる建物は1戸（一体登記）とみなされる。完全に壁で区画（行き来不可）して区分登記した建物にはそれぞれの世帯で融資が可能						
税金関係	自治体　固定資産税の減額措置	※5 ○						※6 ○
	不動産取得税に関する控除	1戸分か2戸分かは、固定資産税の評価内容に関連する △						※6 △
	国　住宅ローン減税	○						同左 ○
	登録免許税に関する控除	1戸分か2戸分かは、固定資産税の評価内容に関連する △						※6 △
	住宅資金贈与の特例	△						
	注意点	特例や減額措置には条件があるので、要確認 ※5　固定資産税で「2戸」と認められる二世帯住宅の条件は、 ①玄関が2つ　②建物内部で各世帯の行き来ができる場合は、ドアで遮断できること その他、施錠の有無などの条件もあるので、各市町村の資産課に必ず確認する ※6　必要な条件を満たしていれば、2戸分の減額措置を受けることができる						

（注1）「二世帯住宅」は建築基準法上、「建物の登記方法と形」などの諸条件により、「共同住宅」などとして建築確認申請を提出する場合があります。
「共同住宅」などとして扱われる場合は建物自体にいくつかの条件が付くため、計画段階で設計者に確認してもらうことをお勧めします。
（注2）この表は平成26年1月30日時点での、一部公的・民間金融機関の一部窓口へのヒアリング調査に基づくものです。
全国的な取り扱いについては調査しておりませんので、必ずご利用の地域の機関で確認するようにしてください。

きちんと家族で話し合い、金融機関へ相談に行くことをお勧めします。

（2）精神的な面のメリット・デメリット

精神的な面には、

・気持ちの問題
・習慣の問題

の2つがあげられます。

このような精神的な問題は、メリットとデメリット（**表4**）が背中合わせです。たとえば、メリットとして挙げられる「世代間の助け合い」については、その時の虫の居所により、相手の行為が「手助け」とも「干渉」とも受け取れます。このようなことは、日常誰にでも心当たりがあり、特に多世帯住宅に限ったことではありません。漠然としている内容だからこそ、メリットやデメリットのどちらにも感じるのです。

大切なことは、「ありがたい」と感じたり「謝りたい」と思ったとき、世代間で素直に言葉で表わせるように、つね日頃からコミュニケーションを心がけていることです。そして最大のメリットは、このような大人たちの環境で成長した子供（孫）には、さまざまな生活習慣が自然に身につきやすいことでしょう。

一方、デメリットに感じやすい部分では、実際に共同生活が始まってから気づく、生活サイクルのズレや習慣の違いなどが挙げられます。これは、育った時代背景や環境と深いつながりがあり、年月をかけて身につけたことですから、問題の解決は一筋縄ではいきません。以前は子世帯で感じることが多かったデメリットの内容も、最近では、子供の独立後、夫婦ふたりで気ままな生活を楽しんでいた親世帯でも感じることが増えているようです。

（3）問題の解消法

「みんなで話し合う」という環境を最初からつくることです。

まず、「多世帯住宅にしよう」と話がまとまったとしたら、すぐに間取りの検討に取りかからず、家族全員の生活サイクルを検討することから始めましょう。時間の使い方だけではなく、役割分担や子育ての方針、今までの週末の過ごし方や来客などについても話し合います。

一般に「家づくり」は、男性か女性のどちらか一方が主体となって話が進むようですが、「みんなが使いやすい家」になるように、全員で意見を交換してください。そして、それをもとに設計者に相談し、検討してもらうことをお勧めします。

なお、多世帯住宅を考え始めたら、他の兄弟・親族に話をしておくことも忘れずに。親との同居を希望する兄弟がいるかもしれませんし、将来の介護や相続の問題もありますので、黙って進めてしまうと大きな問題になりかねません。

表3　二世帯住宅の建物登記

単独登記	■１人の名義で登記する方法 ■一般的に１人で資金を出した場合は、ほとんどこの形をとる
共有登記 （持ち分登記）	■出資した複数の名義で登記する方法 ■建築資金を出資した比率で登記する ■所有部分は限定できない
区分登記	■各戸それぞれの名義で登記する方法 ■所有部分の限定が可能 ■２つの条件を満たしていること ①構造上の独立 各世帯の所有部分が、壁、床、天井などで完全に遮断されていること ②機能上の独立 相手世帯の所有スペースを通らずに、外へ自由に出入りができる

図1　建築資金の考え方

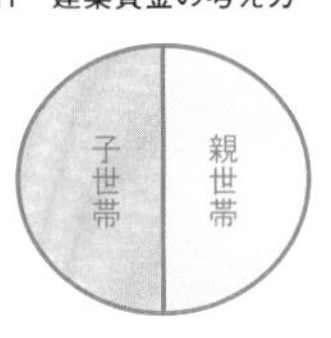

<連棟分離タイプ>
世帯別専有面積の割合に応じて資金分担を分ける

<共有スペースがある場合>
（世帯別専有面積の割合）＋（共有スペースの面積割合／世帯数）に応じて資金分担を分ける

表4　精神的な面のメリット・デメリット

■メリット	■デメリット
■安心感	■生活サイクルの違い
■世代間の助け合い	■生活習慣の違い
■家事の助け合い	■時代背景の違い
■子育ての安心感	■干渉とプライバシー
■子供の心の安定	■子育て方針の違い
■視野の拡大	
■季節行事の継承	
■近隣、親族との付き合い	

コラム

見直してみよう

多世帯住宅が完成して、さて入居。今まで2人で暮らしていた家野さん親世帯。孫がいつでも遊びに来てくれるのはうれしいのですが、ケガや事故が心配です。事故を防ぐために生活を見直してみました。

■家野さん・孫（小児）の家庭内事故を防ぐための工夫例

事故の種類	気をつけたいこと
はさまる	■気軽にドアを固定できる工夫をする（右図参照）
おぼれる	■10cmの深さの水でも事故につながるので、浴槽、洗面器、洗濯機の水ははらっておく
落ちる	■掃き出し窓の下にスノコなどを置いて緩和する。それ以外の窓の近くには、踏み台になる物を置かない
誤飲・窒息	■飲食物は机の上に置かないで、そのつど出すように心がける。薬は手の届かない所に置く
やけど	■ライター、マッチ、ポットは手の届かない所に置く。ストーブに柵をし、暖房器具の温度は高すぎないようにする

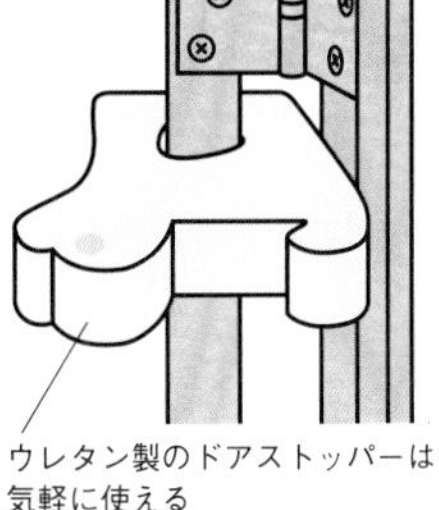
ウレタン製のドアストッパーは気軽に使える

2・家族に合った多世帯住宅のタイプ

「多世帯住宅」を建てるといっても、敷地は普通の家を建てる面積と変わらず、スペースは世帯数分が必要とされます。一体どのように考えればよいのでしょうか。

(1) 多世帯住宅に求めるもの

多世帯住宅は、普通の住宅に比べて構成する家族が多い分、住まいへの要望は多くなります。では、家族の成長に合わせて変化する住まいへの要望とは、一般的にどのような内容なのでしょうか。

表5からは、「私たちの成長＝社会的立場の変化」に伴い、住まいへ求める内容が変化していることが見てとれます。この表を参考にすると、何十年にもわたる、多世帯住宅内の家族の将来像と住まいに対する要望の変化を、漠然と思い描くことができるでしょう（**図2**）。

この変化を頭において、「二世帯住宅」を例に、建物の形など具体的な内容を見ていきましょう。

表5　私たちの一生と「住まい」に求める内容の変化

年齢	■私たちの成長		■「住まい」や空間に求める内容
0〜14歳	■発育するとき 心と体が成長する頃で、社会にでるための生活習慣や教育が必要なとき	›››	■家族や近所の人とのふれあい ■自然に慣れ親しむ環境 ■社会的生活の練習をする
15〜29歳	■自立するとき 自立するための勉強や訓練などをうけ、社会的に自立をしていくとき	›››	■個室が欲しくなる ■知識欲を満たしたくなる ■集団生活の練習をする
30〜44歳	■活動するとき 仕事や社会活動、育児などの家庭生活に一生懸命がんばるとき	›››	■家庭と仕事の両立をさせる ■育児や家事を補う ■通勤、通学、公共施設などへの交通の便の検討
45〜59歳	■安定するとき 仕事の地位がある程度決まり、子供も独立し、生活が落ちつくとき	›››	■通勤の便の検討 ■仕事関係の来客のスペース ■趣味のためのスペース
60〜74歳	■自由になるとき 第二の人生が始まり、楽しみながら自由な生活を送るとき	›››	■交友関係の来客のスペース ■趣味のためのスペース ■自然に慣れ親しむ環境
75歳以上	■介護されるとき 加齢による心身の「自然な老化」が始まり、介護が必要になるとき	›››	■家族や近所の人とのふれあい ■介護がしやすいスペースや公共の施設

参考：野口美智子著『家族生活と住宅計画』（彰国社）

図2　多世帯住宅における家族の将来

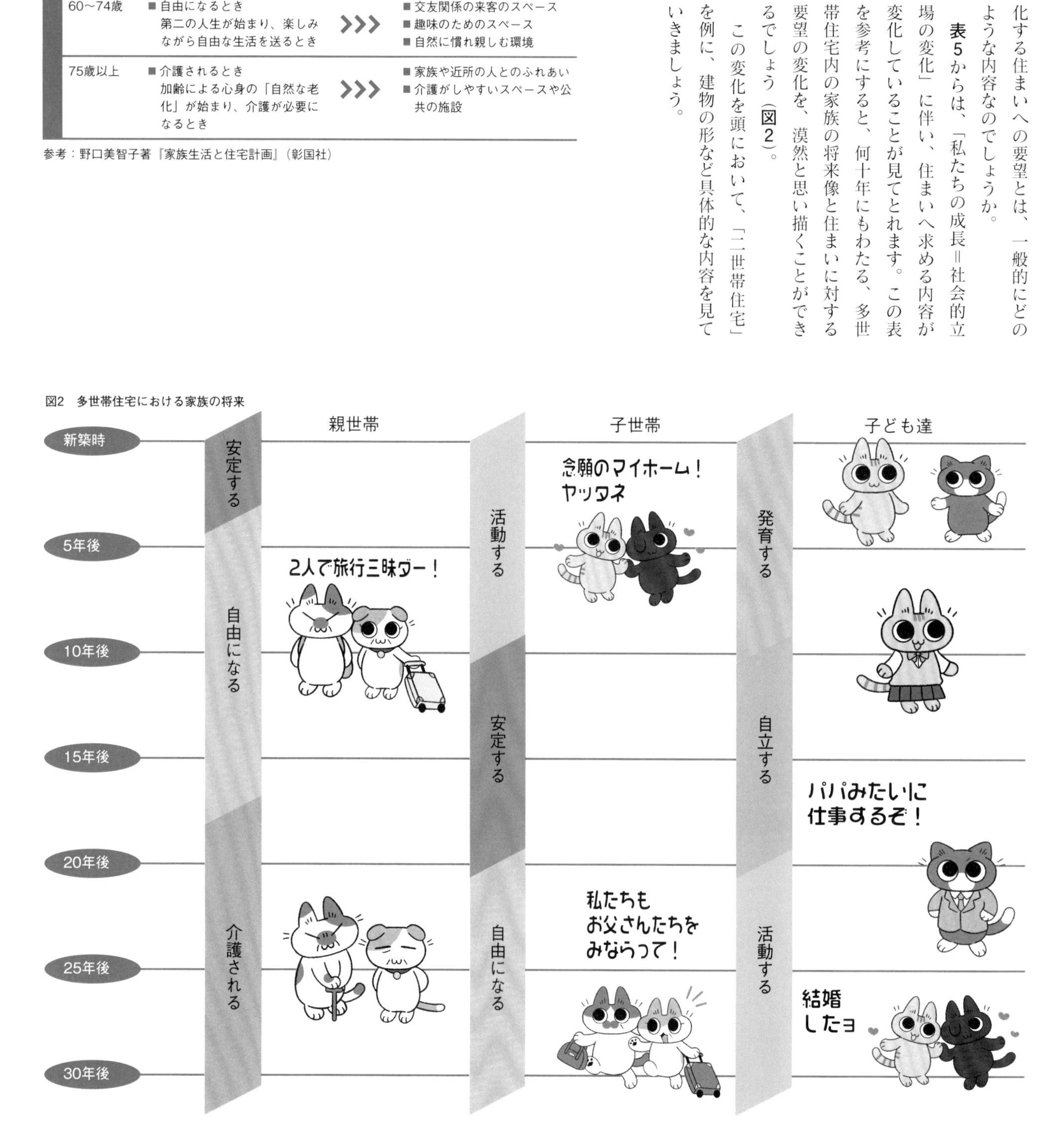

(2) 建物の形は4タイプ

二世帯住宅における建物の形のパターンとしては「玄関1つ」と「玄関2つ」があり、さらに建物内部の分け方で4タイプに分類されます（**表6**）。

●玄関1つ
- ・共有タイプ

●玄関2つ
- ・上下分離　内階段タイプ
- ・上下分離　外階段タイプ
- ・連棟分離タイプ

「玄関1つ」の共有タイプは、水まわりの組み合わせでプランが豊富に考えられます。「玄関2つ」の3タイプは、各世帯を完全に独立させることもできますし、内部で交流をもたせることも可能です。

各タイプの特徴を解説する前に、家族に適した「建物の形」をYes／Noチャートでチェックしてみましょう（**図3**）。

チャートの結果は、自分が思っていたタイプでしたか？　家族全員同じでしたか？

二世帯住宅を考えるとき、最初に悩むのは「玄関1つ」か「玄関2つ」かということでしょう。「玄関1つ」は「円満家族」のイメージが思い浮かび、「玄関2つ」は各世帯の独立色が強く感じられます。場合によっては、世間体や地域性などの外部要因により「玄関1つ」に落ちつくかもしれません。それでもよいのですが、せっかく何十年も住む家について考えるのですから、もう少し家族で話し合う時間を楽しむのもよいでしょう。

図3　二世帯住宅Yes／Noチャート

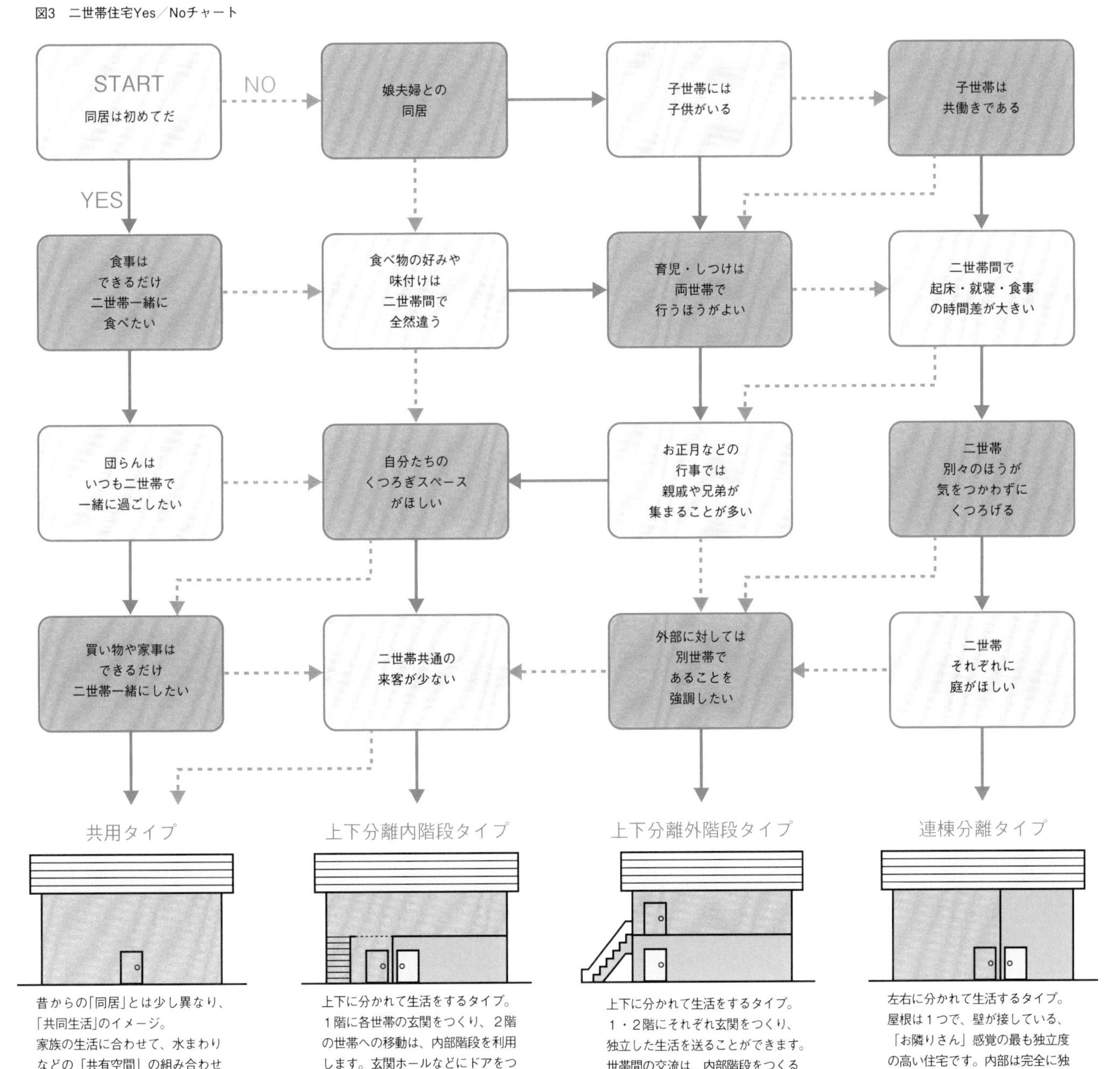

共用タイプ：昔からの「同居」とは少し異なり、「共同生活」のイメージ。家族の生活に合わせて、水まわりなどの「共有空間」の組み合わせが豊富に考えられます。生活サイクルをよく考えることが大切です。

上下分離内階段タイプ：上下に分かれて生活をするタイプ。1階に各世帯の玄関をつくり、2階の世帯への移動は、内部階段を利用します。玄関ホールなどにドアをつくることで、世帯間の交流をもつことができます。上下階の間取りは、生活サイクルを考えた上で、1階への音の問題をよく検討しましょう。

上下分離外階段タイプ：上下に分かれて生活をするタイプ。1・2階にそれぞれ玄関をつくり、独立した生活を送ることができます。世帯間の交流は、内部階段をつくることで解決できます。上下階の間取りは、生活サイクルを考えた上で、1階への音の問題をよく検討しましょう。

連棟分離タイプ：左右に分かれて生活するタイプ。屋根は1つで、壁が接している、「お隣りさん」感覚の最も独立度の高い住宅です。内部は完全に独立しているので、音の問題もなく、ベランダなどを共有スペースにします。ある程度の敷地の広さが要求されます。

参考：住まいづくりのノウハウ集「二世帯住宅」（リクシル）

表6　共有スペースでみる二世帯住宅の分類

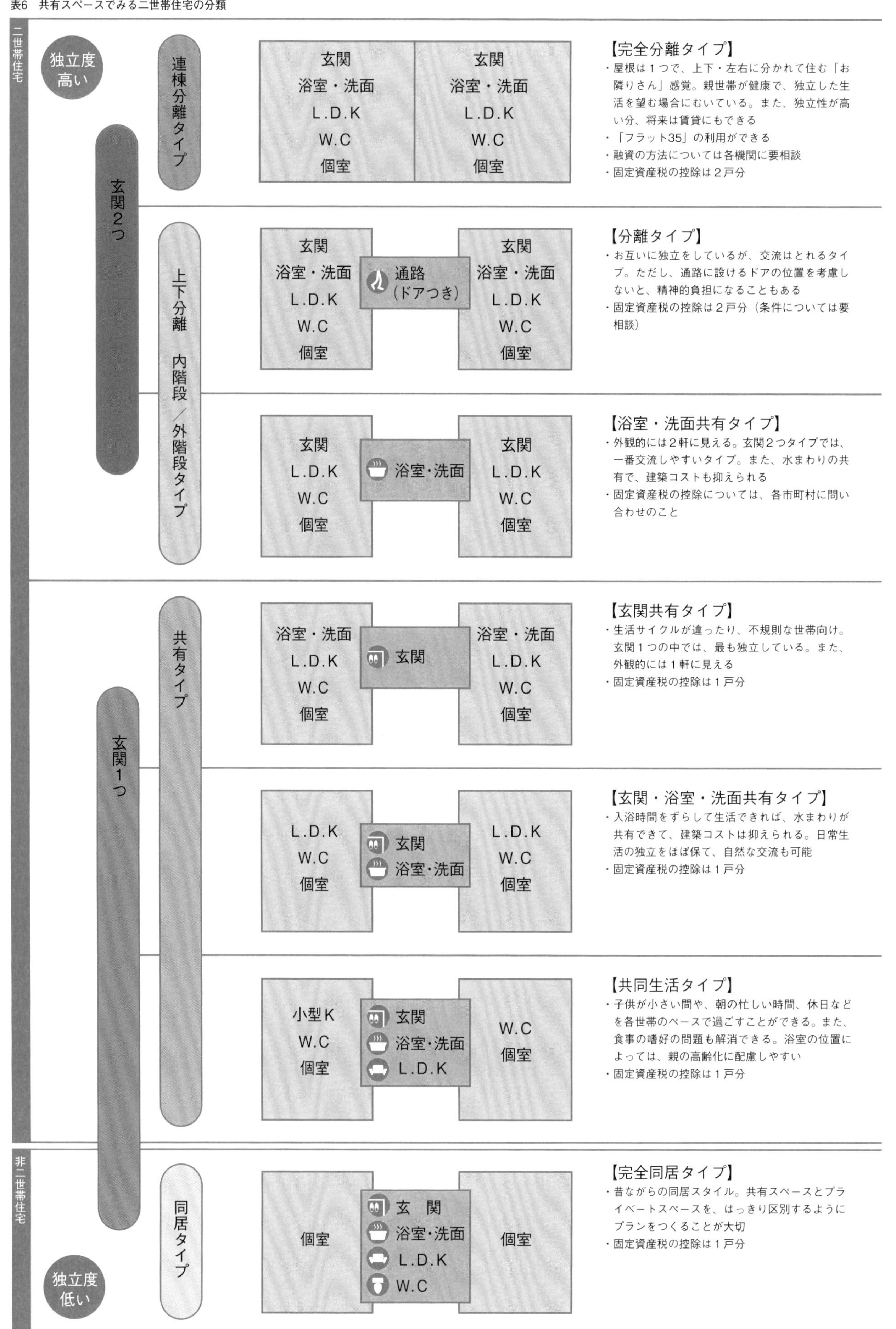

（3）共有スペースの考え方

同じ敷地面積に家を建てるのであれば、世帯間で共有して使う部屋（共有スペース）を増やすことで、プライベートスペースの広さを確保することができます。

どの部屋を共有するかは、十家族十色。各世帯の生活サイクルや習慣により、共有スペースの考え方も変わります。まずは、家野さんを例に、親世帯・子世帯の生活サイクルを比べてみましょう（**表7・8**）。

家野さん一家の場合、出勤や食事、就寝時間など一見、生活のサイクルはバラバラに見えます。そうすると、「玄関2つ」の3タイプが候補にあげられます（**表6**）。

しかし、子供たちが帰って来て、おじいちゃん、おばあちゃんと一緒に過ごし、夕飯もママと5人で食べるとすれば、「玄関1つ・玄関共用タイプ」もよいかもしれません。また、洗濯物はおばあちゃんが担当、子供たちはおじいちゃんとお風呂に入り、ママはその間に2階の掃除をするとしたら、浴室や洗面所は共有が便利そうです。そうすると、「玄関1つ・玄関・浴室・洗面共有タイプ」も考えられます。もし、敷地の広さが問題にでてきたら、「玄関1つ・共同生活タイプ」も候補にあげられます。

このように生活サイクルを確認し、視点を変えてみると、さまざまな「共有スペース」の可能性が見えてきます。間取りの細かい部分は設計者に任せるとしても、家族の生活をチェックしておくことで、設計者は家族の要望をプランに表現しやすくなります。また、プランの完成を家族全員で楽しめることでしょう。

ただし、建物の形や共有スペースの考え方は「融資」や「登記／税金」と関係がありますし、建築基準法なども関わってきますので（**表2**）、事前に設計者や関係機関に確認することをお勧めします。

表7　家野家のライフスタイル比較（左：子世帯　右：親世帯）

子世帯		親世帯
・ママは片づけをして、少しTVを見る ・パパは、おふろに入ってすぐ寝る	平日の夕食後のすごし方	・2人でのんびり過ごす
・家族みんなで家事 ・買いもの・おでかけ ・パパは、春夏は釣り	休日の過ごし方	・庭のそうじ ・2人で山歩き ・夕方、温泉へ行く
・ピアノ	趣味・習いごと	・おばあちゃんは、陶芸・華道・アレンジメント・おじいちゃんは写真 ・2人で山歩き
・日曜日の夕食は一緒に食べたい ・パパーフライをつくる机がほしい ・ママーゆっくりお風呂にはいりたい	新しい家でしてみたいこと	・日曜日の夕食は一緒に食べたい
・土日、たまにパパの友達がくる ・居間でオシャベリ ・パパは友達とお酒を飲む	お客様の頻度、おもてなし	・おばあちゃんの友達は居間へ ・おじいちゃんの仕事の人は客間へ ・年に何度か娘夫婦が泊りにくる

表8　家野家の生活サイクル比較

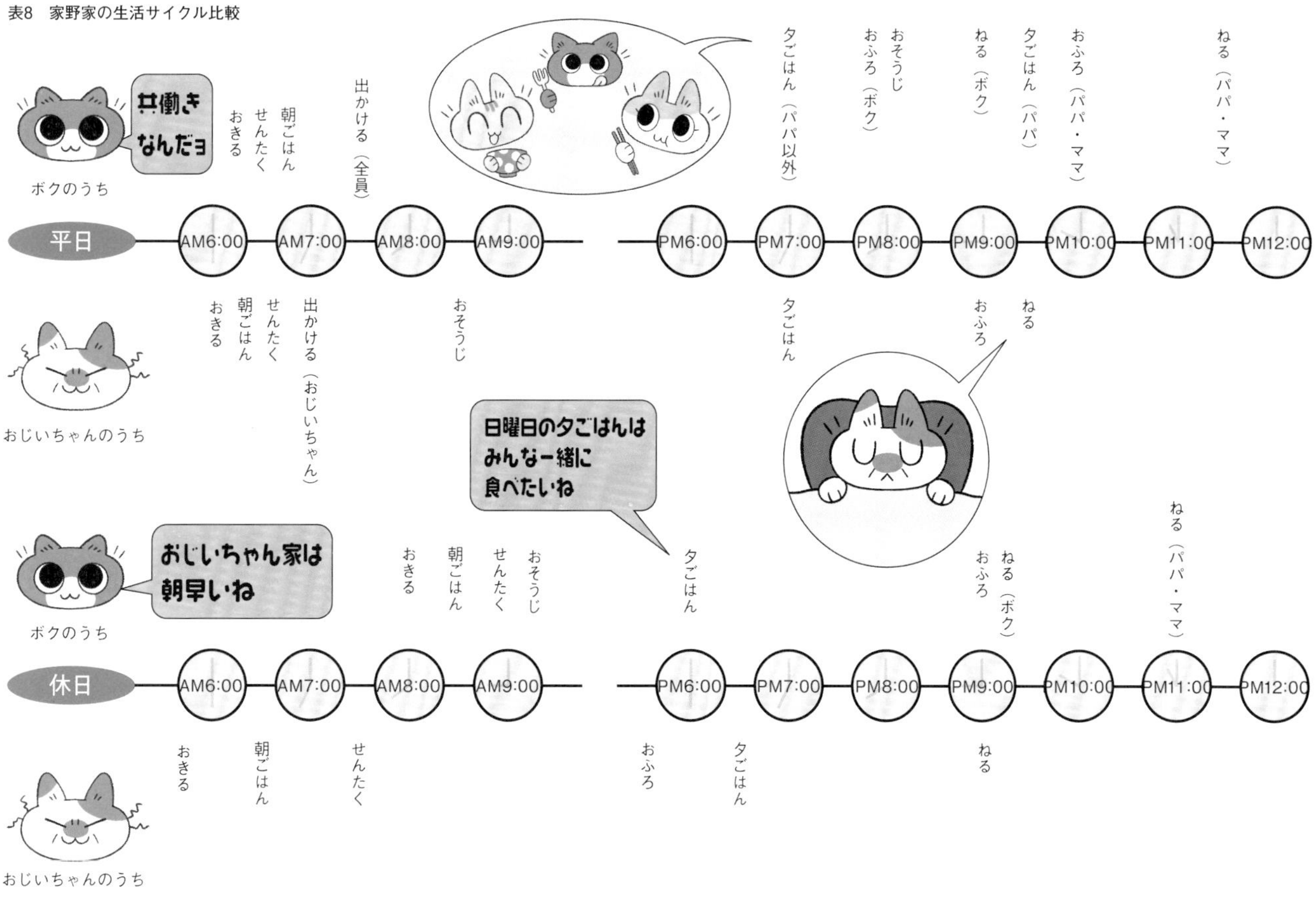

AM6:00　AM7:00　AM8:00　AM9:00　PM6:00　PM7:00　PM8:00　PM9:00　PM10:00　PM11:00　PM12:00

平日

ボクのうち（共働きなんだョ）：おきる／朝ごはん　せんたく／出かける（全員）／夕ごはん（パパ以外）／おそうじ　おふろ（ボク）／ねる（ボク）／夕ごはん（パパ）／おふろ（パパ・ママ）／ねる（パパ・ママ）

おじいちゃんのうち：おきる／朝ごはん／せんたく／出かける（おじいちゃん）／おそうじ／夕ごはん／おふろ／ねる

休日

ボクのうち（おじいちゃん家は朝早いね）：おきる／朝ごはん／せんたく／おそうじ／夕ごはん／おふろ／ねる（ボク）／ねる（パパ・ママ）

おじいちゃんのうち：おきる／朝ごはん／せんたく／おふろ／夕ごはん／ねる

日曜日の夕ごはんはみんな一緒に食べたいね

3・多世帯住宅の計画上のポイント

知っておくと、図面を見るのが楽しくなる、そんなポイントを解説しましょう。

(1) 間取り・動線

共有スペースを中心に、親世帯と子世帯それぞれが交流しやすい動線になっているか、全体的に確認してみましょう。

また、共有スペースは、できる限り各世帯のプライベートスペースを通らずに使えるようにしたいものです（図4）。

そして、ちょっと息抜きができるような趣味スペースや家事スペースを考えておくとよいでしょう。部屋として仕切らなくても、コーナーなどを利用した小さなスペースで気持ちは豊かになるものです。

また、リビングにパソコンスペースを設ければ、親子の交流も図れます。

図4　動線の考え方

親世帯　子世帯　共有スペース　外

(2) 上下階配置

生活音に関するプラン上の配慮が必要です。特に、子世帯が2階に住む場合や、各世帯の生活サイクルがずれている場合は、互いに気になりますので、次の点に注意をしましょう。

・2階の床には、防音材を入れる（特に親世帯の寝室の上）
・水まわりは上下階でそろえる

(3) 収納・ゴミ

収納については、

・各世帯に十分な収納スペースを用意する
・季節ものなどを収納するための共用スペースを用意する
・適切な場所に設置する

の3点に注意するとよいでしょう。

親世帯は、長い人生の思い出が多い分、「荷物＝宝物」が多いものです。収納スペースはできる限り広めに考えましょう。そして、共同の収納スペースには、ストーブやおひな様など季節のものを収納します。下着やパジャマは脱衣室に、トイレ用品はもちろんトイレに、と適所に収納を用意すれば、一目瞭然でわかりやすく、誰でも片づけることができます。

ゴミについては、自治体の分別収集の内容に合わせて考える必要があります。最初からスペースに余裕をもって計画し、親世帯でも分別しやすいように、使い勝手を工夫しておきましょう（図5）。

図5　収納棚の例

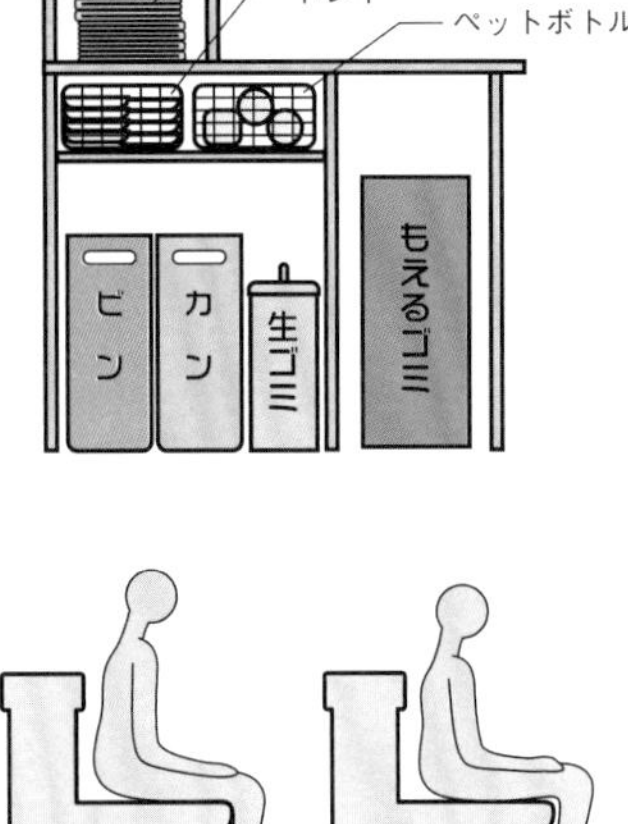

(4) さまざまな高さ

生活をしていて、改善されると一番楽に感じるものに「高さ」があります。一方、不便でも慣れてしまうのが「高さ」です。例えば

・玄関の上がり框（がまち）
・キッチンのカウンター
・吊り戸棚
・いす、テーブル
・便座
・浴槽のリム（縁）の立ち上がり
・洗濯物干し

などがあげられます。各世帯で体に合った器具を別々に選ぶことは、コスト的に難しいかもしれません。しかし、毎日使うものなので、長い年月使用することで体に負担をかけていきます。できる限り、各世帯に合ったものを選ぶように心がけましょう。

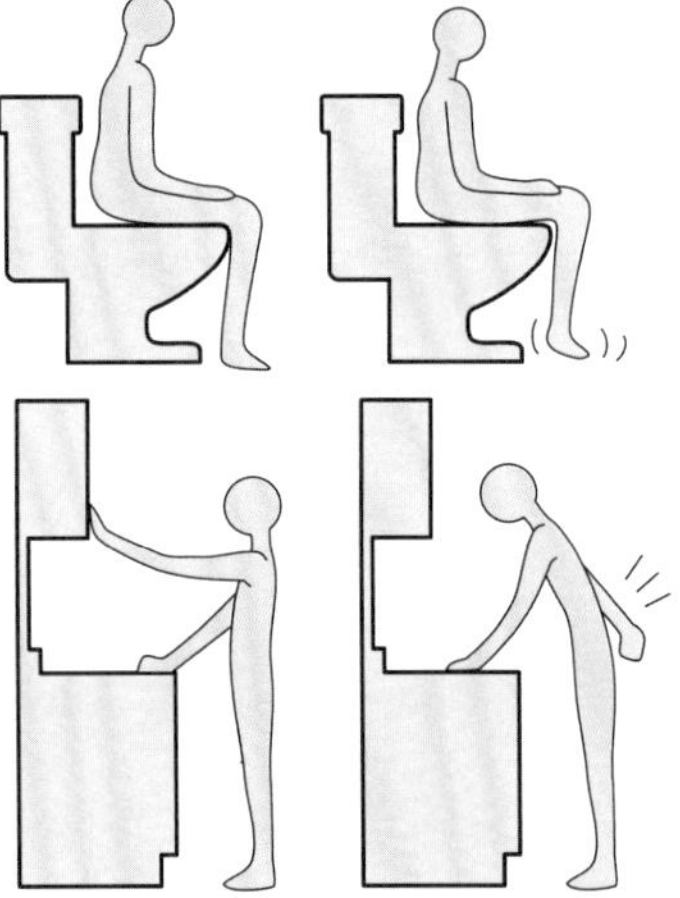

(5) こんな工夫も

多世帯住宅とはいえ「自分たちの家」という感覚がほしいという場合は、

・表札を世帯ごとにあげる
・電気やガスのメーターを世帯ごとに取り付ける
・水道もどちらかに小メーターをつける
・電話の回線を世帯ごとにする

などの工夫をお勧めします。

ここまで「多世帯住宅」の計画について説明してきましたが、まずは「楽しい共同生活」への夢や希望、不安について、家族1人ひとりの考えをじっくりと聞き、全員で話し合うことから始めましょう。何より一番大切なのは、計画がスタートしたときから始まる世帯間のコミュニケーションなのです。

Exterior

7

建物と一体に計画。
庭は住まいの魅力を決定づける

よりよい住まいは、建物内の部屋のつながりや
広さだけを検討していても実現しません。
方位や日当たり、出入りの動線、
隣家との関係性など、
日々の生活に直結する重要な要素が
庭の設計に関わってきます。
庭は、訪問者や道行く人すべてが目にする部分です。
住まいは、建物そのものだけでなく
庭の印象で品格が生まれるのです。

Exterior

庭にこだわればいい家がつくれる

マイホームの設計では建物に目が行きがちですが、庭をどこに配置して、どの窓を向けるかは、家の中の気持ちよさに直結します。建物も庭も一体として考える、庭の設計方法についてお教えします。

建物配置が肝心かなめ

家庭という言葉が「家」と「庭」という字でできている通り、よりよい住まいは、建物内の部屋のつながりや広さだけを検討していても実現しません。ここでいう「庭」とは配置計画のことであり、方位と日当たり、道とのつながり、隣家との関係性など、日々の生活に直結する重要な要素が、この配置計画によって決まってきます。

敷地の形状や広さ、方位は実に様々です。プラン集の中から気に入った間取りを選んでも、いざ敷地に配置してみると、不都合な点がたくさん出てきます。好条件も悪条件も含め、敷地の特性をよく読み取り配置計画に生かすことで、内と外が相まって、生活のしやすい快適な住まいとなります。

ゾーニングをしてみる

建物の構造体と外郭、内部の空間イメージを一つの形にまとめていくのが建築のプランニングです。しかしいきなり建物のかたちや部屋の配置が決まるわけではなく、まずはいろいろな可能性を求めてシミュレーションを行います。

敷地をイメージしてざっとした輪郭を描き、日照や通風、人の動線（出入り）を意識しながら、幾通りもの部屋配置を試してみましょう。配置の検討なので、部屋の広さや形状を正確に描く必要はなく、大中小の丸を並べる感じです。この作業を「ゾーニング」と呼びます。設計の専門家にプランニングを依頼するにしても、自分でゾーニングをやってみることで、敷地の特徴を理解し、家族が何を優先したいのかを整理するのに役立ちます。

外構デザインも建物配置から

外構というと、庭やアプローチの素材や形状のデザインと捉えがちですが、使いやすく生きた外構をつくるには、建物配置の際にどこにどのように配するかを検討することが重要です。庭、デッキ、テラス、サンルーム、玄関ポーチ、アプローチ、駐車駐輪スペース、勝手口、サービスヤード、外物置、屋外作業場、隣地境界、樹木など多くの要素があります。これらと、建物・

図1　ゾーニングの考え方

間取図

ゾーニングに沿って各スペースに具体的な大きさを与え、柱・壁・開口の位置を落とし込んでいく

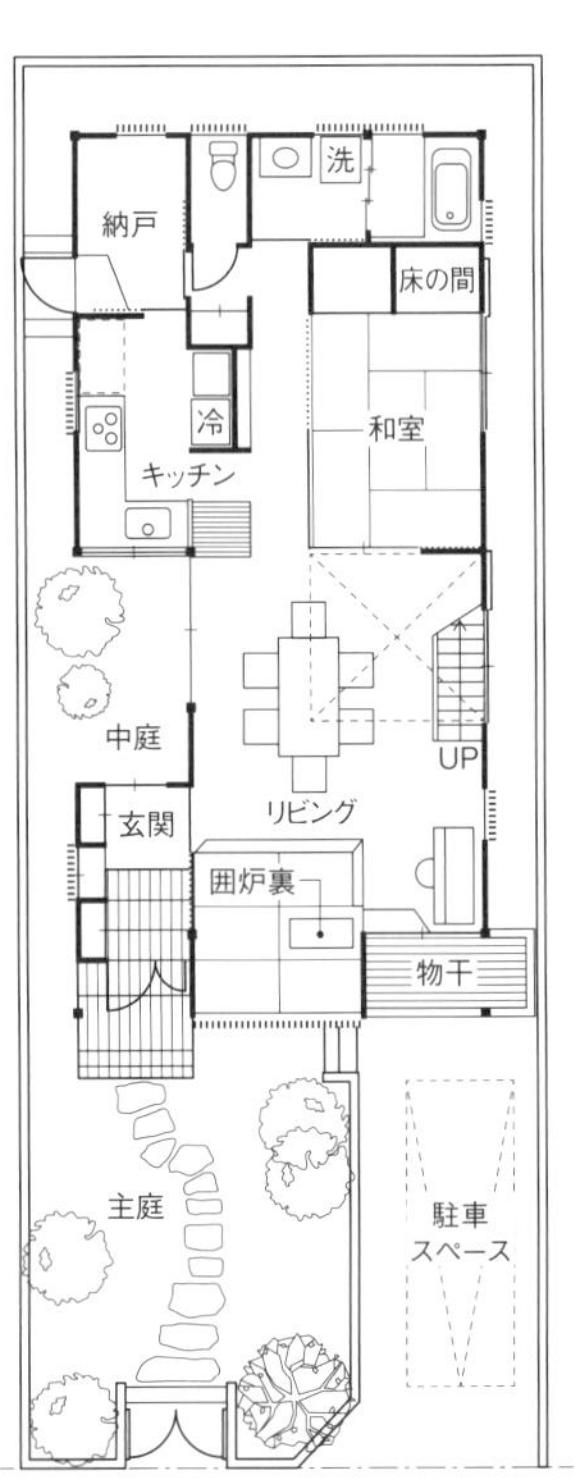

ゾーニング図

中庭をコの字型に囲む配置をイメージしたゾーニング

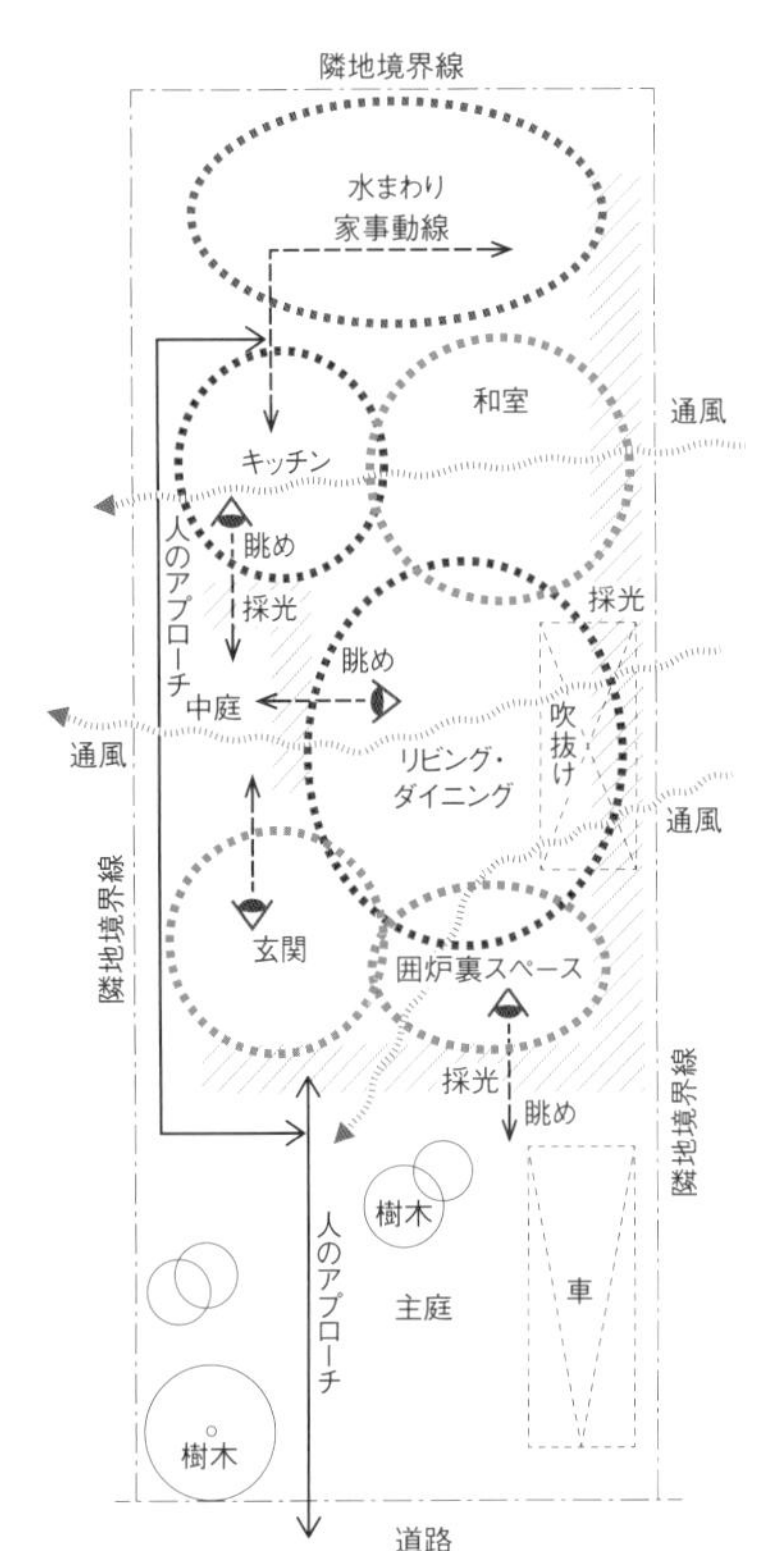

道路・隣地との関係性を考え合わせたゾーニングを行うことで、理想の住まいをより具体的に描くことができます。

日照の検討は配置計画で

健康的でエコな生活を送るために、日照は重要です。窓の位置や高さで補える部分もありますが、やはり配置計画を誤ってしまうと取り返しがつきません。朝昼夜と変わる太陽の動き、夏と冬では45度以上も異なる太陽の角度、それに伴い近隣の建物が敷地に落とす影、これらを考えた建物配置を探ります。ゾーニング作業で真っ先に考慮すべき事柄です。

北側道路の場合

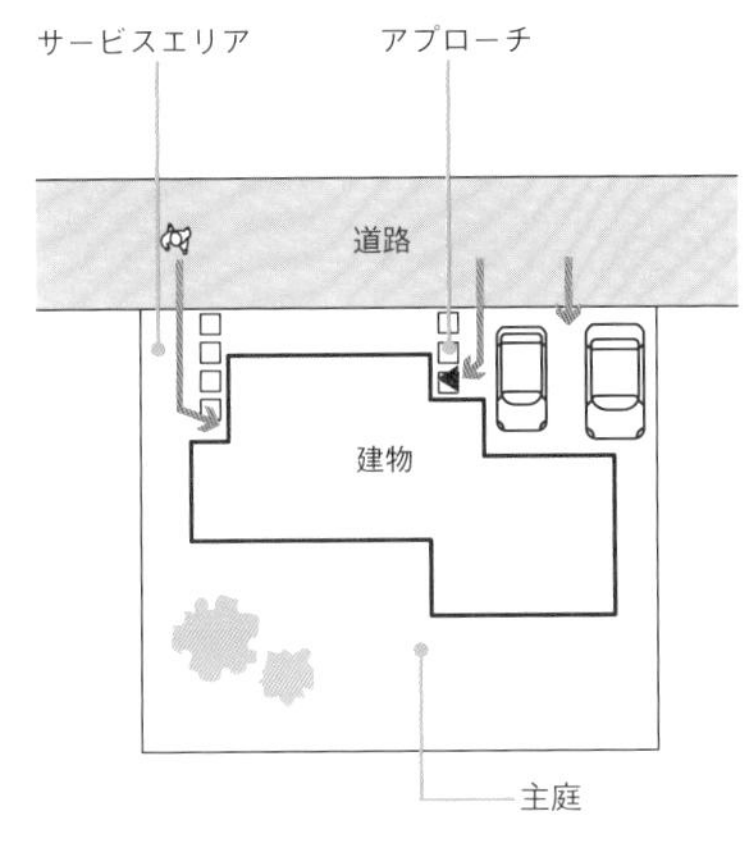

西側道路の場合

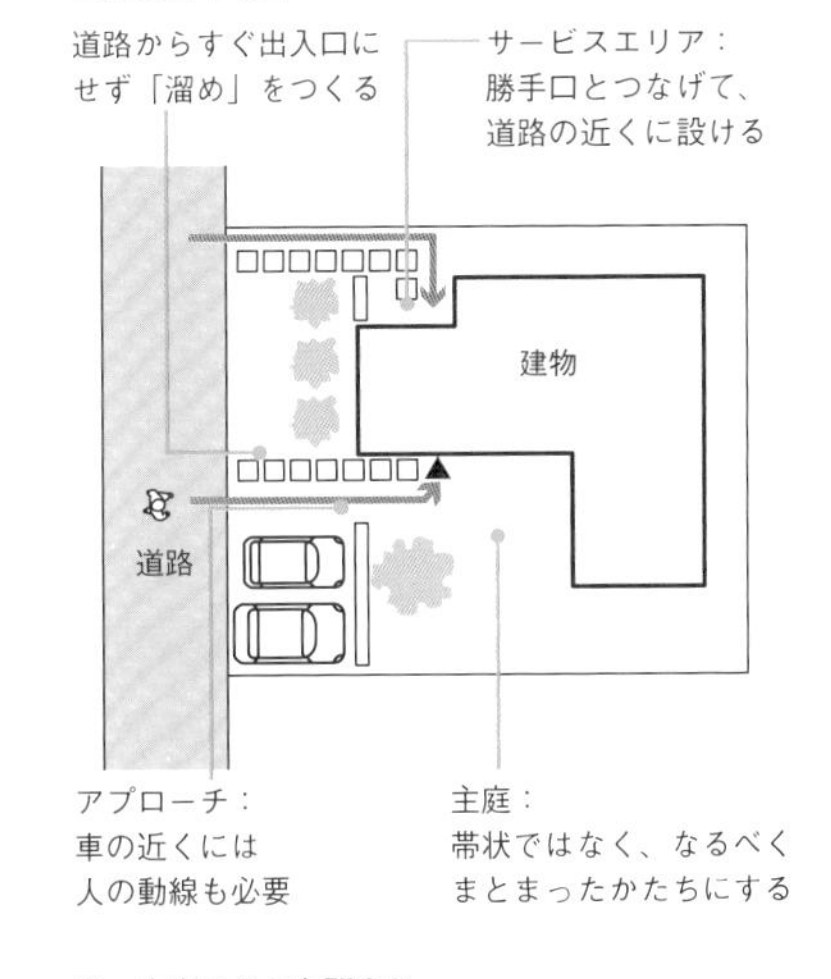

一部を後退させた間取り

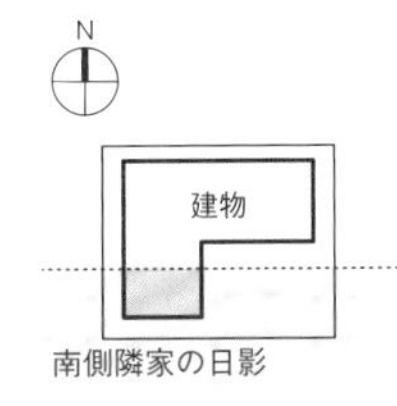

間取りを一部L字形に後退させて日照を確保。南に残った部分は、南からの日照はないものの、東西から午前と午後の日照を受けることができる

横一文字に並べた間取り

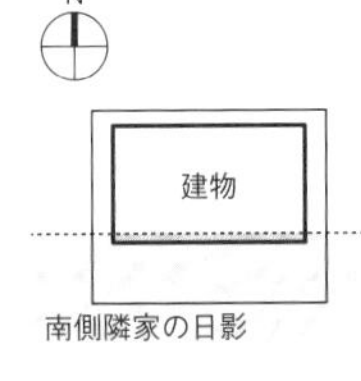

冬至の正午の影の長さは建物高さの1.6倍。狭小敷地では南側隣地の影響を受けてしまう。部屋を南側に並べた間取りはかえって日照条件が不利になる

吹き抜けで補う日照

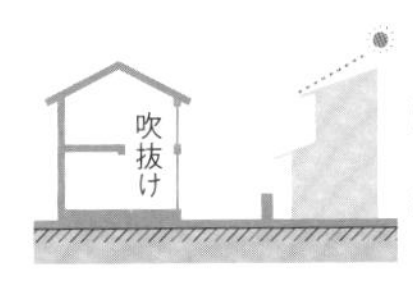

南側の隣家の陰で1階は日影となる部分も、吹き抜けにすれば明るさを得ることができる

太陽の動きに対応する多面的な間取り

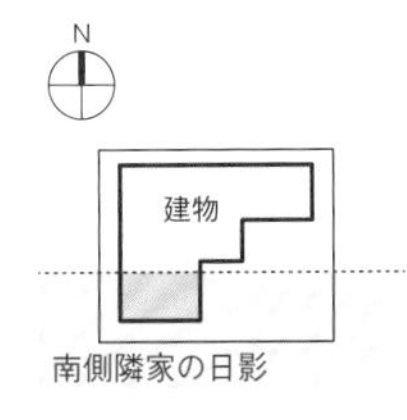

家を南東、南西のどちらかに向けるのではなく、どちらの面も多く持つ多面的な間取りで太陽の動きに合わせ、日照を得る

色々な庭の形と要素

ひとくちに「庭」といっても、その形や要素はさまざまです。ここでは、代表的な庭の形と、庭を形作る要素を紹介します。

テラス

建物に付属し、地面より高くつくられるスペース。建物と主庭を結ぶ位置などに設ける。

サービスヤード

屋外の家事スペース。キッチンとつながるゴミ置き場や、洗濯物干し場、外物置と作業場など。

パティオ

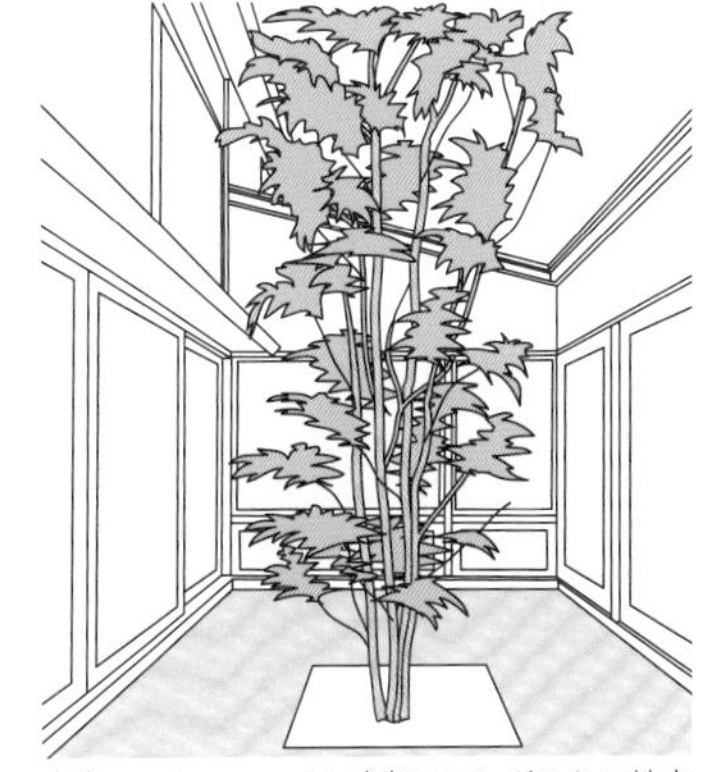

中庭のこと。スペイン南部のアンダルシア地方発祥の建築形態で、道路から隔てられ、涼を取り憩いの場として使われる。

オーニング

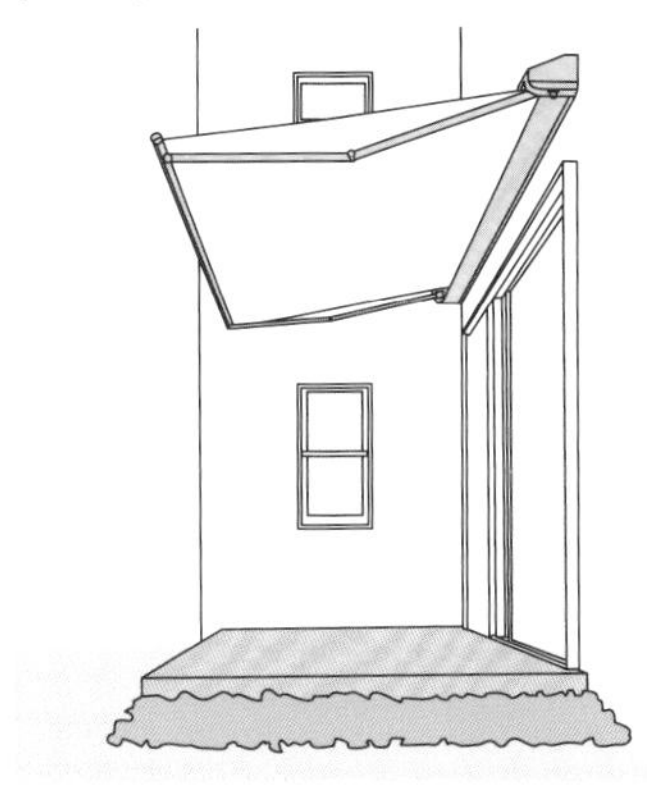

開閉式の日よけ、雨覆い。キャンバス地とフレームからなり、窓上やテラス・デッキに設ける。

サンルーム

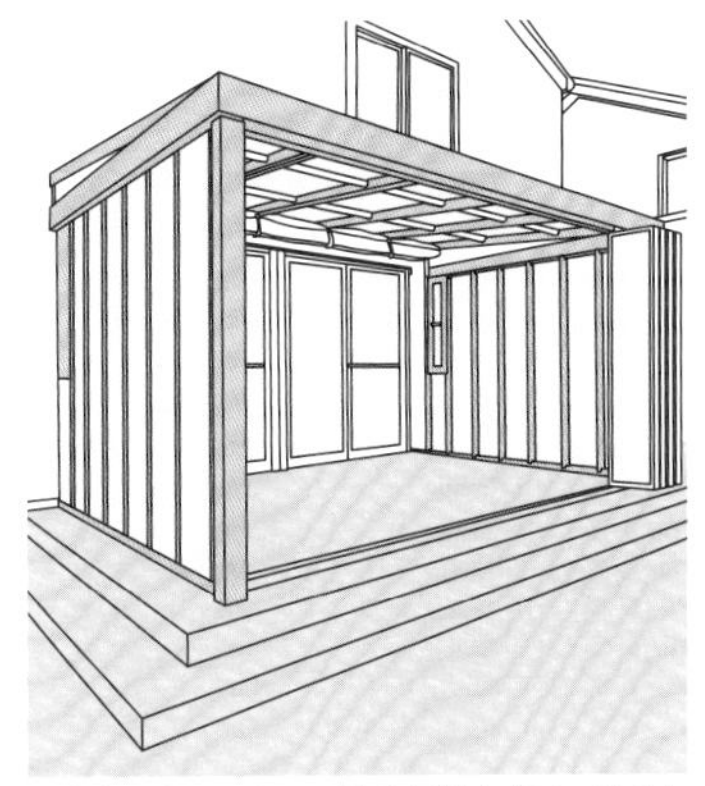

日光を取入れるため、壁や屋根をガラス張りとしたスペース。屋外に設置するがリビングなどとつなげ、室内のように使用する。

ウッドデッキ

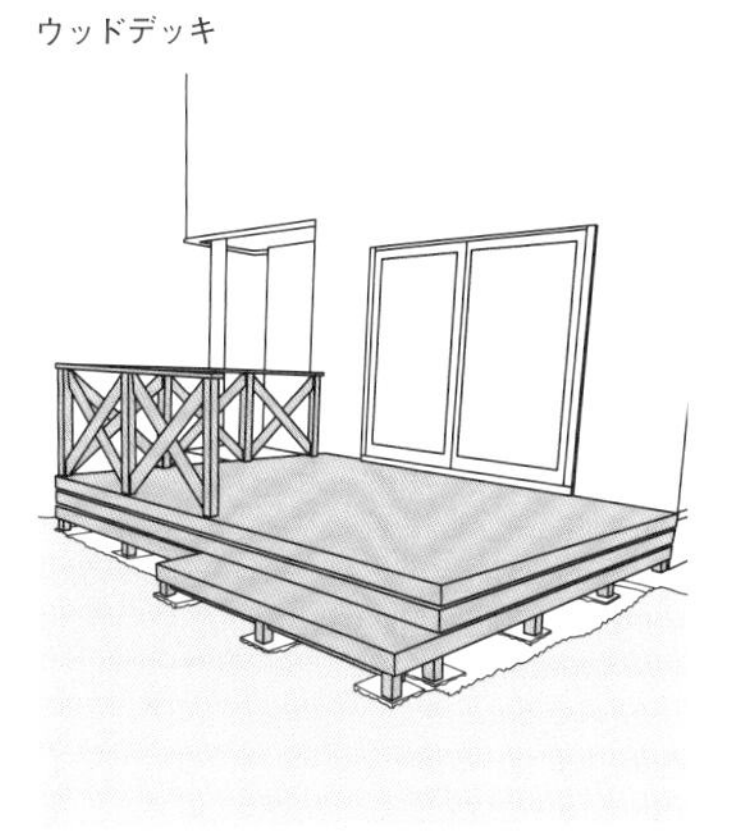

テラスと同様、建物に付属し地面より高くつくられるスペースだが、船の甲板（デッキ）が由来の通り、床が板張りとなっている。

まずは敷地条件を正確に知ることから

希望に沿った間取りの暮らしやすい住まいも、配置計画に左右される部分が大きいことを、前項で述べました。住宅のプランニングは、部屋のつながりや外との関係を考えながら敷地に建物を配置するゾーニングから行いますが、それには前提となる敷地条件を、正確に整理して知っておくことが大切です。

敷地がもつ性質や制約といった外的条件が、想像以上に間取りに影響を及ぼすことが、ゾーニングを行ってみるとわかります。

敷地を図で把握する

まずは敷地図の確認です。敷地図には、土地の形、方位、道路の位置が、正確な縮尺で描かれています。住んでいた土地での建て替えの場合も、打合せは図面をベースに行うので、敷地を図で理解しておくことは大切です。境界辺の長さや面積、土地の変形の角度や接道の長さなど、大体の数値を把握しておくと便利です。

敷地の法的制限

建築に関するもっとも重要な法律が「建築基準法」です。建築基準法には、個々の建物の満たすべき基準を定めた単体規定と、建物と都市環境の関係について定めた集団規定があります。この集団規定によって、敷地の存する場所に応じ、様々な制限が設定されています。

建築基準法による法規制の内容は、多岐にわたり複雑なものもあり、これをクリアする計画を行うには最終的に建築士による精査が必要ですが、建物の面積や高さの制限、防火指定の有無など、基本的なことは把握しておく必要があります。

現地をよく見る

敷地図と法的制限の確認を済ませたら、自分の目で土地とその周辺をよく見ます。敷地図や周辺見取り図を見ながら現地を見ることで、図のイメージと実際の感覚を一致させることができます。

また現地確認では、敷地図には描かれていないものの、住まいの計画に必要な情報を、現地で得るつもりで臨むとよいでしょう。例えば、道路や隣地との高低差は敷地図には無いことが多いので、現地で測って書き込んでおくことをお勧めします。そのほかチェックしておきたい15の項目をまとめましたので、参考としてください。

周辺の建物に注目する

建築基準法の集団規定はその周辺の建物に同じようにかかってきている制限です。隣地や道路向かいの建物の高さや屋根の向

図2　実際の敷地図

方位
特に真北と書かれていなければ磁石の指す北を示す「磁北」で表記されている

境界標
敷地と敷地、敷地と道路を隔てる境界線の折点に設置される目印。コンクリート杭や御影石、金属標などがある

敷地境界線長さ
境界から境界までの長さ。ここでは、境界A12からA13までの距離が6.718mとなっている。道路との境界は法的な「接道長さ」となる

U字溝
断面形状がU字型の排水溝。路面の排水に用い、多くはコンクリート製で、連結して設置する。蓋はコンクリート製のものや、鉄製で網目状のグレーチングなどもある

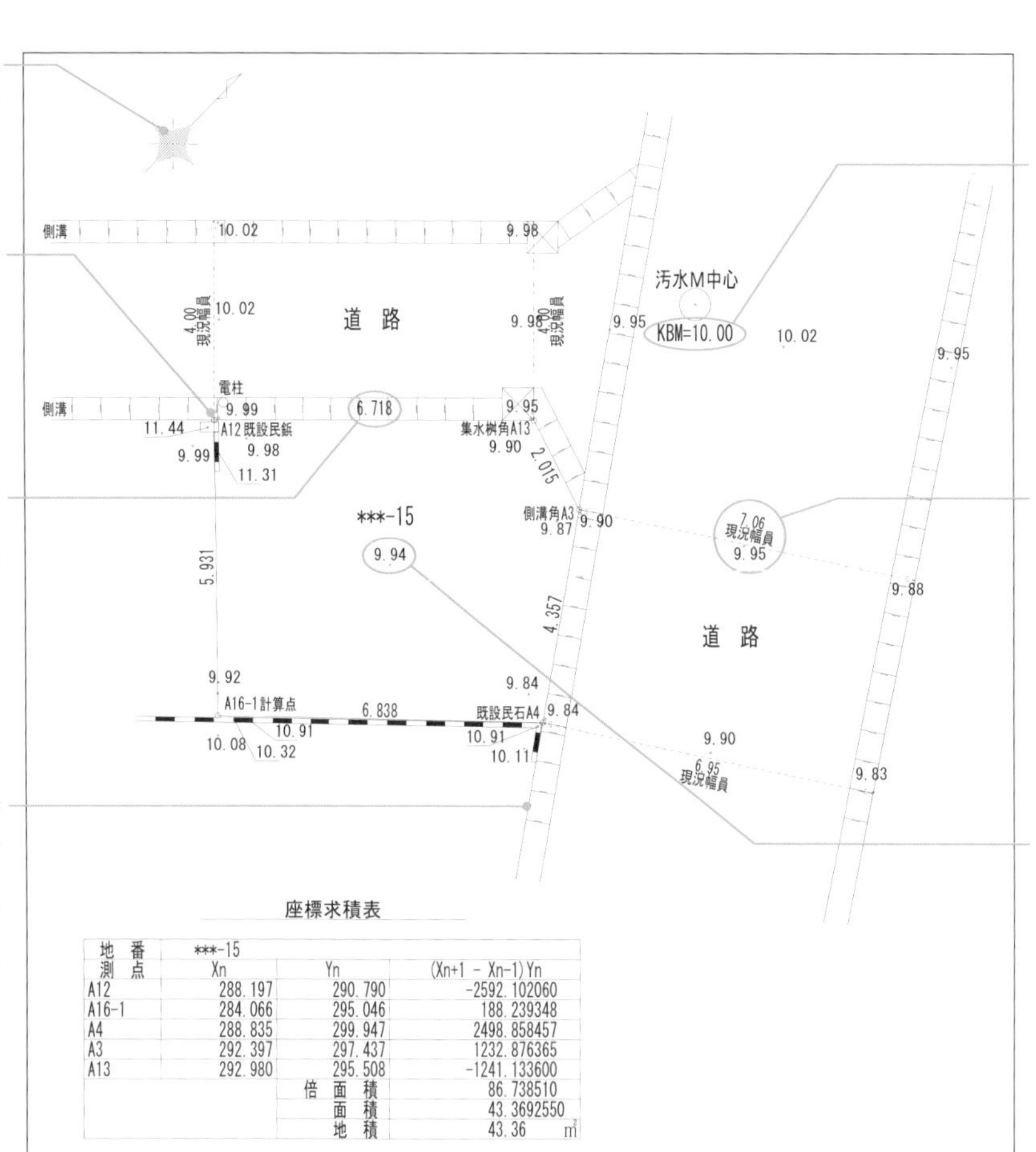

座標求積表

地番 測点	***-15 Xn	Yn	(Xn+1 - Xn-1)Yn
A12	288.197	290.790	-2592.102060
A16-1	284.066	295.046	188.239348
A4	288.835	299.947	2498.858457
A3	292.397	297.437	1232.876365
A13	292.980	295.508	-1241.133600
		倍面積	86.738510
		面積	43.3692550
		地積	43.36 ㎡

KBM（仮ベンチマーク）
敷地・建物の高さの基準とするために、工事期間中使用する仮の基準点。BMを0とし、各ポイントではそこからのどれだけ高低差があるかを示す。一般には工事中に動くおそれのない既存物を利用する。ここではマンホールの天端をKBMとして利用

道路幅員
前面道路の現況幅。ここでは、北西側の前面道路が4m、北東側の前面道路が6.95m、7.06mとなる。現況幅は道路台帳上の認定幅と異なることがあり、建築物の法的検討には認定幅を用いる

レベル
敷地の道路との高低差。敷地の中心の数値9.94は、KBM（10.00）よりも60㎜低いことを表している

図3 敷地のチェックポイント

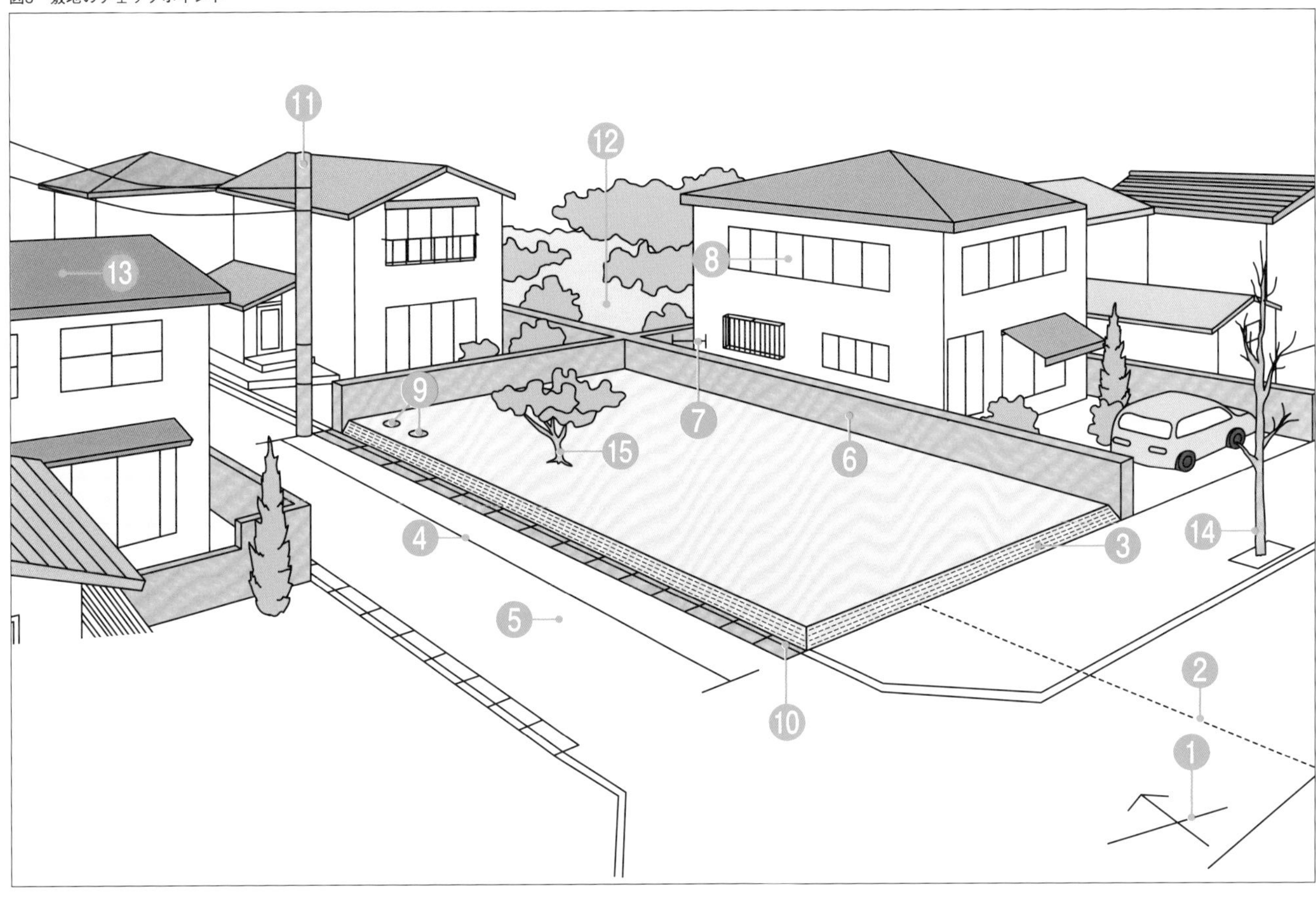

❶方位
敷地ラインと一致していることは稀。日照計画に影響するので、敷地が何度くらい振れているのかを確認する

❷接する道路と歩道の幅
道路斜線による建物の高さ制限に影響する。車の出し入れの位置や所要スペースの検討にも必要となる

❸敷地の高さ
道路との高低差は人や車のアプローチに影響するし、スロープや階段の長さが決まる。また、隣地との高低差は隣家に与える（受ける）影の検討に必要となる

❹道路と接する長さ
旗竿地や狭小地などで、人と車両方のアプローチの検討に必要

❺接する道路の交通量
2つの道路に接する場合など、車の出し入れ位置の検討に必要。プライバシーに影響する場合もある

❻塀の高さと材質
プライバシー、日照、通風、眺望に影響。生垣なのか、ブロック塀なのか、フェンスかなども確認

❼境界から隣家までの距離
プライバシー、日照、通風、眺望に影響を受ける（与える）。特に隣家が迫っている場合は要チェック

❽隣地建物の窓の位置
互いのプライバシーに影響。その窓が何の部屋にあたるのかも確認。リビング前にトイレがきたり、寝室同士が鉢合わせしないように

❾水道・ガス・下水管の取出し位置
建物配置、水回りの位置の検討に必要

❿側溝の位置と幅
ポーチやカーポートの排水、雨水排水の方法の検討に必要。溝ふたのつくりなども分かるとよい

⓫電柱・電線・支線の位置
人や車の出入り位置に影響する。電柱や支線とアプローチがぶつからないようにする

⓬眺望の良い方向
公園や隣地の庭など眺望の良い方向があれば、部屋のゾーニングや窓位置を工夫し借景として生かしたい

⓭周辺建物の外観・町並み
新しい建物は既存の景観を壊さないデザインで、できれば町並みに寄与したい。周囲の様子を少し先までチェック

⓮街路樹の位置・樹種・高さ
車の出入り位置の検討に影響する。借景として取り入れる可能性も考えられる

⓯敷地内の樹木の位置・高さ
建物配置や形状に大きく影響。枝張りもチェックする。樹木を残すと建設時の作業に影響する場合も

き、空地の残し具合は重要な参考材料になるので、よく見ておきましょう。

大切な日照の検討は、図上の方位のチェックだけでは不十分です。前項でも述べましたが、太陽の軌道（位置・高さ）は季節によって大きく変わります。冬至前後に敷地に落ちる周辺建物の影は想像以上に大きく、ゾーニングでは考慮すべきポイントですので、影響を受けそうな建物や樹木をよくチェックしておきましょう。

駐車場とアプローチの計画

アプローチとは、道路から玄関までの通路のことを言います。住まいの顔となる部分とのことで、門扉や床材などの選択に目が行きがちです。一方駐車場は車の置き場所として、広さや停めやすさを検討するといった具合に、別個に考えてしまうことが多いようです。しかし、暮らしやすい住まいを考えるうえで、外の生活と内の生活がスムーズに連動することはとても重要で、建物と道路との関係をトータルに見据える必要があります。我が家なりの役割や動線を考えたアプローチと駐車場を計画することをお勧めします。

玄関位置とアプローチ

建物配置をする際、日照を考え北に寄せて建てるのが通常です。したがって北側に道路がある場合、アプローチの長さが取りにくく、必要な階段ステップが取れない、玄関内が道路から丸見えになるといったことになりがちです。この場合、玄関入り口を北ではなく、側面に設けることで、90度に折れたアプローチとなり、距離と趣を得ることができます。東西道路の場合でも敷地にゆとりがないときは、玄関ポーチを南北面にとって、アプローチにゆとりを持たせます。

近年建物の床高を上げる傾向にあり、道路と玄関ポーチなどのレベル差が大きくなっており、階段ではなくスロープによるアプローチを求める声が、高齢者の住まいに限らず聞かれます。手押しの車椅子や荷物の台車搬入のためには、1／12程度の緩めのスロープが必要で、50㎝の段差に対し、6mの長さを要します。

アプローチに必要な機能

門や塀を設けないオープン外構の場合でも、表札・インターホン・郵便受け・照明などの設備は必要です。ポーチ内の玄関外壁に設ける方法もありますが、敷地への立ち入りを避けたい場合は、これらを一か所にまとめた門柱を設置すると、使い勝手もよく見た目もスッキリします。

駐車場と出入り口

駐車場の位置は道路との関係で決まってきますが、人の乗り降りや荷物の出し入れを常に想定する必要があります。そのためのスペースが確保されていることと共に、人や物の動きに応じ、玄関や勝手口など家の出入り口への動線が考えられていることが重要です。暮らし方によっては、部屋の掃き出し窓とのつながりや、菜園など庭との行き来をスムーズにするといった関係性も考えられます。

図4　スロープの勾配

1

12

図5　道路との関係

東または西側道路

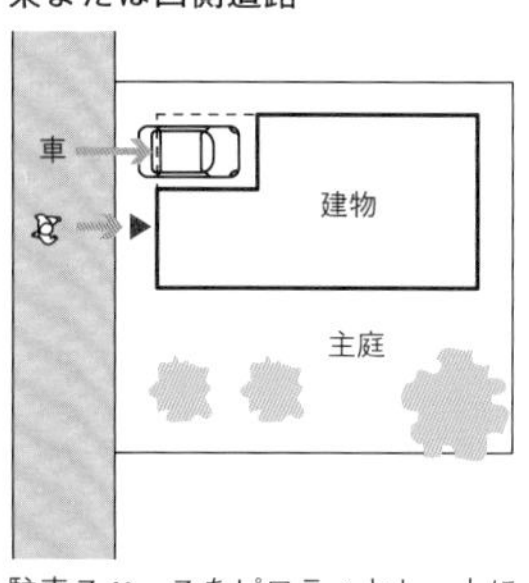

駐車スペースをピロティとし、上に2階を設ければ、その分建物は南側に広がらず、庭を広く取ることができる

北側道路

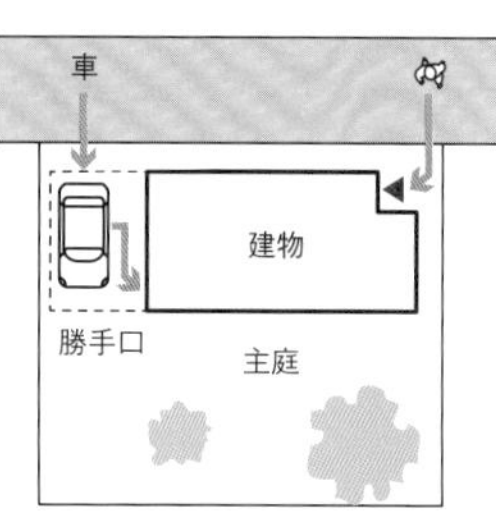

建物を北に寄せ、東西どちらかに駐車スペースを。ピロティとするのもよい。人と車のアプローチが離れる場合は勝手口を設ける

南側道路

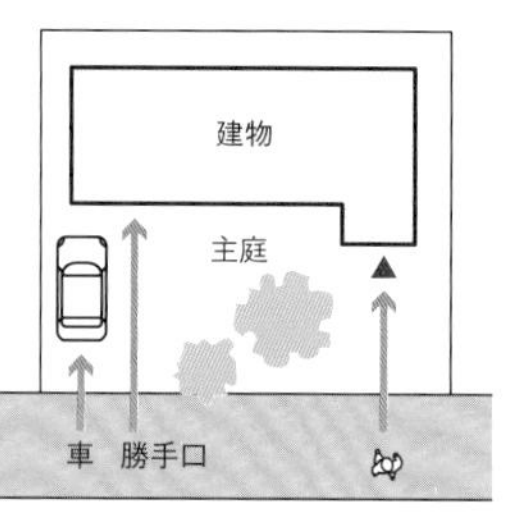

建物は北に寄せ、駐車スペースは南の空地部分の東か西に寄せる。人と車のアプローチが離れる場合は、庭をこまぎれにしないように

図6　駐車方式ごとの必要スペース

縦列駐車の必要スペース

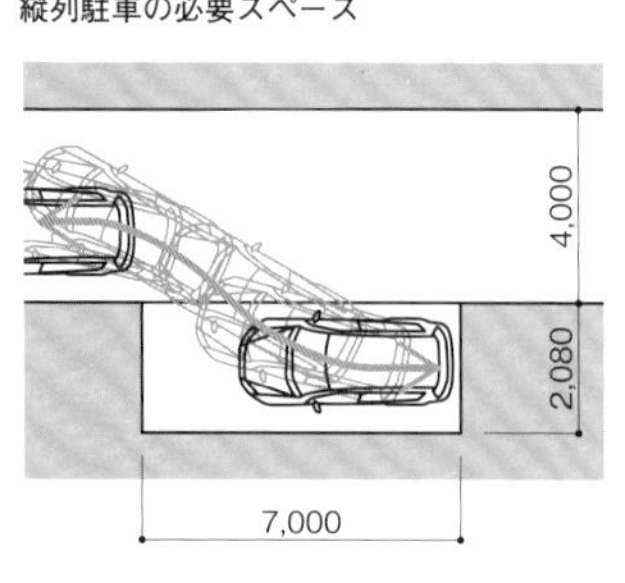

直交駐車の必要スペース

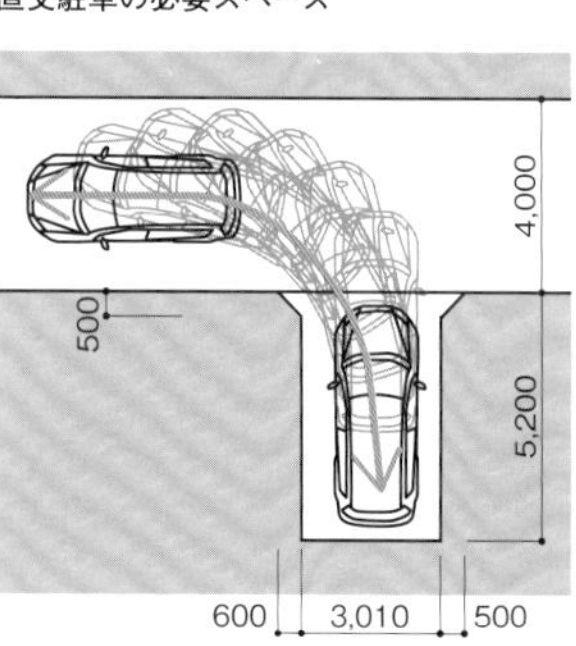

駐車方式、広さ、高低差

道路から敷地内に駐車をする方式は、前向き駐車、バック駐車、縦列駐車の3通りがあります。道路幅員と駐車スペース共にゆとりがある場合に前向き駐車が可能ですが、出庫の際の後方確認の煩わしさがありあまり採用されません。小さな軌跡で納まるバック駐車が、狭い幅員の道路にも対応でき一般的です。また敷地の間口と建物の輪郭の関係性から、縦列駐車を採用せざるを得ない場合もあります。この場合は接道部分を大きく開放する必要があり、ゲートを設ける方法が限られるため、オープン外構となる傾向があります。

敷地にゆとりが少ない場合、車種によりスペース確保が異なります。一口に乗用車といっても車体の大きさにはかなりの開きがあり、軽自動車は長さ3・4m、幅148cm、大型のワンボックスカーでは長さが5m弱、幅が185cmあります。将来の買い替えも考えて車種を想定し、乗降のために車体幅プラス1mで横幅を、トランクの開閉を考慮し縦幅も1mを加えたスペースを考えます。大まかな検討には、3m×6mと掴んでおくと、概ねの車種が納まります。

いずれの駐車方式でも、道路と敷地の高低差の対処は重要です。境界部分の段差は5cm以内に留め、排水勾配は2%～5%で計画します。特に縦列駐車の場合は、車に対し横向きの傾きになるため、急勾配は避けたいものです。

自転車・バイク置き場

自転車を複数台持つ家が大多数で、ほかにバイクを所有する家庭も少なくありません。これらの駐輪場所も予め用意しておかないと、停めにくかったり邪魔になったりと、不都合が起こります。自転車の場合、1台当たり60cm×190cmの広さが必要で、1坪で3台が目安です。バイクの場合は100cm×250cm必要で、取り回しのスペースも考慮します。

屋根下に置けるように計画すると、劣化しにくく雑然と置かれるのも避けられます。単独で設けるより、玄関ポーチの屋根を延長する、カーポートや外物置の屋根を広げるなどで対応すると、アプローチに統一感が生まれます。

図7　実際の敷地計画図（前面道路が西・南側）

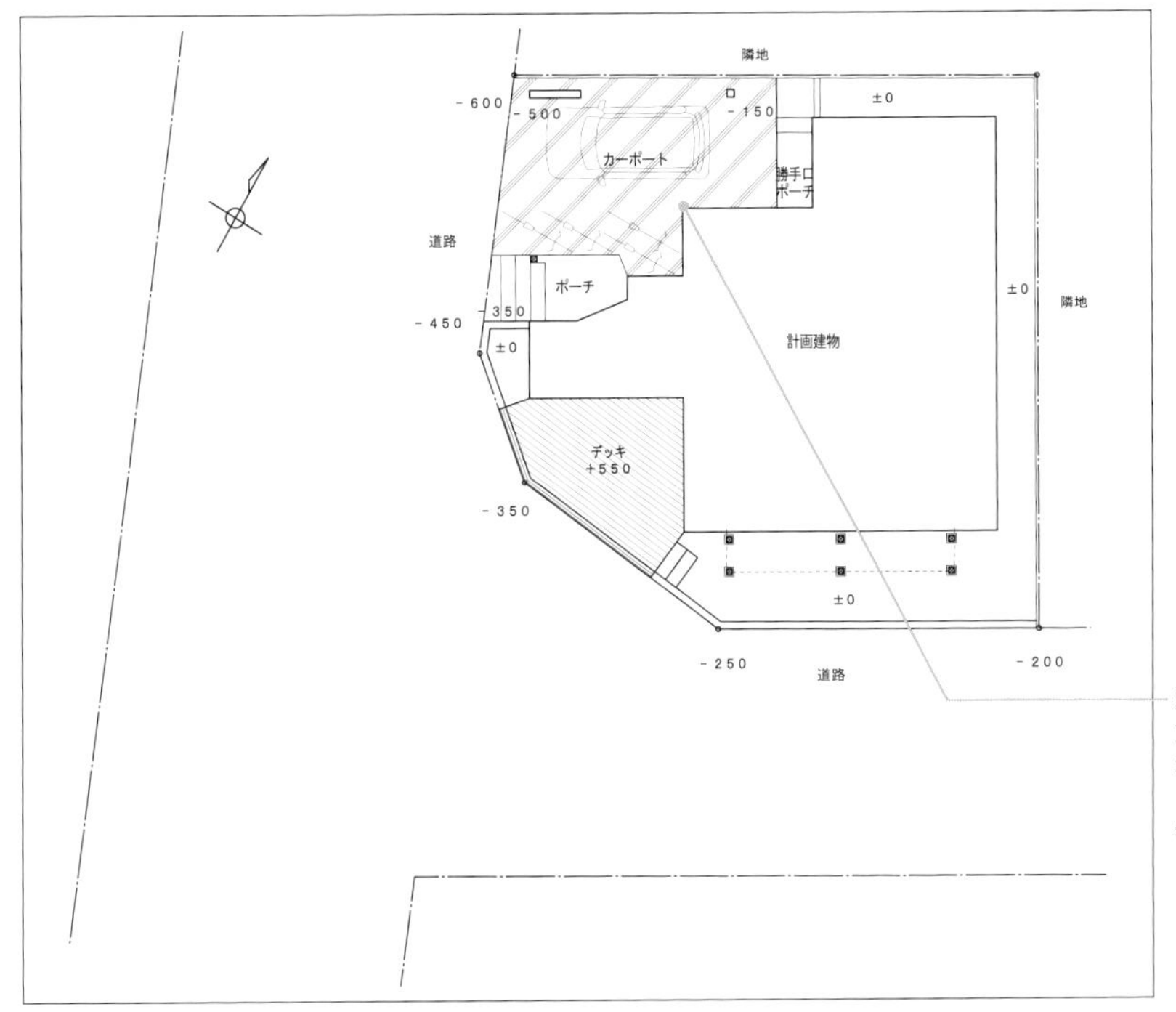

駐車場を北端に配置し、玄関ポーチ・自転車置き場と合わせて屋根を架けた事例。勝手口に近く荷物の搬出入がスムーズ

図8　実際の敷地計画図（前面道路が東側）

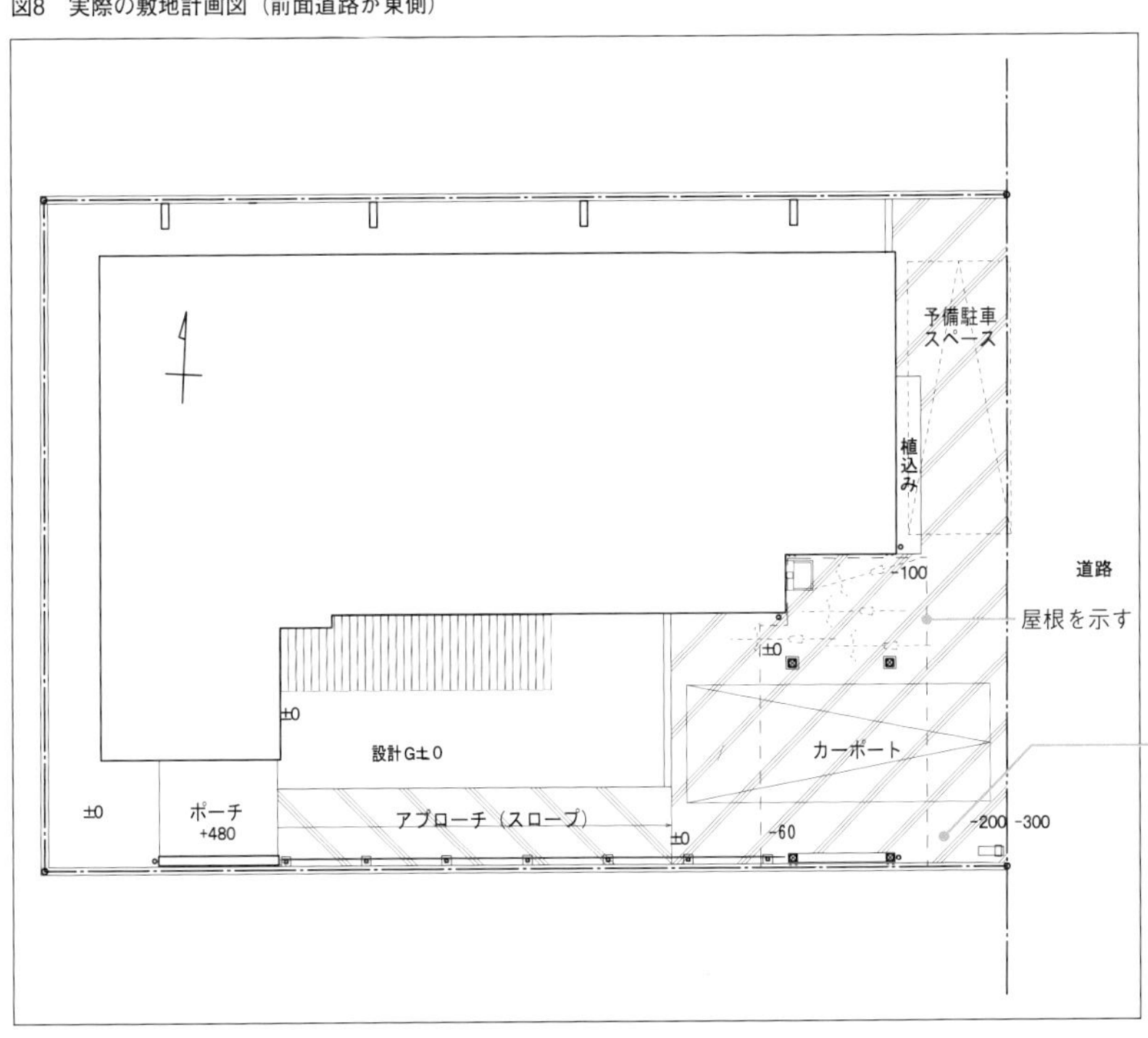

常時駐車の1台はバック駐車で、予備駐車スペースを縦列駐車で設定した例。スロープの必要性から玄関を奥に設けているため、駐車スペースがアプローチを兼ねる配置

エクステリアの設計

この項では、エクステリアを構成する仕様（デザインや素材）について解説します。エクステリアはインテリアと異なり、訪問者や道行く人すべてが目にする部分です。住まいの印象は、建物そのものだけでなく、エクステリアの雰囲気により決まるところが大きいと言えます。機能を満たすエクステリア建材を選ぶ視点だけでなく、建物の素材や色とのコーディネートや、建物と一体感のあるつくりなど、全体として調和のとれたデザインすることで、「住まい」に品格が生まれます。

現場制作のエクステリア

エクステリアは、一軒一軒異なる敷地形状や建物の余白に合わせてつくる必要があります。門扉やフェンスなどの既製建材に目が行きがちですが、それらはむしろ補助的な存在で、床の土間や階段、縁石、土留め、塀の基礎部分など、コンクリートや石などを用いて現場で手作業で施工するのが、エクステリア工事のメインです。コンクリートをはじめとして、石やタイル、木や板金、左官塗や塗装など、柔軟に自由に個性的に作り上げることが可能な工法が、全体に調和の取れたエクステリアデザインをつくるポイントとなります。

レベル設定が重要

エクステリアの中で、多くの要素とデザイン性を求められるのが、アプローチやカースペースがある道路に面する部分です。この部分の計画のなかで、最も配慮が必要なのがレベルの設定です。

レベルとは高さのこと。エクステリアを考える際には、限られた広さや距離の中で、いかに高さ関係を調整するかが重要になります。たとえば、雨水の排出や駐車に適した床面の勾配、玄関ポーチとの段差、庭や植栽スペースの土留めの高さ、塀や門扉のプライバシーや防犯も考慮した高さなど、レベルに関して機能面の必要性を整理しておきます。階段の段数に要する長さ、スロープの距離など、平面的な計画の決め手となってくることもありますし、素材や厚み施工方法の選択にもかかわってきます。

エクステリアの種類

①コンクリートブロック

コンクリート製の塊に、空洞を設けた建築用ブロック。垂直に積み上げ、穴に鉄筋を通しモルタルを充填することで強度を出す。コンクリートを直に施工するより簡便で安価なことから、外構でよく用いられる。

②化粧ブロック

コンクリートブロックの表面を加工して、美観を整えたもの。リブを刻み着色を施したシンプルなものから、石やレンガに似せた装飾性の高いものまである。

③左官塗り（塀・門）

塀や門柱で、コンクリートなどの下地に、色土や石灰・砂利などを混ぜたセメントを、コテを使って塗る仕上げ。平滑で目地の少ない仕上げ面がつくれ、曲面にも向く。

④塗装（塀・門）

塀や門柱で、コンクリート下地などにモルタルで平滑な面をつくり、外部用の塗料を塗る仕上げ。鉄部や木部も塗装による仕上げが必要で、基材に合った塗料を選ぶ。

⑤タイル・石張り（塀・門・土間）

コンクリートなどの下地に、タイルや石を貼る仕上げ。左官塗や塗装に比べ堅牢で耐久性が高く、壁面・床面どちらにも施工できる。その分比較的コストが高い。

⑥RC打ち放し塀（塀・門）

コンクリートを打ち、型枠を外したそのままの面を仕上げとする塀。コンクリート独特の、装飾を省いた風合いを表現したもの。型枠によりリブ状の面としたり、表面を削り取るはつり仕上げなど、打ち放しの風合いを生かしつつ、手を加えた仕上げもある。

②

③

⑤

⑦木塀（塀・門）

比較的水に強い、レッドシダーや杉板などを用いてつくる板塀。伝統的な縦張りや、モダンな横張りのどちらも可能。コンクリート系の塀に比べ、軽快でナチュラルな印象で、植栽の緑ともよく合う。あまりコストをかけずにつくることができ、塗装などの修繕をDIYで行える。

⑧土間コンクリート（床）

外構の床面（路面）では、最も一般的なつくり。歩行のみか車が通るかで、コンクリートの厚みや鉄筋の仕様が異なる。表面の仕上げは、打ったコンクリートの表面をコテで均すだけの「コテ押え」から、タイル貼りや左官での仕上げなど様々。

⑥

⑦

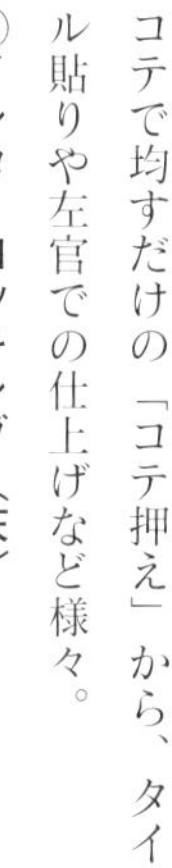

⑨インターロッキング（床）

インターロッキングブロックを敷きならべてつくる床面。土間コンクリートを打たないので、透水性があり雨水が地面に染み込む利点があるのと、色や形状がバラエティ豊富で、雰囲気のあるエクステリアがつくれる。下地として、砂を転圧して路盤を締め固める必要がある。

⑩飛び石、砂利（床）

土間コンクリートを打たない通路では、歩行のための踏み石を配し、飛び石と呼ぶ。平らな自然石や、コンクリート製の既製品を用いる。周りは、土を地被植物で覆うか砂利を敷き詰める。エクステリア用の砂利は、色味や大きさが豊富。

⑧

⑩

⑪枕木（床）

駐車スペースやアプローチに、線路で使われていたリサイクル枕木を土に埋め込んだ床面も人気がある。花壇の縁取りなどにも利用するが、近年は廃枕木の供給が減っており、クレオソートを染込ませた疑枕木が使用されることが多い。処理の不十分なものは、蟻害や腐朽の可能性がある。

⑫洗い出し砂利

セメントに玉（豆）砂利を混ぜてコテで塗りつけ、表面のセメントを硬化する前に洗い流し、砂利をあらわにする仕上げ方法。

⑫

『絶対幸せになる!家づくりの基本125』(エクスナレッジ刊)
『心地よいバリアフリー住宅をデザインする方法』(坂本啓治著、エクスナレッジ刊)
『和風デザイン図鑑』(エクスナレッジ刊)
『建築知識2000年3月』(エクスナレッジ刊)
『建築知識2000年10月』(エクスナレッジ刊)
『建築知識2001年3月』(エクスナレッジ刊)
『建築知識2003年6月』(エクスナレッジ刊)
『建築知識2003年11月』(エクスナレッジ刊)
『建築知識2007年10月』(エクスナレッジ刊)
『建築知識2009年5月』(エクスナレッジ刊)
『建築知識2010年9月』(エクスナレッジ刊)
『建築知識2011年8月』(エクスナレッジ刊)
『建築知識2011年10月』(エクスナレッジ刊)

写真協力メーカーリスト

㈱TOTO：お客様相談室	〒802-8601	福岡県北九州市小倉北区中島2-1-1	TEL0120-03-1010
パナソニック㈱　エレクトリックワークス社	〒105-8301	東京都港区東新橋1-5-1	TEL0120-878-709

■執筆者紹介

■第1章　第2章（14～80頁）
田村　誠邦
（株）アークブレイン代表取締役
〒106-0032　東京都港区六本木7-3-12六本木インターナショナルビル8階
TEL：03-5770-7291
HP：http://www.abrain.co.jp/
※土地活用・建築プロジェクト等の企画コンサルティング。マンション建替え、団地再生等のコーディネーター。2008年日本建築学会業績賞、2010年日本建築学会論文賞受賞

■第3章（82～99、116頁）
川辺　晃
一級建築士事務所　櫂　建築設計事務所　代表
〒171-0022　東京都豊島区南池袋3-9-2-203
TEL：03-3987-8555
HP：http://www.kai8555.com/
※記憶に残る“空間”を心がけ、建物を設計。2017年フェーズフリー住宅デザインコンペ入選「少しのローテクと自給自足の家」、2020年日本建築美術工芸協会aaca賞・美術工芸奨励賞「“芸術たち”がフツウの工場を楽しくする」

■第4章（118～132頁）・第5章（134～166頁）
青木　律典
株式会社デザインライフ設計室
〒195-0062東京都町田市大蔵町2038-21
TEL：042-860-2945
HP：https://www.designlifestudio.jp/
※「丁度いい住まいと暮らし」をつくることをテーマに建て主のライフスタイルに合ったデザイン性・機能性・快適性のバランスのよい住宅を設計している

■第6章（168～210頁）
大井　早苗
一級建築士事務所　アトリエ8
〒180-0004　東京都武蔵野市吉祥寺本町1-28-3-506
TEL：0422-22-3617
※住宅を中心に設計。武蔵野美術大学建築学科・同大学院卒業。芦原建築設計研究所、木住研を経てアトリエ8を設立。CASBEE評価員

■第7章（212～219頁）
新井　聡
※一級建築士、職人がつくる木の家ネット会員、生活文化同人会員、埼玉木の家コーディネーター、木の家だいすきの会理事。著書：『住宅リフォーム至高ガイド2014』エクスナレッジ　共著、『環境共生住宅のつくり方』彰国社　共著

勝見　紀子
※一級建築士、女性建築技術者の会会員、埼玉木の家コーディネーター、木の家だいすきの会会員、NPO法人フェーズフリー建築協会理事。著書：『住宅リフォーム至高ガイド2014』エクスナレッジ　共著、『キッチンと収納のつくり方』彰国社　共著

株式会社　アトリエ・ヌック建築事務所
〒335-0014　埼玉県戸田市喜沢南1-3-19-308
TEL：048-432-8651
HP：http://aterier-nook.com/

■ 参考文献

『安全で暮らしやすい住まいづくり住宅改善の基本とコツ』(群馬県保健福祉部高齢対策課)
『家づくりを成功させる本』(丸谷博男・堀啓二著、彰国社刊)
『イラストでわかる二世帯住宅』(林圭三編著、都市文化社刊)
『イラストによる家づくりハンドブック』((社) 日本建築家協会関東甲信越支部建築相談委員会著、井上書院刊)
『イラスト版慶弔辞典』(塩月弥栄子著、小学館刊)
『絵で見る建築工程シリーズ② 木造在来工法・2階建住宅』(建築工程図編集委員会著、建築資料研究社刊)
『絵で見る建築工程シリーズ④ 鉄骨造2階建住宅 (外壁:サイディング)』(建築工程図編集委員会著、建築資料研究社刊)
『絵で見る建築工程シリーズ⑥ 鉄筋コンクリート造3階建ビル』(建築工程図編集委員会著、建築資料研究社刊)
『絵で見る建築工程シリーズ⑨ 2×4工法2階建住宅』(建築工程図編集委員会著、建築資料研究社刊)
『改訂木造住宅の見積り』(阿部正行著、(財) 経済調査会刊)
『家族で書いてプロと決まる 納得できる住まいづくりの本』(住宅金融公庫監修、(財) 住宅金融普及協会刊)
『体にいい家 長もちする家』(大宮健司著、ごま書房刊)
『冠婚葬祭大辞典』(現代礼法研究所著、ナツメ社刊)
『Q&A家づくり心配事解消辞典』(草原社編著、主婦と生活社刊)
『健康な住まいを手に入れる本』(小若順一・高橋元著、コモンズ刊)
『建築現場実用語辞典』(建築慣用語研究会編、井上書院)
『公庫のプロが教える家づくりのツボ』(住宅金融公庫・住宅金融普及協会編)
『公庫融資住宅技術基準の解説書平成12年度版』(住宅金融公庫監修、(財) 住宅金融普及協会刊)
『困ったときに役立つ慶弔辞典』(岩下宣子著、日本文芸社刊)
『こんなときどうする儀式110番』(伊勢丹広報室著、誠文堂新光社刊)
『在宅介護と環境保健』(東京アポ・ケアーズ出版委員会編、薬事日報社刊)
『地震と木造住宅』(杉山英男著、丸善刊)
『室内化学汚染』(田辺新一著、講談社現代新書刊)
『住宅新法ガイド (住宅性能表示制度編)』((財) 日本住宅・木材技術センター)
『住宅性能表示制度ガイド』(建設省住宅局住宅生産課)
『「新築」のコワサ教えます』(船瀬俊介著、築地書館刊)
『「図解」高齢者・障害者を考えた建築設計』(楢崎雄之著、井上書院刊)
『図解住居学1 住まいと生活』(図解住居学編集委員会編、彰国社刊)
『図解でわかる建築法規』(高木任之著、日本実業出版社刊)
『すこやかシルバー介護3 食事・住まいの工夫と福祉用具』(NHK福祉番組取材班編、労働旬報社刊)
『住まいづくりの本』(日本建築士会連合会編、彰国社刊)
『住まいづくりのノウハウ集「二世帯住宅」』(トステム)
『住まいの管理手帳 (戸建て住宅編)』(住宅金融公庫監修、(財) 住宅金融普及協会刊)
『住まいのノーマライゼーションII バリアフリー住宅の実際と問題点－高齢者に快適な住まい－』(菊地弘明著、技報堂出版刊)
『CHANSE BOOK冠婚葬祭辞典』(高砂殿・愛知葬祭監修、旺文社刊)
『鉄筋コンクリート造入門』(岡田勝行他著、彰国社刊)
『ちょっとしたリフォームでバリアフリー住宅』(高齢者住環境研究所編、オーム社刊)
『東北森林科学会シンポジウムの記録 21世紀/東北の森林・林業と住宅』(増田一眞著)
『二世帯住宅その前に』(こがめの会著、三省堂刊)
『初めての建築法規』(建築のテキスト編集委員会編、学芸出版社刊)
『パッシブ建築設計手法辞典』(彰国社刊)
『マイホーム新築チェックシート 平成12年度版』(住宅金融公庫監修、(財) 住宅金融普及協会刊)
『丸太組構法住宅工事共通仕様書』((財) 住宅金融普及協会刊)
『マンガで学ぶ木の家・土の家』(小林一元・高橋昌巳・宮越喜彦著、井上書院刊)
『マンガで学ぶ建設廃棄物とリサイクル』(建設廃棄物を考える会著、井上書院刊)
『マンガで学ぶツーバイフォー住宅』(西川暹・平野正信著、(社) 日本ツーバイフォー建築協会監修、井上書院刊)
『マンガで学ぶ木造住宅の設計監理』(貝塚恭子・片岡泰子・小林純子著、井上書院刊)
『宮脇檀の住宅設計テキスト』(宮脇檀建築研究室著、丸善刊)
『木造建築技術図解』(大塚常雄著、理工学社刊)
『木造建築用語辞典』(小林一元・高橋昌巳・宮越喜彦・宮坂公啓著、井上書院刊)
『木造住宅工事共通仕様書』((財) 住宅金融普及協会刊)
『木造住宅建てる前・買う前に知っておきたい123の常識』(大庭孝雄著、日本実業出版社刊)
『要介護高齢者のための住宅リフォーム 福祉職が取り組む相談から施工ポイント』(住宅リフォームに関する調査研究委員会編、社会福祉法人全国社会福祉協議会)
『LIFE STYLEで考える 1.つきあいを楽しむ住まい』(川崎衿子・大井絢子著、彰国社刊)
『ログハウス専科』(三浦亮三郎著、山と渓谷社刊)
『福祉住環境』(執筆代表大野隆司・水野容子、市ヶ谷出版刊)
『平成17年改訂 木造住宅工事仕様書 (解説付き)』(住宅金融公庫監修、住宅金融普及協会刊)
『木造住宅のための住宅性能表示－基本編－ －構造編－ －申請編－ (平成19年4月)』((財) 日本住宅・木造技術センター)
『ホームヘルパーのための住宅改修・福祉用具導入ハンドブック－よりよい在宅介護のための知識とその活用法』(南川彰宏著、日本医療企画刊)
『実例でわかる バリアフリー改修の実践ノウハウ』(佐藤道広著、オーム社刊)
『耐震、免震、制震のはなし』(斉藤大樹著、日刊工業新聞社刊)
『よくわかる住まいの耐震・制振工法 新開発・スケーリングフレーム構造による制振技術』(呉 東航著、一般財団法人住まいの学校刊)
『耐震、制震、免震の科学 (おもしろサイエンス)』(高橋俊介監修、高層建築研究会編、日刊工業新聞社刊)

『木造住宅私家版仕様書:架構編』(松井郁夫・小林一元・宮越喜彦編、エクスナレッジ刊)
『木造住宅私家版仕様書 コンプリート版 完全版 架構+仕上げ編 究極の木組の家づくり図鑑』(松井郁夫・小林一元・宮越喜彦編、エクスナレッジ刊)

■用語索引

家づくり究極ガイド 2025

2024年12月3日　初版第1刷発行
発行者　三輪浩之
発行所　株式会社エクスナレッジ
〒106-0032　東京都港区六本木7-2-26
https://www.xknowledge.co.jp/

●問合せ先
編集　TEL.03-3403-1381／FAX.03-3403-1345
info@xknowledge.co.jp
販売　TEL.03-3403-1321／FAX.03-3403-1829